EL PEREGRINO EN SU PATRIA

clásicos
castalia

LOPE DE VEGA

EL PEREGRINO EN SU PATRIA

Edición,
introducción y notas
de

JUAN BAUTISTA AVALLE-ARCE

Madrid

Zurbano, 39 - Madrid (10) - Tel. 4195857

—

Impreso en España. Printed in Spain
por Artes Gráficas Soler, S. A., Valencia

Cubierta de Víctor Sanz

I. S. B. N.: 84-7039-161-5

Depósito Legal: V. 3.899 - 1973

SUMARIO

A la memoria de don Antonio Rodríguez-Moñino
Fundador de esta colección e
Instigador de esta edición:
"¡Qué amigo de sus amigos!"

INTRODUCCIÓN

PARA el año de 1604 (fecha de publicación del *Peregrino en su patria*) Lope de Vega contaba 42 años. ¡Pero qué 42 años! Diría yo que entraba en el cenit de su carrera literaria, si ésta lo hubiese tenido, pero la verdad es que la estrella de su genio fue un orto sin ocaso. Había rehecho el teatro español a imagen suya, y el Romancero Nuevo se moldeaba a su capricho. Con esto, la personalidad y la obra de Lope dominaban con mero mixto imperio los gustos del pueblo español, y los encauzaban, asimismo. Pero a Lope no podía bastarle con ejercer dominio imperial sobre el vulgo (al que, al fin y al cabo, había que hablarle en necio): [1] había que establecer hegemonía semejante sobre los cultos, y así conquistar el Parnaso español.

Claro está que esta conquista (nunca definitiva, por lo demás) no se llevó a cabo sin librar duros combates. En dos empeñadas batallas, por lo menos, corrieron ríos de versos, sátiras, cuchufletas y procacidades de todo género. Me refiero al combate con Góngora y secuaces, que atacaban sus versos. [2] Y sus comedias

1 *Arte nuevo de hacer comedias en este tiempo* (1609): "Como las paga el vulgo, es justo / hablarle en necio para darle gusto", versos 47-48.

2 Góngora llamará a las huestes de Lope "patos del aguachirle castellana", y de su propio caudillo dirá: "Con razón Vega, por lo siempre llana", *Obras completas*, ed. J. e I. Millé y Giménez, sexta edic. (Madrid, 1967), p. 549.

dieron lugar a la otra gran batalla, la librada contra los críticos aristotélicos, que le bombardeaban con reglas y preceptos.[3] Pero nada de todo esto alteró el ritmo de producción de Lope, ni le desvió de sus intenciones. Y así, en los años inmediatos anteriores a 1604, fecha del *Peregrino,* como dije, Lope menudeó la producción de obras destinadas a captarle el favor de los cultos, a lo que también debe de haber contribuido el hecho de que por esos años las comedias estuvieron prohibidas.[4]

El caso es que en 1598 publicó Lope *La Arcadia,* obra en la que el aprendiz de novelista rendía pleitesía a la imperante moda literaria de las novelas pastoriles, y en la que hace alardes de erudición. En el mismo año apareció *La Dragontea,* poema épico en diez cantos en que se expresa el regocijo nacional por la muerte del odiado y temido Sir Francis Drake. Al año siguiente, en 1599, Lope publica *El Isidro,* otro poema épico en diez cantos, pero con la singularidad de que esta epopeya tiene andadura popular, vale decir que contra toda la tradición épica renacentista que sólo aceptaba el endecasílabo, este poema está escrito en octosílabos. Para cantar al santo madrileño, y por más que engole la voz, Lope escoge el metro nacional. Pero en los dos cantos de *Las fiestas de Denia* (1599) Lope vuelve al tono cortesano y a las octavas reales, para autorizar así, con la estrofa de prestigio internacional, su versión poética de las bodas entre Felipe III y Margarita de Austria.

En 1602 Lope publica *La hermosura de Angélica.* En realidad de verdad se trata de la primera antología de

[3] *Vid.* J. de Entrambasaguas, "Una guerra literaria del Siglo de Oro. Lope de Vega y los preceptistas aristotélicos", *Estudios sobre Lope de Vega,* I-II (Madrid, 1946-47).

[4] En noviembre de 1597 Felipe II las prohibió en señal de duelo por la muerte de su hija doña Catalina, duquesa de Saboya, y esto se remachó con el decreto de 2 de mayo de 1598, que es la primera prohibición general de comedias. El decreto se revocó por el Consejo de Castilla en 1600, aunque parece que en 1599 había habido ciertas representaciones, *vid.* E. Cotarelo y Mori, *Bibliografía de las controversias sobre la licitud del teatro en España* (Madrid, 1904), pp. 19-20.

su obra culta que hizo el Fénix, quien cobró pronta afición a la práctica, y la alternó con *antologías* de su obra "popular": la primera parte de sus comedias es de 1604. El caso es que *La hermosura de Angélica* contiene tres partes: en la primera se imprime el poema épico epónimo, en el que Lope pretende emular el *Orlando Furioso* de Ariosto. La segunda sección contiene *Los doscientos sonetos,* o sea la primera versión de sus *Rimas,* y la tercera una nueva edición de *La Dragontea.* Y en 1604 no sólo aparece el *Peregrino* impreso en Sevilla, sino que en la misma ciudad ven la luz las *Rimas.* Se trata de una nueva antología, que contiene en su primera parte *Los doscientos sonetos* de 1602, y en la segunda composiciones poéticas de diversa índole, diálogos, églogas, epístolas, epitafios.

En rasguño ésta es la producción literaria de Lope que precede a la publicación del *Peregrino en su patria.* Años más tarde, Góngora, con las intenciones de un miura, pasará su propia revista a la obra de su rival en estos términos:

> "Aquí del Conde Claros", dijo, y luego
> se agregaron a Lope sus secuaces:
> con *La Estrella de Venus* cien rapaces,
> y con mil *Soliloquios* solo un ciego;
> con *La Epopeya* un lanudazo lego,
> con *La Arcadia* dos dueñas incapaces,
> tres monjas con *La Angélica* locuaces,
> y con *El Peregrino* un fray borrego.
> Con *El Isidro* un cura de una aldea,
> con *Los Pastores de Belén* Burguillo,
> y con *La Filomena* un idïota.
> Vinorre, Tifis de *La Dragontea,*
> candil, farol de la estampa flota
> de *Las Comedias,* siguen su caudillo.[5]

Tal era la situación literaria de Lope de Vega en 1604, de inmenso prestigio entre los muchos, y de violenta controversia entre los pocos. Su situación personal

[5] *Obras completas,* ed. cit., p. 550. El soneto es de 1621.

no presentaba menos altibajos ni zozobras. El primer gran escándalo lo había dado en 1588, a los 26 años de edad. Hacía tiempo que Lope mantenía relaciones deshonestas con Elena Osorio, hembra del mundo de la farándula. Pero ésta le abandonó por rival más rico, y Lope, enloquecido de celos, la encenagó con inmundos libelos, que le llevaron a la cárcel, a condena judicial y a destierro de la villa y del reino.[6] Impenitente, Lope probablemente quebrantó la orden de destierro para casarse, ese mismo año, con Isabel de Urbina, hermana del rey de armas de Felipe II. Pero con brusco bandazo sentimental, bien pronto abandona a su mujer en Valencia, para alistarse en la Armada Invencible.[7] Nueva experiencia bélica (ya había participado en 1583 en la expedición a las Azores), de la que vuelve para establecerse en Valencia.[8] Siguen unos años, pocos, de paz y tranquilidad, que Lope fijará en el precioso romance "Hortelano era Belardo / en las huertas de Valencia" (*Bib. Aut. Esp.,* XVI, 498). En amistosa competencia con el ilustre grupo dramático valenciano (Tárrega, Aguilar, Guillén de Castro) Lope escribe inspiradamente para el teatro, y comienza a alzarse "con la monarquía cómica", según reconoció Cervantes, no sin cierta pesadumbre, en el prólogo a *Ocho comedias y ocho entremeses* (1615).

En 1590 Lope ha cumplido la pena del destierro del reino (aunque no de la villa de Madrid), y con su mujer se asienta en Alba de Tormes, al servicio del duque don Antonio. Nuevos años idílicos, de felicidad hoga-

6 *Vid.* A. Tomillo y C. Pérez Pastor, *Proceso de Lope de Vega por libelos contra unos cómicos* (Madrid, 1901), y J. de Entrambasaguas, "Los famosos *Libelos contra unos cómicos* de Lope de Vega", *Estudios sobre Lope de Vega,* III (Madrid, 1958), 9-74.

7 Esos bandazos Lope los tendrá toda su vida; en carta al duque de Sessa, de hacia febrero de 1617, le confesará: "Yo nací en dos extremos, que son amar y aborrecer; no he tenido medio jamás", *Epistolario de Lope de Vega,* ed. A. G. de Amezúa, III (Madrid, 1941), 282.

8 Con razones no del todo concluyentes R. Schevill ha dudado de la participación de Lope en la Invencible, *vid.* "Lope de Vega and the Year 1588", *HR,* IX (1941), 65-78.

reña, ininterrumpida producción literaria y pulimiento intelectual al contacto de la vecina Salamanca. Pero en 1594 muere su mujer; Lope quiere abandonar el sitio de su tragedia, pero no puede. Sólo en 1595 se le perdonará el destierro de Madrid, y Lope volverá a las andadas.

Nuevas amantes, nuevos escándalos y, al fin, nuevo matrimonio. Juana de Guardo se llamaba la segunda mujer, hija de un rico carnicero. Góngora, el implacable Góngora, en un soneto en que arremetía contra las torres del escudo de Bernardo del Carpio (mítico antepasado del Fénix), con que Lope ornó la portada de *La Arcadia* (1598), completaba su ataque con este terceto:

> No fabrique más torres sobre arena,
> si no es que ya, segunda vez casado,
> nos quiere hacer torres los torreznos.[9]

Estas bodas no implican, en absoluto, un esfuerzo para sentar cabeza, porque sabemos que con casi toda seguridad Lope ya estaba enredado en una de sus más fervientes pasiones amorosas. En un principio la cantó con el nombre poético de Celia, y más tarde de Camila Lucinda. Se llamaba Micaela de Luján, era mujer de un cómico, hermosa y analfabeta, y en los largos años de trato (rompieron en 1608) le dio cinco hijos, dos de ellos (Marcela, nacida en 1606, y Lope, nacido en 1607) serán sus favoritos. *El peregrino en su patria* cae en los años climatéricos de esta pasión, que dejó profundas huellas en la novela, según se verá, entre ellas el nombre-homenaje del protagonista, Pánfilo de Luján, y la muy hermosa epístola poética "Serrana hermosa" (libro IV).[10]

[9] *Obras completas,* ed. cit., p. 534. Según se verá más adelante en esta Introducción, Lope volvió a sacar a relucir el famoso escudo en la portada del *Peregrino en su patria,* y las circunstancias también tienen gran interés.

[10] Sobre Micaela de Luján, *vid.* M. Goyri de Menéndez Pidal, "La Celia de Lope de Vega", *NRFH,* IV (1950), 347-90, y la réplica parcial de S. G. Morley y C. Bruerton, "Lope de

Pro pane lucrando, ya que los "torreznos" de Juana de Guardo resultaron muy magros porque el padre nunca pagó la dote,[11] Lope sigue al servicio de la nobleza. Primero actuó como secretario del marqués de Malpica, y después del marqués de Sarria, quien, ya heredado y con su título de conde de Lemos, protegió a Cervantes y fue pagado en noble moneda (*vide infra,* nota 572). Al servicio de este último Lope asiste en Valencia a las bodas de Felipe III (abril de 1599), y poeta siempre cortesano multiplica los relatos poéticos de tan fastuosas ceremonias (*v. infra,* nota 284). Obsequioso como el que más, Lope llegó a tornar estas bodas a lo divino, en el auto *Las Bodas entre el Alma y el Amor Divino,* representado en Valencia para los festejos de 1599, y recogido al final del libro II del *Peregrino,* novela que, alusivamente al menos, se centra en dichas bodas.

Pero la vida personal de Lope le lleva por otros derroteros. Instala a su familia en Toledo, mas como Micaela de Luján vive en Sevilla los viajes a Andalucía se hacen frecuentes y largos. Estos son los años en que Lope, peregrino en su patria, recorre incesante los caminos que unen a Sevilla, Toledo y Madrid, llevado a veces por el deber, pero más a menudo impelido por la pasión. Y en una de esas estancias sevillanas, rodeado de su amante y de su creciente prole ilegítima, "el último día del año de 1603" Lope firmaba la dedicatoria de *El peregrino en su patria* al marqués de Priego. En 1604 las prensas sevillanas de Clemente Hidalgo entregaban la novela al público lector.

Muchos años más viviría Lope de Vega (murió en Madrid, el 27 de agosto de 1635): en un vano intento de dominar la carne entraría en el sacerdocio, pero

---

Vega, Celia y *Los comendadores de Córdoba*", *NRFH,* VI (1952), 57-68. Todavía es de utilidad la consulta del discurso de F. Rodríguez Marín, "Lope de Vega y Camila Lucinda", *BRAE,* I (1914), 249-90, y en particular el artículo de A. Castro, "Alusiones a Micaela de Luján en las obras de Lope de Vega", *RFE,* V (1918), 256-92.

[11] Vid. A. Tomillo y C. Pérez Pastor, *op. cit.* (nota 6, *supra*), pp. 250-52.

tendría más amantes y más hijos, llenaría miles de pliegos más con comedias, poesías, novelas, alcanzaría altos honores y viviría horribles sinsabores. Pero yo abandono su biografía aquí, porque mi cometido es presentar lo menos mal que pueda esa curiosa y desatendida novela que él intituló *El peregrino en su patria.* [12]

Sabemos que la novela estaba terminada para noviembre de 1603: en Valladolid, y a 25 de ese mes firmaba Tomás Gracián Dantisco la Aprobación. Pero cuándo Lope redactó la obra sólo puede ser objeto de conjeturas más o menos razonables. A los efectos de esa cronología aproximada la ayuda más obvia la proporcionan las abundantes referencias a las bodas reales entre Felipe III y Margarita de Austria, que se celebraron en abril de 1599. La alusión a la "fresca muerte" de Felipe II (ocurrida el 13 de septiembre de 1598; *infra,* p. 327), nos coloca en el mismo terreno cronológico. Cerca del final de la obra Madrid todavía es corte (pp. 352 y 360, pero ver nota 512), y la corte se mudó a Valladolid en enero de 1601, y no volvió a Madrid hasta 1606, o sea después de la publicación de la novela. En el auto del *Viaje del Alma* (p. 110), incluido aquí al final del libro I, se alude al año de 1600 como el presente. Y por último, se dice que la acción transcurre en un *año santo,* que tiene que ser el de 1600 (*v. infra,* notas 42 y 259 al texto). Asimismo, el soneto "Ni sé de amor ni tengo pensamiento" (*infra,* p. 467) aparece con leves variantes en nuestra novela y en la comedia *La quinta de Florencia* (*Ac.,* XV), y las autoridades más fehacientes fechan la comedia "probablemente

12 Los libros y artículos recogidos en las siguientes bibliografías henchirán las medidas del más curioso lector acerca de la vida y de la obra del Fénix: J. Simón Díaz y J. de José Prades, *Ensayo de una bibliografía de las obras y artículos sobre la vida y escritos de Lope de Vega* (Madrid, 1956), y sus *Nuevos estudios (Adiciones al "Ensayo...")* (Madrid, 1961); J. H. Parker y A. M. Fox, *Lope de Vega Studies (1937-1962). A Critical Survey and Annotated Bibliography* (Toronto, 1964).

hacia 1600".[13] Y éste es el momento de recordar que un lopista de bandera, como lo es José F. Montesinos, ha declarado: "Para nosotros, libro y comedia debieron componerse casi a un tiempo".[14] Si reunimos en ramillete estos desperdigados datos, me parece razonable conjetura designar el año 1600 para fechar la composición del *Peregrino.*

Pero antes de dar esto por sentado conviene atender a otro sistema de datos. En el libro III se menciona "la rota de Ostende" (p. 246 y nota 308), y el sitio de Ostende comenzó en agosto de 1601. Además, en el mismo libro se inserta la bella epístola poética "Serrana hermosa" (p. 262 y nota 340), de raíz tan firmemente autobiográfica que ha permitido a los especialistas fecharla en 1602 (v. nota 340). Si apareamos ahora los dos sistemas de datos me atrevo a decir, en conclusión, que el *Peregrino* se compuso en 1600, con retoques hacia 1603.[15] Esos años los llamará el propio Lope de Vega, en carta a su protector, el duque de Sessa, "mi mejor edad".[16]

Queda dicho que *El peregrino en su patria* es la segunda novela de Lope de Vega. Su primer experimento en el género había sido *La Arcadia,* de 1598. El blasón del mítico Bernardo del Carpio ornaba la portada, con un lema que decía: "De Bernardo es el blasón, las desdichas mías son". Esto ocasionó los sangrientos sarcasmos de Góngora, en el soneto cuyo final ya cité, y que comienza "Por tu vida, Lopillo, que me

[13] S. G. Morley y C. Bruerton, *Cronología de las comedias de Lope de Vega* (Madrid, 1968), p. 255.

[14] *Estudios sobre Lope de Vega* (Salamanca, 1969), p. 111.

[15] Dado que más tarde comparo al *Peregrino* con la novela picaresca, no es ocioso recordar que el modelo efectivo y actuante del género, o sea el *Guzmán de Alfarache,* es de 1599. No comprendo qué motivos llevaron a Myron A. Peyton, en su reciente edición del *Peregrino* (Chapel Hill, N. C., 1971), p. 18, a decir, con alegre desenfado: "Consideramos de poca monta, para estos momentos, la cuestión de cuándo se compusiera el *Peregrino*".

[16] *Epistolario de Lope de Vega,* ed. cit. (nota 7, *supra*), III, 6. La carta lleva fecha de Toledo, 3 de septiembre de 1605.

borres".[17] O sea que la publicación de su primera novela se resolvía en una lluvia de dicterios acerca de sus intimidades matrimoniales. Además, y entretejido con los ataques personales anda siempre en la obra de Lope el obsesionante tema de la envidia.[18] En consecuencia, la publicación de una nueva novela imponía ciertas cautelas y medidas defensivas elementales, ya que Lope no ceja ni en su intención de conquistar a los cultos ni en su vanidad nobiliaria.

17 Acerca del malhadado escudo y su uso por Lope, *vid.* mis "Dos notas a Lope de Vega", *NRFH*, VII (1953), 426-32. Ninguna de las ramas modernas de la familia del Carpio usa armas como las de Lope, con diecinueve torres, *vid.* J. de Atienza, *Nobiliario español* (Madrid, 1959), s. n. *Carpio*, aunque el autor repite allí la fabulosa genealogía de Bernardo del Carpio. Después de un detenido estudio de "El escudo del Carpio", concluye W. T. McCready, *La heráldica en las obras de Lope de Vega y sus contemporáneos* (Toronto, 1962), cap. XI, p. 200: "Contrariamente a lo que siguen afirmando los biógrafos de Lope, el escudo de los diez y nueve castillos no es el del apellido Carpio, sino invención de Lope de Vega ... Lope inventó el escudo poco antes de escribir su comedia *El casamiento en la muerte*, quizá en 1596". Conviene recordar ahora que los versos de Cervantes en los preliminares del *Quijote* de 1605 ("No indiscretos hieroglí- / estampes en el escu-"), que por mucho tiempo se interpretaron como asestados al escudo de Lope, parecen, más bien, dirigidos contra *La pícara Justina* (Medina del Campo, 1605), que lleva en la portada un inventado escudo de Rodrigo Calderón, el favorito del duque de Lerma, *vid.* M. Bataillon, "Urganda entre *Don Quijote* y *La pícara Justina*", *Pícaros y picaresca* (Madrid, 1969), pp. 53-90, en esp. 76-90. El maestro Bataillon, sin embargo, reconoce que él no hace más que *rozar* el tema. La verdad es que la cuestión necesita un planteamiento a fondo y con estricto rigor bibliográfico: Bataillon olvida, por ejemplo, que el *Peregrino*, que es de 1604, lleva el escudo en la portada, y en la segunda tirada esto se repite pocas hojas después, con unas leyendas, todas en latín, que bien pueden ser los "indiscretos hieroglí-", según se verá un poco más abajo.

18 Se podría formar una interesantísima antología de textos de Lope sobre la envidia; algunos han sido recogidos y comentados por Diane J. Pamp, *Lope de Vega ante el problema de la limpieza de sangre* (Northampton, Mass., 1968). En realidad, el tema de la envidia es una constante de la literatura española, y algún día habrá que estudiarlo. Ya en 1423, al final de su *Arte cisoria*, don Enrique de Villena pedía que le defendiesen "contra los reprehendores que suelen comúnmente aguzar sus lenguas contra las nuevas obras, osando reprehender lo que non sabrían facer". Y por el otro extremo temporal desembocamos en el *Abel Sánchez* de Unamuno.

En realidad, y en el *Peregrino,* Lope se nos presenta como verdaderamente atrincherado en una densa línea ofensivo-defensiva constituida, en su avanzada, por una ornadísima portada en la que campea, en la parte baja del centro, el malhadado escudo de Bernardo del Carpio (*vid.* facsímile de la portada). Esta portada es como un amplio emblema a toda plana, cuyos "indiscretos hieroglí-" exigen extensa declaración. En su época ya la dio Juan Eugenio Hartzenbusch, y su aguda precisión bien merece citarse por extenso: [19]

> La portada del libro está grabada en cobre y representa un plano en el fondo con el título de la obra; dos pilastritas a los lados, sobre las cuales corre una ligera cornisa desde la una a la otra; delante de las pilastras, en su parte inferior, hay dos pedestales; en el de la derecha se ve un peregrino con un bordón en una mano y apoyando la otra en una áncora; sobre el pedestal de la izquierda la figura de la Envidia en actitud de querer atravesar un corazón con una daga; entre ambos pedestales y sobre la línea de tierra descansa el célebre escudo de Lope con diez y nueve torres; sobre la cornisa de las pilastras se alza un frontis caprichoso, por encima del cual se alcanza a ver el caballo Pegaso. Detrás del caballo ondea una gran cinta con este letrero: *Seianus* mihi [*sic* por *michi*] *Pegasus.* En el pedestal de la Envidia estas tres palabras: *Velis nolis Invidia*; y en el del peregrino estas cuatro, que completan la frase: *Aut unicus aut peregrinus.* En el letrero del caballo indudablemente quiso hablar el autor diciéndonos: *El caballo Pegaso ha sido para mí el caballo de Seyano.* [20]

[19] "Cervantes y Lope en 1605. Citas y aplicaciones relativas de estos dos esclarecidos ingenios", *Revista Española,* I (mayo, 1862), reproducido con variantes en la *Gaceta Literaria* (diciembre, 1862), y reimpreso, en lo esencial, en C. A. de la Barrera, *Nueva biografía,* en *Obras de Lope de Vega publicadas por la Real Academia Española,* I (Madrid, 1890), 119-20, de donde lo copio.

[20] Hartzenbusch incurre aquí en el tradicional error, compartido por Lope (vide *infra,* nota 495), de hacer de *Seianus* un sustantivo. En realidad, es un adjetivo: *equus seianus,* el caballo de Cneo Seyo (Sejus), del que escribió Aulo Gelio, *Noctes atticae,* III, 9, 6: "Hinc proverbium de hominibus calamitosis ortum dicique solitum: ille homo habet equum seianum". En descargo de Lope y Hartzenbusch, y muchos más, baste decir

Bien sabido es que todos los dueños de tal caballo murieron desastradamente. Entre las leyendas de los dos pedestales faltan un nombre o un pronombre y un verbo; pero están suplidos por el escudo de Lope de Vega, que equivale a las palabras *Lupus est* o *Ego sum*; de manera que todo junto debe querer decir: *Envidia, quieras o no quieras, Lope es* (o yo soy) *o único o muy raro* (ingenio se supone).

Esta portada, en la que se dan la mano la arrogancia y la admisión de desdichas, se refuerza, unas hojas después, con nuevas afirmaciones por el mismo estilo, y con una nueva estampa del escudo.[21] Nuevamente copio la muy exacta descripción de Hartzenbusch:

En el ejemplar del Sr. [José Sancho] Rayón ocupa la séptima plana un retrato de Lope grabado en madera; rodéale un marco; de la parte inferior del marco pende el escudo de las diez y nueve torres; en la superior hay una calavera coronada de laurel, y detrás una cinta con este lema: *Hic tutior fama* (Aquí, en la calavera, en la muerte, está más segura la fama). Alrededor del marco se lee, dividida en tres partes, esta sentencia: *Nihil prodest — adversus invidiam — vera dicere* (Contra la envidia de nada sirve decir la verdad). Debajo del escudo este otro texto: *Quid dificilius quam reperire quod sit omni ex parte in suo genere perfectum?* Cic. *in Laelium.* (¿Qué hay más difícil que hallar cosa en su género del todo perfecta?).

Entre ambos grabados del escudo van los preliminares de rigor (tasa, licencia y aprobación, ésta última firmada por su gran amigo Tomás Gracián Dantisco, que le llama "peregrino y fénix") y la dedicatoria al marqués de Priego, donde alude a sus "desdichas peregrinas". Después del segundo escudo, y a su dorso, hay un soneto

---

que desde muy temprano hubo un cruce entre el adjetivo *seianus* y el nombre propio *Seianus,* bien conocido por ser el del poderoso *praefectus praetorii* del emperador Tiberio, y de quien hablan largamente Tácito, *Anales,* IV, 1 *seq.,* Suetonio, *Vida de Tiberio,* y Dión Casio, lvii-lviii.

21 Bien es cierto que esta nueva estampa no se encuentra en todos los ejemplares del *Peregrino,* lo que indujo a Hartzenbusch, *loc. cit.,* a sospechar que hubo dos tiradas de la primera edición de la novela.

del doctor Pedro Fernández Marañón, médico del marqués de Priego, y ostensiblemente dedicado a éste, pero donde Lope es consagrado como Apolo Pitio. Ahora siguen las poesías laudatorias de la novela: son ocho sonetos, el último de los cuales se atribuye a Camila Lucinda, o sea Micaela de Luján, la amante de Lope, y de quien sabemos que era analfabeta. En este último soneto Lope (seguramente fue él el autor) machaca en el tema de algunos de los "indiscretos hieroglí-" de los escudos. Así, por ejemplo: "Lope, con divinos / versos llegó también hasta la fama"; o bien: "A los dos [a Lope y a su Peregrino] nos llama / el mundo en un sujeto peregrinos". [22]

Lope queda así bien atrincherado detrás de una triple línea de escudos, emblemas y encomios. Después de

[22] El primero de estos sonetos encomiásticos se debe a la bien cortada pluma de don Juan de Arguijo. Parece que Lope le había enviado el original del *Peregrino* para someterlo a su censura. Esto provocó la siguiente malintencionada décima de cabo roto:

> Envió Lope de Ve-
> al señor don Juan Argui-
> el libro del *Peregri-*
> a que diga si está bue-;
> y es tan noble y tan discre-,
> que estando como está, ma-,
> dice es otro Garcila-
> en su traza y compostu-;
> mas luego, entre sí ¿quién du-
> no diga que está bella-?

Por mucho tiempo esta décima se atribuyó al avieso poeta sevillano Alonso Álvarez de Soria, inventor de los versos de cabo roto (así, por ejemplo, La Barrera, *Nueva biografía*, pp. 116-17), pero esto fue negado por S. Montoto, "Lope de Vega y Juan de Arguijo", *RBAM*, XI (1934), 277, porque Alonso Álvarez fue ajusticiado en 1603 y el *Peregrino* es de 1604. Pero en noviembre de 1603 está firmada su aprobación, y claro está que Lope lo sometería a la crítica de Arguijo con bastante anterioridad. Por lo tanto, se puede seguir atribuyendo la décima a Alonso Álvarez de Soria. De todas maneras, la ultimación del *Peregrino* está íntimamente relacionada con la tertulia sevillana que reunía don Juan de Arguijo en su casa-museo, ya que don Juan de Vera y Hernando de Soria Galvarro, autores, como Arguijo, de sendos sonetos encomiásticos al *Peregrino*, eran contertulios en casa de Arguijo, *vid.* A. Rodríguez-Moñino, "Hernando de Soria Galvarro. (Dos poesías inéditas)", *Mélanges à la mémoire de Jean Serrailh*, II (París, 1966), 283. Más datos sobre la academia de Arguijo en J. Sánchez, *Academias literarias del Siglo de Oro español* (Madrid, 1961), pp. 203-07.

todo esto viene el prólogo, erizado de alusiones, ataques y defensas, a detractores, envidiosos y plagiarios, que constituye una verdadera andanada contra sus censores. Aquí es cuando entra en acción el arma de mayor calibre de Lope, con la que piensa demoler a sus contrarios y consolidar su posición literaria: la famosa lista de las comedias que había escrito, para apabullar con su número y coartar la usurpación. Y todo esto envuelto en una exquisita erudición que prodiga las citas y alusiones clásicas: Séneca, Aristóteles, Cicerón, Catón, Horacio, a todo lo cual se remacha y remata con un texto bíblico ("Pues Dios dijo en el *Exodo*..."). El prólogo se irisa así de variadas intenciones: hacer alarde de su erudición profana y sacra, y sentar así plaza de humanista cristiano; crear de tal manera el pórtico adecuado a una novela imantada por los ideales de la Reforma católica, sobre lo que me explayaré más tarde; pavonear los dos centenares largos de comedias con que embobaba al pueblo en los corrales; convertir su autodefensa en el mejor ataque, porque como dice allí: "¿Qué dirá quien con una estancia pensada en una primavera, escrita en un verano, castigada en un otoño y copiada en un invierno quiere escurecer los inmensos trabajos ajenos, de que por dicha en acabando de imitar murmura?" [23]

Todas estas cuestiones las plantea el prólogo en el terreno más propicio para Lope, como era dable esperar. De inmediato sigue otra andanada de versos: tres poemas en octosílabos esta vez, uno de Juan de Piña, otro de Lope a Juan de Piña, y el tercero del propio Peregrino a su patria. Y por fin, el texto, que después de cinco libros se cierra con la promesa de

[23] Todo esto le viene como anillo al dedo a Góngora, con su reconocida astringencia o pereza poética, émulo y zaheridor de Lope en el Romancero Nuevo. Sea como sea, el prólogo del *Peregrino*, personalísimo en sus desplantes, desquicia los moldes reconocidos en la época para dichos exordios, *vid.* el planteamiento de A. Porqueras Mayo, *El prólogo como género literario. Su estudio en el Siglo de Oro español* (Madrid, 1957), capítulos IV-V.

segunda parte, en la que irán diez comedias,[24] con la cita de un texto bíblico de *Deuteronomio* análogo al del *Exodo* con que se cerraba el prólogo, y en los ejemplares de la segunda tirada tres sonetos laudatorios, el último de los cuales acaba con el *leit-motif* de los preliminares, *aut unicus, aut peregrinus*: "En vuestra patria Peregrino fuistes, / como en el cielo el soberano Apolo", escribe Alonso Jerónimo de Salas Barbadillo. El final de la obra nos retrotrae a su principio, la novela se cierra de tal guisa sobre sí misma, y el *Peregrino* sale a la luz del día sin ofrecer flanco descubierto al enemigo. Esto sin contar con que cada uno de los cuatro libros anteriores se había completado con la inclusión de un auto sacramental o moralidad del alfar propio, y de contera, en cada caso, algún texto bíblico adecuado.

Harto difícil se presentaba para la Envidia el morder en obra tan bien blindada, por los elogios ajenos, la defensa propia y los textos sacros que la encierran de principio a fin. Y además, los autos sacramentales, las numerosas poesías religiosas, las continuas alusiones al culto mariano, y los viajes a algunos de los más célebres sagrarios peninsulares de la Virgen, tales como Montserrat, el Pilar o Guadalupe. La obra se presenta así como un monolito blindado en su diseño exterior, y también en su designio interior. Resulta inaceptable, en consecuencia, la cándida explicación de Karl Vossler de que *El peregrino en su patria* sólo era un recipiente literario adecuado para la preservación de poemas y dramas religiosos.[25] Para replicar a esto del modo más

[24] Sólo a medias cumplió Lope esta promesa: la segunda parte del *Peregrino* no se publicó nunca, si es que alguna vez se escribió, lo cual es muy dudoso, pero en ese mismo año de 1604 Lope recogió no diez, sino doce comedias en la parte primera de las suyas. Una de las comedias que cita al final del *Peregrino* (*Carlos el Perseguido*) ya había sido impresa en *Seis comedias*... (Lisboa y Madrid, 1603), *vide infra*, nota 24 al texto. *La Montañesa*, otra de las comedias citadas al final de la novela, va incluida en la Parte I, y otras dos (*La fuerza lastimosa* y *La bella malmaridada*) en la Parte II, de 1609.

[25] "Se trataba de procurarse un recipiente literario pasadero para insertar en él algunas brillantes muestras de su lírica, así

directo y concreto, y antes de meternos en honduras ideológicas: Lope no necesitaba escribir una novela tan extensa y de requintada doctrina como el *Peregrino* para preservar su poesía lírica o dramática. Hemos visto que en 1602 ya había recogido *Los doscientos sonetos,* que en el propio año del *Peregrino* amplió considerablemente en sus *Rimas.* Y el mismo año de 1604 presencia la publicación de la primera parte de sus *Comedias.*

Por lo pronto, la práctica de incluir poesía dramática en una obra narrativa estaba bien autorizada en la novela pastoril, y aun fuera de ella, como en la *Selva de aventuras* (1565) de Jerónimo de Contreras, en la que algunos han visto el precedente inmediato del *Peregrino.* Recordemos ahora que la única novela que Lope había escrito con anterioridad al *Peregrino* era una novela pastoril, y en ese género el admirado *Pastor de Fílida* (1582) de Luis Gálvez de Montalvo incluía ya toda una égloga representable (la de Fanio, Delio y Liria, en el libro IV).[26] Poco después Cervantes hizo lo propio en su *Galatea* (1585: libro III, égloga de Orompo, Marsilio, Crisio y Orfinio). Y el mismo Lope ya se había plegado a la moda en su *Arcadia,* al insertar en el libro III la égloga representable de Montano y Lucindo. Nadie ha supuesto, sin embargo, que estas novelas se escribieron para servir de estuches a diversas joyas líricas y dramáticas; muy al contrario, se las ha juzgado, y se las juzga, por sus valores intrínsecos, vale decir, se las enjuicia como novelas y no otra cosa.

La práctica tuvo éxito, al punto que ya entrado el siglo XVII el incluir comedias en la obra narrativa llega

---

como las cuatro comedias [*sic*] *El Viaje del Alma, Las Bodas del Alma, La Maya* y *El Hijo Pródigo,* que, por cierto, no tienen mucho que ver con la narración", *Lope de Vega y su tiempo* (Madrid, 1940), p. 174.

[26] Lope tuvo en gran estima a Montalvo y su obra, *vid.* los ejemplos que recojo en *La novela pastoril española* (Madrid, 1959), p. 122.

a constituir una característica, casi, de la novela cortesana. Así, por ejemplo, en *El sutil cordobés Pedro de Urdemalas* (1620) de Alonso Jerónimo de Salas Barbadillo —panegirista del *Peregrino,* por cierto—, se inserta la comedia *El gallardo Escarramán.* O bien véanse *Las fiestas del jardín* (1634) de don Alonso del Castillo Solórzano, que comprende tres comedias (*Los encantos de Bretaña, La fantasma de Valencia, El marqués del Cigarral*), aunque hay que reconocer que para esta época de decadencia la crítica de Vossler puede tener cierta aplicación, en algún caso concreto.

Pero para volver a nuestro tema: hay dos diferencias esenciales entre la distribución y asunto de la materia dramática en el *Peregrino* y todos sus antecedentes citados. En primer lugar, en la novela de Lope las obras dramáticas son cuatro, y como van al final de cada uno de los cuatro primeros libros (el quinto y último queda abierto a la prometida continuación), sirven de columnas para sustentar el peso narrativo de esos libros. Se trata, pues, de una arquitectura de deliberada simetría, que el lector no encontrará en ninguno de los modelos citados, ni siquiera en *La Arcadia* del propio Lope. La rigurosa simetría del *Peregrino* recuerda, más bien, la de la *Arcadia* de Sannazaro (1504), donde cada una de las doce prosas remata y halla su equilibrio final en sendas églogas. Y que Lope conocía a fondo la obra del italiano lo demuestra su propia *Arcadia,* empezando por el título.[27] O sea que en el *Peregrino* la inclusión de obras dramáticas cumple, en primer lugar, una clara función estructurante, ya que éstas son el instrumento de la simetría arquitectónica de la novela.

El otro factor diferencial entre los dramas del *Peregrino* y los de los antecedentes citados consiste en el hecho de que el amor cantado en las piezas de nuestra novela (y en tantas de sus poesías líricas) es el amor divino, y no el amor humano, al revés de lo que ocu-

27 Amplío todo esto en *La novela pastoril española,* pp. 134-35.

rre en todos los ejemplos aducidos, del *Pastor de Fílida* a la *Arcadia* del propio Lope. Por aquí creo yo que nos acercaremos a las verdaderas razones de Lope para incluir esos autos o moralidades, razones consecuentes y consonantes con el fuerte ambiente religioso de toda la obra.[28] No sólo ya los dramas en sí, ni el hecho de que los tres grandes centros españoles del culto mariano (Montserrat, el Pilar, Guadalupe) jalonen la acción, ni la romería en sí, sino también la erudición bíblico-teológica, la profusión de poesía religiosa, especialmente mariana, y en todo momento, y en cada detalle, la postura doctrinal del autor. Desde el momento en que se enfoca el *Peregrino* desde este cuadrante, no puede caber duda de que nos hallamos ante una nueva muestra del propósito didáctico que orienta a toda la literatura católica post-tridentina.[29] El propio hecho de que la acción de la novela tenga lugar en el Año Santo de 1600 es índice de la total sumisión de autor y personajes a la autoridad papal, lo que para aquella época polémica y de escindido cristianismo reflejaba directamente el capítulo XXI de la sesión XXV del Concilio

28 Espero que pronto se publique un trabajo inédito de mi buen amigo Paul Descouzis, "Filiación tridentina de Lope de Vega: *El peregrino en su patria* (1604)"; allí se ahonda el estudio de lo religioso en nuestra novela. Agradezco vivamente la generosidad con que Descouzis me permitió leer el original inédito de su trabajo.

29 En la última sesión del Concilio de Trento se afirmó taxativamente: "Eapropter sancta Synodus id potissimum curavit, ut praecipuos haereticorum nostri temporis errores damnaret, et anathematizaret, *veramque et catholicam doctrinam traderet et doceret*" [el subrayado es mío] ("Por esta causa, el sagrado Concilio ha procurado ante todas cosas condenar y anatematizar los principales errores de los herejes de nuestro tiempo, *y explicar y enseñar la doctrina verdadera y católica*"), sesión XXV, al final, *vid.* I. López de Ayala, *El sacrosanto y ecuménico Concilio de Trento* (París, 1860), p. 432. Queda lanzada así la gran cruzada catequística de la Reforma católica; para sus reflejos literarios todavía es útil, aunque cada día menos, la obra de Charles Dejob, *De l'influence du Concile de Trente sur la littérature et les beaux-arts chez les peuples catholiques* (París, 1884). Una medida de lo mucho que queda por hacer, en particular en la literatura española, nos da el libro de Paul Descouzis, *Cervantes a nueva luz. El "Quijote" y el Concilio de Trento* (Frankfurt, 1966).

de Trento: "In omnibus salva sedis Apostolicae auctoritas maneat".[30]

El caso es que a través de los autos sacramentales o representaciones morales afines, ciertas doctrinas teológicas, con buenas dosis de catecismo, llegaban eficazmente al público de los corrales o de las plazas. Ahora, en nuestra obra, se trata de que esas mismas doctrinas lleguen al público lector de novelas, envueltas en las páginas del *Peregrino*. Visto desde este ángulo, el *Peregrino* es un panegírico religioso, con fuertes dosis de propaganda catequística, todo muy propio de las directivas del Concilio de Trento acerca de los usos de la literatura. Todo ello se reflejará también en el *Persiles* de Cervantes, pero ése es otro cuento que ya he relatado en otra ocasión.

Lope lleva a cabo una cuádruple ofensiva catequística en los cuatro dramas religiosos del *Peregrino*. Si nos atenemos a las más modernas y solventes definiciones de *auto sacramental* todas cuatro piezas lo son: *El Viaje del Alma, Las Bodas del Alma y del Amor Divino, La Maya* y *El Hijo Pródigo.*[31] Para el antiguo purismo, sin embargo, sólo *La Maya* sería un auto sacramental, por ser la única de las cuatro piezas que tiene relación directa y concreta con el sacramento eucarístico. *El Hijo Pródigo,* por su parte y por ejemplo, sería una parábola dramatizada. Pero lo que aquí cuenta es que las cuatro obras son de propaganda y catequesis, mas no dentro de un espíritu cerradamente teológico, sino todo lo contrario, con el mismo espíritu popular que alienta en la comedia, con análogos problemas sociales, con gracioso, con tradiciones folklóri-

[30] "En todo quede salva la autoridad de la Sede Apostólica", López de Ayala, *op. cit.,* p. 427.

[31] Hemos llegado a una relativa precisión del concepto *auto sacramental,* pero para ello hay que ensamblar lo dicho, en particular, por estos tres críticos: A. A. Parker, *The Allegorical Drama of Calderón* (Oxford, 1943); B. W. Wardropper, *Introducción al teatro religioso del Siglo de Oro. (Evolución del Auto Sacramental: 1500-1648)* (Madrid, 1953); J.-L. Flecniakoska, *La formation de l'"auto" religieux en Espagne avant Calderón, 1550-1635* (Montpellier, 1961).

cas, etc. Se ha dicho, y con razón, que el *auto sacramental* es en manos de Lope de Vega una *comedia a lo divino.* Pero esto es sólo parte del más amplio concepto de las letras que tenía el Fénix. Él veía toda la literatura *sub specie comoediae,* por ello llegó a decir: "Yo he pensado que tienen las novelas los mismos preceptos que las comedias". [32]

De todas maneras, la inclusión de estos *autos,* el marcado carácter de catequesis de tantos pasajes, las otras características ya vistas, la propia orientación del *Peregrino,* todo ello nos debe precaver acerca del hecho de que toda fuente que se le busque en la literatura profana sólo lo será a medias y en forma aproximada. En particular, y ya desde la época de Menéndez Pelayo se ha venido mencionando la *Selva de aventuras* (1565) de Jerónimo de Contreras. [33] Pero el caso es que la

[32] Y esto lo decía en una novela, *La desdicha por la honra,* una de las *Novelas a Marcia Leonarda, Bib. Aut. Esp.,* XXXVIII, 14b. Acerca del complejo mundo social que alienta en los *autos* de Lope, *vid.* J. Rodríguez Puértolas, "La transposición de la realidad en los autos sacramentales de Lope de Vega", *BHi,* LXXII (1970), 96-112; acerca del *auto* lopesco como *comedia a lo divino, vid.* M. de Sanzoles, "La alegoría como constante estilística de Lope de Vega en los autos sacramentales", *RLit,* XVI (1959), 90-133. Por último, dos palabras acerca de la cronología de estos *autos*: Menéndez Pelayo los supuso "escritos mucho antes de ser intercalados en aquella novela", *Ac,* II, xxii. A. Valbuena Prat quiso precisar un poco más: el auto de *La Maya* (libro III) se supone representado en Zaragoza, durante un viaje de Lope a tal ciudad entre 1585 y 1588, *vid. La religiosidad popular en Lope de Vega* (Madrid, 1963), pp. 14-19. Como no se sabe más nada de tal viaje, parece inútil teorizar al respecto. Lo más seguro es que *Las Bodas del Alma y del Amor Divino* se compuso con motivo de las bodas de Felipe III, abril de 1599. Los otros *autos* probablemente fueron representados en las fiestas del Corpus en Sevilla, en los años en que Lope vivió allí, a partir, aproximadamente, de 1601, opinión sustentada por J. Sánchez Arjona, *Noticias referentes a los anales del teatro en Sevilla desde Lope de Rueda hasta fines del siglo XVII* (Sevilla, 1898), pp. 115-16, y aceptada por N. Salomon, *Recherches sur le thème paysan dans la "comedia" au temps de Lope de Vega* (Burdeos, 1965), p. 640.

[33] *Orígenes de la novela, NBAE,* I, cclii: "La *Selva de aventuras,* con sus cuadros de viajes, con sus intermedios dramáticos y líricos, nos parece el antecesor más inmediato de *El peregrino en su patria* de Lope de Vega". Le han seguido en esto, Ludwig Pfandl, aunque con ciertas cortapisas, en *Historia de la literatura nacional española en la Edad de Oro* (Barcelona, 1933), p. 286;

mística beatería platonizante de Contreras está en decidida oposición al rígido catolicismo post-tridentino de Lope, y también es necesario recordar que los transportes espirituales de la *Selva de aventuras* colocaron a la obra en el *Índice expurgatorio,* y si salió de él fue con dos nuevos libros añadidos, en los que se cambia enteramente el desenlace.[34]

También se ha relacionado al *Peregrino en su patria* con la novela bizantina, al punto de clasificarlo como muestra del género en España.[35] Pero creo yo que hay que hilar un poco más menudo. A mi entender, hay que distinguir dos aspectos distintos en el asunto: uno, es la reacción de Lope ante la novelística bizantina, propiamente tal, y el otro es el tipo de novela que practica Lope en el *Peregrino.* En cuanto al primer aspecto del asunto, no puede caber la menor duda de que Lope siente inmensa admiración por los novelistas greco-bizantinos, muy en particular por Heliodoro, maestro indiscutido del género, a quien llegó a declarar públicamente "griego poeta divino".[36] Pero ahora conviene

---

K. Vossler, también con ciertas reservas, en *Lope de Vega y su tiempo,* p. 175; A. Farinelli, "*Peregrinos de amores en su patria* de Lope de Vega", *Homenatge a Antoni Rubió i Lluch,* I (Barcelona, 1936), 588; F. Yndurain, *Lope de Vega como novelador* (Santander, 1962), p. 25; D. B. J. Randall, *The Golden Tapestry. A Critical Survey of Non-Chivalric Spanish Fiction in English Translation (1543-1657)* (Durham, N. C., 1963); F. C. Hayes, *Lope de Vega* (Nueva York, 1967), pp. 108-09.

[34] Edición de Murcia, 1603, *vid.* Pedro Salvá y Mallen, *Catálogo de la biblioteca de Salvá,* II (Valencia, 1872), 50.

[35] Por distintos caminos llegan a la misma conclusión E. Carilla, "La novela bizantina en España", *RFE,* XLIX (1966), 275-87, y R. Osuna, "Las fechas del *Persiles*", *Thesaurus,* XXV (1970), 383-433. En realidad, se trata de la clasificación consuetudinaria de la crítica.

[36] *La dama boba, AcN,* XI, 591. Las alusiones a Heliodoro abundan en la obra de Lope, *vid.* varias citas en *La Dorotea,* ed. E. S. Morby (Berkeley-Los Ángeles, 1958), pp. 198-99, y también en E. Carilla, "Cervantes y la novela bizantina. (Cervantes y Lope de Vega)", *RFE,* LI (1968), 155-67. Por cierto que Carilla comete un curioso error: la fecha del autógrafo de *La dama boba* es 1613; Carilla supone una edición del *Peregrino* de 1614, que nunca existió. Este falso dato le lleva a postular un nuevo momento, en la vida de Lope, de fervor por Heliodoro hacia 1613. El hecho es que la edición del *Peregrino* a que

recordar otro dato, para no deslizarnos (como se ha hecho) a la conclusión silogística de que como Lope admira a Heliodoro, *ergo* Lope en el *Peregrino* imita a Heliodoro. En carta de 1626 a su buen amigo y novelista Jerónimo de Quintana, Lope escribe: "[A] Heliodoro ... no se le ha parecido ninguno de quantos le han imitado". [37] Para mí es evidente que Lope no tiene conciencia de haber imitado a Heliodoro, por eso la declaración al amigo novelista; al mismo tiempo, y si no me paso de listo, esa frase encierra una condena de Cervantes, cuyo *Persiles* "se atreve a competir con Heliodoro", según lo pregonaba su propio autor (prólogo a las *Novelas ejemplares*).

El segundo aspecto del problema consiste en dilucidar si *El peregrino en su patria* es una novela bizantina o no. Un análisis apresurado daría una respuesta afirmativa al problema. Se ha dado como característica fundamental de las novelas greco-bizantinas el hecho de que se centran sobre el triple eje del amor, las aventuras y la religión. [38] El hallazgo de los mismos tres ejes en el *Peregrino* ha hecho que la crítica sancione que es una novela bizantina, y lo mismo se ha dicho del *Persiles* cervantino. [39] Pero la denominación es poco afortunada, ya que encubre más de lo que revela acerca de la naturaleza real de ambas novelas. Por lo pronto, los

---

alude Carilla es de 1618, y no está demostrado todavía que Lope imite a Heliodoro en esta novela.

37 *Epistolario de Lope de Vega,* ed. Amezúa, IV, 89.

38 E. H. Haight, *Essays on the Greek Romances* (Nueva York, 1943), pp. 14-117; E. Carilla, "La novela bizantina en España", *loc. cit. supra,* nota 35, amplía y puntualiza las características de Haight.

39 La crítica al uso silencia el hecho de que el *Peregrino* tiene un cuarto eje: la idea de patria, o sea el concepto de nacionalismo. Esto es inhallable en la novela bizantina porque la idea de nacionalismo o patria es producto de la Edad Moderna, *vid.* J. Huizinga, "Patriotism and Nationalism in European History", *Men and Ideas* (Nueva York, 1959), pp. 97-155; H. Kohn, *The Idea of Nationalism* (Nueva York, 1961), y mi trabajo "Poesía, Historia, Imperialismo: *La Numancia*", *Anuario de Letras,* II (1963), 55-75. Ver también lo que digo más abajo acerca de *patria* en el *Peregrino.*

elementos caballerescos, sentimentales, pastoriles y hasta picarescos que éstas contienen, desquician el marco de la bizantina. Y además, si bien la aventura y la peripecia tienen en nuestras novelas la misma importancia seminal que en la bizantina, pronto se echa de ver que esto es algo sólo estructural. Desde el punto de mira conceptual estas nuevas novelas están imantadas por la religión católica, y no el azar. Las peripecias del *Peregrino* y del *Persiles* son, en su esencia, experiencias religiosas. Esta es la característica sustancial de la novela de aventuras del siglo XVII español, y en esta medida ya no se puede llamar novela bizantina.

Para Lope, y en muchos sentidos también para Cervantes, la novela bizantina es sólo un cañamazo, sobre el cual se bordan las figuras de la verdadera novela de aventuras, cristiana y post-tridentina, con detalles tomados de la novela morisca, tal como la practicaron Ginés Pérez de Hita en sus *Guerras civiles de Granada* (1595), o aun más cercano, Mateo Alemán en su novelita de Ozmín y Daraja (*Guzmán,* 1599). [40] Otros detalles provienen de las historias de cautivos, tales como aparecen en el teatro de Cervantes (*Los tratos de Argel, Los baños de Argel*) o del propio Lope (*El Argel fingido, Los cautivos de Argel,* ambas comedias de 1599). Y también la picaresca contribuye a las figuras del tapiz al recrear en el *Peregrino* el infra-mundo carcelario, de manicomios y locos —y en el *Persiles* los falsos cautivos.

A todo esto hay que agregar algunos otros calificativos para acercarnos más a un preciso y cabal conocimiento del *Peregrino* de Lope. Es bien sabido, y Antonio Vilanova lo ha demostrado en dos hermosos trabajos, que la figura del peregrino ha sido desde los tiempos bíblicos el símbolo de la vida del hombre cristiano, o sea que se trata de lo que podríamos denominar *pere-*

40 Es interesante observar que según D. McGrady, Ozmín y Daraja "once the Moorish trappings have been stripped away ... follows very closely [the basic plot] of the *Ethiopian* History", o sea la novela de Heliodoro, *apud* "Heliodorus' Influence on Mateo Alemán", *HR,* XXXIV (1966), 50.

grinatio vitae.[41] En segundo lugar, desde la época del *Filocolo* de Boccaccio, el peregrinaje simbólico se seculariza, y se considera al hombre como el peregrino de amores, o sea que nos hallamos ante una *peregrinatio amoris.*[42] La ambivalencia consiguiente del simbolismo influirá en Lope, y asimismo en Cervantes, en cuyas novelas el estar enamorado es la condición esencial del peregrino cristiano. Y por último, las letras españolas habían creado en la segunda mitad del siglo XVI una réplica totalmente secularizada del peregrino tradicional en la figura del pícaro. Este es el hombre que viaja en busca del éxito material, resolviendo, de paso, la paradoja práctica de vivir sin trabajar. Desde mi atalaya de hoy, definiré a la picaresca como la *peregrinatio famis.*[43] Y no olvidemos que la verdadera picaresca también está imantada por los conceptos post-tridentinos.[44]

41 Los trabajos de Vilanova a los que aludo en el texto son: "El peregrino andante en el *Persiles* de Cervantes", *Boletín de la Real Academia de Buenas Letras de Barcelona,* XXII (1949), 97-159, y "El peregrino de amor en las *Soledades* de Góngora", *Estudios dedicados a Menéndez Pidal,* III (Madrid, 1952), 421-60. Todo esto hay que complementarlo con la lectura del gran libro de S. C. Chew, *The Pilgrimage of Life. An Exploration into the Renaissance Mind* (New Haven-Londres, 1962), donde el peregrino se estudia dentro del conjunto de los demás símbolos de la vida humana, con referencias generales a la iconografía europea del Renacimiento, y particulares a la literatura inglesa de la misma época. El lector también puede ver mis consideraciones sobre el tema en la Introducción a mi edición del *Persiles* cervantino en esta misma colección (Madrid, 1969), y la reciente y documentada tesis de J. S. Hahn, *The Origins of the Baroque Concept of "Peregrinatio"* (Chapel Hill, N. C., 1973).

42 En la obra de Lope el tema de la peregrinación amorosa, aunado al de la soledad, tiene antecedentes inmediatamente anteriores al *Peregrino* en la canción de Menalca en la *Arcadia, Bib. Aut. Esp.,* XXXVIII, 52-53, y ambos temas se expresan en perfecta sincronía con el *Peregrino* en la égloga de Elisio en sus *Rimas* de 1604, *Bib. Aut. Esp.,* XXXVIII, 317-18. Claro está que ambos temas tienen en nuestra novela muchísimo más amplio desarrollo y más profundo calado.

43 Inútil insistir en la importancia seminal del hambre en la vida del pícaro. Entre los más recientes estudios que subrayan su importancia, *vid.* J. Cañedo, "El *curriculum vitae* del pícaro", *RFE,* XLIX (1966), 125-80.

44 Al escribir *verdadera picaresca* pienso en los motivos que llevaron a A. A. Parker a considerar al *Lazarillo* como precursor del género, con lo que éste se inaugura con el *Guzmán de Alfarache, vid.* su libro *Literature and the Delinquent. The*

Todo esto gravita sobre *El peregrino en su patria* de Lope de Vega. Pero desde el propio título Lope imprime a su obra un giro muy personal y paradójico. Porque ocurre que la voz *peregrino* tenía dos significados principales, que ya había explicado Dante en su *Vita Nuova* (capítulo XL), al decir que "la palabra *peregrinos* la podemos entender de dos maneras: una amplia y otra estricta; de la amplia, en cuanto es peregrino todo aquel que está fuera de su patria; de la estricta, no se entiende por peregrino sino quien va hacia la casa de Santiago o vuelve".[45] En vida de Lope, Sebastián de Covarrubias Horozco en su *Tesoro de la lengua castellana o española* (Madrid, 1611), s.v., reafirma la vigencia de tal doble acepción al decir que peregrinar "es andar en romería o fuera de su tierra". Y muchos años después todavía corrobora esto el *Diccionario de Autoridades* (1737). Evidentemente, era consustancial a la idea de peregrinación el hecho de estar desarraigado de la patria. Por consiguiente, Lope introduce su nueva novela con una paradoja conceptual: un peregrino en su propia patria.[46] Desde un punto de vista conceptual esto implica un desafío a la novela picaresca, ya que era el pícaro quien había dado vida a la paradoja de un peregrino en su patria, pero así como las peregrinaciones de éste forman el registro del progreso del vicio,

---

Picaresque Novel in Spain and Europe, 1599-1753 (Edinburgo, 1967), caps. I-II. Acerca de la decidida y decisiva filiación posttridentina del *Guzmán, vid.* E. Moreno Báez, *Lección y sentido del "Guzmán de Alfarache"* (Madrid, 1948), y sobre las mismas características en el género picaresco, *vid.* M. Herrero García, "Nueva interpretación de la novela picaresca", *RFE,* XXIV (1937), 343-62.

45 *Obras completas del Dante,* trad. N. González Ruiz (Madrid, 1956), p. 694.

46 J. S. Hahn, *The Origins of the Baroque Concept of "Peregrinatio"*, cap. III, sigue una muy interesante trayectoria ideológica, complementaria de la que yo sigo en el texto. Hahn parte de las palabras de Lope en el *Peregrino*: "Dondequiera que está el bien ... es la verdadera patria", *infra,* pp. 236-37. Como Nise es el mayor *bien* de Pánfilo, donde esté ella estará la patria de él. Con las bodas finales en el terruño toledano los dos sentidos de *patria* se funden.

el protagonista de Lope registra la peregrinación de la virtud. Vista así, la novela de Lope se nos aparece como una superación espiritual de la picaresca, ya que está animada por la suposición fundamental de que el camino del hombre en la vida es uno de perfectibilidad. Confrontado con los edictos de Trento, y con la solución literaria a que había llegado Mateo Alemán en su *Guzmán de Alfarache* (1599), Lope formula en su *Peregrino* una nueva y original respuesta a los mismos problemas.[47]

Además, y ahora desde un punto de vista práctico, el hecho de que la patria del peregrino de Lope sea su propia España contemporánea, implica una voluntariosa y efectiva nacionalización de un género clásico.[48] Ercilla había nacionalizado la epopeya clásica; Jerónimo Bermúdez y el mayor de los Argensola habían intentado hacer lo propio con la tragedia, y Garcilaso había impuesto su sello genial a la égloga virgiliana. Lope, que ya había liquidado el problema de la adaptación de la comedia, ahora, con el *Peregrino,* coloca a la novela bizantina a la altura de las circunstancias de la España de 1600. Cervantes estudiará el asunto muy de cerca, y propondrá su propia solución al problema en el *Persiles.* El *Peregrino* y el *Persiles*: *eadem sed aliter.*[49]

47 Muy apresuradamente tuvo que leer Ludwig Pfandl el *Peregrino* para decir de él: "El *Peregrino* carece de ideal elevado y tampoco tiene profunda y severa significación", *Historia de la literatura nacional española en la Edad de Oro,* p. 287.

48 Si bien el canon imitativo (la *mimesis* aristotélica) define la estética renacentista, se produce, al mismo tiempo una decidida valoración de lo nuevo y lo propio, que lleva a la nacionalización de los géneros literarios. El tema está todavía por estudiar, aunque J. A. Maravall nos ha señalado el camino en su hermoso libro, *Antiguos y modernos. La idea de progreso en el desarrollo inicial de una sociedad* (Madrid, 1966).

49 Es muy interesante que el *Persiles* sale póstumo, en 1617, y en ese mismo año tuvo seis ediciones, un éxito aun más grande que el *Quijote,* que en 1605 sólo había tenido cinco ediciones. Es en 1618 que Lope decide publicar su edición parcialmente renovada del *Peregrino,* como si quisiese beneficiarse del éxito de la obra de su rival difunto. ¡Qué curiosas relaciones! El *Peregrino* de 1604 es leído con suma atención por Cervantes cuando estaba en trance de escribir su novela afín, y cuando ésta apareció finalmente, su éxito fulminante determinó a Lope a sacar nueva edición de la suya.

La actualización del género es tan íntima y personal (de Lope, en fin), que el protagonista, Pánfilo de Luján, es un madrileño amigo del autor, y que ostenta el mismo apellido que la amante de turno.[50] Y la propia vida del autor se vuelca parcialmente en estas páginas al recrear imaginativamente sus amoríos juveniles con Elena Osorio (libro II, *infra,* pp. 173-81). Un hito más en el camino hacia la *Dorotea* (1632), por cierto, pero de original desenlace, ya que aquí los amantes entran en religión.[51] Declino con firmeza todo intento de psicoanalizar tan sugestiva solución, pero sí quiero recordar que diez años después de la publicación del *Peregrino,* en 1614, Lope entraría, en efecto, en religión. Al llegar a este punto, Lope no sólo ha hecho materia poética de su vida, sino que en alguna oscura manera su poesía ha llegado a ser augurio de su vida.

Más claro aún, y con más serias implicaciones ideológicas, se verá esto al tocar brevemente el tema del honor en el *Peregrino.* El concepto que apunta aquí fundamentará todas las largas moralizaciones finales de *La prudente venganza,* que veinte años más tarde (con *La Circe,* 1624) integrará las informes *Novelas a Marcia Leonarda* (donde el tema no dejó de atraer la atención del maestro Bataillon), y años después se hará vida en forma tan sorprendente como trágica.[52] En el *Pere-*

50 En cuanto al nombre de Pánfilo en sí, se puede explicar como una proyección del propio Lope, otro verdadero "amador de todo", sobre la cual gravitaba probablemente el recuerdo del nombre del amante de la *Fiammetta* de Boccaccio, que es, en esa medida, una proyección del mismo Boccaccio.

51 El lugar relativo que ocupa la versión del *Peregrino* en la literarización de esos tormentosos amores, que rematará en *La Dorotea,* se puede ver en E. S. Morby, "Persistence and Change in the Formation of *La Dorotea*", *HR,* XVIII (1950), 108-25 y 195-217.

52 En los párrafos finales de *La prudente venganza,* entre otras muchas consideraciones análogas, escribe Lope: "He sido de parecer siempre que no se lava bien la mancha de la honra del agraviado con la sangre del que le ofendió, porque lo que fue no puede dejar de ser, y es desatino creer que se quita, porque se mata al ofensor, la ofensa del ofendido", *Bib. Aut. Esp.,* XXXVIII, 34. Con su acostumbrada pericia, Marcel Bataillon ya había notado lo insólito de este concepto del honor

grino Pánfilo ha deshonrado a Celio, al raptar a la hermana de éste. Cuando más tarde Pánfilo se entera de que en represalias Celio le ha deshonrado huyendo con su hermana, no se ve movido a la venganza, sino, más bien, al perdón del raptor. De primera intención, esto bien puede parecer casi una parodia del precepto evangélico del perdón de las ofensas. Su implicación fundamental de que la deshonra recíproca debe provocar el perdón mutuo no es precisamente evangélica. Pero no lo pasemos así a la ligera, ya que si Lope retomó en forma deliberada este singular concepto del honor veinte años más tarde, en *La prudente venganza,* esto bastaría para indicarnos que no era una humorada pasajera.

Claro está que tan peregrino concepto del honor no podría haber salido a las tablas a enfrentarse con los mosqueteros de los corrales de comedias, al menos sin correr riesgo propincuo de "que se les ofreciese ofrenda de pepinos, o de otra cosa arrojadiza", según la frase de Cervantes (prólogo a *Ocho comedias y ocho entremeses*). Con el honor no cabían claudicaciones de ningún tipo, al menos en público.

Pero el recogimiento de la lectura ofrecía la oportunidad de dialogar a solas con el lector. La presión a conformar con la imagen pública disminuye considerablemente, y Lope se puede permitir el lujo de descorrer un poco el velo de la intimidad de su pensamiento, escudado en el carácter privado de su diálogo. En este sentido, Lope podía abogar por el perdón mutuo del adulterio, el rapto y la deshonra, al inyectar en el precepto ético la carga emocional de sus vivencias como adúltero, raptor y deshonrador. El giro personal que se da al precepto ético sirve para disimular las inclinaciones pecaminosas del hombre Lope, y se prepara la coartada del pecado al subrayar su reciprocidad. Que Lope obtuvo consuelo efectivo de esta veleidosa mezcla de ética e individualismo quedó demostrado treinta años

en "*La desdicha por la honra*: Génesis y sentido de una novela de Lope", *NRFH,* I (1947), 43-77.

después de la publicación del *Peregrino,* en el momento más lacerante de su vida. Un año antes de su muerte, en 1634, Lope cayó herido por sus propios filos: su hija Antonia Clara —Antoñica, de diecisiete años, el único báculo de su vejez— fue raptada por un Tenorio de carne y hueso, don Cristóbal Tenorio, un paniaguado del conde-duque de Olivares.[53] La reciprocidad del pecado y de la ofensa está allí, de cuerpo presente, y no hay más consuelo que poetizar el perdón de su deshonra, como lo hace el anciano Lope, en tonos de desesperada entereza en su égloga *Filis*:

> Solo me pongo a mí la culpa ahora...
> ...De una máscara negra compuesto
> por no la ver, que no para venganza,
> tengo un retrato en mi cabaña puesto.[54]

Y en la última comedia que compuso, *La mayor virtud de un rey,* en la que veladamente dramatiza su desdicha, el padre deshonrado en vez de vengarse clama:

> Que rey que sabe el agravio
> no cumple su obligación
> si deja que pobre apele
> para el tribunal de Dios.[55]

53 *Vid.* A. G. de Amezúa, "Un enigma descifrado. El raptor de la hija de Lope de Vega", *BRAE,* XXI (1934), 357-404 y 521-62. A los datos recogidos por Amezúa sobre don Cristóbal Tenorio agréguense los siguientes: al año de haber raptado a la hija de Lope, en el mismo año en que moría el deshonrado padre, don Cristóbal Tenorio alcanzaba nuevos honores al ser nombrado administrador de la encomienda mayor de Castilla en la orden de Santiago, *vid. Cartas de algunos Padres de la Compañía de Jesús sobre los sucesos de la monarquía entre los años de 1634 y 1648, Memorial Histórico Español,* XIX (Madrid, 1865), 381. En 1624 el andaluz don Cristóbal Tenorio, que tenía los años del siglo, es zaherido en un vejamen sevillano, compuesto por don Antonio de Mendoza, junto con otros nobles y próceres, *vid.* H. Serís, *Nuevo Ensayo de una Biblioteca Española de Libros Raros y Curiosos,* I (Nueva York, 1964), 215.

54 *Filis. Égloga a la décima Musa, doña Bernarda Ferreira de la Cerda* (Madrid, 1635), *Bib. Aut. Esp.,* XXXVIII, 330.

55 *AcN,* XII, 643a. Acerca del trasfondo autobiográfico de esta obra, *vid.* J. H. Silverman, "Lope de Vega's Last Years and His Final Play, *The Greatest Virtue of a King*", *Texas Quarterly* (Spring, 1963), 174-86.

Al llegar a este momento, y si tendemos la vista hacia atrás, a nuestro punto de partida, podremos apreciar que una vez más, en Lope, la literatura ha sido agorera de la vida, y por extraña magia ésta adquiere el contorno de la poesía. Aquel singular concepto del honor que movía a Pánfilo de Luján en *El peregrino en su patria* ha cumplido su ciclo, y se adentra ahora en la vida de su creador como el único consuelo efectivo.[56]

Pero me he alejado bastante de la novela del *Peregrino,* aunque no de sus proyecciones últimas, y hay que terminar. "Novela harto cansada y pedantesca", la llamó La Barrera en un momento de malhumor.[57] El criterio de *cansada* es subjetivo, y a ello no hay más que responder que "de gustos no hay nada escrito". Pero el criterio de *pedantería* es histórico, y a esto sí se puede objetar con razones de orden asimismo histórico. Porque si bien es muy cierto que en el *Peregrino* Lope hace un derroche fastuoso y señorial de erudición, esto sólo es consecuencia lógica del concepto cardinal en la preceptiva y la literatura de aquellos siglos, que consideraba a la poesía como ciencia.[58] Don Quijote, tan ducho en menesteres poéticos como caballerescos, decía que "la Poesía ... es como una doncella tierna y de poca edad ... a quien tienen cuidado de enriquecer, pulir y adornar otras muchas doncellas, que son todas

56 Como en la historia literaria cuesta sudores el deshacer un error, quiero recordar aquí que el poema de Lope *Huerto deshecho* no tiene nada que ver con el rapto de Antonia Clara, como se sigue diciendo todavía, por la sencilla y contundente razón de que se escribió y publicó un año antes de dicho acontecimiento, como rotundamente demostró E. Asensio, *Huerto deshecho (Madrid, 1633). Reimpreso en facsímile con un estudio preliminar* (Madrid, 1963).

57 *Nueva biografía, Ac,* I, 112.

58 La erudición indiscreta ha demostrado, sin embargo, que los conocimientos enciclopédicos de Lope son precisamente eso, conocimientos sacados de las más hojeadas enciclopedias de su época, *vid.* entre otros trabajos, K. Vossler, *Lope de Vega y su tiempo,* cap. XIV, "Cultura literaria de Lope"; A. K. Jameson, "Lope de Vega's Knowledge of Classical Literature", *BHi,* XXXVIII (1936), 444-501; E. S. Morby, "Levinus Lemnius and Leo Suabius in *La Dorotea*", *HR,* XX (1952), 108-22; R. Osuna, "El *Dictionarium* de Stephanus y la *Arcadia* de Lope", *BHS,* XLV (1968), 265-69.

las otras ciencias, y ella se ha de servir de todas, y todas se han de autorizar con ella" (II, xvi).[59] Si Lope en su *Peregrino* (como en su *Arcadia,* como en la *Jerusalén conquistada,* o en *La Dorotea*) ya había practicado ese concepto de la Poesía con desmesurada ciencia y erudición, achaquémoslo al hecho de que su vida y su obra fueron una busca de lo descomunal como norma. Bien cierto es que en el *Peregrino* hay demasiada erudición, y también demasiadas aventuras, y demasiada comedia, lo que aconsonanta la novela a la vida-obra de su autor, que fue una afirmación de demasía. En todos los sentidos, el *Peregrino* "*es de Lope*".[60]

JUAN BAUTISTA AVALLE-ARCE

[59] El concepto de poesía como ciencia viene de antiguo. Ya los trovadores provenzales consideraban a la Poesía como llave de la Filosofía, y a ésta como llave de la Teología, idea que llegó a penetrar hasta en ciertas corrientes del pensamiento religioso medieval, *vid.* E. Anitchkof, *Joachim de Fiore et les milieux courtois* (Roma, 1931), p. 269 *seq.* La idea arraiga firmemente en el Renacimiento, *vid.* mi edición de la *Galatea* de Cervantes, I (Madrid, 1961), 1-2, y para la época de Lope es instrumento central del propósito didáctico y moralizante de la Reforma católica, *vid.* A. Castro, *El pensamiento de Cervantes* (Madrid, 1925), pp. 45-46. O sea que la *pedantería* del *Peregrino* se puede entender como un aspecto más de la orientación post-tridentina de Lope. Y lo engolado de su estilo (cuyo estudio tendrá que quedar para otra ocasión) es solidario del concepto de Poesía como Ciencia.

[60] Quiero expresar mi cordial agradecimiento a la Sra. Ruth Nutt Horne, esposa de mi querido amigo A. David Kossoff, por haberme facilitado el manuscrito de su excelente tesis doctoral inédita, "Lope de Vega's *Peregrino en su patria* and the Romance of Adventure in Spain Before 1604" (Brown University, 1946).

NOTICIA BIBLIOGRÁFICA

El peregrino / en su patria / De Lope de Vega Carpio / dedicado / A Don Pedro / Fernández de Córdoua / Marqués de Priego / Señor de la casa de / Aguilar. [Sevilla, 1604]

——— Madrid, 1604.

——— Barcelona, S. de Cormellas, 1604.

——— Barcelona, S. de Cormellas para Juan de Bonilla, 1604.

——— Madrid, 1605.

——— Barcelona, S. de Cormellas, 1605.

——— Bruselas, Roger Velpius, 1608.

——— Madrid, Viuda de Alonso Martín, 1618.

——— Madrid, Francisco Martínez Abad, 1733.

——— Madrid, Antonio de Sancha, 1776 [*Obras sueltas de Lope de Vega,* V].

——— Barcelona, 1935, ed. F. J. Garriga.

——— Madrid, 1935, ed. Luis Guarner.

——— Chapel Hill, N.C., 1971, ed. Myron A. Peyton.

Esta última edición reproduce fielmente el texto de la *princeps,* y en caso de corregirla así lo declara. Tiene, además, larga introducción y copiosas notas, y aunque éstas me han sido de inmensa ayuda, debo confesar que a veces contienen errores increíbles. Las otras dos ediciones hechas en este siglo son poco de fiar, la de Barcelona porque mutila el texto despiadadamente; la de Madrid por sus abundantes erratas.

BIBLIOGRAFÍA SELECTA SOBRE *EL PEREGRINO EN SU PATRIA*

Avalle-Arce, J. B.: "Lope de Vega and Cervantes", *Texas Quarterly* (Spring, 1963), 190-202.

——— "Lope y su *Peregrino*", *MLN,* LXXXVII (1972), 193-99.

Carilla, Emilio: "Cervantes y la novela bizantina. (Cervantes y Lope de Vega)", *RFE,* LI (1968), 155-67.

Farinelli, Arturo: "*Peregrinos de amores en su patria* de Lope de Vega", *Homenatge a Antoni Rubió i Lluch,* I (Barcelona, 1936), 581-602.

Hahn, Jurgen S.: *The Origins of the Baroque Concept of "Peregrinatio"*. Chapel Hill, N.C., 1973.

Horne, Ruth Nutt: "Lope de Vega's *Peregrino en su patria* and the Romance of Adventure in Spain Before 1604". Tesis doctoral inédita, Brown University, 1946.

Lancaster, H. Carrington: "Lope's *Peregrino,* Hardy, Rotrou and Beys", *MLN,* L (1935), 75-77.

Osuna, Rafael: "Las fechas del *Persiles*", *Thesaurus,* XXV (1970), 383-433.

——— "*El peregrino en su patria*", *Revista de Occidente,* núms. 113-114 (agosto-septiembre, 1972), 326-31.

Peyton, Myron A.: ed. Lope de Vega, *El peregrino en su patria*. Chapel Hill, N.C., 1971.

Reyes, Alfonso: "*El peregrino en su patria* de Lope de Vega", *BAAL,* V (1937), 643-50.

——— El mismo trabajo fue incluido en *Capítulos de literatura española,* I serie (Madrid, 1939), 99-110.

Trotter, G. D.: "Notas sobre un manuscrito de George Borrow", *Revista de Literatura,* XVI (1959), 159-64.

Vilanova, Antonio: "El peregrino andante en el *Persiles* de Cervantes", *Boletín de la Real Academia de Buenas Letras de Barcelona*, XXII (1949), 97-159.

Vogler, Frederick W.: "La première apparition en France du *Peregrino* de Lope de Vega", *BHi*, LXVI (1964), 73-83.

Vogler, Frederick W.: "Hyppolite, the Woman Scorned: Corneille's Unconscious Debt to Lope de Vega", *Symposium*, XVIII (1964), 171-73.

Yndurain, Francisco: *Lope de Vega como novelador*. Santander, 1962.

Muchos de los trabajos aquí mencionados traen bibliografía adicional, y el lector encontrará en las notas a la introducción (en especial la nota 12) y texto de esta edición la cita de muchos otros títulos útiles.

Para la fortuna del *Peregrino* en Francia (traducido por Vital d'Audiguier, *Les diverses fortunes de Panfile et de Nise. Où sont contenues plusieurs amoureuses et veritables histoires tirées du pélérin en son pays de Lope de Vega*, París, 1614), ver Frederick W. Vogler, *Vital d'Audiguier and the Early Seventeenth-Century French Novel* (Chapel Hill, N.C., 1964).

Para la fortuna del *Peregrino* en Inglaterra (adaptación anónima, con el título de *The Pilgrime of Casteele*, Londres, 1621), ver Dale B. J. Randall, *The Golden Tapestry. A Critical Survey of Non-Chivalric Spanish Fiction in English Translation (1543-1657)* (Durham, N.C., 1963).

NOTA PREVIA

El texto de esta edición sigue escrupulosamente el de la príncipe (Sevilla, Clemente Hidalgo, 1604; abreviado, 1604). Corrijo las erratas evidentes, de lo que siempre dejo constancia en las notas. He suprimido, sin embargo, las apostillas bibliográficas marginales que trae 1604, ya que esa información la repito, y a menudo la amplío, en las notas; advierto al lector en las ocasiones en que la información proviene de 1604. Modernizo la puntuación y la ortografía, aunque conservo las formas que pueden servir para caracterizar la prosodia de la época.

En las notas trato de no repetir la información que da Myron A. Peyton en su edición del *Peregrino,* aunque a menudo la repetición es inevitable. De todas maneras, los datos que doy aquí deben completarse con los que trae Peyton, aunque muchos de éstos deben usarse con tiento.

J. B. A.-A.

SELANVS MI CHI PEGASVS
EL PEREGRINO
en su Patria.
De lope de Vega carpio
de dicado
A DON PEDRO
Fernandez de Cordoua
Marques de Priego
Señor de lacasa de
Aguilar
Velis nolis
Inuidia
Aut Unicus
aut Peregrinus

Tasa

Yo, Francisco Martínez, escribano de cámara del Rey, nuestro señor, y uno de los que residen en su consejo, certifico y doy fe que por los dichos señores del consejo fue tasado a tres maravedís cada pliego del libro intitulado *El peregrino en su patria,* compuesto por Lope de Vega Carpio, a quien por los dichos señores del consejo se dio licencia y previlegio para le poder vender, y mandaron que al dicho precio y no más se venda, y que esta fe de tasa se ponga en cada cuerpo del dicho libro para que se sepa el precio dél. Y porque dello conste, di la presente, en Valladolid, a veinte y siete días del mes de hebrero de mil y seiscientos y cuatro años.

FRANCISCO MARTÍNEZ

Suma del previlegio

Tiene Lope de Vega Carpio licencia y previlegio del Rey, nuestro señor, por diez años para poder imprimir este libro del *Peregrino en su patria,* con prohibición que ninguna persona le pueda imprimir ni vender sin orden suya, so las penas en el previlegio contenidas. Su data es en Madrid, a seis días del mes de diciembre de mil y seiscientos y tres años.

Aprobación

Muy poderoso señor:
Por mandado de V. Alteza he visto este libro intitulado *El Peregrino en su patria* de Lope de Vega Carpio,

y me parece que así por no tener cosa que ofenda como por ser del ingenio, erudición y lenguaje de su autor, tan peregrino y fenis en nuestros tiempos por sus muchas, dulces y apacibles poesías, de que todo el mundo dará aprobación y testimonio, se le debe dar la licencia y previlegio que suplica. En Valladolid, a veinte y cinco de noviembre de 1603.

El secretario TOMÁS GRACIÁN DANTISCO [1a]

[1a] *Tomás Gracián Dantisco*: Sobre este amigo de Lope, *vide infra,* nota 593.

A DON PEDRO FERNÁNDEZ DE CÓRDOBA,[1]

Marqués de Priego y Montalbán, señor de la casa de Aguilar y de las antiguas Torres de Cañete

Si van a Roma, cabeza del mundo, los peregrinos a alcanzar gracias y a ver grandezas, bien acertó el mío en ir a vuestra excelencia, cabeza de la ilustrísima casa de Aguilar, a alcanzar su gracia y a ver las grandezas de su entendimiento. Y aunque no ha de saber decir cuando vuelva las pirámides de su alta sangre, los edificios de su singular gobierno, los anfiteatros insignes de los famosos hechos de sus mayores, basta que traiga perdones de mi ignorancia y que todos vean en las insignias de su esclavina que viene de la reina de las provincias,[2] a quien pues todas daban vasallaje, cuanto mejor las domésticas, como yo lo soy, que si a tan peregrino príncipe y bienhechor mío no he podido dar peregrinas grandezas, hele dado a lo menos desdichas peregrinas, hábito que me vistieron el tiempo y la fortuna en los brazos de mis padres. Dios guarde a vuestra excelencia, para ejemplo de justicia, verdad, religión e integridad de costumbres. De Sevilla, último día del año de 1603.

LOPE DE VEGA CARPIO

1 *Don Pedro Fernández de Córdoba*: fue cuarto marqués de Priego. Lope vuelve a elogiarle entre otros miembros de la Grandeza en el auto de *El Hijo Pródigo, infra,* p. 376. Murió en Montilla en agosto de 1606. Las relaciones de Lope con la gran casa de los Fernández de Córdoba se hicieron con el tiempo aún más íntimas, a través de sus lazos con D. Luis Fernández de Córdoba, sexto duque de Sessa.

2 *Reina de las provincias*: Córdoba, patria de la casa noble que lleva su nombre, y en forma alusiva el propio marqués de Priego, así como Lope se incluye a sí mismo en el número de las "provincias domésticas", jugando del vocablo (doméstico = criado, servidor).

AL MARQUÉS DE PRIEGO, EL DOCTOR PEDRO FERNÁNDEZ MARAÑÓN,[3] SU MÉDICO

Dadle, señor, las alas y las plumas
de las águilas vuestras al que ha sido
por águila y por cisne conocido
en Delo, en Delfos, en Anfriso, en Cumas.
En el Canopo, en las heladas brumas,
en el adusto Etíope teñido,
y en todo lo que el mar ancho extendido
empina montes y sacude espumas.
Dadle, señor, las plumas y las alas,
para que vuele sin peligro al sitio
de Icaro menos cuerdo que ligero.
Envidiaránle la Tritonia Palas,
conoceránle por Apolo Pitio,
y a vos por Alejandro de este Homero.

DE DON JUAN DE ARGUIJO[4] A LOPE DE VEGA CARPIO

Con heroica grandeza el sabio griego
cantó de aquel astuto Peregrino
el luengo discurrir, cuyo camino
tuvo por fin de Itaca el sosiego:

[3] *Dr. Pedro Fernández Marañón*: también dedicó un soneto a Lope, *infra*, p. 52, y Lope se lo retribuyó en la breve lista de médicos que incluye en *El Hijo Pródigo* (*infra*, p. 377), llamándole "nuevo Esculapio". Este soneto al Marqués (atiborrado de alusiones clásicas) se imprimió en hoja suelta, y no se agregó a todos los ejemplares del *Peregrino*, v. Introducción, nota 21. En el v. 4 los tres primeros topónimos aluden a Apolo, y el cuarto a la Sibila más conocida. *Canopo* es estrella de la constelación meridional Argo.

[4] *D. Juan de Arguijo*: adinerado poeta y mecenas sevillano (*ca.* 1564-1623). Al dedicarle Lope su comedia *La buena guarda*

Y del ilustre Dárdano, que el ruego
de Elisa desdeñó y a Italia vino,
los varios casos resonó el latino
plectro, que celebró de Troya el fuego.
Del uno y otro a la sublime gloria
un Peregrino en su fortuna aspira
por la voz dulce y cortesano aviso
del culto Lope, que en su nueva historia
tales sucesos canta con la lira
del Peregrino que lo fue en Anfriso.

DE DON FRANCISCO DE QUEVEDO[5] AL "PEREGRINO",
DE LOPE DE VEGA CARPIO

Las fuerzas, Peregrino celebrado,
afrentará del tiempo y del olvido
el libro, que por tuyo ha merecido
ser del uno y del otro respetado.
Con lazos de oro y hiedra acompañado
el laurel en tu frente está corrido
de ver que tus escritos han podido
hacer cortos los premios que te ha dado.
La envidia su verdugo y su tormento
hace del nombre que cantando cobras,

(*Ac*, V), recuerda otras obras que asimismo le dedicó: "A sombra de su valor tuvo vida mi *Angélica,* resucitó mi *Dragontea* y se leyeron mis *Rimas,* y si vuesa merced, por modestia, no me hubiera mandado que no pasara adelante, en esta resolución tan justa, mi *Jerusalén* tuviera el mismo dueño". Nos dejó una donosa colección de cuentos (*Bib. Aut. Esp.*, CLXXVI: mi querido amigo Maxime Chevalier prepara su edición crítica), y aunque no recogió sus poesías, en el ms. 10.159 de la BNM se halla la colección más completa de ellas. Ver también Introducción, nota 22. En general, sobre la poesía de Arguijo, amigos y contertulios, véase ahora A. Sánchez, *Poesía sevillana en la Edad de Oro* (Madrid, 1970), y en particular ver la edición de la *Obra poética* de don Juan de Arguijo en esta misma colección de Clásicos Castalia, hecha por Stanko B. Vranich. Verso 14: el Peregrino (pastor, más bien) en Anfriso fue Apolo.

5 *D. Francisco de Quevedo*: Siempre mediaron relaciones cordiales entre ambos ingenios, *vid.* Quevedo, *Obras en prosa,* ed. L. Astrana Marín (Madrid, 1943), pp. 1415-18, y *Obras en verso,* mismo editor (Madrid, 1945), pp. 945-46 y 971-72.

y con tu gloria su martirio crece.
Mas yo disculpo tal atrevimiento,
si con lo que ella muerde de tus obras,
la boca, lengua y dientes enriquece.

DE DON JUAN DE VERA [6] A LOPE DE VEGA CARPIO

Cuando las ninfas del Castalio coro,
Lope, oyeron tu plectro sonoroso
en el Tajo, a quien hizo más famoso
tu dulce musa que su arena de oro,
Betis propuso a Apolo su decoro,
su grandeza, sus partos, su dichoso
nombre, su ser, su trato poderoso,
su verde selva y desigual tesoro.
Lope me falta, dijo el viejo; y luego
sus ninfas todas al patrón divino
piden lo mismo, que aceptó su ruego.
Ya has llegado a su curso cristalino,
Peregrino en viaje y con sosiego,
sólo en estilo quedas peregrino.

DE HERNANDO DE SORIA GALVARRO [7] A LOPE DE VEGA CARPIO

Lope, ya el claro y dulce ingenio vuestro
dio de su primavera alegres flores

6 *D. Juan de Vera* y Zúñiga o Figueroa: en 1628 fue creado conde de la Roca, poeta e historiador extremeño, que vertió sus experiencias diplomáticas en su tratado *El embajador* (Sevilla, 1620), obra que Lope elogió grandemente en cartas al propio Vera, *vid. Epistolario de Lope de Vega,* ed. Amezúa, IV, 246, 294-95 y 310-11. Lope le dedicó la comedia *Los esclavos libres* (*AcN,* V). En el soneto se alude al cambio de residencia de Lope de Toledo a Sevilla.

7 *Hernando de Soria Galvarro*: poeta y sacerdote sevillano, amigo de los Argensola, de Francisco de Medrano, y muy en particular de Lope, cuyo hijo ilegítimo Félix (habido en Micaela de Luján) apadrinó en Sevilla, el domingo 19 de octubre de 1603; *vid.* A. Rodríguez-Moñino, "Hernando de Soria Galva-

las llamas escribiendo y los ardores,
a donde os transportó hado siniestro.
Después en la zampoña agreste diestro,
y en la rústica lira de pastores
cantastes el halago y los amores,
de que Venus os hizo gran maestro.
Tiempo es ya que cantéis con mayor lira
las armas y los héroes y que suenes,
Euterpe, fuera de la selva y prado,
porque al que Tajo coronado mira
de humilde hiedra, admire coronado
del árbol victorioso entrambas sienes.

DE DON ÁLVARO DE GUZMÁN [8] A LOPE DE VEGA CARPIO

No del Betis la playa, que engrandece
a España con riquísimo tesoro;
no la tierra, que el sol convierte en oro,
y el fénix oloroso incendio ofrece.
No la que el mar Atlántico guarnece
dando al escita coral, perlas al moro,
ni la vega en que vive el bien que adoro
a quien Genil de jaspes enriquece.
No la famosa Caledonia selva,
tu vega igualan de tu patria gloria,
ni cuantas mira el sol del Cancro al Tauro.
Salga tu PEREGRINO al mundo y vuelva
con sombrero de palma de victoria,
y tejido el bordón de oliva y lauro.

---

rro. (Dos poesías inéditas)", *Mélanges à la mémoire de Jean Sarrailh,* II (París, 1966), 281-99. Versos 9-10: alude a la epopeya de Lope, *La Jerusalén conquistada,* que estaba terminada ya en septiembre de 1605, aunque no se imprimió hasta 1609, *vid. Epistolario,* III, 6.

8 *D. Álvaro de Guzmán*: granadino, pero muy relacionado con el cenáculo poético sevillano que tanto contribuyó a estos preliminares del Peregrino (v. Introducción, nota 22), como se deduce de las palabras de don Pedro Venegas de Saavedra al dedicar en 1604 a don Álvaro de Guzmán sus *Remedios de amor* (Palermo, 1617).

DE ANTONIO ORTIZ MELGAREJO[9] A LOPE DE VEGA CARPIO

¿En qué fresco jardín de olor divino,
famoso Lope, en qué dichoso suelo
a su fortuna hallará consuelo,
si sale de tu vega el PEREGRINO?
Que aunque le ofrezca el próspero destino
el alcázar de Psique en presto vuelo,
para quien viene del empíreo cielo,
¿qué son palacios de diamante fino?
Trabajos pasará, porque es discreto;
mas tendrá, si su lira es conocida,
lugar entre los dignos de memoria.
Y, a pesar de la envidia y del secreto
olvido, durará siempre extendida
su fama, y canto y peregrina historia.

DEL DOCTOR PEDRO FERNÁNDEZ MARAÑÓN[10] A LOPE DE VEGA CARPIO

Un número y dulzura milagrosa,
suave estilo, erudición con seso
tiene Lope de Vega con exceso
sobre cuantos escriben verso o prosa.

[9] *Antonio Ortiz Melgarejo*: sevillano, del hábito de San Juan. Sus dispersas poesías, con algunas omisiones, se pueden ver en Francisco de Rioja, *Poesías,* ed. C. A. de la Barrera (Madrid, 1867), apéndice. En general, *vid.* M. Méndez Bejarano, *Diccionario de escritores ... de Sevilla,* II (Sevilla, 1923), 171-73; sobre los problemas planteados por la autoría de *La casa de locos de amor,* atribuida en una época a Quevedo, y ahora a Ortiz Melgarejo, *vid. Cancionero Antequerano,* ed. D. Alonso y R. Ferreres (Madrid, 1950), pp. XXVIII-XXIX. Verso 6: alude al maravilloso palacio a que Eros llevó a Psique para allí tenerla como suya (Apuleyo, *Asno de oro,* libro V).

[10] *Dr. Pedro Fernández Marañón: vide supra,* nota 3. Verso 8: nueva alusión a la *Jerusalén conquistada,* que Lope evidentemente tenía a punto de terminar en estos momentos. Versos 13-14: la superioridad relativa de Arte o Naturaleza se debate acaloradamente en la Edad de Oro, con —excúsese la generalización, no del todo exacta, como suele suceder— el siglo XVI a favor de Naturaleza, y el siglo XVII a favor de Arte.

Natural es el numen y copiosa
la vena, cual carácter sacro impreso:
es sabroso en lo lírico, y el peso
en su épico poema es grave cosa.
Tiene elección, dispone y en él solo
se ve en lo sumo la una y la otra parte
de ciencia y natural con tal grandeza.
Que se puede dudar, por este Apolo,
si la Naturaleza vence al arte,
o vence el arte a la Naturaleza.

DE CAMILA LUCINDA [11] AL "PEREGRINO"

Mientras a un dulce epitalamio tiemplo
la lira humilde de tu canto indina,
goza a tu Nise celestial divina,
peregrino de amor único ejemplo.
Si el centro es Nise, y de tu ardor contemplo
la esfera en su hermosura peregrina,
cuelga el bordón, sombrero y esclavina
en las sagradas aras de su templo.
Pon una tabla, y di: Cuando me llama,
llego a su esfera —Lope con divinos
versos, llegó también hasta la fama—;
aquí dio fin amor a mis caminos,
Lope a su historia, y a los dos nos llama
el mundo en un sujeto peregrinos.

11 *Camila Lucinda*: Micaela de Luján, la amante analfabeta de Lope, desde 1593 hasta 1608, y madre de cinco de sus hijos (*vide supra,* Introducción, nota 10). Entre muchas otras obras del Fénix, inspira buena parte del *Peregrino,* según se verá (*infra,* por ejemplo, notas 340 *seq.*). Las alusiones del soneto son a los protagonistas de la novela, Nise y su enamorado el peregrino Pánfilo.

PRÓLOGO

La esperanza del premio dice Séneca[12] que es consuelo del trabajo. ¿Quién hay que le espere en este tiempo? ¿O quién escribe? Si, como dice Aristóteles,[13] *Delectatio perficit operationem,* sino debe entenderse por la que el entendimiento recibe. Todos reprenden, mas no dan la causa, pues el Filósofo[14] dijo que *non oportet tantum verum dicere, sed etiam caussam falsi assignare.* Mas ¿quién hará esto? Que ya se juzga, o por envidia, o por malicia o por ignorancia. Y pues *qui nescit rem, nullum nomen imponit ei,*[15] ¿cómo hay tantos que se atreven a juzgar lo que no entienden? Hay muchos que por la opinión de otros condenan lo que ignoran y sin ellos no hablan, como los relojes, que no pueden dar, si otro no les sube la cuerda, o como los instrumentos, que la destreza se debe a la mano ajena y a ellos las voces solas. Pues Platón[16] dijo que no debe el verdadero juez, *quæ determinanda iudicio sunt, ab alio discere.* En España[17] se tiene por sin duda que no

12 *Séneca*: epístola XXXI, 4-7.
13 *Aristóteles: Ética Nicomaquea,* X, 4, 1175a, 15-16.
14 *Filósofo*: Aristóteles, *Retórica,* I, 1, 1355a, 14-15.
15 *Ei*: Aristóteles, *De Interpretatione,* 2, 16a, 30; 10, 19b, 6.
16 *Platón: República,* III, 409b.
17 *España*: igual queja expresaba Cervantes en el prólogo a su *Galatea* (1585). En su esencia, la queja es una muestra más de la insatisfacción del intelectual español ante su sociedad, agravada, en el caso concreto de Lope y su *Peregrino,* por la intromisión del tema de la envidia, de amplias resonancias en su obra (*vide supra,* Introducción, nota 18).

ha nacido poeta en este siglo, pues ¿cómo hay tantos que quieren serlo? Los que pretenden, trabajen; los que comienzan, imiten; los que ignoran, aprendan; los que saben, agradezcan; los que maldicen, escriban, que hablando mal no se alcanza fama, sino escribiendo bien. Aristóteles dice, en el primero de su *Metafísica,*[18] que la señal de saber es poder enseñar: quien sabe, enseñe. Para mí también son obras las de mano, como las impresas: ¿en qué, pues, se fían los que porque no imprimen murmuran? Pero ¿por qué lo tengo yo de saber, si Cicerón[19] dijo en el primero de sus *Oficios: Fit nescio quo pacto, ut magis in aliis cernamus, si quid delinquitur, quam in nobis metipsis.* Si no es que responde Aristóteles[20] que *Unusquisque naturaliter et maxime amat se ipsum.* Yo no conozco en España tres[21] que escriban versos: ¿cómo hay tantos que los juzguen? Los que desean hacerse famosos, murmurando rodean, escribiendo atajan, que no es gloria la de Eróstrato; y Catón dijo que más quería que los romanos dijesen "por qué no han puesto estatua a Catón",[22] que no "por qué se la han puesto". Si algo agrada, comúnmente alaban el natural del dueño, niegan el arte. Pues ¿qué importa, cuando eso no fuera rebozar la envidia? Habiendo Tulio dicho que muchos sin doctrina alguna: *Naturam ipsam sequuti multa laudabilia fecerunt,* y casi estas mismas palabras *pro Archia Poeta.* Y en el de *Natura Deorum*[23] dijo claramente que eran mejores las cosas que la Naturaleza hacía que las que el arte per-

18 *Aristóteles: Metaphysica,* I, 1, 981b, 7-9.
19 *Cicerón: De Officiis,* I, xli.
20 *Aristóteles: Ética Nicomaquea,* IX, 8, 1168b.
21 *Tres*: Por curiosa y muy significativa coincidencia, Leopoldo Alas, *Clarín,* dirá casi trescientos años más tarde: "Al contar los poetas líricos por los dedos, comenzando por el pulgar, no paso del que llaman del corazón, o sea del medio. ¿Nada más que tres poetas? Nada más. Y si vamos a tomar a rigor el concepto, dos y medio ¿Quién son? Campoamor y Núñez de Arce, dos enteros, el medio (y un poco más) Manuel del Palacio", "Los poetas en el Ateneo", *Sermón perdido* (Madrid, 1885), p. 3.
22 *Catón*: Plutarco, *Vida de Catón,* XIX, 5.
23 *Natura Deorum*: I, xxxiii.

feccionaba. Mas ¿quién teme tales enemigos? Ya para mí lo son los que con mi nombre imprimen ajenas obras. Ahora han salido algunas comedias que, impresas en Castilla, dicen que en Lisboa,[24] y así quiero advertir a los que leen mis escritos con afición (que algunos hay, si no en mi patria, en Italia, Francia y en las Indias, donde no se atrevió a pasar la envidia) que no crean que aquéllas son mis comedias, aunque tengan mi nombre, y para que las conozcan me ha parecido acertado poner aquí los suyos, así porque se conozcan como porque vean si se adquiere la opinión con el ocio y cómo al honesto trabajo sigue la fama, que no a la detractora envidia e infame murmuración, hija de la ignorancia y del vicio. *Stultus omnia vitia habet,* como dijo Séneca.[25]

TÍTULOS[26] DE LAS COMEDIAS DE LOPE DE VEGA CARPIO

Las Amazonas
Hero y Leandro
El Nacimiento
La Condesa
El Cerco de Toledo
El Otomano famoso
Sarracinos y Aliatares
Los Amores de Narciso

24 *Lisboa*: Lope alude al tomo titulado *Seis comedias de Lope de Vega Carpio, y de otros autores, cuios nombres son éstos ... En Lisboa. Impresso por Pedro Crasbeeck, Anno MDCIII*; en el mismo año Pedro de Madrigal reimprimió el volumen en Madrid. Sólo dos de las seis comedias son de Lope.

25 *Séneca*: epístola IX, 14.

26 *Títulos*: acerca de estas listas, de capital importancia para la historia y cronología dramáticas de Lope, *vid.* S. G. Morley, *Lope de Vega's "Peregrino" Lists, UCPMPh,* XIV (1930), donde, desgraciadamente, las comedias se ponen en orden alfabético. El orden de Lope no es arbitrario, sino que corresponde a los *autores* (directores) a quienes Lope vendió sus comedias (Porres, Granados, etc.), según demostró Thornton Wilder, "New Aids Toward Dating the Early Plays of Lope de Vega", *Varia Variorum. Festgabe für Karl Reinhardt* (Münster-Köln, 1952), pp. 194-200. Los recientes artículos de Óscar M. Villarejo no hacen más que embrollar considerable e innecesariamente la cuestión, *vid.* "Revisión de las listas de *El peregrino* de Lope de Vega", *RFE,* XLVI (1963), 343-99, y "Lista II de *El peregrino*: la lista maestra del año 1604 de los 448 títulos de las comedias de Lope de Vega", *Segismundo,* 2 (1966), 57-89.

Las Guerras Civiles
El Médico enamorado
La Serrana de Tormes
El Africano cruel
El Jardín de Falerina
El Grao de Valencia
La Ingratitud vengada
Muza Furioso
Alfonso el afortunado
El Casamiento dos veces
El Hijo de Reduán
El Soldado amante
El Ganso de Oro
La Palabra mal cumplida
La Difunta pleiteada
El Cerco de Orán
La Abderite
Güelfos y Gibelinos
La Competencia engañada
El Príncipe melancólico
La Infanta labradora
La Pastoral de Albania
Los Cautivos
El Degollado fingido
El Viaje del hombre
La Tragedia de Aristea
El Engaño en la verdad
El Lacayo fingido
Los Celos satisfechos
La Infanta desesperada
Los Padres engañados
El Mesón de la Corte
El Galán escarmentado
Rómulo y Remo
La Dama estudiante
La Traición bien acertada
El Enemigo engañado
El Buen agradecimiento
Los Monteros de Espinosa
El Pleito de Inglaterra
El Duque de Alba en París
Conquista de Tremecén
El Maestro de Danzar
El Dómine Lucas
Los Chaves de Villalba
Los Muertos vivos
San Roque
La Valeriana
Adonis y Venus
El Primer Rey de Castilla
El Testimonio vengado
Los Torneos de Valencia
La Peregrina
Garcilaso de la Vega
Los Embustes de Fabia
El Conde Don Tomás
Psique y Cupido
El Paje de la Reina
Los Fregosos y Adornos
El Vaquero de Moraña
El Hijo venturoso
La Montañesa
La Matrona constante
La Viuda valenciana
El Cirujano
Belardo furioso
La Vizcaína
El Sol parado
Los Comendadores
Al Alcaide de Madrid
El Turco en Viena
La Corona merecida
Pedro Carbonero
El Mármol de Felisardo
El Favor agradecido
El Caballero del milagro
El Leal criado
El Roberto
La Suerte de los tres Reyes
La Semíramis
El Galán agradecido
Antonio Roca
La Varona Castellana
El Príncipe de Marruecos
Mocedades de Roldán
Los Amantes sin Amor

Los Peraltas
El Muerto vencedor
Fray Martín de Valencia
Pimenteles y Quiñones
El Amor constante
El Hijo de sí mismo
Los Biedmas
Las Quinas de Portugal
Lucinda perseguida
El Cuerdo loco
Los Esclavos libres
El Despeñado
El Arenal de Sevilla
La Gallarda toledana
La Bella malmaridada
El Perseguido
La Poncella de Francia (Doncella)
El caballero de Illescas
Abindarráez y Narváez
La Reina loca
El Argel fingido
El Esclavo de Roma
El Bosque Amoroso
La Perdición de España
Angélica en el Catay
La Cadena
La Prisión sin culpa
La Bárbara del Cielo
Los Fajardos
San Andrés Carmelita
Nerón cruel
El Primero Médicis
El Capitán Juan de Urbina
San Segundo de Ávila
El Cerco de Madrid
La Torre de Hércules
Los Guzmanes de Toral
El Conde de Irlos
El Matico
Zegríes y Bencerrajes
El Tonto de aldea
La Escolástica celosa
El salteador agraviado
El Verdadero Amante
Ronces Valles
El Marqués de Mantua
El Ingrato arrepentido
El sufrimiento premiado
Ursón y Valentín
Ferias de Madrid
Celos de Rodamonte
La Ginovesa
El Espíritu fingido
Las Gallardas Macedonias
El Rufián Castrucho
El Príncipe Inocente
Burlas de Amor
La Sierra de Espadán
El Bárbaro gallardo
La Pastoral de la siega
La Pastoral encantada
La Pastoral de los celos
El Rey de Frisia
Jorge Toledano
Los tres Diamantes
El Caballero mudo
La Envidia y la privanza
El Amor desatinado
La Imperial Toledo
San Tirso de España
Los Horacios
La Francesilla
El Rico avariento
La Muerte del Maestre
La Inclinación natural
El Padrino desposado
San Julián de Cuenca
Los Locos de Valencia
La Circe Angélica
El Cortesano en su aldea
El Rey Bamba
El Nuevo mundo
El Mayorazgo dudoso
El Tirano castigado
El Amigo por fuerza

La Fe rompida
La Amatilde
La Hermosura de Alfreda
Los Enredos de Celauro
La Gobernadora
Los Triunfos de Otaviano
La Conquista de Andalucía
Los Torneos de Aragón
El Desdichado
La Mudable
La Bella gitana
La firmeza de Leonarda
La Pobreza estimada
El Triunfo de la limosna
El Esclavo por su gusto
La Gran pintora
El Molino
Laura perseguida
Los Jacintos
La Campana de Aragón
La Reina de Lesbos
La Divina vencedora
Los Jueces de Ferrara
La Serrana de la Vera
La Fuerza lastimosa
La Galiana
La Basilea
La Batalla naval
Los Benavides
La Venganza de Gaiferos
La Ocasión perdida
La Pobreza de Reinaldos
La Dama desagraviada
La Prisión de Muza
El Catalán valeroso
La Toma de Alora
La Villanesca
El Monstro de Amor
La Locura por la honra [27]
Los Jueces de Castilla
El Llegar de ocasión
El Villano en su rincón
El Castigo del discreto
El Gran Duque de Moscovia
Las Paces de los reyes
Los Porceles de Murcia
La Hermosura aborrecida
La Viuda casada y doncella
San Isidro de Madrid
El Asalto de Mastrique
El Comendador de Ocaña
El Ginovés liberal
La Boda entre dos maridos
El Amigo por fuerza
Don Lope de Cardona
Conquista de Tenerife
La Octava maravilla
El Sembrar en buena tierra
La Burgalesa de Lerma
El Poder vencido
El Perro del hortelano
El Acero de Madrid
Obras son amores
Con su Pan se lo coma
Don Beltrán de Aragón
El Imperio por fuerza
La Batalla del honor
La Obediencia laureada
El Primer Carlos de Hungría
El Hombre de bien
El Secretario de sí mismo
El Cuerdo en su casa

[27] *La locura por la honra*: con esta comedia se inicia la lista adicional que Lope añadió al publicar el *Peregrino* en Madrid en 1618. El orden guardado aquí es también el de *autores*, con una selección de comedias vendidas a cada uno que sigue el orden de las *Partes* publicadas hasta ese momento, *vid.* C. Bruerton, "Thornton Wilder and Lope's *Peregrino* Lists", *Bulletin of the Comediantes*, III, 1 (1951), 1, y también Thornton Wilder, *ut supra*, nota 26.

El Duque de Viseo
El Testigo contra sí
El Servir con mala estrella
La Fe rompida
El Tirano castigado
La Quinta de Florencia
El Padrino desposado
El Galán de la Membrilla
La Venganza venturosa
La Humildad y la soberbia
Ramilletes de Madrid
Servir a Señor discreto
El Amigo hasta la muerte
El Mayordomo de la Duquesa de Amalfi
Fuenteovejuna
Flores de Don Juan, o el rico y pobre trocados
Juan de Dios
La Noche toledana
Doña Inés de Castro
El Santo negro
El Despertar a quien duerme
El Postrer godo de España
El Vaquero de Moraña
El Niño inocente
El Casamiento en la muerte
Los Ponces de Barcelona
La Dama boba
Los Melindres de Belisa
El Alcázar de Consuegra
San Agustín
Las Asturianas
Lo Que hay que fiar del mundo
El Cardenal de Belén
El Serafín humano
El Castigo ejemplar
Arauco domado
El Amor desatinado
El Honrado hermano
El Godo ilustre
El Hermano Francisco
El Príncipe perfeto
La Segunda del príncipe perfeto
Santiago el verde
El Capellán de la Virgen
El Arcadia
La Vuelta de los españoles en Flandes
La Madre de la mejor
El Alcalde mayor
El Truhán napolitano
Ello Dirá
Al Pasar del arroyo
Los Bandos de Sena
El Halcón de Federico
El Conde Fernán González
La de Alejandro
El Premio de la hermosura
La Libertad vendida
El Platero del Cielo
La Dicha muerto su dueño
El Imposible mayor
La Prisión de los Bencerrajes
El Desdén vengado
El Desconfiado
La Esclava de su hijo
Los Tres consejos
Lo Que pasa en una tarde
Don Diego de Noche
El Valiente Céspedes
El Anzuelo de Fenisa
El Duque de Berganza
Rodulfo y Otón
La Amistad pagada
El Ejemplo de casadas
La Prueba de los ingenios
La Doncella Teodor
El Hamete de Toledo
El Ausente en el lugar
La Niña de plata
El Animal de Hungría
Del Mal lo menos
Los Carvajales

La Sortija del olvido
La Hermosa Ester
Los Hidalgos del aldea
Barlaán y Josafat
El Desposorio encubierto
Roma Abrasada
El Primer cristiano
La Buena guarda
La Cortesía de España
La Mal casada
La Historia de Tobías
El Valor de las mujeres
El Hijo sin padre
El Robo de Flora
El Peligro de alabarse
Mujeres y Criados
Todo es Fácil a quien ama
El Bravo don Manuel
La Segunda parte
El Mejor mozo de España
De Cuando acá nos vino
El Hijo del olmo
San Nicolás
El Rey sin reino
El Príncipe inocente
Pimenteles y Quiñones
El Remedio en la desdicha
Los Arellanos
La Sortija del olvidado
Lo Que pueden los celos
La Moza gallega
La Niña de Alcorcón
Miente Quien jura y ama
¡Oste, Morena!
La Lucrecia
Roque Dinarte
El No esperar a mañana
Más Vale saber que haber
Cada Uno hace como quien es
Amor Secreto hasta celos
La Prudencia vitoriosa
Las Mujeres sin hombres
El Duque de Osuna
El Vellocino de oro
La Villana de Getafe
La Fábula de Perseo
El Galán Mendoza
El Santo de Valencia
La Necedad del discreto
San Martín
La Casta Penélope
Arminda Celosa
La Atalanta
El Honrado perseguido
El Bobo del colegio
Los Siete Infantes de Lara
El Gallardo Jacobín
La Conquista de cortes
El Mejor representante
La Firmeza en la desdicha
Castelvines y Monteses
El Juez en su causa
El Príncipe carbonero
Virtud, Pobreza y mujer
La Serrana de Burgos
San Antonio de Padua
El Piadoso veneciano
Las Batuecas
Pedro de Urdemalas
Lazarillo de Tormes
Don Juan de Castro
Las Fortunas de Beraldo
Los Duques de Saboya
Los Embustes de Fabia
El Hijo de sí mismo
La Espada pretendida
Carlos Quinto en Francia
El Veneno saludable
El Ruiseñor de Sevilla
La Guía de la corte
El Africano cruel
El Amor soldado
Los Peraltas
Dé Donde diere
La Reina de Lesbos

La Toma del Longo por el Marqués de Santacruz
La Prueba de los amigos
Los Enemigos en casa
El Secreto bien guardado
El Caballero de Illescas
El Habanillo
Quien Más no puede
El Hombre por su palabra
Achaque Quieren las cosas
El Laberinto de Creta
La Discreta enamorada
Los Celos sin ocasión
Los Prados de León
Los Amantes sin amor
La Ventura sin buscalla
El Muerto vencedor
La Vitoria del honor
El Caballero del Sacramento
Jorge Toledano
La Madalena
El Mártir de Florencia
Santo Tomás de Aquino
San Ángel Carmelita
La Madre Teresa de Jesús
San Adrián y Natalia
La Conquista de Andalucía
La Dicha del forastero

Con esto quedarán los aficionados advertidos, a quien también suplico lo estén de que las comedias que han andado en tantas lenguas, en tantas manos, en tantos papeles, no impresas de la mía, no deben de ser culpadas de sus yerros, que algunas he visto que de ninguna manera las conozco. Y adviertan los extranjeros, de camino, que las comedias en España no guardan el arte y que yo las proseguí en el estado que las hallé, sin atreverme a guardar los preceptos, porque con aquel rigor de ninguna manera fueran oídas de los españoles.[28] Consideren juntamente los nobles, los doctos, los virtuosos, no los pavones, que Aristóteles[29] llama *animalia invida ornatus, ac politici studiosa,* que sin mirarse los pies extienden los ojos de Argos, que ducientas y treinta comedias a doce pliegos y más, de escritura son

28 *Españoles*: acerca de Lope y sus problemas con los preceptistas neoaristotélicos, *vide supra,* Introducción, nota 3, y agregar M. Romera-Navarro, *La preceptiva dramática de Lope de Vega* (Madrid, 1935). En el *Arte nuevo de hacer comedias en este tiempo* (1609) Lope insistirá: "Mas porque en fin hallé que las comedias / estaban en España en aquel tiempo / no como sus primeros inventores / pensaron que en el mundo se escribieran, / mas como las trataron muchos bárbaros / que enseñaron el vulgo a sus rudezas, / y así se introdujeron de tal modo / que quien con arte agora las escribe / muere sin fama y galardón ...", versos 22-30.

29 *Aristóteles: Historia Animalium,* I, 1, 488b, 23.

cinco mil y ciento y sesenta [30] hojas de versos que a no las haber visto públicamente todos, no me atreviera a escribirlo, sin muchas de que no me acuerdo y no poniendo las representaciones de actos divinos para diversas fiestas y un infinito número de versos a diferentes propósitos. Pues ¿qué dirá quien con una estancia pensada en una primavera, escrita en un verano, castigada en un otoño y copiada en un invierno, quiere escurecer los inmensos trabajos ajenos de que por dicha, en acabando de imitar, murmura? Dicen que mucho, luego malo, y que aquello poco es para eternos siglos, como dijo aquel poeta que en tres días había compuesto tres versos. A tan falso argumento respondan los teólogos, los letrados, los filósofos que escribieren tan innumerables sumas, que Dios crió tierras fértiles y estériles y las palmas en África llevan dátiles y en España hojas; engaña a estos hombres el aplauso del que los escucha; porque, como Demóstenes [31] dijo, es naturaleza común *maledicta perlibenter audire.*

Pero sean cuales fueren, éste es el PEREGRINO: no carece su historia de algún deleite, porque Tulio [32] dijo: *Lectionem sine ulla delectatione negligo,* ni de algún provecho por obedecer a Horacio: [33] *Qui miscuit utile dulci.* No hay que cortarle la ropa, que pedazos de sayal ¿a quién pueden ser de provecho? Y aunque es verdad que el bordón suele llevarse para los perros que muerden, yo sé de su humildad que antes les echará del pan de su limosna. Sólo es justo que adviertan algunos que *omni vitio carere debet, qui in alterum dicere paratus est.* [34] Y si para esto no bastare la sentencia de Salustio, ¿qué cosa más vil y reputada a infamia entre todas las naciones que tratar mal los peregrinos?

30 En la edición de Madrid, 1618, a tenor con la ampliada lista de comedias, se lee: "Cuatrocientas y sesenta y dos a cincuenta hojas y más de escritura suman veintitrés mil cien".

31 *Demóstenes: De Corona,* 3.

32 *Tulio: Tusculanarum disputationum,* II, 3, 7.

33 *Horacio: Ars Poetica,* 343.

34 *Est*: Salustio, *In M. Tullium Ciceronum oratio.*

Pues Dios dijo en el *Exodo:*[35] *Advenam non contristabis, neque affliges eum: advenæ enim et peregrino molestus non eris; scitis enim advenarum animas, qui et ipsi Peregrini fuistis in terra Ægypti.*

DE JUAN DE PIÑA[36] A LOPE DE VEGA CARPIO

Si el PEREGRINO gallardo
de este libro es proprio nombre,
y para eterno renombre,
Lope de Vega o Belardo;[37]
la patria tan peregrina,
que madre el mundo la llama,
y si peregrina fama
la madre patria divina;
y el hijo tan peregrino,
que el cielo hizo en él solo
un sutil divino Apolo;
y un nuevo Homero divino,
Madrid a tan fértil Vega
fabrique templos y altares,
pues por ella Manzanares
hasta el Índico mar llega.

35 *Exodo*: XXII, 21 y XXIII, 9. Con un texto análogo se cierra toda la novela, ver final.

36 *Juan de Piña*: "El mayor y más antiguo amigo de Lope de Vega", según gustaba declararse (Buendía, *circa* 1566, Madrid, 9 de julio de 1643). Ayudó al Fénix en toda suerte de lances; éste retribuyó dedicando la comedia *El dómine Lucas* "A Juan de Piña, su mejor amigo", a su hijo Jacinto de Piña *El desposorio encubierto,* y a su hija Ana de Piña *El hidalgo Abencerraje.* En prosa harto amanerada Juan de Piña publicó varias colecciones de novelas cortas, de las cuales sólo una (*Casos prodigiosos y cueva encantada,* Madrid, 1628) ha sido reeditada modernamente, con buen estudio bio-bibliográfico por E. Cotarelo y Mori (Madrid, 1907).

37 *Belardo*: favorito sobrenombre poético de Lope.

LOPE DE VEGA A JUAN DE PIÑA, SU MAYOR AMIGO

Juan, pues sabéis que nací
en desdichas peregrino,
para qué sois adivino
viviendo dentro de mí.
Haced en mi alma suma
con esa vuestra divina,
veréis cuál es peregrina:
o la desdicha o la pluma.
Bien claro en las dos se muestra
que no fueran tan dispares
a deberle Manzanares
lo que Júcar [38] a la vuestra.
Tajo [39] que nace en la sierra,
donde nacisteis, ya os llama,
en virtud, en trato, en fama,
peregrino de la tierra.

EL PEREGRINO

Patria, adiós, pues sois discreta,
quedemos en paz los dos,
que si es palabra de Dios
que nadie es en vos profeta,
¿quién será profeta en vos?
Por mi fortuna me rijo,
al mundo por patria elijo
y sólo al cielo por padre,
que ya no os quiero por madre,
si no me queréis por hijo.

[38] *Júcar*: río de la provincia de Cuenca, donde había nacido Piña, así como el Manzanares es el río del madrileño Lope de Vega.

[39] *Tajo*: no nace en Buendía, pero su proximidad es tal que ha permitido, modernamente, la construcción del Pantano de Buendía.

Bástame aqueste sombrero
para el frío y el calor,
pues no conocí señor,
o natural o extranjero,
que me lo diese mejor.
Bástame aqueste bordón
defensa de mi opinión,
coluna de mi inocencia,
báculo de mi paciencia,
y espada de mi razón.
¡Oh patria, el tiempo que encubre
a Troya con ceniza igual,
por infusión celestial
a vos de yerbas os cubre
y a mí de tosco sayal!
Yo con pedir me entretengo;
limosna, esperad, ya vengo,
partir con vos es partido,
porque diré que lo pido
para una madre que tengo.
Si el sol que el mundo celebra
vuelve a vos, guardad por mí
las paredes donde os vi,
que os dejo como culebra
la camisa en que nací.
Mas si no os tocó su llama,
trocad en ciprés la rama
del laurel, que os dio por joya,
que a vos y a mí como a Troya
desdichas nos darán fama. [40]

40 Las dos últimas quintillas aluden al traslado de la corte de Madrid a Valladolid, efectuada por Felipe III ("el Sol que el mundo celebra"), en enero de 1601. Si la corte no vuelve a Madrid, el laurel de su fama se trocará en el ciprés de su luto.

EL PEREGRINO EN SU PATRIA

LIBRO PRIMERO

SALÍA sobre las blancas arenas de la famosa playa de Barcelona, entre unas cajas, tablas y rotas jarcias de un navío, un bulto de sayal pardo, cubierto de algas y ovas que visto de unos pescadores y puesto en una barca, con la codicia de que fuese alguna rica presa, fue llevado por la ribera abajo dos largas millas, hasta que entre unos verdes árboles desenvuelto, como las demás cosas, fue conocido por un hombre que entre la vida y la muerte estaba en calma. Encendieron fuego los compasivos hombres de las cortadas ramas de una encina a quien un rayo dispuso dos años antes para este efecto, y recobrando vida el que tan cerca estuvo de perderla mostró en las quejas la patria, en los ojos la admiración y en el deseo de hablar el agradecimiento. Hizo su oficio naturaleza piadosa, común madre de los mortales, acudiendo a restaurar las partes más necesitadas de su virtud, reparando con el accidental calor nativo, y, alentado poco menos que en su primera fuerza, pensó decir su vida; pero no le pareciendo al Peregrino,[41] en hábito y desdichas, capaz de referírselas a aquella bárbara

41 *Peregrino*: el naufragio es escenario propio de la novela bizantina y este comienzo, en consecuencia, es como una declaración de principios por parte de Lope. Lo curioso es que igual comienzo tienen las *Soledades* de Góngora (1613-1614), cuya propia dedicatoria empieza: "Pasos de un peregrino son errantes". Dadas las tempestuosas relaciones entre ambos genios me pregunto si todo es casualidad.

gente cubrió su nombre, su nacimiento y discursos diciendo sólo que habiéndose perdido aquella nave, asido a una de las tablas, que la resaca del mar arrojó a la orilla, anduvo fluctuando dos días entre las espumosas olas, que a vista de la tierra, ya con piedad le acercaban, ya con crueldad le volvían, hasta que, vencido el reflujo del ímpetu de las aguas, dieron con él en la arena, donde estampando su sepultura el golpe pensó tenerla en ella. Su viaje dijo que era de Italia; las gracias del año santo en el pontificado de Clemente Octavo; [42] la causa de haber pasado a ella y sollozando entre los pedazos confusos de su historia (que nunca un hombre discreto, donde no le entienden, la refiere entera), dio a entender que le faltaba un amigo, si no prenda de su gusto, a lo menos compañero de sus trabajos y la verdad debía ser lo uno y lo otro.

Sucede pocas veces que los que libran de las fortunas [43] corporales alivien las del alma, y así descansó aquel día en una cabaña suya, revuelto en sus groseras mantas y revolviendo sus delicados pensamientos. Bajó la noche fría coronada de estrellas, repartiendo a los mortales descanso conforme a los estados de sus vidas, a los pobres deseos, a los ricos cuidados, a los tristes congojas, a los contentos sueños, a los diligentes desvelos; a los perezosos negligencia; temor a los privados y a los amantes celos; en cuya mitad, que los castellanos llaman filo, y no sin causa, tomado de la proporción del peso que en estando en igual balanza se llama filo, oyó al son de una lira, no lejos de la cabaña, una voz que refería estos versos:

Fílida, nunca mi amor
enterneció tus sentidos,

[42] *Clemente VIII*: en el mismo año santo de 1600 viajan en peregrinación a Italia los protagonistas del *Persiles y Sigismunda* de Cervantes (1617). A. A. Beringer, "*Persiles* and the Time Labyrinth", *Hispanófila*, 41 (1971), 1-11, fija la fecha del viaje del *Persiles* en 1575, pero no usa razones sino sofismas, *v. infra*, nota 515.

[43] *Fortunas*: en el sentido italiano de "tormentas".

ni mis quejas tus oídos,
ni mis penas tu rigor.
Verdad es que un pescador
tan humilde poco vale;
que aunque a todos nos iguale,
saliendo el sol de mil modos,
no influye su fuerza en todos,
aunque para todos sale.

Sales del mar español,
que a la insigne Barcelona
el muro antiguo corona,
como sale al alba el sol;
al esparcido arrebol
de tus dorados cabellos,
sobre las aguas tan bellos,
de mis redes me levanto,
y como no abrasan tanto,
puedo ser águila en ellos.

Entro en la barca que lastro
del peso que el tiempo mueve,
y por espumas de nieve
sigo tus pies de alabastro.
Tú haciendo por largo rastro
círculos de plata herida,
huyes de mí, o convertida
en más formas que Proteo,
burlas mi amor, mi deseo,
remos, velas, barca y vida.

Tal vez, si cerca te encuentro
de donde suelo pescar,
la superficie del mar
tendrá Apolo, y Dafne el centro.
Nacerán laureles[44] dentro
de tus brazos inmortales,
como nacen los corales
para las sienes discretas

44 *Laureles*: Dafne, perseguida por Apolo, se convirtió en laurel.

de marítimos poetas
y vencedores navales.
Fílida, de verme ajena
y de mi mal descuidada,
cándida, blanca y nevada,
cual cisne en orilla amena,
yo te vi sobre esta arena,
labrando con poco aviso
los amores de Narciso,
pues te ves, y ver no quieres
que he de ser Eco,[45] si fueres
flor de los valles que piso.
Desde esta clara mañana,
que temí de Acteón[46] la pena,
si pudieras con arena
lo que con agua Dïana,
nunca, Fílida inhumana,
viste más estas riberas,
ni porque romper oyeras
fuego el aire, y el mar grita,
de la diosa Margarita[47]
saliste a ver las galeras.
Las demás ninfas hermosas,
abrazadas a las quillas,
sacaron a estas orillas
por las ondas vagarosas
las popas tan gloriosas,
como de sus luces bellas,
el cielo y la frente en ellas,
vinieron a ser Atlantes,

45 *Eco*: Narciso, en castigo por haber despreciado el amor de Eco, se enamoró de sí mismo.

46 *Acteón*: sorprendió a Diana bañándose; airada, ésta le echó agua y se convirtió en un ciervo, y así fue devorado por su propia jauría.

47 *Margarita*: la primera de numerosas alusiones a las dobles bodas (Felipe III y Margarita de Austria, la infanta Isabel Clara Eugenia con Alberto de Austria), que tuvieron lugar en Valencia en abril de 1599. Lope asistió a las solemnidades en calidad de secretario del marqués de Sarria, futuro conde de Lemos y protector de Cervantes; *vid.* bibliografía en nota 284.

de más hermosos diamantes
y de más claras estrellas.
Después, Fílida, labraron
sobre red blanca y sutil,
de oro y de colores mil,
las bodas que celebraron.
Allí a Filipo pintaron
otro Alejandro mancebo
a España con gozo nuevo,
que a Margarita preciosa
rinde una corona hermosa
de oro y del árbol de Febo.
Y tú, porque no te viese,
siendo el que una vez te vi,
quisiste, cruel, que allí
tu artificio falta hiciese.
Si este mar teatro fuese
de otro marítimo espanto,
mayor que el de Austria en Lepanto, [48]
pienso que a ver el encuentro
no sacarías del centro
la frente, que encubres tanto.
Si a Túnez [49] otra vez fuera
Carlos desde aquesta playa,
no hicieran tus hombros raya,
ni en sus cristales esfera.
Si su heroico nieto [50] hiciera
de Europa al África ardiente
con sus naves una puente,
que llevara un duque Albano, [51]

48 *Lepanto*: la victoria naval de don Juan de Austria sobre los turcos en Lepanto (gloriosa experiencia cervantina), tuvo lugar el 7 de octubre de 1571.

49 *Túnez*: la victoriosa expedición de Carlos V a Túnez ocurrió en 1535.

50 *Heroico nieto*: Felipe III (rey de 1598 a 1621), que para la época de composición del *Peregrino* acababa de subir al trono.

51 *Duque Albano*: el Gran Duque de Alba (tercero de su título) don Fernando Álvarez de Toledo (1507-1582), había prestado inestimables servicios, con su espada y su consejo, a Car-

nunca en su campo Oceano
alzara espuma tu frente.
Pues no sé lo que te obliga,
que a todos cuantos sustenta
barca y red, mi hacienda afrenta,
y esto la envidia lo diga.
Bien puedo hacer, enemiga,
esta barca pobre y rota
de cedro, o la más remota
madera que ve el Japón,
de plata el corvo rezón [52]
y de oro y seda la escota. [53]
Y si tú en santo himeneo
quisieses juntarte a mí,
galera iría por ti,
que desde el pañol al treo
fuese el árbol el deseo,
el estanterol mi amor,
que está firme en tu rigor,
mi esperanza la crujía,
donde el cómitre porfía
poner al alma temor.
Los proeles que al garcés [54]
a descubrirte subiesen,
cuando pensamientos fuesen,

los V y Felipe II. Pero para los años del *Peregrino* era duque de Alba el quinto, don Antonio Álvarez de Toledo, a quien Lope había servido como secretario hasta 1595, y cuyos amores, entreverados con los propios, había cantado en *La Arcadia* (1598). O sea que en la misma estrofa Lope aconseja a su rey y adula a su señor.

52 *Rezón*: "Ancla pequeña", *Dicc. Aut.*, s.v.

53 *Escota*: "cabo que sirve para cazar las velas", *Dicc. Ac.*, s.v. En las dos estrofas siguientes Lope poetiza una alegórica y tópica *Nao de amores,* tal como lo había hecho, en la tradición de la lírica cortesana, Gil Vicente en 1527. La explicación de los abundantes términos náuticos, todos hallables en los diccionarios autorizados, queda librada a la curiosidad del lector.

54 *Garcés*: hago excepción de este término náutico, porque M. Peyton, en su edición, p. 136, dice que "no se descubre en ningunas [*sic*] de las autoridades lexicográficas consultadas". Sin embargo, está en *Dicc. Aut.*, s.v., donde se lee que es "lo mismo que gavia".

no habrían menester pies;
y porque entrases después,
si peligro te prometes,
postizos los filaretes,
donde boga el espalder;
que escala no es menester
para que el alma sujetes.

Aquí tengo de estas costas,
por cuantas cubiertas playas
descubren las atalayas
con sus fuegos y sus postas,
las centollas [55] y langostas,
sabogas, ostras, tortugas,
verderoles y lampugas,
que comerás con toronjas,
apretando como a esponjas
sus mal formadas verrugas.

De los zafios y anguillas,
parda corvina y morena,
pintada más que su arena,
te darán estas orillas;
y entre blancas y amarillas
conchas, grandes y parejas
almejas, que entre estas viejas
y huecas peñas da el mar,
donde te quisiera dar
tantas almas como almejas.

Oye, Fílida, mi ruego,
así en todo tiempo halles

[55] *Centollas*: esta estrofa y la siguiente son un alarde poético en forma de opimo catálogo ictiológico. Estas enumeraciones poéticas, así como las de flores, frutas, aves, etc. son propias del Barroco español, y son el equivalente literario de lo que en pintura se llaman *bodegones*. Con tal designación los ha estudiado R. Osuna, "Bodegones literarios en el Barroco español", *Thesaurus*, XXIII (1968), 1-14, con abundantes ejemplos de la afición de Lope a estos ejercicios poéticos. Lo que no se dice allí es que estos *bodegones literarios* son la versión barroca de idénticos catálogos en la literatura medieval, donde constituían una forma pedagógica de la digresión, *vid*. C. S. Lewis, *The Discarded Image. An Introduction to Medieval and Renaissance Literature* (Cambridge, 1968), pp. 198-200.

sombras si habitas los valles,
y si el mar, dulce sosiego.
Saca la cabeza luego
de tus húmedas alcobas,
revuelta en corales y ovas;
no digan que de la mar
no sales, por no pagar
tantas almas como robas.

Bien conoció el Peregrino en la voz y en los versos que algún pescador de aquella playa se quejaba del desdén de alguna labradora de las cercanas aldeas con el artificio de hacerla ninfa del mar y que encarecía su recogimiento con decir que no había salido de su tierra como otras muchas, en la sazón que desembarcó de Italia la soberana reina Margarita. Capaz le pareció de sus pensamientos, ingenio de hombre que había dispuesto los suyos debajo de aquella rústica corteza con tanta gracia.

Salió de la cabaña a un prado, entre cuyos árboles, dellos alisos y dellos chopos, se veían mal una docena de casas, donde acaso estaba el dueño de aquellas quejas. Llamóle desde lejos, respondióle mal seguro y aseguróle saludándole. La poca luz de la escasa luna, que rebozada en una capa de nublados miraba los secretos de la callada noche, le dio lugar a conocer que era hombre pobre y sin armas. Avisóle el pescador que, bajando más abajo, tomase una puentecilla que hacía paso a un arroyo que entre unos juncos no murmuraba, porque no le daba materia el silencio de aquel lugar y la soledad de la noche. Pasó, en fin, y hablándose los dos cortésmente, a lo menos el que llegaba, porque siempre los extranjeros traen cartas de recomendación en la cortesía, se sentaron en un repecho, que con la proporción convidaba y con la hierba detenía.

Ya se informaba el Peregrino del lugar, del dueño, del trato y de la distancia que de él había a la ciudad, que ya sabía que era Barcelona, cuando impensadamente vieron venir dos hombres, que en lugar de salutación les pusieron a los ojos dos pedreñales y al corazón mil temores. El extranjero dijo que no tenía que le quitasen de más estima que la vida y que ésa tenía en poco, y seis horas antes la habría tenido en menos. El propio dijo que era un mancebo de aquella aldea, hijo de un hombre de la mar, entre pescador y piloto, que su hacienda era aquel instrumento y no pocos cuidados que allí le habían traído. No dieron muestras los soldados de codiciar sus ropas o fuese que la del Peregrino era sayal, y la del pescador anjeo, que no hay ladrón que no sea liberal de lo que vale poco. Pidiéronles que los llevasen al lugar, porque en dos horas con la incertidumbre del camino no le habían acertado. Díjoles el pescador que en pago de su cortesía les avisaba de que no fuesen a él, porque era belicosa la gente que le vivía y que a hombres de aquel género no albergaban y que pensar escaparse de sus manos, una vez sentidos, era imposible, porque, en tocando a rebato la primer campana, todos los demás lugares respondían. De las cuales multitud de labradores con diversas y civiles armas ocupaban las sendas, y, como diestros de los caminos, tenían contadas las peñas, los arroyos y los árboles. A este consejo replicaron ellos que no venían solos, porque eran más de cincuenta de aquella escuadra, que militaban bajo la protección y bandera de un caballero catalán [56] ofendido de otro más poderoso en hacienda y deudos, aunque no en fuerzas, razón y ánimo. No bien llegaban a estas palabras los soldados, cuando con los reflejos de las estrellas les ofreció la vista las desnudas armas del escuadrón y capitán referido. Fuéronse todos

[56] *Caballero catalán*: el bandolerismo catalán dejó profunda huella en la historia española, y hasta en la literatura, como recuerdan tantos comentaristas del *Quijote,* II, lx (episodio de Roque Guinart = Perot Roca Guinarda), véase ahora J. Reglá, *El bandolerisme català* (Barcelona, 1962), y J. H. Elliot, *The Revolt of the Catalans* (Cambridge, 1963), *passim*. No perdamos de vista, sin embargo, la afición que comparten Lope y Cervantes a lo catalán. Cervantes es el primero de los dos en usar el escenario catalán y en retratar al bandolero catalán como personaje literario (*Galatea,* 1585, libro II, historia de Timbrio y Silerio).

juntos y albergados por fuerza en diversas casas, aunque con más alegre cara que los que por legítimas conductas suelen entre villanos alojarse, porque el rostro del poderoso airado hace al humilde más apacible el suyo. El Peregrino, deseoso de saber (general inclinación de los que andan por extrañas tierras), se fue con ellos. No les pesó a los soldados de que aquel mancebo se albergase entre ellos y así le convidaron a la humilde cena. Después de la cual sirviendo de cama el fuego y la conversación de sueño comenzaron con diversas pláticas a entretener la noche, mientras el Alba, perezosa a los fines de hebrero, se levantaba de los brazos de su esposo a madrugar el día. Del Peregrino supieron el viaje y él quiso saber de ellos la causa de aquella mal segura vida, no desagradado de sus talles y entendimiento, uno de los cuales, llamado Raimundo, le dijo así:

"En esta famosa ciudad que con maravillosa grandeza se opone a Italia, detiene a Francia y espanta al África, nació de nobles padres una dama no poco parecida a la greciana Helena en haber sido incendio de su patria; fue su nombre Florinda, su hermosura celestial y peregrino su entendimiento. Llegó a los años de casarse, no sin pensamiento de hacerlo respeto de los muchos que, poniéndolos en ella, despertaron los suyos: que la honestidad de las doncellas fácilmente se desvía del camino de su inocencia solicitada de libres ojos. Dos caballeros iguales en edad, hacienda y sangre competían en esperanzas, desiguales en favores, aunque con iguales prendas. Amor, inclinación natural, y una divina simpatía de estrellas forzó a Florinda amase a Doricleo y desfavoreciese a Filandro, que por atajar la aspereza del camino que hay desde la esperanza a la posesión, o por ventura los mejores pasos de su contrario, la pidió a sus padres en casamiento. No perdieran ellos el respeto a los intercesores, ni a sus méritos, si ella no se le hubiera perdido cuando le dieron parte del marido propuesto. Amábanla con ternura y no la quisieron disgustar con aspereza, y tratando verdad respondieron a Filandro que no le aceptaba, habiéndoselo persuadido como dueños y mandado como padres.

"Creciendo en Filandro el amor con el desdén, porque si no tuviera tema jamás hubiera sido locura, dióse a inquirir la causa, que nunca quien ama piensa que no merece lo que pretende por sí mismo. Y no fueron menester muchos lances, que a pocos supo que entre el sol de su amor y la luna de la mudanza de Florinda era la tierra opuesta Doricleo. Acudieron luego a la imaginación las venganzas y el quitar de por medio los inconvenientes sin reparar en los escándalos y malos sucesos que tales atrevimientos prometían, porque los eclipses de la razón sujeta son noches del entendimiento pervertido. Armábase Filandro las [57] que le parecían a propósito para hallar a Doricleo en calle o puerta de Florinda, ni desamparado de amigos, ni falto de criados; y, receloso Doricleo, no venía al puesto con las galas que solía, que la mejor de noche es la buena defensa ni hay amigo que espere como la rodela, ni plumas que sufran como el acero del casco. Había traído una escala para hablarla por un jardín, con el cuidado que digo, la víspera de una fiesta. Filandro entró por la calle haciendo oficio de espía, sintió que Florinda le hablaba y favorecía con unos jazmines que a sus manos igualaba el venturoso mancebo con mil lisonjas; acometió los que guardaban el paso, trabóse entre ellos una rigurosa pendencia, bajó Doricleo, y buscando entre sus enemigos a Filandro, le hirió y descompuso; que un amador favorecido es como un jugador que va ganando, que en todas ocasiones es dueño de la ventura de su contrario. Sacáronlos de la calle con declarada victoria y ya el amor que se fundaba en desdén de allí adelante lo estuvo en aquella afrenta. Crecieron los bandos, emprendióse el fuego en los deudos, guardábanse unos de otros y, aunque de día se hablaban comedidamente, de noche se herían y mataban rigurosamente.

57 *Las*: entiéndase *armas*, implícitas en el verbo *armábase*, y no *venganzas* (!) como supone Peyton.

"Con este escándalo ni Doricleo gozaba ni Filandro merecía, ni Florinda ganaba fama, ni sus padres honra. La dilación crecía el amor y el odio la venganza: del poco gusto que los dos amantes tenían, Filandro llevaba la peor parte, y así le pareció remitir a la industria lo que faltó a la fuerza. Supo que un día entraba Florinda con otras damas en una barca, y dos o tres antes escondió en una cala, no lejos de aquella orilla, un barco largo, donde con algunos amigos (que nunca para amorosas traiciones faltan cómplices) le acomodó de suerte de todas velas y jarcias, que parecía bergantín haciéndole con algunas tablas su crujía y fingiendo su estanterol y popa, bancos y filaretes. Allí tomó traje de turco y con la chusma necesaria esperó a Florinda, no habiendo el Menxuy, [58] que es la torre donde Barcelona hace sus fuegos, descubierto en todo el campo del mar vela enemiga. Salió la contenta dama con sus amigas y apenas se había alargado una legua, cuando izando la fingida fragata [59] el marabuto y treo [60] y haciendo sonar el agua las bien regidas palas de los remos, fue a darle caza. Ni se huyó ni se defendió la descuidada barca, antes como suele el tímido pajarillo esperar con encogidas alas al esmerejón soberbio, reconociendo en las velas latinas el enemigo poderoso, paró los remos; el hielo que por todos había discurrido no les dio lugar a conocer el engaño. Abordaron finalmente, y saltando dos amigos con hábito turquesco en la

58 *Menxuy*: Montjuich.

59 *Fingida fragata*: hay aquí un germen de novela (rivalidad amorosa, disfraz turquesco, rapto), que Lope desarrollará a su debida escala narrativa y con gran originalidad en su "novela a Marcia Leonarda" *La desdicha por la honra* (publicada en *La Circe,* 1624), véase M. Bataillon, "*La desdicha por la honra*: Génesis y sentido de una novela de Lope", *NRFH,* I (1947), 13-42, aunque en este ejemplar estudio de fuentes no se hace mención de la lejana semilla que aquí apunto. Acerca de las concomitancias entre este cuento y la comedia de Lope *El Argel fingido, AcN,* III, *vid.* Ruth H. Kossoff, "*Los cautivos de Argel,* comedia auténtica de Lope de Vega", *Homenaje a William L. Fichter* (Madrid, 1971), p. 390.

60 *Marabuto y treo*: velas latinas. Por *marabuto* léase *maraguto* (cf. *Dicc. Aut.*, s.n.), y no *morabito* (!) como quiere Peyton.

barca, arrebataron la nueva Helena, que trasladando della al bergantín enriquecieron los brazos de Filandro. Las voces de los fingidos turcos que apellidaban a Morato Arráez[61] hicieron creer a los que en la barca dejaron libres que fuese indubitadamente el autor del robo, y viendo que sólo querían a Florinda, se volvieron a Barcelona, contando a voces y con lágrimas su desgracia por las plazas y calles, cuya fama tocando en los oídos de sus padres causó triste sentimiento, mayormente en su madre, que con descompostura indigna de pechos nobles lloró su pérdida.

"Algunas diligencias intentaron los jinetes de la costa,[62] arando las arenas del mar las herraduras de los caballos y las lanzas y banderolas los espaciosos aires; pero Filandro, que ya tenía a Florinda en una huerta, desnudo el alquicel,[63] arrojado el bonete y declarado el engaño, la gozaba seguro, si bien ella hacía los cielos, las fuentes y los árboles testigos de aquella fuerza. No era de menos consideración en estos tiempos el sentimiento y pena de Doricleo, que con mortales ansias a orillas del mar estuvo mil veces por imitar las despeñadas ninfas en el robo de Europa. Pero pareciéndole que obligaba a sus padres y daba a la ciudad satisfacción de su honra, compró un navío arragocés,[64] que

61 *Morato Arráez*: renegado albanés y famosísimo corsario argelino, apellidado el Grande, que vivió a fines del siglo XVI, *vid.* M. Herrero García, "Morato Arráez", *Homenaje ofrecido a Menéndez Pidal,* II (Madrid, 1925), 323-29. Ignoro si Salí Morato, Fuchel Mamí y Xafer, que se mencionan más tarde son asimismo corsarios históricos, o bien libre invención de Lope sobre el tema.

62 *Jinetes de la costa*: o *atajadores* eran "los guardias que recorrían las costas a caballo, para prevenir o anunciar desembarcos de moros", según dije en *Persiles,* p. 357.

63 *Desnudo el alquicel*: "desnudo en cuanto el alquicel" (= capa mora), es una forma de acusativo griego, *vid.* L. Spitzer, "El acusativo griego en español", *RFH,* II (1940), 35-45.

64 *Arragocés*: de Ragusa, puerto yugoeslavo, cuya asombrosa potencia comercial y marítima en el siglo XVI describe F. Braudel, *El Mediterráneo y el mundo mediterráneo en la época de Felipe II,* I (México, 1953), 283-84.

había traído trigo, y cargándole de granas, telas, terciopelos y vidros, puso la proa a Argel y dio al viento velas. Salí Morato, Fuchel Mamí, Jafer y otros cosarios habían surgido a un tiempo en Túnez, Biserta y Trípol, despalmadas sus galeotas por los vecinos puertos. De éstos se informó Doricleo y de cuantos supo que corrían las márgenes de España; pero como de ninguno hallase nuevas de la que su competidor gozaba tan despacio, pasó hasta Constantinopla y El Cairo y discurriendo después a Fez, Marruecos, Tarudante y Tafilete,[65] desesperado de hallar lo que buscaba, trocó las granas en esclavos cristianos, y dando vuelta a España, desembarcó en Ceuta.

"Mientras el engañado Doricleo discurrió el África, un criado de Filandro por enojo o por codicia de algún interés (que no hay secreto que lo sea, interviniendo criados), le descubrió a la justicia, que con mano armada cercó una noche la güerta y le prendió seguro. La novedad y admiración que causó en la ciudad el engaño de Filandro movió confusamente el vulgo para verle, y así, rompiendo las alabardas por la espesa y amontonada gente, fue llevado a una torre, y la mísera doncella, ya dueña a su disgusto, restituida a sus padres, como oro cercenado, falta del peso de la honra, lo que la industria del falseador le pudo añadir de infamia. La sentencia fue de muerte, el parecer común, la aprobación general y el plazo breve. Formóse el cadahalso, hizo Filandro diligencias de cristiano y ánimo de caballero. Pero interponiendo el virrey y el obispo su autoridad, concertaron los deudos y ablandaron los padres, disuadiéndoles la infamia de la muerte y persuadiéndoles la honra que se ganaba con su vida. Los discretos viejos eligieron el menor daño, advirtiendo a la restauración de su honra más que al gusto de su venganza, y trocando el luto, que ya Filandro sacaba de la cárcel, en galas de desposado, y el cadahalso en tálamo, fue ligítimo marido de Florinda, donde el mis-

65 *Tarudante y Tafilete*: ambas en Marruecos.

mo día que le daba las manos con solene regocijo de la ciudad contenta entró por ella Doricleo, como aparecido de improviso, con duscientos hombres delante de rescatados cautivos, en cuyos pechos resplandecían bordadas las armas de Barcelona y de su primero restaurador, el rey don Jaime.

"Agradó a la ciudad la piadosa vista y la gallarda entrada de su ciudadano heroico, y apenas a sus oídos llegó la nueva del casamiento y sucesos de Filandro cuando ya todos estaban en arma y divididos en bandos. Suspendiéronse las bodas algunos días y dándole a entender a Doricleo que sin infamia suya no se podía casar con Florinda, dio en decir que, ya que no la podía gozar, tampoco había de ser de Filandro, ni ganar con industria lo que él había perdido con tan inmensos trabajos. El medio que daba era que Florinda se entrase en un monesterio. A esto contradecían los padres, contentos ya de la satisfación de su honra y no de menos noble yerno y parientes. Ofrecíanle los de Filandro una hermana suya, que no acetándola el concebido odio, pedía a la justicia castigase el delito, y que degollado Filandro se casaría con Florinda, como viuda de un caballero. Aceptóse este partido engañosamente; casaron a Filandro y a Florinda, y cuando pensó Doricleo que le llevaran preso, le desengañaron de que estaba perdonado. Si fue grande su enojo, por el efeto puedes conocerlo, pues hace hoy veinte años que en los Pirineos y en estos montes, ya en Francia, ya en España, saltea, roba y destruye, sin que haya podido tomar otra venganza ni resistirle alguno de los dos reinos. Su edad era, cuando vino de África, veintiún años, tendrá ahora cuarenta y uno; está fuerte, robusto, gallardo, porque la misma aspereza de la vida le ha fortalecido los miembros; donde, si se pudiera creer lo que Virgilio dijo de Herilo,[66] este hombre sin duda tenía tres almas, pues la que tiene es milagro que no haya salido por tantas persecuciones y heridas.

66 *Herilo*: al nacer, su madre Feronia le dotó de tres almas o vidas, *Eneida,* VIII, 563-65.

"Hoy, cuando el sol estendía sus rayos sobre las arenosas orillas de esta playa como a enjugarlos de haberlos sacado del mar, por donde le vemos subir de los antípodas, bajó a ver qué sería el ruido que la noche antes sobre las aguas había rimbombado en estos bosques. Y él y diez de nosotros que le acompañábamos, hallamos en esta orilla algunas tablas y cajas, que el mar había arrojado con sus crecientes, sobre una de las cuales estaba sentado un mancebo en hábito así peregrino, como el tuyo, pálido, desmayado, mojado, revueltos los cabellos de arenas y ovas y, finalmente, mal parto del mar tempestuoso, que sólo nacen a luz los que con segura bonanza toman puerto. Mandónosle llevar en brazos adonde estaba la demás gente, y como para enjugarle y restituirle en el perdido aliento fuese necesario desnudarle y él rehusase tanto el ser visto ni tocado de nosotros, engendró en el capitán sospecha de que no era hombre, porque, por más que en parecerlo se esforzase, sus acciones y melindres lo defendían. No bien se trató de más atrevida diligencia, cuando apartándole a unos álamos le dijo que era mujer, que en aquel hábito había pasado a Italia con su esposo, en cuya vuelta había el mar cobrado el pasaje que perdonó a la ida. Ya la vergüenza había hecho en su rostro, y el ánimo de defenderse en su pecho, colores y fuerzas; con las unas estaba singularmente hermosa, con las otras atrevidamente robusta. Pero no pudieron las fuerzas defender tanto como ofendió la hermosura, venciendo el alma de Doricleo, que con honestas palabras la redujo a descansar con él algunos días, si bien no ha visto el de su rostro sin agua, aunque se queja del daño que su sol le ha hecho. Mandó que cuando el del cielo se traspusiese, en algún pequeño lugar le apercibiésemos cena y cama, y a este mismo tiempo tuvimos nueva que pasaban algunas cargas de moneda a Génova,[67] y por

[67] *Génova*: por Barcelona salía el oro de Indias (que entraba por Sevilla) para pagar los empréstitos de la corona española a los diversos banqueros europeos, y entre los principales acreedores figuraban los genoveses.

esperarlas hasta la mitad de la noche carecimos de albergue. Entonces enviamos dos, que son los que se hallaron con el que nos guió a estas casas. Doricleo está alojado con esta peregrina, no te sabré decir si la ha vencido y si ya la cama ha hecho paces en dos voluntades tan diferentes. Lo más cierto para mí es que a estas horas nuestro capitán parece en el sueño a Holofernes, y la mujer que te refiero debe de imitar en oraciones y deseos a la casta matrona de Betulia." [68]

Advirtieron los soldados a esta sazón que el Peregrino oyente de su historia bañaba los ojos de lágrimas y con tristes suspiros se esforzaba a penetrar los cielos. Quisieron saber la causa y como en grande rato no respondiese y ellos le porfiasen, tras esta suspensión comenzó a decir así: "¡Ay de mí triste! ¡Ay de mí triste! Mi honra es perdida, mi gloria es acabada, mi confianza murió a manos de la flaqueza de una mujer. ¡Oh, nunca el furioso mar perdonara mi vida ya que con tanta piedad reservó la tuya, para que viera a mis ojos tras tantos trabajos esta ofensa!" Bien conocieron los soldados que aquel hombre era a quien aquella Peregrina respetaba y el norte a quien el imán de su vergüenza dirigía la nave de su honra; y procurando sosegarle, creció su furia de suerte que, sacando del bordón el acero, que al fresno servía de alma, salió de la casilla desatinado y en la del capitán dio tales voces y golpes, que creyendo que la justicia o el lugar les daba asalto, saltó en camisa, y con uno de los pedreñales que adornaban el tahalí, a la traza que pintan los astrólogos los signos al Zodíaco, [69] abrió la puerta.

"¿Quién eres?", dijo Doricleo al Peregrino. "Un hombre desdichado y solo (le respondió con increíble ánimo), a quien quitas la honra con esa vil mujer que estás gozando." Disparó Doricleo el pedreñal entonces y desviando el Peregrino el cuerpo, le pasó un brazo. La

68 *Betulia*: bien conocida es la historia bíblica de Judit y Holofernes.

69 *Zodíaco*: el círculo del tahalí se adornaba con pedreñales, como el del Zodíaco con sus signos.

gente llegaba a la seña y el catalán soberbio se disponía a fulminarle con más rayos que Júpiter, cuando la mísera Peregrina abrazándose con él, con lágrimas, ruegos y diligencias impetró su vida, dándole a entender que aquél era el hombre a quien tenía por dueño y asegurando juntamente al desesperado esposo que no había ofendido su honor en obra, palabra, ni pensamiento, porque ni ruegos habían bastado, ni amenazas bastarían.

No sé si de una mujer sola parece digno de crédito; la historia alaba su castidad y yo lo creo piadosamente del valor de las mujeres, estimado de mí toda la vida en alta veneración. Bien quisiera Doricleo que el Peregrino le agradeciera la [70] que le daba, y desistiendo de su propósito, se fuera sin la prenda; pero el robusto castellano, desafiándole a singular certamen, le comenzó a infamar e incitar de suerte, que mandó a sus soldados le llevasen al vecino monte y de una de aquellas encinas le ahorcasen. No le habían salido estas palabras al capitán de los labios, cuando ya el Peregrino iba fuera de la aldea o casas en los brazos de aquella bárbara gente por las sendas, que con la poca luz blanqueaban al espeso monte. Viendo su poderosa fuerza y que para escusar su muerte no las tenía, les pidió con lágrimas le dejasen encomendar, antes que le quitasen la vida, al Autor della, lo que habiéndole concedido, sacó una imagen del pecho, a quien dijo así:

Virgen del mar, [71] estrella tramontana,
hermosa más que el sol, porque la luna

[70] *La*: entiéndase *vida*.

[71] *Virgen del mar*: comenta Montesinos, *Estudios*, p. 182: "La canción *Virgen del mar*... es una de las más desiguales que escribió Lope, y los versos malos abundan en ella. Se cita aquí en gracia de las tres primeras estrofas y algunos rasgos sueltos en que la devoción da calidad poética a los mismos defectos, verbosidad, incoherencia, que impresionan más bien como el balbuceo de un arrobado. Hasta esa pueril yuxtaposición de tres elementos al final de cada estrofa ... acentúa a veces el tono extático, de letanía, que Lope dio a su canción y a otras de las innumerables que escribió en loor de la Virgen". Esta canción a la Virgen, sin embargo, es el equivalente temático y estructural del canto a la Virgen que entona Feliciana de la Voz en

toma su luz de tus hermosas plantas;
alba divina, espléndida mañana,
en cuya frente no ha faltado alguna
flor de virtud ni de excelencias tantas;
santísima entre santas
desde Eva hasta la que hoy nació más pura,
angélica criatura,
más hermosa que el ángel, pues es visto
que tiene de tu carne y sangre Cristo
la humanidad asunta,[72]
que adora, al Verbo junta
el serafín más puro, aunque componga
luz su hermosura, que a la eterna asista,
y entre Dios y su vista
ni un átomo de Apolo se interponga
que el gozo le resista;
alba, sol, luna, estrella,
sabia Ester, Judit fuerte, Raquel bella.

Virgen, primera virgen que por voto
a Dios de su pureza ofrenda hizo;
palma de Nazaret, limpia azucena,
luz que en el árbol de los hombres roto,
aunque después que al padre satisfizo
el Hijo muerto en cruz, ligó la entena,
apareció serena,
y más que el sol con rizos de oro, rubio,
pacificó el diluvio;
paloma, cuyo pico de rubíes
trajo la oliva en rosas carmesíes;
iris de tres colores,
de virtudes mayores,
esmaltada de dones celestiales;
Virgen a quien alaban las naciones,
cuantas ven los Trïones[73]

---

el *Persiles*, III, v (además, v. *infra*, nota 680, para otro tipo de correspondencia).

72 *Asunta*: participio pasado irregular de *asumir*, de uso en latín.

73 *Triones*: la Osa Mayor o Carro, constelación septentrional.

y el sol por los antárticos umbrales
en ásperas regiones;
Virgen, amparo cierto,
luz clara, asilo santo, dulce puerto.
Los que la India austral, que el nardo cría,
que a tu fragancia pura se compara,
habitan, celestial Virgen prudente,
y los que el sol encrespa en largo día,
adusto por cenit con negra cara,
hacen más blanca al Nilo la alta frente;
los que a la Libia ardiente,
la Frigia, en que desierta el muro apoya,
famosa un tiempo, Troya;
cuantos el monte Lamio, Heraclia y Pirra,
y donde nace el bálsamo y la mirra,
el cinamomo y casia,
el mar circunda en Asia,
o el fuego y hielo de distintas zonas;
del galo al persa, del caribe al escita
te han de llamar bendita
por la humildad que sobre el cielo entronas;
oliva betlehemita,
marfil, nieve, alabastro,
nube alta, claro espejo, limpio claustro.
En el último punto de la vida,
y en el primero de la dura muerte,
tránsito amargo de mortal a eterno,
el alma se contempla reducida,
no por causa fatal, influjo o suerte,
sino por pasos de mi mal gobierno.
El cielo y el infierno
quedaron a elección de mi albedrío; [74]
erró el discurso mío
el camino mejor, por verle estrecho.
y puse al ancho el pie, contento el pecho,

74 *Albedrío*: Como queda dicho en la Introducción, el culto a la Virgen y la afirmación del libre albedrío son algunos de los aspectos de más bulto de la propaganda post-tridentina que en tantos sentidos informa a esta novela.

entre las flores viles,
que en años juveniles
me puso con adélfica [75] hermosura
el mundo, que tan lejos me mostraba
el límite que estaba
tras el nacer revuelto en sombra oscura,
sin ver que al fin se acaba
o se marchita o pierde
raro ingenio, fuerte ánimo, edad verde.

Sin duda fue soberbia, inobediencia
y amor propio mi culpa, pues aguarda
un árbol con los suyos mis cabellos,
de Absalón [76] el ejemplo, y la inclemencia
de Joab riguroso me acobarda,
si me viene a matar suspenso en ellos.
Esposa a cuyos bellos
ojos cantó tan altos atributos
por los divinos frutos
que de su honestidad esperó el sacro
Salomón, que los hizo simulacro
de su amor soberano,
alarga aquella mano
que como inteligencia mueve el cielo
y las esferas de los nueve coros; [77]
reparte sus tesoros
si de mi voz te mueve el justo celo;
mira que por mis poros
discurriendo me advierte
vil miedo, dolor justo, hórrida muerte.

Voy en las olas de la mar furiosa,
con roto barco y con mojadas velas,
fluctuando, a morir, peligro claro.
Tú, contra las sirenas torre hermosa,
y el canto en que disfrazan sus cautelas,

[75] *Adélfica*: la adelfa era prototipo de la planta venenosa.
[76] *Absalón* y *Joab*: II *Reyes,* XVII.
[77] *Nueve coros*: la cosmografía clásica contaba nueve esferas a partir de la tierra y que remataban en las estrellas, y la armonía del universo era de orden musical.

eres del mundo esclarecido faro,
de las naves amparo,
porque la luz que en el extremo ardía,
esos brazos, María,
la tienen en el Niño y Dios presente,
lumbre de lumbre y luz indeficiente;
lámpara del Profeta,
que por ti se interpreta,
farol divino de tu hermosa popa,
tres luces y un fanal de capitana,
por quien la gente humana
al templo ofrece la mojada ropa,
y al puerto el paso allana,
siendo para dar cabos
Cruz plaza, esponja boya, áncoras clavos.

Yo, soberana Reina, a quien el Padre
toda hermosa llamó, y era muy justo,
pues habías de ser de su Hijo esposa,
soy por quien fuiste siempre Virgen Madre,
pues de mi culpa y proceder injusto
nació la dignidad tuya gloriosa,
como nace la rosa
de la pungente espina, y vióse claro
que la culpa y reparo,
aunque fueron de un tronco, son distintas.
¡Oh palabras de Dios siempre sucintas!
Amenazó la frente
de la fiera serpiente
con plantas de mujer, porque había dado
mujer origen a la culpa grave.
Tú, pues, en quien la llave
del cielo se forjó, si te ha obligado
el ángel por el ave,
mas el hombre por Eva,
Ana humilde, Rut pobre, Abisag nueva.

Rosa de Jericó, ciprés divino
del monte de Sión, lirio en el valle,
montes de quien sin manos salió el risco,
aceite efuso y oloroso vino,

aventajada en el honesto talle
a la que de Labán partió el aprisco;
pues tú del basilisco
humillaste la frente con la planta,
a quien la escuadra santa
de vírgenes y estrellas besa, y queda
rica de luz para que al sol exceda,
y es poco las estrellas,
si Dios estuvo en ellas,
naciendo humano, humilde en un pesebre;
alcance en este tránsito victoria
en tu alabanza y gloria,
para que el cuello al enemigo quiebre,
pues fuiste, por memoria
de que le tienes ciego,
vara en Leví, arca en agua, zarza en fuego.

Sobre las robustas ramas de la arrugada encina aguardaba un soldado con la cuerda del arcabuz en las manos para asirle el cuello, mientras el mísero Peregrino con esta devota rogativa disponía su alma a la imagen bellísima de aquella tabla, de cuyo hijo no quitaba los ojos. Pero al ponérsela en el cuello, donde ya otro nudo procuraba adelantar la muerte, descubrió el alba de todo punto su noble rostro. ¡Quién creerá que en el espacio de una tarde y la distancia de una noche tantas desdichas pudiesen suceder a un hombre si no llevase advertido que las cosas se escriben por notables y que jamás los males vienen solos, pues para siniestros casos una noche de un desdichado es más capaz que el discurso de los días de la vida de un hombre venturoso! Viendo, pues, los soldados el rostro grave y honesto de aquel mozo, sus pocos años y culpa y habiéndolos enternecido sus palabras (o que secretamente movió Dios sus corazones, que quien el de Faraón endurecía también sabe enternecer otros semejantes), concertáronse de dejarle con la vida, no queriendo ser más crueles que el mar, que el día antes no se la había quitado, que es infame género de crueldad que a quien perdonan las cosas sin sentido castiguen los que le tienen. Agradeció el Peregrino su liberalidad, remitiendo el galardón al cielo y rogándoles que, si acaso aquella mujer llevase a cabo la firmeza de su honrado propósito, le dijesen que en Barcelona le hallaría. Con esto ellos tomaron la senda de las casas y la de la ciudad el Peregrino. Las nuevas de cuya muerte, que al capitán dieron fingidas, así privaron de sentido a la Peregrina, a quien ya el capitán cansado de sus resistencias y voces había arrojado de su aposento, que por largo espacio la tuvieron por muerta.[78] Pero, cuando volvió en sí de aquel mortal parasismo, hizo y dijo tan espantosas lástimas, que aquellos fieros hombres, enseñados a verter sangre, vertieron lágrimas. Mandó el capitán que la pusiesen en el camino, desesperado de enternecerla, y porque le pareció que aquellos principios de dolor caminaban a una pasión frenética. La triste, afeando su rostro con golpes y desemejándole con mal enjutas lágrimas, volvió a parecer hombre y por aquellos montes orilla del mar fue caminando a Valencia.

El Peregrino entró en la insigne Barcelona, donde en ver sus grandezas, hermosas calles y fuertes muros, se detuvo dos días. En el siguiente de los cuales, estando mirando el Real, que aposenta a los virreyes, aquel pescador cuya voz para tanto mal salió de la cabaña de los otros y que engañosa hiena le llamó para poner su vida en tan gran peligro, le conoció y dijo así: "¿Tú no eres, Peregrino, aquel fingido ladrón que me entretuviste en palabras hasta que llegaron tus compañeros y entrando por fuerza nuestras casas las han robado y destruido?" "Verdad es, respondió el Peregrino, que yo soy el que a tu voz salí de aquel pobre albergue de tus iguales, pero no el que venía con los ladrones que dices." Porfiaron el uno y el otro de manera que a sus voces se fue llegando el vulgo, y como para ser perseguido le bastaba ser estranjero, dando todos crédito a lo que el natural decía, con ímpetu popular fue llevado

[78] *Muerta*: muy desmadejada sintaxis la de esta oración.

a la cárcel y a título de ladrón puesto en prisiones. La infame canalla, retrato del infierno, de aquellos que por delitos viles o graves suelen ocupar lugares semejantes, dio con el mísero Peregrino aquella noche en un calabozo oscuro que ninguna saxena [79] en Constantinopla le hacía ventaja, donde sería imposible referir los golpes que le dieron y las feas palabras con que le infamaron, porque como no tuviese otro metal en todo su cuerpo que el plomo de una bala enramada, [80] que Doricleo le metió en el brazo la noche de aquella desdicha, no pudo pagarles entrada ni hallar para sosegarlos mejor salida.

Ya la pesada noche, vencedora de los cuidados humanos, sosegaba con su quietud obras y pensamientos (que aunque tarde, en fin los vence reduciendo nuestras acciones a profundo silencio) cuando entre aquellos bárbaros y el extranjero mísero le [81] puso, no porque sus ojos cerrase la torpe mano del sueño, por cuyas ventanas desfogaba el alma agua y fuego, como nube en tempestad del caluroso estío. [82] No sentía el dolor de la herida, ni la infamia de la prisión, sino la que temía que le resultase de haber perdido su honor aquella Peregrina que de su gusto lo había sido. Y así, mientras dormía aquella confusa chusma, a quien ni la descomodidad de los lechos ni la solicitud de los varios animales que a tales horas trajinan las cárceles codiciosos de su vil sustento, ni el temor de la futura sentencia ni de la presente desventura desvelaba, y con triste voz se quejó así:

Bramaba el mar y trasladaba el viento
feroz a las estrellas las arenas,

79 *Saxena*: arabismo por "cárcel, mazmorra", que registra e ilustra S. Montoto, "Contribución al vocabulario de Lope de Vega", *BRAE*, XXIX (1949), 139. No figura en *Dicc. Ac.*

80 *Bala enramada*: "es una bala de hierro partida en dos mitades, y con hueco por la parte interior, donde cabe una cadenilla que está asida por los extremos a entrambas partes de la bala", *Dicc. Aut.*, s.v.

81 *Le*: entiéndase *silencio*.

82 *Estío*: otra oración de enrevesada sintaxis, por el desmedido afán de acumular incisos conceptistas.

las negras nubes vomitaban llenas
de nieve fuego en círculo violento.
Mísera nave en desigual tormento,
como cuerpo rompiéndose las venas,
las jarcias derramó de las entenas
sobre el campo del húmedo elemento.
Abrióse, y quiso una piadosa tabla
ser mi delfín[83] y rota y combatida
al fin es hoy la que mi historia cuenta.
¡Oh cruel piedad, que mi desdicha entabla,
a un hombre que no siente darle vida,
para darle la muerte, cuando sienta!

Con vergonzoso rostro y como forzado entraba el sol por los espesos hierros de las ventanas de aquella cárcel mostrando en el pálido color de sus rayos que aun tenía miedo de ser detenido en ella, cuando los golpes alegres del alcaide, y el agradable sonido que la llave hacía por los fuertes candados, despertaron de su olvido aquéllos a quien de ninguna suerte el temor del castigo de sus delitos causaba acuerdo. No despertó el Peregrino, porque no había dormido, pero salió entre ellos a dar gracias al día, que no le debía pocas quien escapaba de tan horrible noche. Allí comenzó aquel cuerpo enojoso[84] a mover sus partes, discurriendo en breve distancia muchas leguas los pasos y los pensamientos. Bullía el tráfago, importunaba el ruego, la solicitud cansaba, la necesidad pedía, el hambre suspiraba, la libertad gemía, la procuración atendía al interés, la pluma a la codicia, y entre la verdadera historia adornaba el poeta de las causas algún capítulo con ovidianas fábulas. La ley pedía ejecución, el castigo ministros y el favor dilaciones. Quien le tenía salía por el aire, y a quien le faltaba aun no hallaba la puerta, que unas

83 *Delfín*: el mito clásico (Arión) y Plinio (*Historia Natural*, IX, 7-11) autorizaban la creencia de que el delfín era fiel auxiliar del hombre.

84 *Cuerpo enojoso*: comienza aquí una descripción de la vida en la cárcel, que Lope, como Cervantes, pero sin tanta asiduidad, conocía de primera mano.

partes azotan a los que tienen espaldas y en otras a los que no las tienen. Las descompuestas voces, el juego inquieto, apacible compañero de las prisiones, el entrar unos, el salir otros, el errar aquéllos y la armonía de los grillos parece que hacían una consonancia espantosa en aquel destemplado instrumento, donde no hay soberbia tan loca que no sirva de cuerda, ni clavija que no la tuerzan interés o industria.

Puso los ojos en el Peregrino un caballero preso, por su sangre y por la antigüedad de su prisión respetado generalmente y casi dueño de la cárcel, y advirtiendo a su profunda melancolía, persona y hábito e incitado de su buen rostro, que no hay carta de favor más efectiva en todas necesidades, llamóle desde un corredor que a la puerta de su aposento correspondía. Subió el Peregrino y habiéndole preguntado su patria y la causa de su prisión, le dijo el suceso que habeis oído, comenzando su vida desde que el mar se la dio, arrojándole en la tierra no lejos de los muros de Barcelona. Espantóse el caballero y sacando de sus razones términos de decir su entendimiento y nobleza le cobró afición y le metió en su aposento, donde, restaurando su debilitada fuerza con una conserva y otros regalos que tenía, le hizo descubrir el brazo, y él propio le curó la herida con medicamentos y palabras que siendo soldado había aprendido, cosa de cuya verdad ni disputo ni dudo, porque si las hierbas y las piedras tienen virtud, ¿por qué ha de faltar a las palabras santas? Pues Fernán Núñez,[85] perdido entre los indios, afirma haber sacado a uno de ellos un pedernal de una flecha, que había dos años que al lado del corazón tenía cubierto de carne y aun haber resucitado un muerto; que habiéndolo escrito un capitán cristiano de tanta opinión y nobleza debe

[85] *Fernán Núñez*: o sea el conquistador Alvar Núñez Cabeza de Vaca, cuyo nombre Lope confunde aquí con el del famoso helenista Fernán Núñez, el Comendador Griego. La anécdota que recuerda Lope se halla en *La relación que dio Alvar Núñez Cabeza de Vaca de lo acaescido en las Indias en la armada donda yua por gouernador Pámphilo de Narbáez* (Zamora, 1542), cap. XXIX (= *Naufragios, Bib. Aut. Esp.*, XXII, 540).

creerse, porque a Dios todo es posible, y la fe puede mudar los montes y detener los ríos, que con la señal de nuestra redención bebió aquel padre del yermo el agua en que estaba el basilisco.[86]

Volviendo a una parte y a otra del aposento los ojos el agradecido Peregrino, vio con un carbón pintadas en las paredes de él (antigua costumbre de presos) algunos jeroglíficos y versos en cuya vista y sentidos le pareció que no era el dueño ignorante. A un retrato de un mancebo que tenía en la mejor parte había puesto aquel verso de Virgilio:

Ante sus ojos Hétor triste en sueños.[87]

Y en otro lugar había pintado un corazón con unas alas que iban volando tras una muerte, con esta letra de aquellos versos de Eneas enviando el cuerpo de su amigo a su padre Evandro:

Muerto Palante.[88]

Cerca de éste estaba pintado Prometeo o Ticio, aquel que atado con duras cadenas a las peñas del monte Cáucaso, ceba de sus entrañas un águila. La letra era de Ovidio:

¡Oh cuánta pena es vivir
vida enojosa y forzada,
y cuando la muerte agrada
ser imposible morir![89]

86 *Basilisco*: Se trata de San Antonio Abad, y así se puede ver en una de las "Tentaciones de San Antonio" que pintó el Bosco, y que se conserva en el Museo del Prado.

87 *Sueños*: *Eneida*, II, 270. Lo repite *infra*, p. 102, con leve variante.

88 *Palante*: *Eneida*, XI, 177. Lo repite y completa *infra*, p. 106.

89 *Morir*: la letra es de Lope, pero ver Ovidio, *Metamorfosis*, I, 78-88. La confusión entre Ticio y Prometeo es común en el Siglo de Oro.

A un río que entre unas riberas infernales pintado parecía el del olvido llevaba en otro lienzo de pared un mancebo una carga de memorias de la manera que las pintan, como que trabajaba por echarlas en aquel agua, y decía una letra tomada de Tito Lucrecio, descubriendo la pena de Sísifo, que llevaba sobre los hombros eternamente aquel peñasco:

Vuelve a caer, cuando al extremo llega. [90]

La cabeza y la lira de Orfeo estaban sobre una puerta pintadas entre las aguas del río Estrimón, donde, arrojadas de aquellas sacerdotisas, llegaron a Lesbos; la letra era de Estéfano Forcatulo.

Aquí lloraron selvas, fieras y áspides. [91]

Atravesada de una espada yacía muerta una dama, con este verso de los que César Escalígero escribió de Policena:

¿No basta, griegos, que venzáis los hombres? [92]

En lo que había de distancia desde el marco de una ventana hasta el techo, estaba pintado el pastor Argos con sus muchos ojos y el lisonjero Mercurio adormeciéndoselos con esta letra de un epigrama de Vespasiano Estroza:

Amor sutil al más celoso engaña. [93]

Estas y otras curiosidades con que este caballero engañaba su larga prisión, y a propósito de sus desventuras

90 *Llega*: Lucrecio, *De rerum natura*, III, 1002.

91 *Aspides*: Etienne Forcadel, *Epigrammata* (1554). Las Furias mataron y desmembraron a Orfeo.

92 *Hombres*: Julio César Escalígero, *Heroinae* en *Poemata omnia* (1621). Polixena, hija de Príamo, amada de Aquiles, se mató sobre la tumba de éste.

93 *Engaña*: Tito Vespasiano Strozzi, *Eroticon, libri sexti* (1513). Argos cuidaba de Io, pero Mercurio, con sus artes, le adormeció y mató, por mandato de Júpiter.

escribía, adornaban el aposento, ni desocupado como posada, ni limpio como cárcel. Llamáronle a este tiempo al Peregrino para tomarle la confisión; dijo la verdad, que en el poco artificio mostró serlo y quedando su negocio encomendado por aquel caballero a quien con toda solicitud le procurase, escribió a los jueces su inocencia, y llevándole a su aposento, comieron juntos. La conversación que en alzando la comida sirve de postrer plato, les trajo, entre diversas materias, la de su desdicha a propósito, porque no hay cosa que para un lastimado no lo sea, cuando en contar sus males halla descanso. Tomó la mano el dueño de la casa (aunque él perdonara el serlo), y rogado del Peregrino que le refiriese de su prisión la causa, comenzó así:

"Casó en un lugar pequeño, no lejos de esta ciudad famosa, un varón noble llamado Telémaco, con una dama gallarda, no tan casta como la romana Lucrecia,[94] aunque de su mismo nombre. Fue fama que a su disgusto, y no debió de ser falsa, pues por los efetos lo dio a entender a todos bastantemente. La melancolía crecía, sus galas mostraban una flojedad como en las rosas, cuando la virtud de la rama se va cansando. Esforzábase Telémaco a divertirla, porque no pareciese a quien la comunicaba que aquella tristeza procedía de defetos suyos, que muchas veces de la condición viciosa de las mujeres son culpados los inocentes dueños. Hacíale ricos vestidos, llevábala al mar, a los jardines y recreaciones; pero como estas cosas no bastasen, dio en traer a su casa conversaciones. Si en este género de gusto se ha de dar parte a las propias mujeres, los sucesos lo digan, que cuando a la ociosidad se junta la ocasión, particular favor del cielo es necesario para que la flaqueza femenil se abstenga, pues en maduros juicios de varones perfetos las hemos visto notables. Entre los caballeros mozos, que a este ejercicio honesto (que lo fuera, si el apetito no tuviera tantos ojos) se junta-

94 *Lucrecia*: esta historia es la fuente del drama de Hardy, *Lucrèce, vid.* H. Carrington Lancaster, "Lope's *Peregrino,* Hardy, Rotrou and Beys", *MLN,* L (1935), 75-77.

ban, íbamos un amigo mío y yo, que si la muerte no nos hubiera diferenciado, viviendo él no me persuadiera nadie cuál de los dos era yo mismo. Este, que se llamaba Mireno (porque, desde luego, lleves en la memoria su nombre) puso los ojos (hasta entonces ocupados en la hermosura de otra mujer de menos calidad que Lucrecia, aunque no de menos partes para ser querida), en los honestos suyos, que con mirarle con más cuidado que a los otros, por ventura le había incitado, que aunque dicen que amor como espíritu puede penetrar cualquier lugar cerrado, yo tengo por imposible que ninguna ame donde alguna pequeña esperanza no le obligue.

"Encubrióme los principios de este pensamiento, que amor siempre nace cuerdo, y como niño, mudo; pero la misma dulzura de su comunicación le enseña a hablar tan presto que, como preso por delito grave, las más veces se pierde por su lengua. Pero después que se vio admitido en sus ojos de Lucrecia (evidente indicio de que lo estaba en el alma) no pudiendo sufrir la gloria, quien había sufrido la pena, me dio larga cuenta del loco desatino que intentaba. No le hizo daño haberme advertido, si como me dijo que me pedía consejo, le hubiera tomado, que es cosa muy ordinaria, particularmente en los que aman, pedirle cuando por ninguna cosa dejaran de hacer lo que tienen determinado. No dejé en historia divina y humana ejemplo de los que hasta entonces hubiesen llegado a mi noticia que no le refiriese, exagerándole los daños que han procedido de empresas semejantes; pero Mireno, que ya tenía concebido un firme propósito de proseguir la suya, pareciéndole que yo no lo era para lo que intentaba, dejó de visitarme poco a poco. Ya no paseábamos juntos, ni de día íbamos a las conversaciones públicas ni de noche a las secretas. Notable error de la condición humana, que se ha de conservar el amigo con lisonjas y con la verdad perderse.

"Llevaba yo mal el vivir sin Mireno y él no sentía el vivir sin mí, porque como tenía a Lucrecia por alma, no sufría que dos cupiésemos en su pecho, que amor y señorío no quieren compañía. Esta hizo entonces el mal advertido mancebo con un amigo que lo era de entrambos, de suerte que cuando yo faltaba a Mireno o Mireno a mí, cualquiera de los dos le buscaba. No era tan considerado como yo, porque, preciándose de muy hombre, era precipitado en todo género de peligros que le pareciese gusto de su amigo, sin considerar el fin, y tales amigos son como la pólvora en las fiestas, que por alegrar a otros se consumen a sí mismos. Estos celos me hicieron con disfrazado hábito seguirlos de noche, donde una entre otras, que tuve más paciencia, y ellos menos consideración, los vi poner una escala a la ventana de una torre, que sobre el jardín de Telémaco descubría en el mar una espaciosa vista. Aguardé a que subiese, no porque ya tenía de qué certificarme, mas por ver si mi persona era de importancia en aquel peligro. No me engañó el corazón, aunque Mireno me engañaba que estaba en él, pues tras el primer sueño, que con menos fuerza vence los cuidados de un padre de familia, sentí ruido, y en poco espacio, vi bajar a Mireno por la escala y que Aurelio (que así se llamaba el amigo que la guardaba) casi recibiéndole en los brazos le esforzó para ponerse en huida. Apenas ellos salieran de la calle, cuando sentí que alguna criada había desatado la escala y que ella dio en el suelo. Arremetí adonde sentí el golpe y, recogiéndola como pude, me puse detrás de una esquina desde donde vi que Telémaco desnudo, con la espada y una lumbre, miraba en la ventana de la torre si en el suelo había algún rastro de lo que él debía de haber sentido, y que algo más seguro se retiraba.

"Volví a la puerta y poniendo el oído entendí de algunas razones de la alborotada familia que la desgracia de los amantes pasaba plaza de industria de ladrones, y en esto no se engañaban mucho, que no lo era poco quien venía a escalar la fama y hurtar la honra. Volvíme a casa contento, y durmiendo mal con este cuidado, envié por la mañana a llamar a Mireno. Hablamos los dos de varias cosas, y, cuando me pareció ocasión, le pregunté por Lucrecia. Negóme que la hablaba, que a los amigos que persuaden bien todo secreto mal se les encubre. Díjele yo entonces que me espantaba que me dijese aquello habiendo venido Telémaco, su marido de Lucrecia, a mi casa diciéndome que le había sentido en la suya, y que saliendo a la ventana de una torre le había visto decendir [95] de la de su honor, que él había juzgado tan fuerte, si como el fundamento era valor, no fuera la mujer veleta [96] que a cualquier viento se mueve.

Admirado Mireno y como fuera de sí me confesó entonces lo que pasaba, y cómo, rendida Lucrecia a sus papeles, paseos y servicios, le había hecho dueño de su libertad, entregándole el mal guardado tesoro de los cien ojos de Telémaco, que por eso he puesto allí aquel jeroglífico de Mercurio y Argos y aquel verso de Vespasiano Estroza.

Que amor sutil al más celoso engaña.

"Prosiguió contándome que mientras él dormía, se hablaban los dos en aquella güerta, donde él entraba con una escala de cuerda que le guardaba Aurelio, a quien sólo había fiado este pensamiento viendo que yo estaba tan lejos de darle ayuda. Preguntéle yo entonces qué la había hecho y díjome que de haberla dejado había procedido el advertimiento de Telémaco. Saquéla yo a esta sazón y díjele que ni Telémaco sabía nada ni la escala había sido ocasión para que estuviese advertido, y contándole el servicio que le había hecho volví a rogarle y conjurarle dejase en aquel estado el peligroso suceso que esperaba si le proseguía, pues por lo menos ya estaba advertido Telémaco de que no estando su mujer a su lado había ruido en su casa. Prometióme enmienda y que se ausentaría de Barcelona; animé este propósito, porque verdaderamente no hay

95 *Decendir*: lo registra Covarrubias, *Tesoro,* s.v.
96 *La mujer veleta*: 1604 "la veleta mujer".

cosa que tanto eclipse la voluntad como tierra en medio. Pero no fue necesario, respeto de que cuando Mireno se prevenía ya Telémaco había llevado su casa al pequeño lugar donde se había casado. Fue notable ventura de Mireno, porque en perdiendo de vista a Lucrecia, volvió con grandes veras a hablar a Erifila, que así se llamaba la dama que te referí al principio de nuestra historia, y ella a quererle con mayor gusto, porque tras unos celos se esfuerza amor desatinadamente, fuera de que en Mireno concurrían amables partes, porque era de lindo talle, de alto ingenio, de liberal condición, de noble sangre, airoso a pie y a caballo, y en cualquier militar ejercicio señalado entre todos. En lo que toca a su rostro, mira ese retrato, donde te aseguro que el pintor no fue poeta ni añadió a la verdad colores retóricos. Téngole aquí para consuelo mío y tan presente en el alma, como lo verás por aquel verso que de Virgilio tiene:

Ante los ojos Hétor triste en sueños.

"Porque verdaderamente aun en ellos jamás me falta su lastimosa figura, que durmiendo o velando no se me quita un punto de los ojos. Volvimos en efecto a tratarnos y andar juntos como solíamos y en medio de esta paz pudo tanto el amor de Telémaco, que vencido de los ruegos de Lucrecia, la volvió a Barcelona, donde, apenas vista de Mireno, voló el viento las cenizas y se descubrió más vivo el antiguo fuego conservado en ellas. Temiendo yo lo que de esta venida había de resultar, persuadí a Mireno que se casase y aun a él no le pareció poco honesto medio. Dime a buscar sujeto digno de los méritos de un hombre, que si amor no me engaña, de su calidad no tenía igual en el mundo, y propúsele los que me parecieron que lo eran en proporción de su estado, ya que no de su persona. Pero sucedíale como a quien compra sin gusto, que ningún precio le contenta, porque unas decía que eran altas, otras bajas, éstas morenas, aquéllas descoloridas, cuál que era bachillera, cuál varonil más que a la blandura de mujer conviene, cuál demasiadamente delicada, ésta era flaca, aquélla gruesa; finalmente, como no quería partido y estaba contento con sus cartas, él no se casó y yo me cansé y pudo más Lucrecia que todos juntos.

"Volvieron a hablarse, que para tales buenas obras nunca faltan medios. Erifila, que ya estaba más enamorada de Mireno, porque con el deseo de desapasionarse había hecho por ella mil finezas, comenzó a conocer en el descuido de verla y en la tibieza de tratarla que Mireno andaba divertido en otro gusto, y con esta sospecha, que pienso que se llama celos (porque en pasando de sospecha, dicen que no merece este nombre), diose a inquirir sus pasos, y sin gastar muchos, supo, si no lo que pasaba, que a lo menos era aquél el sujeto donde Mireno se divertía. ¿Quién creerá tan extraordinario pensamiento? Creerálo quien supiere cuánto un ingenio de mujer está dispuesto, y más si ama, a cualquier género de sutileza e industria. Erifila se puso en ocasión que Telémaco la mirase. Telémaco miró a Erifila y vio en ella una gallarda mujer que no le miraba con poco tiernos ojos, porque cuando quieren engañar hacen de la vista cebo y de la blandura anzuelo.

"Rindióse Telémaco, aunque amaba a Lucrecia, persuadido de los ojos y belleza de Erifila, que tanto más le provocaban cuanto más deseaban hacerle engaño, o porque sea verdad lo que Nerón decía, que pocos hombres son castos, sino que unos lo encubren mejor que otros. Comenzó Telémaco a entrar en su casa de Erifila y ella a fingirse apasionada suya, dando a esto bastante lugar Mireno, que ya no la frecuentaba como solía. La amistad de los dos llegó al punto que Erifila deseaba, y así un día le dijo (dándole a entender que no sabía que era casado, lo que él también, porque no le aborreciese, le encubría), que le había visto entrar en casa de Lucrecia y que había formado de esto muy grandes celos. Telémaco, sonriéndose, la comenzó a sosegar diciéndole había entrado acaso en la misma casa de quien él era dueño y como ella mostrase mayor sentimiento y algunas falsas lágrimas, que tan presto saben fingir semejantes Circes, prosiguió diciéndole cuán honrada era Lucrecia, cuán virtuosa y cuán bien nacida, con grandes alabanzas de su recogimiento y del cuidado de Telémaco, su marido, alabándose a sí mismo, que donde a un hombre le importa la opinión no es vil la propia alabanza. Erifila entonces, hallando justa ocasión para su injusto propósito, le dijo que podía ser su marido honrado, noble y cuidadoso, pero que Lucrecia trataba amores con un caballero de la ciudad y que así podría también tratarlos con él, porque tras la primera liviandad corre cualquier mujer desenfrenadamente. Telémaco, descolorido entonces y de manera difunto que cualquiera le echara de ver ser el dueño de aquella plática, la comenzó a persuadir le dijese quién era. Ella, dando a entender que de celos del galán lo preguntaba, esforzó el llanto y con mayores quejas se persuadía ofendida de aquel a quien persuadía la ofensa de su honra. Negando en fin Erifila, sacó una daga, y poniéndola en los pechos le hizo decir el nombre de Mireno, que él también conocía.

"Fuése con esto Telémaco diciéndole que era verdad que él amaba y trataba a Lucrecia no sabiendo que tuviese otro galán, pero que de allí en adelante la aborrecería y de todo punto pondría su gusto en ella. En confirmación de lo cual le envió una cadena con una rica joya. Parecióle a Erifila que con esto el marido guardaría su casa y Mireno, imposibilitado de ver a Lucrecia, la volvería a visitar como antes. Pero el honrado caballero a quien tocaba sacar la mancha de su fama con la sangre del ofensor, pues ya no había que aguardar en lo que estaba tan perdido, fingiendo a pocos días irse a Monserrate, dio principio a su venganza y fin a mi propia vida.

"No eran tan necios los dos amantes, ni yo tan loco, que no advirtiésemos (aunque inocentes de la maldad de Erifila) en que aquella ausencia podía ser fingida respeto de haber visto en el mundo tantos ejemplos. Y así enviamos de secreto tras él un amigo fielísimo, ya sabrás que sería Aurelio; pero el advertido Telémaco, que sabía que no engañaba inorantes, fue donde dijo infaliblemente y nos aseguró de suerte que con aquella verdad nos engañó cuando quiso, porque fingiendo otra vez que iba a Valencia, se volvió del camino y se escondió en Barcelona.

"No dormía Mireno tan seguro con Lucrecia que no guardase yo la puerta, aunque él me rogase que no lo hiciese. Dios sabe que alguna noche estuve allí sin su gusto, porque me decía el alma que corrían aquellas vidas peligro. Telémaco a tercera noche entró por una puerta falsa del jardín que dije sin ser por mí visto ni sentido, y con sólo un criado que le llevaba una alabarda llegó a la cuadra donde ya sus pasos eran sentidos y con mal prevenida defensa salía Mireno a su encuentro. No dudo que aunque desnudo se defendiera con la espada y rodela que embrazó medio dormido si el contrario, valiéndose de más seguras armas, no le derribara de un arcabuzazo al suelo. El ruido del cual me dio aviso, que salva a aquellas horas más era condenación que salva; y así, procurando hacer pedazos la puerta, desperté a los vecinos. Cuando algunos acudieron con sus armas y derribadas las puertas entramos dentro, ya él tenía echadas en tierra las de un camarín, donde Lucrecia desnuda se había escondido, y no muchos pasos de él le atravesó la espada, de suerte que cuando llegamos con el postrero Jesús debía de rendir el alma, que habiendo muerto a Mireno parece que le vino bien aquel verso de Escalígero que ves debajo de su figura:

¿No basta, griegos, que venzáis los hombres?

"Yo, amigo Peregrino, no había entonces visto a Mireno, y como le buscase y a la vuelta de una sala le viese tendido, en las lágrimas que ahora corren por mi rostro echarás de ver cuál fue en tal ocasión mi sentimiento. No sé si acerté en lo que hice, pero buscando a Telémaco le escusé el cuidado de guardarse y el hacer información a la justicia de la que tenía tan sangriento hecho, porque afirmados los dos, le di una estocada con que acompañó las vidas que había quitado. Estaba en estos tiempos toda la casa dentro y fuera cercada de justicia; prendieron cuantos hallaron y a mí como a matador sin causa de Telémaco (que para lo que hizo en las leyes del mundo la tuvo tan grande); me pusieron donde me ves y ha cinco años que vivo deseando la muerte como te enseña aquel corazón con alas, figura del mío que va volando tras aquella muerte, retrato de Mireno con el verso de Virgilio.

Muerto Palante,
forzado en esta vida me detengo.

"Mis trabajos verás en aquel Sísifo y Ticio, y el sentimiento que hizo esta ciudad por la gallardía de Mireno en aquella cabeza destroncada y la lira de Orfeo con el verso del epigrama de Forcatulo:

Aquí lloraron selvas, fieras y áspides.

"Que no sé si hubo árbol, animal ni piedra, a quien no enterneciese tan triste caso, a cuya historia pongo fin con estas lágrimas que siempre ofrezco a su memoria y estos versos que hice a su sepulcro:

Aquí yace Lucrecia, menos casta
que la de Roma, pero más hermosa;
no la forzó Tarquino, ni quejosa
Roma alzó la cerviz, y vibró el asta.
Forzóla un dulce amor, que amor contrasta
la fuerza más altiva y desdeñosa;
y aunque murió por desleal esposa,
ser causa amor para disculpa basta.
Con ella yace el que la quiso tanto,
muerto con plomo por dejar el yerro [97]

97 *Yerro*: trajinadísimo juego de palabras entre *yerro-hierro*.

al pecho, cuyo error dio al mundo espanto.
Mas Bruto airado en su mortal destierro,
sangre del homicida y propia en llanto
ofrece al luto de su negro entierro.

"Con esto quedaron la mísera Lucrecia y el malogrado Mireno en inmortal reposo[98] y ella en mi imaginación no digna de vituperio por ser tales las partes de su amante y por la fuerza que el amor hace en los más libres, como significó bien Ovidio por Atlanta.

Ninguna fue más áspera que Atlanta,
y se rindió a los méritos de un hombre."[99]

No se hizo la prisión del Peregrino tan a poca costa de su paciencia, que por más que Everardo (que este nombre tenía el caballero preso) favoreciese sus cosas alcanzase su inocencia la libertad que merecía, ni su opinión buena fama, porque debajo de estar en aquel hábito daba sospecha a los jueces de que no carecía de culpa. Pero habiendo sido Doricleo, el capitán de aquellos salteadores, perdonado y por una cédula real admitido como primero a la gracia de su ciudad, por cómplice de sus delitos fue el Peregrino absuelto, habiéndole costado el haber salido a oír la música de aquel pescador una herida en un brazo, estar a pique de ahorcarle de un árbol y casi tres meses de prisión, que a no estar Everardo en ella fuera insufrible. Despidióse de él con mil estrechos abrazos y, favoreciéndole de algún dinero, determinó irse a Valencia.

A la sazón que el Peregrino salía de la cárcel, se prevenían en la ciudad grandes fiestas, y como discurriendo por ello supiese que eran para el siguiente día, aguardólas contento. La escura noche se había retirado

[98] *Inmortal reposo*: este *requiem* de Everardo a la pareja adúltera decae de la tesitura moral post-tridentina. Bien es cierto que Everardo está pagando sus culpas en la cárcel.
[99] *Hombre*: *Metamorfosis*, X, 573-74, es glosa de Lope, y no traducción.

al ocaso viendo por el oriente salir la corona del sol en los blancos rizos de la aurora cándida, cuando siguiendo el Peregrino el concurso de la gente vio que tomaban lugar en una plaza para escuchar sobre un teatro [100] una representación moral del *Viaje del alma,* y, como a este género de fiestas fuese aficionadísimo, y sea común en los peregrinos hallarse en todas, tomó asiento, donde después de haberse entretenido en mirar tanta diversidad de gentes, caballeros, damas, ciudadanos y vulgo en distintos lugares, vio que salían al teatro tres famosos músicos que en sus instrumentos cantaron así:

Juramento hizo el Padre
con su soberana voz,
y no le pesó de hacerle,
pues que también le cumplió,
de hacer sacerdote a Cristo,
que para siempre ordenó
con aquel orden divino,
que a Melquisedec ungió.
Con alba de humanidad
su divinidad vistió,
y antes que dijese misa,
su evangelio predicó.
A decir el introibo
por Jerusalén entró,
donde hubo mil aleluyas,
con ser misa de pasión.
De su cuerpo y de su sangre,
un jueves instituyó
sobre el altar de una mesa
el sacramento mayor.
Un sacerdote de aquéllos,

100 *Teatro*: acerca de la forma de representar los autos sacramentales a fines del siglo XVI y comienzos del siglo XVII, *vid.* N. D. Shergold, *A History of the Spanish Stage from Medieval Times Until the End of the Seventeenth Century* (Oxford, 1967), cap. XV.

vendiendo el pan que comió,
antes de acabar la misa
de la iglesia se salió.
De tres que le respondían
a la primera oración,
Pedro, que era de Evangelio,
en un güerto le ayudó.
Mas como después errase
parte de la confesión,
aunque era misa rezada
por él un gallo cantó.
Alzóse la hostia en alto
y el cáliz de bendición,
a pasar el de amargura,
que tanto beber temió.
En lugar de darse al *Agnus*
el pueblo ingrato y traidor
golpes en los mismos pechos
al cordero se los dio.
En el *Consummatum est*
finalmente consumió,
bebiendo el gran sacerdote
el cáliz de su pasión.
Los acólitos que estaban
al pie del altar mayor,
viendo la misa en el fin
lloraban de tierno amor.
Juan, que fue el Evangelista,
de María se encargó,
que antes de bajar las gradas
por hijo le recibió.
Llegó el *Ite Missa est,*
y en una cruz espiró,
abriendo al pueblo los brazos,
que *Deo gratias* respondió.

Entrándose los músicos, salió el que representaba el Prólogo y comenzó así:

Dios máximo crio el cielo y la tierra,
y todo cuanto el sol mira, en seis días.
Estos quiere Lactancio [101] signifiquen
la duración del mundo y seis mil años.
Dos mil antes de Abraham y ley escrita,
dos mil hasta el Mesías prometido,
y de la ley del circunciso pueblo,
y lo demás hasta el fin del mundo.
De Adán corren a Enoch un día y mil años; [102]
a Abraham otros mil y el día segundo;
mil y el tercero al rapto de Elías cuentan;
a la Ascensión de Cristo mil y el cuarto;
mil y seiscientos [103] hasta nuestros tiempos,
que se viene a contar el quinto día,
para seis mil faltando cuatrocientos,
en que al sesto y al mundo el fin proponen.
También hay opinión que hasta que acabe
Saturno el curso enteramente, debe
durar el mundo, y todos los autores
que esta curiosidad tratan y escriben
a la romana Iglesia se sujetan, [104]
porque tales secretos es muy justo
que se reserven al Autor del cielo,
pues el que dio principio al mundo puede
ponerle fin, cuando su santa mano
quisiere defacer aquella obra,
que acabada de hacer le agradó tanto.
Adán y su mujer hermosa y fácil,
origen del primero daño nuestro,
quebrando aquel precepto soberano,
de la naturaleza obedecieron

[101] *Lactancio*; en *Divinarum institutionum*, libro VII. El exordio de este auto sacramental, de apabullante ciencia y erudición (así como el del *Hijo Pródigo*, libro IV), sigue estrictamente las directivas tridentinas para una literatura edificante y educativa.

[102] *Años*: verso durísimo —como tantos más de estos sueltos— para que conste como endecasílabo.

[103] *Mil y seiscientos*: apoya la cronología postulada en la Introducción, q.v.

[104] *Sujetan*: clara postura post-tridentina.

la ley, ya por el Ángel arrojados
del Paraíso, y dados por cautivos
con la posteridad mísera suya
al pecado, al demonio y a la muerte,
que luego por la envidia entró en el mundo.
Pero teniendo Dios misericordia
de nuestro humano error, a Adán promete
la sucesión de la mujer, que es Cristo,
para quebrar la frente, que es su reino,
de la sierpe crüel, y redimirnos
del pecado, la muerte y el demonio.
Esta, del Evangelio primer fuente,
fue de Dios la promesa, bien que en sombras
y figuras mil veces renovada,
que fue consuelo de los santos padres.
De los primeros Caín y Abel nacieron;
mató Caín a Abel, y su homicidio
fue la persecución primera que hubo
por el culto divino entre los santos.
Dios maldijo a Caín, dejó a su padre,
y una ciudad edificó famosa
del título de Enoc su primogénito.
Nació Set en lugar de Abel, y de éste
Enos, a quien así fueron siguiendo
Cainán, Malaleel, Jared y el padre
del gran Matusalén, en cuyo tiempo
casándose de Set la santa estirpe
con hijas de Caín, maldito pueblo,
nacieron los gigantes fulminados.
Adán murió de novecientos años
y treinta más, y Enoch fue rapto vivo.
Vino Lamech, de quien nació aquel hombre
que los poetas llaman Jano y Caos,
y a su mujer la madre de los dioses,
Vesta, Títea, Berecintia, o Tierra,
mas fue Noé su verdadero nombre.
Fue el diluvio en el año que contaron
sobre cincuenta y seis, mil y seiscientos
del principio del mundo. Salió vivo

con sus hijos el santo Patriarca
de aquel arca famosa y primer nave
que anduvo por el agua tantos días.
Dividieron el mundo sus tres hijos,
Sem, ocupando la oriental Suria,
fue del Asia señor; Can Zoraostre [105]
de la Judea, Egipto, Arabia y África;
Jafet de nuestra Europa. Y así el Asia
se llama Semia, el África Camesia,
de Japeto a Jafet Japecia Europa.
De Jano comenzó su reino Italia,
su primera ciudad se llamó Antépolis;
Roma fue edificada a ciento y nueve
años después del general diluvio.
Reinó Nemrod, Saturno babilónico,
la torre de Babel fue edificada,
de cuya confusión hay tantas lenguas,
y no sé si también hay tantos que hablen.
Samote Dite dio principio a Francia,
así lo escribe César: [106] procedieron
Peleg, Reu, Nacor, Sarue y Belo,
o Júpiter, segundo rey asirio.
Taré, tercero rey, se llamó Nino;
Nino dicen que fue el primer idólatra,
haciendo altares a su padre Belo.
Hallaron la invención de trigo y mieses
en los campos del Nilo Isis y Osiris.
De Taré [107] Abraham, Nacor y Arán nacieron
Arán padre de Lot. Fue en este tiempo
Semíramis famosa aunque lasciva,
que si este vicio ha de quitar laureles
César y Marco Antonio están sin fama.
Isaac, Jacob, José, los doce tribus, [108]
a quien pasó Moisén por el mar Rojo

105 *Zoraostre*: *sic* por *Zoroastro.*
106 *César*: *De bello gallico,* libro VI.
107 *Taré*: 1604 *Tarán.*
108 *Tribus*: para el *Dicc. Aut. tribu* todavía es de género ambiguo.

tuvieron luego origen y tras ellos
de Israel los jüeces, y el primero
que a pie enjuto pasó el Jordán y pudo
tener al sol en medio de su eclíptica.
Orco primero, rey de los molosos,
robó en aqueste tiempo a Proserpina,
que de historias nació la antigua fábula
cifra de la moral filosofía.
A Josué siguieron los jüeces
Otoniel, Barac, Gedeón el fuerte,
y tras Abimelec, Jair y Tola,
Jepté, que por haberlo prometido,
sacrificó su hija. El gran Teseo
(si habemos de dar crédito a la historia)
robó en esta sazón la bella Helena,
a quien hurtó después Paris troyano,
y nacieron las guerras de los griegos.
Absán, Elón, Abdón y Sansón fueron
en esta edad; y aun dicen que en sus años
bajó Eneas a Italia y Franco a Hungría,
uno de Anquises hijo, y otro de Hétor.
Tras Helí y Samuel tuvo principio
el reino de Israel; Saúl fue electo,
David y Salomón, aquel famoso
que hizo el templo a Dios, que no ha tenido
igual en todo el orbe, ni tuviera
segundo, si el segundo rey Filipo
no hubiera edificado a San Laurencio. [109]
Escribió Salomón con ciencia infusa
dulcísimos cantares y proverbios,
honrando la poesía, como al padre
en sus divinos salmos elegíacos.
Roboán heredó y nació en su tiempo
Homero en Grecia en la ciudad Venusia.
Abías y Asa reinaron, nació Dido.
Tras Josafat y Acab, injusto príncipe,

109 *San Laurencio*: San Lorenzo del Escorial, construido por orden de Felipe II.

hasta que a Babilonia fueron presos
tuvieron los hebreos quince reyes.
Dio Ciro a la persiana monarquía
principio; allí Daniel en las setenta
semanas, o los años que se entienden
por ellas, cuatrocientos y noventa
de la santa ciudad reedificada,
profetizó la muerte del Dios hombre.
Cambises, Darío, Jerjes y Artajerjes
reinaron hasta el tiempo de Alejandro.
Siguiéronle los reyes Tolomeos,
el imperio de Grecia y el de Egipto,
hasta la edad de los augustos Césares,
en que nació la vida de las nuestras,
la redención del mundo, el santo Príncipe,
el César celestial, en cuya noche
se vieron los prodigios, que mostraron
los cielos y la tierra con mil fuentes
de agua y de olios puros aromáticos,
ya floreciendo de Engadí las viñas,
ya cayendo los templos de los ídolos.
Cumplió Dios su palabra a Adán primero
luego a Abraham, a quien bendijo, y luego
al gran David. Cesaron tantas sombras,
tantas figuras, tantas profecías:
la paz y la justicia se abrazaron,
y llovieron los cielos su rocío
con que abierta la tierra engendró al justo.
Hizo este Capitán tales hazañas
en años treinta y tres, y en los postreros
tan altas, que el Imperio santo suyo
tuvo en sus hombros y después clavado
de pies y manos (cosa nunca oída)
venció los enemigos de los hombres.
Mató la muerte, reparó la vida,
encadenó al pecado, y al demonio
quitó el cetro del mundo, y con mil triunfos,
con mil palmas angélicas y lauros
subió a la diestra de su Eterno Padre.

Pero como los hombres le costaban
lo que el costado mismo está diciendo,
aunque se fue, también se quedó entre ellos,
tan Dios, tan hombre, tan entero y grande,
cifrado en aquel círculo divino,
en aquel santo pan de azúcar piedra
(que es piedra Cristo), en aquel pan de rosas,
pan de azúcar y miel, panal sabroso
entre los dientes del león ya muerto.
Allí le come el hombre y endiosándose
se causa la más alta maravilla,
que estremece los coros de los ángeles.
De ésta sabreis en la propuesta historia,
o en la moralidad que se os ofrece
grandes misterios, como esteis atentos
para escuchar tan altos sacramentos.

Entróse y volvieron los músicos a cantar esta letra, bailando los dos de ellos con mucha destreza y gracia:

En esta mesa divina
carillo, si estás en gracia,
tañe, canta, come y bebe,
salta, corre, danza y baila.
En el divino convite
que hoy ofrece Cristo al alma,
si estás en gracia, carillo,
di gracias y dale gracias.
Siéntate, si hay en tus ropas
diamantes, oro, esmeraldas,
colores de tres virtudes,
Fe, Caridad y Esperanza.
Levántate luego alegre,
pues al cielo te levantas,
tañe, canta, come y bebe
salta, corre, danza y baila.
Cuando más loco parezcas
más dirán todos que amas,
que a quien ama el estar loco

para ser cuerdo le falta.
Si hubiera en el cielo envidia,
los ángeles te envidiaran
de ver que un Dios tan inmenso
quepa en tan pobre posada.
Y pues el Pan, que has comido,
no te pesa, aunque te harta,
tañe, canta, come y bebe
salta, corre, danza y baila.

En entrándose los músicos, salió el Alma vestida de blanco con un villano, que representaba la Voluntad y un gallardo mancebo que hacía la Memoria.

ALMA. Mi Memoria y Voluntad,
llegada es ya la ocasión
de mi nueva embarcación
a la gloriosa ciudad
de la celestial Sión;
ya es el tiempo de embarcar
porque es forzoso pasar
por mi patria esclarecida
el mar de la humana vida,
que es un peligroso mar. [110]
Esta es la playa arenosa
de corporal juventud,
buscar es cosa forzosa
nave en que nuestra salud
corra bonanza dichosa,
que aunque aquí soplan los vientos
de los propios movimientos
e inclinaciones humanas,
no han de ir nuestras velas vanas
de soberbios pensamientos.

110 *Mar*: éstas son coplas reales, y no quintillas, como entiende e imprime Peyton. La *copla real* es "la estrofa compuesta de dos quintillas de igual tipo aunque de rimas diferentes", T. Navarro Tomás, *Arte del verso* (México, 1964), p. 126.

MEM. Alma para Dios criada
y hecha a la imagen de Dios,
advierte de Dios tocada
en que son los mares dos
de nuestra humana jornada;
y así hay dos puertos a entrar
y dos playas a salir,
en una te has de embarcar,
que del nacer al morir
todo es llanto y todo es mar.
Hubo un sabio antiguamente,
que una letra fabricó,
cifra del vivir presente,
y símbolo en que mostró
de los dos fin diferente;
era Y griega, [111] que te advierte
dos sendas hasta la muerte,
común la entrada, en que fundo
que el rey y el pobre en el mundo
entran de una misma suerte.
En estrecho fin paraba,
Alma, aquel ancho camino,
y el que estrecho comenzaba,
ancho, glorioso y divino
el dichoso fin mostraba;
éstos son nuestros dos puertos
para el bien y el mal tan ciertos,
y del fin los otros dos
al ver o no ver a Dios
por estos mares inciertos.
Mira, pues, Alma querida,
que te avisa tu Memoria,
que hay bien y mal, pena y gloria,
y que en el mar de esta vida
se canta al fin la vitoria:

111 *Y griega*: se atribuía su invención a Pitágoras, y se la tomaba como símbolo de la vida humana, *vid.* F. Rico, *La novela picaresca y el punto de vista* (Barcelona, 1970), p. 72, quien promete un estudio sobre "La letra de Pitágoras".

acuérdate lo que debes
a Dios, para que no lleves
su santo camino errado.

VOL. Qué bien la habéis predicado
para en palabras tan breves.
Mas, Memoria, ¿cuándo vos
dejastes de ser pesada?
Ya sabe el Alma, criada
para Dios, que es ir a Dios
el fin de nuestra jornada;
no ignora lo que le debe,
que es menester que renueve,
si hay mares, cifras y polos,
caminos o puertos solos,
sino que el más ancho lleve.
Id, Alma, como querais,
pues que Dios os dio albedrío.

MEM. Voluntad, con menos brío.

VOL. Memoria, ¿por qué os cansais
que diga el intento mío?
Si esto no os agrada a vos,
dejadnos ir a los dos,
dejadnos solos, Memoria,
que sin vos y vuestra historia
se acuerda el Alma de Dios.
Basta mirar estas flores,
aves, fuentes y animales,
porque son milagros tales
celajes y resplandores
de los bienes celestiales.

MEM. Bien vi yo que haber quedado
atrás el Entendimiento [112]
te hizo a ti deslenguado.

ALMA. Memoria, mi pensamiento
no es ir por camino errado.
Enséñame el que es más santo:

112 *Entendimiento*: Memoria, Voluntad y Entendimiento eran las potencias del alma.

Voluntad, de ti me espanto.
MEM. Es un villano atrevido,
que a mi voz cierra el oído,
como el áspid al encanto.
VOL. Muy noble debeis de ser,
pero está vuestra nobleza
casi al fin de la cabeza,
donde se os junta el tener
motiva [113] naturaleza.
Allá en la postrera parte
del cerebro se reparte
junto a la espinal medula.
MEM. Y tu apetito en la gula
para que nunca se harte.
VOL. De la parte natural
y la común sensitiva
no me hagais irracional,
que mi voluntad deriva
de la parte racional.
En voluntad o inteleto
es el hombre más perfeto
y semejanza de Dios,
que en estas acciones dos
está el bien o el mal secreto:
aquí está la libertad,
el premio y merecimiento,
la eterna felicidad,
o el siempre eterno tormento.
MEM. Dices, Voluntad, verdad.
Y si eres el que el objeto
de las cosas ofrecidas
ama o aborrece, efeto
de su apetito, no impidas
al Alma el camino eleto;
y pues por la estimativa
al dicho objeto inclinado

113 *Motiva*: o sea "que mueve". Los conceptos que siguen provienen de la fisiología clásica, fundamentada en Aristóteles y Galeno, tamizado todo por Santo Tomás.

la prosecución deriva
del amor, que de lo amado
luego el deleite reciba,
  haz que el camino del cielo,
objeto de tal consuelo,
ame, prosiga y le goce,
que quien al cielo conoce
mal hace en mirar al suelo.
Si tú como superior
esfera puedes mover
a lo que es parte inferior,
y al apetito traer
a que elija lo mejor,
  embarca al Alma y la guía
por la más segura vía.

ALMA. ¡Oh, qué pesados estais!
¿No veis que al Alma cansais
con tanta filosofía?
Dejad eso a las escuelas,
porque en la playa del mar
sólo habemos de tratar
de naves, jarcias y velas,
de partir y de llegar.

Entró a esta sazón el Demonio en figura de marinero, todo él vestido de tela de oro negro bordado de llamas y con él como brumetes [114] el Amor Propio, el Apetito y otros vicios.

ALMA. Buscadme luego un piloto.

DEM. Si animas tu movimiento,
húmedo y claro elemento,
alzo el ancla, el bajel boto
y doy las velas al viento,
que yo, si verdad os digo,
(aunque decir no la sé,
que soy su grande enemigo,

114 *Brumetes*: variante de *grumete, vid.* ejemplos en Corominas, *DCELC,* s.v. *grumete.*

desde que en el cielo hallé
de mi soberbia el castigo),
ya me querría partir.

ENG.[115] Bien puedes, Luzbel, salir:
leva ferro, desamarra.

DEM. Es Dios cenit de esta barra
y yo el opuesto nadir.

AM. PROP. Si ella sigue tu derrota.

DEM. ¿Cuándo yo no he sido roto,
y mi nave, Engaño, rota?

ALMA. Éste sin duda es piloto
y de provincia remota.
Hallado, Memoria, habemos
lo que buscando venimos.

DEM. Publicad cómo partimos,
decid que a los que acogemos
de balde los recebimos.

Luego los tres cantaron así:

Hoy la nave del Deleite
se quiere hacer a la mar:
¿hay quien se quiera embarcar?
Hoy la nave del contento
con viento en popa de gusto,
donde jamás hay disgusto,
penitencia ni tormento,
viendo que hay próspero viento,
se quiere hacer a la mar:
¿hay quien se quiera embarcar?

ALMA. Al referido pregón
un alma, amigos, allega.

VOL. ¿Dónde la nave navega?

MEM. Va a la celestial Sión,
en donde el alma se anega,
porque embarcarse quería.

115 *Eng*: o sea *Engaño,* y no *Enemigo* como supone Peyton.

DEM. Alma, aquesta nave mía
al nuevo mundo la llevo.

VOL. Donde cae el mundo nuevo,
¿es la clima ardiente o fría?
¿Es el que ganó Colón,
aquel sabio genovés,
por Castilla y por León,
o donde puso Cortés
de España el rojo pendón?
¿Es donde hay los celebrados
palos,[116] que a un enfermo dados
le vuelven como primero,
o donde caribe fiero
come los hombres asados?
¿Es donde pescan coral,
que lo verde en rojo muda,
o la perla alba oriental?
¿O donde hay árbol que suda
bálsamo, anime y copal?[117]
¿Es de donde el oro fino
a los españoles viene,
o el clavo y jengibre chino?
¿O donde hay planta que tiene
vino, pan, aceite y lino?
¿Es donde traen la caoba,
el campeche y el brasil,
y a la gente simple y boba
por un roto guayapil[118]
tanto oro y plata se roba?
¿Es adonde el Ganges hace
que a verle el mar se anticipe?
¿O el Nilo famoso nace?
¿O donde sanó Felipe

116 *Palos*: el *guayaco* o *leño de la India,* remedio universal de la época contra las enfermedades venéreas. Peyton supone que se refiere a la quinina ¡descubierta en 1820!

117 *Anime y copal*: *Anime* "resina de un árbol ... muy parecida y semejante al incienso", *Dicc. Aut.* s.v. *Copal* "voz que se sobreañade al anime" *ibid.*, s.v.

118 *Guayapil*: vestido indio.

al eunuco de Candace? [119]
¿Es donde el sol nunca va,
y eternas las noches son?
¿O donde dicen que está
el hijo de Salomón
y de la reina Sabá?
¿Es donde el rinoceronte
mira el sol occidental?

DEM. Allá tiene su horizonte
en la línea equinocial
en un abrasado monte.
Son Indias de gran riqueza:
allí se ve la belleza
de la mayor hermosura,
el oro y la plata pura
de la edad y gentileza;
Corren los más verdes años
con trajes de mil labores,
los aromas, los olores,
los convites y los baños,
los juegos y los amores.
Mi nave famosa y bella,
la del Deleite se llama.
Entrad dentro, hermosa dama,
que yo soy capitán della,
y soy piloto de fama:
aquí César [120] navegó,
Marco Antonio y Masinisa,
Mesalina, Dido Elisa.

MEM. Apostemos que no entró
Julia, Porcia ni Artemisa,
Alejandro o Scipión.

AM. PROP. ¿No es más que entre Salomón
y David con Bersabé?

DEM. Pregunta cómo le fue

[119] *Candace*: *Acta Apostolorum*, VIII, 27-39.
[120] *César*: de César a Dido Elisa todos sucumbieron, en una forma u otra, a la lujuria, mientras que los nombres que menciona Memoria eran famosos por continentes. *Et sic de caeteris.*

por su Dalida [121] a Sansón.
Soy un piloto profundo
Magallanes del estrecho
de los deleites del mundo,
y en las Indias del provecho
un Draque, [122] dragón segundo.
Nadie como yo ha medido
lo que hay desde el claro Apolo
a la tierra, que yo solo
Icaro del cielo he sido
y elevación de su polo;
sé los grados, las alturas
reducidas al compás
de las mortales criaturas,
que he visto y sabido más
que todas las escrituras.
Yo era el Cherub que decía
(aunque Esaías se ría
de haberme atrevido a él)
Dios, que por Ezequiel
abeto y cedro me hacía.
Ya no quiero estar encima
del monte del testamento
donde el Alto se sublima,
ya es esta nave mi asiento,
y el que más mi gloria estima.
Entrad, Alma, ireis segura
en este alegre viaje
sin gastar matalotaje,
que quien mi nave procura
es justo que le aventaje.

121 *Dalida*: forma normal en el Siglo de Oro por Dalila, *vid. Galatea,* II, 53.

122 *Draque*: Sir Francis Drake (m. 1596), cuyas hazañas eran de tristísima memoria para los españoles, como atestigua el propio Lope de Vega en su *Dragontea* (1598), o Juan de Castellanos en su *Discurso del capitán Francisco Draque* (1586-1587). El español entendía "Drake (Draque) *sive* Draco" (= Dragón), por eso Lope le llama "dragón segundo", siendo el primero el Demonio. En realidad, Drake = pato, como lo demuestran sus armas parlantes. Además, *vide infra,* nota 219.

Ea, voluntad amiga,
si mi regalo te obliga,
porque aquí todo es placer,
dormir, comer y beber
sin escote ni fatiga.

VOL. Pardiez que sois hombre honrado,
y que ya me inclino a vos.

MEM. Alma, acuérdate que a Dios
llevas el viaje errado.

DEM. Dejadla y entrad los dos.
Engaño, cántale un poco;
Apetito, dales sueño;
vuélvele, Amor Propio, loco.

VOL. De hoy más sereis nuestro dueño.

DEM. Toca, Apetito.

APET. Ya toco.

Así como iban cantando los vicios, se iba durmiendo la Memoria, hasta que recostada en unas flores que allí había, lo quedó de todo punto y ellos cantaron así:

Esta es nave donde cabe
todo contento y placer.
Esta es nave de alegría,
que va a las Islas del Oro,
donde es el gusto tesoro
que has de cargar, Alma mía,
porque hasta el último día
no hay tempestad que temer.
Esta es nave donde cabe
todo contento y placer.
Esta es nave en que la vida
pasa y corre el universo,
que no hay temer tiempo adverso,
mientras dura al viento asida:
no hay gloria que el gusto pida,
que no la pueda tener.
Esta es nave donde cabe
todo contento y placer.

APET. Parece que se ha dormido.
DEM. Pues alto, no canteis más.
Alma, ¿en mi nave no irás?
ALMA. Siendo tan bueno el partido,
aliento a partir me das.
¿Qué haré, Voluntad?
VOL. Partir
a los regalos del mundo,
que yo en sus gustos me fundo.
ALMA. ¿Podré acertar a salir
después de este mar profundo?
ENG. Sí saldrás, buena razón:
¿quién es el acto primero
y del cuerpo perfección,
duda en caso tan ligero?
ALMA. ¿Ligero la salvación?
DEM. Que no hay temer enemigo,
y cuando por dicha baje,
podrás volver el viaje
sin ir hasta el fin conmigo,
si en el fin temes ultraje.
Alma, prueba, entra, no dudes,
pues cuando de intento mudes,
puedes irte a tu contento.
ALMA. Estoy sin Entendimiento:
Memoria, ¿ya no me acudes?
DEM. Anda, que ya está dormida.
ALMA. Voluntad, ¿embarcaréme?
DEM. Ya está del todo rendida.
VOL. ¿Qué teme el alma?
DEM. No teme.
ALMA. Sí temo, el fin de la vida.
VOL. Ea, vamos a embarcar,
donde habrá bien que cenar,
damas, juego, Baco y Ceres:
que con iguales placeres
pasa de la vida el mar.
ALMA. Pues alto, vamos de aquí.
DEM. Llegad la barca.

ENG. Eso sí.
Deleite, tiende la plancha.
DEM. Entra, que la mar es ancha.
ALMA. ¿Y la vida es larga?
DEM. Sí.

Luego comenzó la música a cantar así:

El Alma se va a embarcar,
nadie le diga que yerra,
que no le puede faltar
Dios en la mar ni en la tierra.

En acabando esta canción, salió el Entendimiento en forma de un viejo venerable.

ENT. Voces parece que siento
de embarcación en la playa
o me engaña el pensamiento:
cosa que el Alma se vaya
sin su amado Entendimiento;
quedéme atrás a pensar
por dónde el airado mar
pasase de aquesta vida
el Alma a Dios dirigida,
y que no pudiese errar,
para que pueda decir,
con el Profeta, que tiene
instrucción para vivir,
y Entendimiento que ordene
lo que no acierte a regir;
no como los animales,
que con el freno a los tales
les quebrantan las mejillas.
Apenas estas orillas
muestran del Alma señales.
Si ha perdido ya la ciencia
del justo temor de Dios,
que ésta es la mayor prudencia,

¿cómo podremos los dos
entender nuestra excelencia ?
Los ojos del sabio están
en su frente, que los malos
siempre por tinieblas van.
¿Si acaso falsos regalos
del mundo gusto le dan?
Alma amiga, Alma querida,
¿dónde caminas sin mí?
¿Alma, dónde vas perdida?
Mas ¿quién está aquí? ¡Ay de mí!
que es la Memoria, dormida.
Recuerda,[123] recuerda ya
del Alma dormida vela,
pues ella dormida está.
Voluntad, ¿con qué cautela
te han engañado?

MEM. ¿Quién va?

ENT. Oye, Memoria, y despierte
contigo el alma dormida,
y dando voces le advierte
de que se pasa la vida,
y que se viene la muerte.
¿Dónde está el Alma, Memoria?

MEM. A buen tiempo preguntais
en lo que andaba la historia:
cuando vos atrás quedais,
su perdición es notoria.

ENT. ¿Hase embarcado? ¡Ay de mí!

MEM. Un capitán de la nave
del Deleite vino aquí,
a cuyo Mercurio[124] suave,
aunque era Argos, me dormí.

ENT. La Voluntad ¿es posible
que le han consentido tal,

123 *Recuerda*: ecos manriqueños en los próximos versos: "Recuerde el alma dormida...".
124 *Mercurio*: *vide supra*, nota 93.

siendo como es convenible
inclinación natural
a algún bien apetecible?

MEM. ¿Pensais que es vuestra excelencia,
cuyas virtudes están
del Alma en la propia esencia?

ENT. ¿Por dónde, Memoria, van
haciendo del cielo ausencia?

MEM. Yo no lo sé, que he dormido.

ENT. Sin duda que se han partido.

MEM. Debe de faltarles viento.

ENT. Escucha a tu Entendimiento,
Alma, si no le has perdido.

En esta sazón comenzaron dentro a hacer una faena de nave con la zaloma [125] que se acostumbra, haciendo el Demonio y el Deleite oficio de piloto y contramaestre y respondiendo los Vicios en vez de marinaje, afligiéndose el Entendimiento de que entre las confusiones de las voces igual no escuchase el Alma las suyas.

DEM. ¡Oh Luzbel!

TOD. ¡Ah!

ENT. No me escucha.

DEM. ¡Oh Soberbia!

TOD. ¡Ah!

ENT. No me entiende.

DEM. ¡Oh Envidia!

TOD. ¡Ah!

125 *Zaloma*: Repito aquí algo de lo que dije en *Persiles*, p. 270; donde cité a Eugenio de Salazar, *Cartas*, *Bib. Aut. Esp.*, LXII, 293b, ed. facsímile (Madrid, 1962), pp. 64-65: "Pues al tiempo de guindar las velas, es cosa de oir zalomar a los marineros que trabajan y las izan cantando, y a compás del canto, como las sumbas cuando pelean; y comienza a cantar el mayoral de ellos, que por la mayor parte son levantiscos, y dice: 'Bu iza [sigue el precioso texto de una zaloma en *lingua franca*, demasiado largo para copiar aquí] ...' A cada versillo de éstos que dice el mayoral, responden todos los otros 'O, o', y tiran de las fustagas para que suba la vela". En el *Viaje del Alma* el *Ah* de *Todos* equivale al *O* de Salazar, y ese coro marinero ahoga las palabras de Entendimiento.

ENT. De oír se ofende
mis voces
MEM. La grita es mucha,
que sólo a partirse atiende.
DEM. ¡Oh Lascivia!
TOD. ¡Ah!
DEM. ¡Oh Regalos!
TOD. ¡Ah!
DEM. ¡Oh Gustos!
TOD. ¡Ah!
ENT. ¡Oh cielos!
Alma, no te den recelos,
que los mejores son malos.
MEM. Tarde lamentais sus duelos.

En un pedazo de popa que se descubrió de la nave, se vió el Alma vestida de un velo negro como librea del dueño con quien ya vivía, a quien el Entendimiento comenzó a llamar así:

ENT. Alma, escucha.
ALMA. ¿Quién me llama?
ENT. Tu Entendimiento.
ALMA. ¿Qué quieres?
ENT. ¿Dónde vas?
ALMA. Extraño eres:
voy con quien me adora y ama.
ENT. ¡Ay de ti, si con él fueres!
No sabe el hombre su fin;
como el pez con el anzuelo
viniste a caer en fin.
¿Vase por deleite al cielo?
VOL. ¿Qué hablais vos, viejo ruin?
ENT. No tomaste mi consejo.
Vuelve, que ya concertada
la nave mejor te dejo.
VOL. El Alma está ya embarcada;
¿qué os cansais, hermano viejo?
Aquí vamos a placer,

hay que brindar y comer,
que dormir y que gozar.

ENT. ¿Dónde imagináis llegar?
¿Qué puerto pensáis tener?

VOL. Esto por ahora dure,
mientras se duerme y se chasca.

ENT. Después remedio procure,
cuando venga la borrasca,
y la hacienda se aventure.
Allí sí que será el voto,
el rezar, el suspirar
con el corazón devoto,
cuando esté soberbio el mar,
y el árbol del vivir roto,
vendrá la muerte a los ojos;
¿y qué haremos, Voluntad?

VOL. Ea, no nos deis enojos.

ALMA. Tiempo hay que dice verdad.

MEM. Ya te ha puesto sus antojos;
vas como caballo ciega,
que no sabes dónde vas.

ENT. Alma, el Demonio te anega;
cuanto con él tardas más
tanto más te engaña y ciega.
¿No ves lo que Beda[126] dice,
que mientras más tiempo tiene,
menos suelta?

VOL. Tarde viene,
aunque al Alma atemorice,
tarde el remedio previene.

ENT. ¡Ay, dice al Alma Esaías,
quien las costumbres tardías
del pecar con cuerdas ata!

MEM. Eres a Dios, Alma, ingrata,
¿y en el mar del mundo fías?
La culpa antigua te asombre,
que el espíritu que un hombre

126 *Beda*: *In Lucae Evangelium Expositio,* libro III.

tuvo desde su niñez,
no pudo echar una vez
el apostólico nombre.

Como no puede olvidarse
jamás la lengua materna,
así la costumbre interna
de los pecados dejarse;
pero es fácil, cuando es tierna.

ENT. Miserable Voluntad,
dispones lo por venir,
¿eso está en tu potestad?

ALMA. Pienso que decís verdad,
mas ¿cómo podré salir?
Tengo mi hacienda embarcada.

ENT. ¿La Voluntad es tu hacienda?
Mira que estás engañda.

MEM. Si estima esa sola prenda,
los dos no valemos nada.
No tardes, Alma, en volverte
a Dios; teme de su ira
el día espantable y fuerte;
a Agustín diciendo mira
que esa dilación es muerte;
que mientras lo dilataba
en Dios vivir no quería,
porque en sí muriendo estaba.

ALMA. Volvamos, Voluntad mía,
ea, volvamos, acaba.

VOL. Pues ¿dónde nos llevareis?

ENT. En la nave entrar podeis
de la penitencia.

VOL. Bueno.
a un cuerpo contento y lleno
esa dieta le poneis.
Los dos me quieren perder.
¿Qué hay en esa nave, a ver?

ENT. Lágrimas, Ayuno, Pena.

VOL. Idos, viejo, enhorabuena,
¿caminar y no comer?

ENT. Sí, porque llevar aguardo
aquel haz de la pasión
de Cristo con la afición,
que le llevaba Bernardo,
digo que tenéis razón.
Mas porque veais si puedo
dejar el mundo süave,
os quiero enseñar su nave,
de quien satisfecho quedo,
que quien la entiende la alabe.

Corrieron a este tiempo una cortina, descubriéndose la nave del Deleite, toda la popa dorada y llena de historias de vicios, así de la divina como de la humana historia, encima de la cual estaban muchas damas y galanes comiendo y bebiendo y alrededor de las mesas muchos truhanes y músicos. Los siete pecados mortales estaban repartidos por los bordes, y en la gavia del árbol mayor iba la Soberbia en hábito de grumete, y finalmente cantaron así:

Ola que me lleva la ola,
ola que me lleva la mar.
Ola que llevarme dejo
sin orden y sin consejo,
y que del cielo me alejo,
donde no puedo llegar.
Ola que me lleva la ola,
ola que me lleva la mar.

ENT. Deja, Voluntad perdida,
tan triste navegación,
que el puerto de Perdición
te aguarda al fin de la vida.
Alma hermosa, Alma querida,
¿cómo me quieres dejar?

Aquí respondían los músicos como que despreciaban al Entendimiento.

Ola que me lleva la ola,
ola que me lleva la mar.

MEM. Alma, escucha a tu Memoria
para que de Dios te acuerdes:
Alma, mira que te pierdes
en el golfo de tu Gloria;
dale a Cristo esta vitoria,
Alma, vuélvele a buscar.

Respondía la música, no haciendo caso de la Memoria:

Ola que me lleva la ola,
ola que me lleva la mar.

A este tiempo sonaron algunos tiros de versos,[127] medias culebrinas y falconetes, como que se acercaba la nave, y decía la Penitencia dentro, respondiendo la gente de ella:

PEN. Dios padre.[128]
TOD. ¡Ah!
PEN. Su Hijo eterno.
TOD. ¡Ah, ah!
PEN. El Espíritu Santo.
TOD. ¡Ah!
ENT. Sí es nave del Superno
Capitán, que ha dado espanto
con su venida al infierno.
PEN. Jesús.
TOD. ¡Ah!
PEN. Cristo.
TOD. ¡Ah!
PEN. Mesías.
TOD. ¡Ah!

127 *Versos*: pieza de artillería, como las dos siguientes. Se entabla aquí una batalla naval alegórica por el Alma.

128 *Dios padre*: esta zaloma es el equivalente sacro de la cantada *supra*, v. nota 125.

PEN. Manuel.
TOD. ¡Ah!
PEN. Salvador.
TOD. ¡Ah!
PEN. Virgen madre María.
TOD. Iza, iza Redentor,
tierra, tierra.
CRIS. Toda es mía.

Cristo en persona del maestro de la nave, con algunos ángeles como oficiales de ella:

CRIS. Decilde al Alma que aguarde,
si arrepentida me ama;
llegue a mí, no se acobarde,
que nunca yo vengo tarde,
puesto que tarde me llama.
A la puerta estoy llamando;
si mi voz la está tocando,
y me la abriere, entraré;
por gran precio la compré,
por eso la voy buscando.
Antes que mi sempiterno
Padre a morir me enviase,
quería que al cielo eterno
el que fuese rodease
por las puertas del infierno;
mas después de mi Pasión
es más fácil deste mar
del mundo la embarcación.
¿Hay quién se quiera embarcar
al puerto de salvación?
¿Hay quién quiera este viaje,
y el daño del mundo ataje
en nave de penitencia,
donde es mi cuerpo y esencia
divino matalotaje?
Almas, que me habeis costado
traer abierto el costado,

manos y pies desta suerte,
¿hay quién se embarque?

ENT. Alma, advierte
que el mismo Dios te ha llamado.

ALMA. ¿Quién sois, piloto divino?

CRIS. Soy verdad, vida y camino.
Capitán soy de la nave
de Penitencia, que es llave
de Cruz, que el cielo a abrir vino:
ésta ha de tomar aquel
que ha de seguirme, si en él
quisiere desembarcar;
Alma, ve por este mar,
que yo he pasado por él.

ALMA. Señor, en señal he dado
al Deleite mi albedrío.

CRIS. Reduce a mí tu cuidado;
que bien lo merece el mío,
pues a buscarte he llegado.

ALMA. La voz es de mi señor,
del ciervo herido de amor
he conocido el suspiro.
¡Con qué vergüenza te miro!
¡Con qué aflicción y dolor!
¿Cuál vienes del mar por mí,
la cabeza del rocío
del agua mojada así?
Muy negra estoy, señor mío,
y muy indigna de Ti:
lávame, que con tu gracia
quitada aquesta desgracia,
quedaré más que la nieve,
para que así blanca pruebe
de tu afición la eficacia.

CRIS. Alma, yo te quiero bien;
baja, no estés vergonzosa,
y tú, Voluntad, también,
negra eres, mas hermosa,
hija de Jerusalén.

Baja, que esta nave es cierto
camino al celestial puerto;
yo soy della capitán,
desde que vencí a Satán
en la guerra del desierto.
  Aquí no hay tiempo contrario,
naufragio, tormento y pena,
calma, viento o tiempo vario,
ni de Jonás la ballena,
ni la espada del cosario;
lleva bizcocho cocido
en unas puras entrañas
de la que mi madre ha sido,
y aunque guardado en montañas,
pan entre lirios nacido.
  Agua de gracia y bautismo
lleva, que la doy yo mismo;
tal viático y sustento
bien llegará a salvamento,
bien librará del abismo;
vuelve a la nave los ojos,
verás que de Pedro es nave,
que es sustituto en mi llave;
pero no te cause enojos
su vista a tus ojos grave;
  que es süave el yugo mío,
y que en él descanses fío.

ALMA. Señor, ya la voy a ver:
adiós, mundano placer,
que a Dios vuelve mi albedrío.

Descubrióse en esta sazón la nave de la Penitencia, cuyo árbol y entena eran una cruz, que por jarcias desde los clavos y rótulo tenía la esponja, la lanza, la escalera y los azotes, con muchas flámulas, estandartes y gallardetes bordados de cálices de oro, que hacía una hermosa vista; por trinquete tenía la coluna y San Bernardo abrazado a ella; la popa era el sepulcro, al pie del cual estaba la Magdalena. San Pedro iba en la bitácora mirando la aguja, y el pontífice que entonces regía la romana Iglesia estaba asido al timón. En lugar de fanal iba la custodia con un cáliz de maravillosa labor e inestimable precio; junto al bauprés estaba de rodillas San Francisco y de la cruz que estaba en lugar de árbol bajaban cinco cuerdas de seda roja, que le daban en los pies, costado y manos, encima del estremo de la cual estaba la corona de espinas a manera de gavia. La música de chirimías y los tiros que se dispararon entonces causaron en todos una notable alegría. El Alma bajó a este tiempo, y, llegando a los pies de Cristo, prosiguió así:

ALMA. Dadme, Señor, esos pies,
que enjutos el mar pasaron
alguna vez.

CRIS. Ya después
que en mar de pasión entraron,
se han mojado, como ves;
Mira con ojos atentos
la nave de mis tormentos
y de tus regalos llena,
mi cruz es árbol y entena;
las jarcias, los instrumentos.
Mira con qué diligencia
mi coluna está abrazando
Bernardo, mira llorando
a Magdalena mi ausencia,
mira a Pedro gobernando,
mira cinco cuerdas bellas
que, bajando de mi cruz,
Francisco está asido en ellas:
¿qué más norte que mi luz,
pues hice yo las estrellas?
Alma, embárcate conmigo
a la celestial Sión.

ALMA. Ya, mi Señor, voy contigo
por el mar de tu Pasión;

tu cruz llevo, tu cruz sigo;
mis potencias se te humillan.

ENT. Aquí, Señor, se arrodillan
Voluntad y Entendimiento.

VOL. Haberte ofendido siento.

MEM. Tus hazañas maravillan.

CRIS. Angeles, quitalde presto
el vestido que le ha puesto
el mundo.

ALMA. Diome a entender
que para el mar ha de ser
de esta bajeza compuesto.

CRIS. Toma la cruz, Alma mía,
y sígueme.

ALMA. Con tal guía,
¿quién no se embarca contento,
donde sois Vos el sustento,
pan vivo que el cielo envía?

CRIS. Pedro, echad la plancha acá,
que el Alma a embarcarse va;
pasa a mi nave mi esposa.

PEDRO. Llámela el cielo dichosa,
cuando en vuestra gracia está.
Ea, divinos dotores
de mi nave militante,
haced salva a estos amores,
mientras la nave triunfante
previene fiestas mayores.
Ea, famoso Agustino,
Jerónimo, Ambrosio santo,
Gregorio y Tomás de Aquino,
entonad el dulce canto,
suene el contento divino.
Tiemble el cosario Asmodeo [129]
de ver esta nave mía
con tanta gloria y trofeo,
que va en la gavia María

129 *Asmodeo*: es el *princeps daemoniorum, San Mateo*, X, 25.

y el mismo Dios en el treo,
que en el treo irán las tres
personas del solo Dios,
el Padre, el Hijo, y después,
quien procede de los dos,
que a la nave el viento es.
No le faltarán soldados
de divina ciencia armados
contra las infames barcas
de tantos heresïarcas
en mar de error anegados:
Ilefonso [130] en el bauprés
defenderá la limpieza
de la que tan limpia es,
que la angélica pureza
sirve de trono a sus pies.
Isidoro el español,
junto al divino farol
contra los sacramentarios [131]
derribara los cosarios
que ponen falta en el sol;
Pablo irá con el montante
en la plaza de armas fuerte,
a defenderla bastante
con su pluma y con su muerte
divinamente constante.
Mártires serán defensas,
trincheras de los costados
contra tiranas ofensas
de mil Césares airados,
balas resistiendo inmensas:
hoy tendrás, Alma, vitoria,
hoy cesará tu desgracia.

CRIS. Haced salva por Memoria,
que en la mar tendrá mi gracia,
y allá en el puerto la gloria.

130 *Ilefonso*: *sic* 1604.

131 *Sacramentarios*: "se aplica al Hereje que niega la presencia real y verdadera de Christo en el Sacramento", *Dicc. Aut.*, s.v.

Con general aplauso de los oyentes, fiesta y salva que a esta embarcación se hizo, dió fin la representación y principio la regocijada ciudad a otros géneros de entretenimientos, aunque ninguno lo era para el Peregrino de nuestra historia, a quien la imaginación de aquella ingrata, que a su parecer lo era, llevaba tan al cabo de su paciencia, que se admiraba de que le pudiese a tanto despecho suyo durar la vida. Buscó en los días que allí estuvo algunos remedios para olvidarla, pero como no hay anacardina [132] para el amor como los celos, mientras más intentaba escurecer el que le tenía, más se abrasaba en el sol de su memoria, para quien jamás su alma hallaba noche ni en las que allí tuvo algún descanso. Consultó algunos hombres doctos; pero para un amor a quien el trato ha puesto tan estrecho hábito, aunque la antigüedad le diera sus sacerdotes, gimnosofistas, [133] druidas, ocos [*sic*], atlantes, zamolsos, caldeos y magos fuera imposible. Los magos florecieron en tiempo de los persas; fue su cabeza Zoroastres; [134] enseñaban el culto de los dioses y las adivinaciones; pero jamás enseñaron remedio para este monstro, contado entre las enfermedades por los antiguos médicos. *Erotes* [135] llamaron a aquella melancolía que procede de mucho amor; curábanla con vino, baños, espectáculos, representaciones, músicas y cosas alegres, que separaban el entendimiento de aquella imaginación profunda, pero

132 *Anacardina*: "la confección que se hace de el Anacardo para facilitar y habilitar la memoria", *Dicc. Aut.*, s.v.

133 *Gimnosofistas*: filósofos indios semi-legendarios. *Druidas*: sacerdotes celtas. *Orcus*: divinidad infernal. *Atlantes*: de acuerdo con cierta tradición representada por Diodoro y Pausanias, Atlante (Atlas) era un poderoso rey con gran conocimiento de las estrellas, que enseñó a los hombres que el cielo tenía forma de globo. *Zamolsos*: Zamolxis, un geta, esclavo de Pitágoras, cuando fue manumitido volvió a los suyos, que llegaron a adorarle por dios. *Caldeos*: se decía por magos.

134 *Zoroastres*: "Rey de los bactrianos, fue el primer inventor de la arte mágica", Covarrubias, *Tesoro,* s.v. *Zoroastes.*

135 *Erotes*: "Es un género de tristes / que sólo del amor están enfermos", Lope, *Los locos de Valencia, AcN,* XII, 434a. "Los antiguos filósofos ... le dieron por remedio los baños, los espectáculos y los alegres juegos", Lope, *Los pastores de Belén,* ed. S. Fernández Ramírez (Madrid, 1930), p. 83.

la de este Peregrino que os refiero era ya en su alma aquella enfermedad que llaman divina, sagrada o herculánea,[136] porque la racional parte del ánimo perturba. *Quibus nulla medicorum ope succurri potest.*

Es muy ordinario de los que aman dar crédito para olvidar o para querer a algunos hombres o mujeres supersticiosos, admirados de ver algunas cosas que la magia natural, a quien Plotino[137] llama sierva y ministro de la naturaleza, puede hacer aplicando los activos y pasivos a su sazón y tiempo, como hacer que nazcan rosas por enero o que por mayo estén las uvas maduras, anticipando el tiempo estatuído de la naturaleza, cosa que el vulgo tiene por milagros, o formar en el aire relámpagos, truenos y lluvias. De los cuales, con la sola y pura magia natural, han hecho muchos en nuestros días el Porta[138] y el Rogerio, y aun se alaba Julio Camilo que un amigo suyo fabricó por vía de alambiques un muchacho que por espacio de un instante tuvo aliento. Son algunas de estas cosas ilusiones, engaños y aparencias, encantos geóticos[139] o imprecaciones; finalmente, son fraudes del demonio indignas[140] de imaginar, cuanto más de poner en ejecución entre hombres cristianos. Mezclan ciertos vapores de perfumes, lumbres, medicamentos, ceras, ligamientos, suspensiones, anillos, imágenes y espejos y otros instrumentos mágicos. Y así Platón, en el libro tercero de su *República,* habla de los demonios prestigiatores,[141] cuyo oficio es engañar, fuera de que hay otras sutilezas de manos o industrias a cuyos dueños llamaban los griegos *chirósofos,* que quiere decir sabios de manos, de cuya arte transmutatoria trata en sus libros largamente Her-

136 *Herculánea*: la enfermedad divina, sagrada o herculánea era la epilepsia, *Dicc. Aut.*, s.v. *Hércules.*

137 *Plotino*: *Enéadas,* IV, iv.

138 *Porta*: Gian Battista Porta y Giulio Camillo Delminio fueron tratadistas de magia en el siglo XVI. Cosimo Ruggieri (Rogerio) fue un nigromante y embaucador florentino, protegido de Catalina de Médicis.

139 *Encantos geóticos*: relacionados con la geomancia.

140 *Indignas*: en latín *fraude* es femenino.

141 *Prestigiatores*: es la forma latina.

metes Iámblico.[142] De este género de engaños se deleitó mucho Numa Pompilio[143] y aquel gran filósofo[144] que escribía en el cristal de un espejo con sangre las cosas que le parecían y volviéndole a la luna creciente hacía ver en su cerco las mismas letras. Es cosa antiquísima, como se ve en la Escritura, en el capítulo II de *Daniel,* donde dice que mandó el rey que le llamasen sus mágicos y ariolos;[145] pero verdaderamente, en excediendo del límite que Dios puso a la naturaleza, es gravísima ofensa suya, como se ve en las rigurosas leyes que sobre este caso en la juventud del mundo puso a su pueblo.

Sabía nuestro celoso Peregrino la vana filosofía de esta fábula, y huyendo de tan violentos medios unas veces se dejaba llevar de su tristeza y otras con maravillosa fortaleza se resistía. Pareciéndole últimamente mejor acuerdo cumplir algunos votos de la pasada tormenta, y de otras muchas que os dirán adelante sus discursos, determinó tomar el camino de Monserrate, dejando la famosa e ínclita ciudad de Barcelona y yo de poner fin a su primero libro con este enigma,[146] para que juzgue quien me escucha si es amor, porque si no hay otra cosa que le parezca tanto, le conozca y conociéndole se guarde de un animal que en las flores de nuestra paz es araña, aunque los engaños de nuestra juventud le tienen por abeja, cuyo dolor el antiguo Teócrito[147] compara al suyo. Plauto le llama gran fuerza

[142] *Hermetes Iámblico*: se refiere a su *De mysteriis.*

[143] *Numa Pompilio*: alude a sus tratos sobrenaturales con la Camena Egeria.

[144] *Gran filósofo*: Pitágoras.

[145] *Ariolos*: *arioli,* "adivinos", es el término que usa la Vulgata.

[146] *Enigma*: desde la Antigüedad los enigmas (Aenigmata) gozan de ininterrumpida popularidad, que se acrece en el Siglo de Oro. Ya en *La Arcadia* Lope supone a sus pastores preguntándose enigmas por toda una noche, *Bib. Aut. Esp.,* XXXVIII, 68a.

[147] *Teócrito*: la puntual fuente de todas estas definiciones del amor (tomadas, seguramente, de esas enciclopedias o polianteas que Lope usaba de continuo), la hallará el curioso lector en la edición de Peyton.

del sentido y blando dolor de alma; Virgilio, cruel y sangriento; Juvenal, ciego; Propercio, esclavo; Ovidio, solícito; Séneca, yugo estrecho; Terencio dice que carece de razón y de consejo; Claudiano tiene por miseria extrema la hermosura. Sus contrarios de amor dicen que son la ingratitud y la ausencia, pero sin duda es mayor que todos la porfía.

ENIGMA

¿Quién es aquel hermoso lince humano
que penetra los muros de los pechos,
y tiene en polvo, ¡oh lástima!, deshechos
el godo, el persa, el sirio y el troyano?
¿Quién es aquel de Tesifonte [148] hermano,
inventor de perjuros y despechos,
de infierno y cielo fabricado a trechos,
niño mayor que el tiempo, Atlante enano?
¿Quién es el padre del deseo y los celos,
de quien la envidia es nieta y las venganzas,
artífice de embustes y desvelos,
aquel que haciendo de sus flechas lanzas,
estampó sus victorias en los cielos
y la tierra sembró de sus mudanzas?

FIN DEL PRIMERO LIBRO DEL PEREGRINO EN SU PATRIA

Quot [149] *sunt dies annorum vitæ tuæ? Ait Pharao ad Iacobem. Dies peregrinationis meæ centum triginta annorum sunt, parvi et mali, et non pervenerunt usque ad dies patrum meorum, quibus peregrinati sunt. (Géns.,* cap. 47.)

148 *Tesifonte*: una de las Euménides o Furias.
149 *Quot*: 1604 estampa "Ait Joseph ad patrem suum Jacob" y al final "Genes. cap. 23.4". Así y todo, el texto restaurado no corresponde exactamente a la Vulgata.

LIBRO II

POR una estrecha senda entre espesos y verdes árboles caminaba el Peregrino a la montaña que engasta el cielo, pues tiene a sus dichosos pies la imagen de la Virgen y está tan alta que parece que toca en el trono, donde los pone su original divino, cuando volviendo la cabeza al ruido que a sus espaldas hacían algunos pasos, vió dos mancebos con sus bordones y esclavinas, cuyos blancos rostros, rubios y largos cabellos mostraban ser flamencos o alemanes. Habláronse, y alegre de tan buena compañía, puso en silencio mil tristes pensamientos a que la soledad le reducía con la memoria de aquella injustamente desamada prenda suya, que haciendo cuenta con sus desdichas, para rematar el juicio, iba entonces camino de Valencia y a su tiempo os dirá la historia qué fin tuvieron aquellas lágrimas, porque encontrados un grande amor y un gran dolor engendran una gran locura, aunque es opinión de algunos que el furor no nace del amor, sino de la condición colérica, y así dijo bien Bohuslao en aquel epigrama [150] que hace de los amores del viento Bóreas, que encendido en ira, arrancaba las peñas y los árboles.

150 *Epigrama*: Se trata de Bohuslav Hasištejnský de Lobkowicz (1460-1510), el más grande poeta humanista checo, que dejó una muy abundante obra poética en latín, entre ella un considerable número de epigramas. Bóreas, el viento Norte, tuvo tempestuosos amores con Oritia.

No es el amor el que hace aquestas cosas,
sino el furor, ¡oh Bóreas!

Caminando, finalmente, los tres extranjeros peregrinos, iban tratando de diversas cosas con que entretenían la aspereza de aquella tierra, tomando de ella ocasión para hablar de la fortaleza y disposición de España. Llegaron a una fuente, que de unos jaspes se descolgaba a un valle, haciendo de piedra en piedra la armonía que pudiera la más diestra mano en un sonoro instrumento, y convidados del son del agua, se sentaron sobre unos juncos que al discurso de su arroyo servían de guarnición y orlas. Las aves por los tiernos cogollos de aquellos algarrobos y enebros trinaban en los redobles de los quebrados cristales, y admirados de ver la dulzura con que los ruiseñores se quejaban, uno de los alemanes, que mostraba un gallardo natural adornado de buenas letras, comenzó a discurrir en los amores de Filomela, [151] diciendo que todo el tiempo que después de haberle cortado la lengua Tereo estuvo muda, quería ahora desquitar con la parlería de su veloz garganta. El español replicó que aquellas mismas palabras había dicho Marcial [152] en un dístico:

Filomela el incesto de Tereo
llora, y cuanto calló siendo doncella
siendo ave parla.

Alegróse el alemán de que en el español hubiese capacidad para tratar con él más que humildes cosas, que es insufrible trabajo caminar al lado del que por lo menos ignora la lengua latina, cuando no sepa otro género de facultad. Y así discurriendo en diversas cosas les

151 *Filomela*: Tereo violó a su cuñada Filomela (es la forma etimológica, y no Filomena como escribirá más tarde Lope), y le cortó la lengua para que no le delatase, y fue transformada en el ruiseñor. Años más tarde, Lope adoptó la fábula a fines propios, para responder a los ataques de la *Spongia* de Torres Rámila, en su poema *La Filomena* (1621).
152 *Marcial*: *Epigramas,* XIV, 75.

preguntó la causa de su viaje a España y si sólo había sido visitar algunos santos lugares que hay en ella. A lo cual replicando el más entendido, le dijo así: "Está aquella nuestra mísera e infelicísima tierra tan infestada de errores,[153] que el demonio y sus ministros han sembrado en ella, que para salir del peligro que podía correr mi salvación, como el que huye del lugar inficionado, elegí la católica España por asilo, donde habiendo estado algunos años (bien lo conocerás en mi lengua) no quise salir de ella sin visitar las estaciones que tiene tan dignas de maravillosa veneración. Los caminos de Compostela en Galicia vereis frecuentados de varias naciones, que por suma felicidad en la tierra tienen besar aquélla en que el apóstol vuestro patrón depositó su cuerpo hasta el final juicio, y esto con el ejemplo de muchos extranjeros príncipes que desde Carlomagno,[154] en cuyo camino hoy duran los vestigios, le han venerado, supuesto que vosotros no conozcais con tanto afecto el profeta de vuestra patria." "Sí hacemos, replicó el Peregrino, reconocidos a grandes milagros y obligaciones, como se ve en todas las ocasiones que los españoles intentamos, invocándole y trayendo su figura en todos los estandartes y banderas de nuestros ejércitos, porque ha sido mil veces visto con espada resplandeciente guiar los españoles contra los moros como otro ángel de Senacherib[155] en favor nuestro. Y aquel lugar donde reposa su venerable cuerpo no pudo de los alarbes ser injuriado en la ruina y destruición última del tiempo de Rodrigo, que, presumiendo aquel rey moro dar de comer a su caballo en las pilas del agua bendita de aquella casa, tuvo el justo castigo que merecía y refieren las historias de España. Y si de éste y otros lugares preciosos por los cuerpos y sangre de españoles

153 *Errores*: esta descripción de Alemania, las romerías, el culto mariano, son todos aspectos de la firme postura tridentina de Lope.

154 *Carlomagno*: desde la *Historia Karoli Magni et Rotholandi* del Pseudo-Turpín se menciona su visita a Santiago.

155 *Angel de Senacherib*: II *Crónicas,* XXXII, 21.

mártires osó llevar las campanas[156] por trofeos, bien se ve el triunfo de nuestra fe en haber arrastrado las fealdades de sus mezquitas, que para mayor ensalzamiento se dedicaron a cristianos templos, como habrás visto en los de Granada y Córdoba, la cual era entre los moros tan venerada, que de toda el Asia y Africa venían a ella, como de Europa vamos a la Casa Santa de Jerusalén."

"Así lo entiendo, dijo el alemán, y verdaderamente que los que en nuestra patria nos preciamos de católicos envidiamos la bondad y fortaleza de vuestros príncipes y esta santa y venerable Inquisición, instituida por aquellos esclarecidos, felicísimos y eternamente venerables reyes,[157] con que enfrenada la libertad de la conciencia, vivís quietos, humildes y pacíficos al yugo de la romana Iglesia. ¡Ay de aquellos que como reino dividido (palabras de Dios)[158] tememos cada día nuestra desolación eterna! Quéjase Justo Lipsio,[159] varón célebre de nuestros tiempos, atribuyendo nuestros malos sucesos a la falta de la religión y exclamando así: ¡Oh parte la mejor del mundo! ¿qué fuego de nuevas religiones te abrasa? Si hubiera podido aquel divino y glorioso príncipe Carlos Quinto sosegar aquellos tumultos en el tiempo que se disputaron los errores de Lutero, con tanta eficacia de su parte, introduciendo en la Germania este freno santísimo de España, aquí donde me ves caminara con otro regalo y acompañamiento; pero

156 *Campanas*: en 972 Almanzor saqueó a Santiago de Compostela, y llevó las campanas de la catedral como trofeos a la mezquita de Córdoba. Cuando Fernando III reconquistó esta ciudad (1236), las devolvió a Galicia a hombros de cautivos moros. Almanzor también quiso profanar la tumba del Apóstol, pero fue espantado por un rayo, Alfonso el Sabio, *Primera Crónica General*, cap. 754.

157 *Reyes*: los Católicos en 1478 establecieron la Inquisición. Las palabras del texto son clara propaganda post-tridentina.

158 *Dios*: *San Mateo*, XII, 25; *San Marcos*, III, 24-25; *San Lucas*, XI, 17.

159 *Justo Lipsio*: el humanista holandés (1547-1606) era buen amigo de España, como ha demostrado el libro de A. Ramírez, *Epistolario de Justo Lipsio y los españoles* (Madrid, 1966). La cita del texto es de su tratado *De vera religione catholica*.

yo me huelgo que mis padres me hayan dejado esta riqueza de la fe, que sobre todas las cosas estimo, y de esta pobreza les doy infinitas gracias."

"No creas, dijo el Peregrino, que faltó diligencia en Carlos, de que no sólo están llenas las historias, pero hay hombres hoy día que se acuerdan y las refieren. Ya tú sabes lo que intentó con las letras, con los consejos, con las amenazas y con las armas las veces que citó a Lutero; las muchas que fue públicamente vencido, sin otras infinitas amonestaciones con que procuró aquietarlos, pues San Bernardo [160] dice que la fe se ha de persuadir y no mandarse. Y pues las armas se irritan con las armas, como refiere Plinio, [161] vuelve los ojos a Flandes y mira qué efecto hizo el castigo que el duque de Alba ejecutó en los condes, [162] aconsejado de Cicerón, cuando dice en su *Filípica* [163] que es bueno cortar alguna parte para que el cuerpo no perezca. Yo he visto de tu tierra, y con mayor exceso de aquellas aras y holocaustos (que así llamo yo a Ingalaterra, pues cada día ofrece en sí tantas vidas de mártires al cielo) venir a España sencillas almas, mayormente a los seminarios por el señor rey Filipo el Prudente, de gloriosa y nunca perecedera memoria, instituídos, y entre ellos muchos nobles, como lo verás en aquel santo varón y conde de Notumberlant, [164] que del mar le volvieron los vientos al martirio, que parece que se puso sobre las aguas el Señor, a quien servía, como a San Pedro en el camino de la cárcel para que le preguntase: *Quo vadis?* [165] El vulgo, como Salustio [166] dice, deseoso de

160 *San Bernardo*: *De consideratione,* V, iii.
161 *Plinio*: *Panegyricus,* XLIX, 3.
162 *Condes*: los de Egmont y Horn, ajusticiados en Bruselas en 1568 por el duque de Alba, acusados de complicidad con Guillermo de Orange.
163 *Filípica*: VIII, 5.
164 *Notumberlant*: el conde de Northumberland, degollado por orden de Isabel I por ser católico, en 1572. Los seminarios instituidos por Felipe II fueron por el estilo del Colegio de los Ingleses en Valladolid.
165 *Quo vadis?*: *San Juan,* XIII, 36.
166 *Salustio*: *Conjuración de Catilina,* trad. Infante D. Gabriel (Madrid, 1923), p. 56.

cosas nuevas y enemigo del ocio, corre por allá más desbocado a la novedad de los errores introducidos, usurpando algunos la dignidad eclesiástica y muchos la de los apóstoles. Estos no pueden en España alzar la cerviz, puesto que[167] lo intentasen de sus públicos oficios, en que se entretienen, porque el freno santo y horror que les causa el gran castigo los tiene obedientes y así no vemos cosa notable, porque la nota de infamia, que a todo el linaje se extiende, de aquellos hábitos[168] (a cuya cruz, en todo cuanto he leído, no le hallo origen, si acaso no es por haber sido Andrés el primer cristiano del mundo, pues aficionado a Cristo fue a llamar a su hermano para que los dos le siguiesen) les causa tanto horror, que de ninguna manera los ignorantes disputan ni porfían; dos cosas que entre los que lo son engendran notables monstros, y está por la bondad de Dios España tan quieta, que cualquiera ofensa de la Religión recibe cada uno por propia, como Justiniano dice en el *Códice de Hereticis*[169]

"Levántate, dijo abrazándole el alemán al español, que solo en camino que con tanta devoción he hecho

167 *Puesto que*: su valor normal era "aunque".

168 *Hábitos*: los sambenitos de los condenados por la Inquisición, que eran capotillos amarillos con cruces rojas de San Andrés. El uso del aspa de San Andrés en los sambenitos fue innovación del Cardenal Cisneros en 1514 (H. C. Lea, *A History of the Inquisition of Spain,* III [Nueva York, 1907], 163), y se explica por haber sido Andrés el primero y más antiguo discípulo de Cristo (*San Juan,* I, 35-41), y así como él confesó el primero la divinidad de Cristo, así debían confesarla de nuevo los penitenciados por el Santo Oficio (J. Caro Baroja, *Los judíos en la España moderna y contemporánea,* I [Madrid, 1961], 327). El tema abordado aquí es el candente de la limpieza de sangre, y Lope expresa en este pasaje, como en toda su obra, la opinión mayoritaria, de la triunfante casta de los cristianos viejos. La opinión minoritaria, recatada siempre por temor a la Inquisición (como dice el propio Lope), la expresa, por ejemplo, fray Luis de León, descendiente de conversos, por cierto, cuando escribe con angustia e ira: "Ay algunos príncipes que lo procuran [infamar a sus súbditos], y que les parece que son señores cuando hallan mejor orden, no sólo para affrentar a los suyos, sino también para que vaya cundiendo por muchas generaciones su affrenta, y que nunca se acabe", *De los nombres de Cristo,* libro II, "Rey de Dios", ed. F. de Onís, II (Madrid, 1956), 113.

169 *Códice de Hereticis*: Código de Justiniano, título V, "De Hereticis, et Manichaeis et Samaritis".

pudiera haber hallado hombre de tu elocución e ingenio." "Vamos, dijo el Peregrino, por esta senda, que parece que ataja, aunque con un poco de cuesta, gran parte del camino que se descubre, porque llevo indecible deseo de ver esta celebrada imagen, clarísima por milagros en todo el mundo." "La devoción, dijo el alemán, de las imágenes santas de la Virgen (dejando aparte las excelencias de su dueño, que enamoraron al mismo que la hizo, por quien pudiéramos decir lo que en el *Génesis*[170] se lee, que viendo Dios todas las cosas que había hecho le parecieron muy buenas, porque sin comparación se lo parecerían las excelencias de la Virgen, que los cielos, los ángeles y la tierra) despiertan muchas veces los grandes milagros, que por intercesión de lo que representan hace cada día quien la honra como a madre, que eso dice bien la Iglesia en las palabras de aquel himno: *Tulit esse tuus.*[171] Pues vemos que a su figura concede menos milagros que a las imágenes de la Virgen. Y así yo te confieso que, aunque la amaba tiernamente, no frecuentaba la devoción de sus simulacros, como después acá que algunos de sus milagros me obligaron, admiraron y enmudecieron."

"Nuestra Señora de Monserrate, dijo el Peregrino, es ilustrísima por maravilla entre todas las de España, de que verás en su templo infalibles testimonios." "Milagro, según Santo Tomás,[172] dijo el alemán, tomado propiamente es una cosa ardua e insólita sobre toda virtud y poder natural, hecha contra toda humana esperanza, y un cierto divino testimonio demostrativo de la divina potencia y verdad, sobre cuya definición arguye con sutil ingenio Hierónimo Menchi.[173] No son milagros[174] las

170 *Génesis*: I, 25.
171 *Tulit esse tuus*: verso del himno mariano *Ave Maris Stella*.
172 *Santo Tomás*: *Summa Theologica*, I, quaest. 89, art. 8.
173 *Hierónimo Menchi*: Girolamo Menghi, *Compendio dell' arte essorcistica* (Boloña, 1582), I, viii.
174 *Milagro*: la definición y comprensión del milagro ha sido tema continuo de la literatura religiosa, pero adquiere especial pertinencia en la literatura post-tridentina, en que la creencia en los milagros es parte indisoluble del problema de la fe. Por eso

cosas que hace la naturaleza, aunque la causa de ella nos sea oculta, sino cosas maravillosas, y por eso se dicen arduas, como las que no caben en nuestro conocimiento. Hay entre las milagrosas algunas que son sobrenaturales, y otras contra la misma naturaleza y otras fuera de la naturaleza. Las sobrenaturales no las puede obrar otro que Dios. Contra la naturaleza es cuando en ella queda alguna contraria disposición al efecto que Dios hace, como cuando libró a Sadrac, Misac y Abednego [175] de aquel horno ardiente ilesos, quedando en el fuego la virtud de abrasar. Fuera de naturaleza es cuando el efecto producido de Dios lo puede también ser de la naturaleza, pero de otro modo que la naturaleza le produce. Conócense los milagros en diversas cosas; conviene a saber, en el modo, en el tiempo, en el hecho y en la facultad natural de las criaturas, y así el verdadero milagro sólo puede ser hecho de la poderosa mano de Dios o de sus santos en virtud suya y intercesoriamente; aunque tal vez mandando, como se lee en los *Actos de los Apóstoles,* [176] cuando a las palabras de San Pedro se cayeron muertos Ananías y Safira. Yo he visto en esto algunas cosas naturales tenidas por milagrosas, pero en razón de milagros por intercesión de la Virgen, siendo sanidades sin tiempo y donde naturaleza no pudo obrar con él, que es lo que ella puede. He advertido muchos que me han notablemente inclinado a su amor y devoción, y en materia de las imágenes que los herejes niegan te diré uno que me contó un peregrino de la tierra en que sucedió, que me parece la cosa más digna de ser sabida entre sus devotos de las que hasta ahora he oído ni leído. Dijo,

---

el tema pasa no sólo a la literatura secular, sino a la declaradamente de entretenimiento, como aquí, o en el *Persiles,* notas 155 y 436. Por lo demás, esta peregrinación a Montserrat es el equivalente temático de la visita a Guadalupe por los peregrinos del *Persiles,* libro III, y para apurar más el paralelo, al final de la novela Pánfilo también visita el sagrario de Guadalupe.

175 *Sadrac, Misac y Abednego*: en la Vulgata, "Sidrach, Misach et Abdenago", *Daniel,* II, 49.

176 *Actos de los Apóstoles*: V, 1-10.

pues, que en la capilla de una iglesia pintaba un pintor famoso[177] una imagen de la Virgen, y que, habiéndola bosquejado el rostro, los hombros y un brazo, estando diseñando la mano con que tenía el niño preciosísimo, el tabladillo sobre que estaba puesto para pintarla, y en que tenía los colores, se desenlazó de los maderos, que en dos agujeros de la pared se sostenían, y, viendo el turbado artífice que se iba precipitando al suelo, que era distancia tan grande que antes de llegar a él se hiciera pedazos, dijo a la imagen santísima que pintaba: *Virgen, tenedme.* ¡Oh estupenda maravilla!, que apenas la turbada lengua pronunció estas palabras, cuando la piadosa Señora sacó el brazo pintado de la pared y asió por el suyo al pintor y le tuvo firme. El tablado vino al suelo con las colores, que estando en vasos grandes y habiendo fuego para destemplarlas, por ser la pintura al temple, hizo tan gran ruido, que la gente de la iglesia pensó que por lo menos el techo de la capilla se había desencuadernado de sus fundamentos y venido al suelo; pero echando de ver lo que era y habiendo acudido a ver si del alma del pintor podía haber algún remedio, porque del cuerpo ya no hacían caso, alzaron los ojos y vieron la Virgen aun no pintada con un brazo fuera de la pared teniendo al hombre. Clamaron todos misericordia, y alabando a la sin par intercesora nuestra, pusieron escaleras, y en habiéndole bajado al suelo encogió el brazo y le volvió como el pintor le tenía en el primer bosquejo."

177 *Un pintor famoso*: la fuente de este milagro es Vicente de Beauvais, *Speculum historiale*, libro VII, cap. 104. Pero lo más interesante es que Francisco Pacheco, poeta, pintor, tratadista de arte y suegro de Velázquez, relata este mismo milagro, declara conocer el texto del *Speculum*, y sin embargo cita como su fuente este pasaje del *Peregrino* de Lope: o sea que Lope es para sus contemporáneos, entre otras muchas cosas, hasta fidedigna fuente histórica, *vid*. Francisco Pacheco, *Arte de la pintura, su antigüedad y grandezas* (Sevilla, 1649), libro I, cap. IX, "Santos que ejercitaron la pintura, y de algunos efectos maravillosos procedidos de ella", ed. G. Cruzada Villaamil, I (Madrid, 1866), 154-55.

"Cosa, dijo el Peregrino, es ésa digna de admiración y que considerada mueve a lágrimas, y ofrecéseme imaginar piadosamente un pensamiento para más gloria de la Virgen, y es el haber dejado de tener a su hijo por tener a un pecador, que por ventura, si cayera, se condenara. Mas para pagarte el bien que me has hecho con referirme la historia de ese pintor dichoso, te quiero yo contar la que escribe de otro pintor Guillermo Totani [178] en el libro *De Bello Demonum.* Dice, pues, que un cierto pintor ponía todo su cuidado y entendimiento en que cada vez que se ofrecía pintar la imagen de la serenísima Virgen, la pintaba lo más hermosa que con estudio, espacio y arte le era posible, esmerándose en el colorirla y perfeccionarla, sin reparar en el interés ni en el tiempo, y dando con sumo artificio gran propiedad a todos los estados y sucesos de su vida inocentísima. En la *Salutación angélica* la pintaba tierna y admirada, con un rostro que aventajaba al ángel en hermosura y pureza. En la *Visitación* de su prima, con grande amor y apacible semblante, recibiéndola ya más llena de divinidad y luz, como la que tenía en sus entrañas al mismo sol, que procuraba él mostrar en los cristales del rostro de la Virgen como fanal divino y soberano. En el *Nacimiento* pintaba su admiración y regocijo, mezclado con su hermosura y majestad, lleno de los resplandores, que como esfera de aquel recién nacido planeta recibía a imitación del alba. En la *Cruz,* con entereza y fortaleza singular, en piadoso éxtasis transformada en su Hijo. Finalmente, en todos los pasos de su vida mostraba esta devoción y cuidado, cual sería razón que los pintores de ahora le tuviesen en semejantes ocasiones. Y yo he oído decir de uno que en tales días limpiaba su conciencia y recibía el sacramento de la eucaristía antes que pusiese el pincel sobre la tabla, por donde Dios ha sido servido que muchas de sus imágenes hagan hoy evidentes milagros. Volviendo al

[178] *Guillermo Totani*: Alonso de Espina, *Fortalitium fidei ... emendatum per venerabilem magistrum nostrum Guillelmum Totani* (Lyon, 1511), libro V, xi, "De bello demonum".

propósito, digo que así como este pintor se aventajaba y excedía en la hermosura de la Virgen, así en pintar, las veces que se le ofrecía, al Demonio con la mayor fealdad y bruteza que le era posible, de forma que nadie le veía que no le causase admirable espanto. Indignado el enemigo de los hombres de ver la industria con que este pintor exageraba su fealdad en todas ocasiones y realzaba la hermosura de la Virgen, que había quebrantado su cabeza y puesto los cándidos pies en su soberbia frente, intentó mil caminos con que descomponerle y derribarle de su quietud y propósito. Y como el más breve en nuestra condición humana es tocarnos en la flaqueza, él supo hacer de suerte que el pintor se enamoró furiosamente de la mujer de un soldado, y ella correspondió de suerte que, ayudando a todo el Demonio, se determinaron irse juntos, donde pudiesen estarlo sin impedimento de su gusto, lo cual ejecutaron, llevando ella gran cantidad de joyas y se salieron de la villa furtivamente.

"El Demonio entonces se subió a la torre de la mayor iglesia, y tocando la campana con la furia que se suele hacer a fuego o a rebato, convocó el vulgo, a quien en forma humana les dijo que aquel pintor se llevaba la mujer de aquel soldado. El pueblo, airado de la injuria de su ciudadano, y guiado por ventura de las palabras que intimando su afrenta les diría, tomó las armas, y, ocupando por varias partes las sendas de los campos, prendió al reo. Llevados, pues, a la cárcel y puestos en diferentes aposentos, el afrentado marido visitó a la mujer afeando su delito con palabras iguales a la injuria. Y como tuviese por cierto que el día siguiente la justicia los [179] quitaría las vidas en cadahalso público, doliéndose de los cabellos de la mujer (que los tenía hermosísimos y a él se lo parecían de suerte que en todas las ocasiones los celebraba), se los cortó con lágrimas, y doblando la madeja la guardó en su casa. Estando, pues,

179 *Los*: por *les*. El *loismo* frente al *leismo* es problema que todavía persiste, *vid*. H. Keniston, *The Syntax of Spanish Prose. The Sixteenth Century* (Chicago, 1937), párr. 7.132.

los dos atónitos del hecho y esperando que otro día los había de sacar a morir juntos, el mísero pintor se acordó de la Madre de Misericordia María Virgen, que él solía pintar bellísima, y encomendándose a ella le ponía y presentaba por cargo el cuidado que en su hermosura habían tenido sus pinceles. La Reina de los ángeles, por mostrar agradecimiento al servicio de aquel hombre, aparecióseles en la prisión, y desatándolos, abrió las puertas y les dijo que con secreto cada uno se fuese a su casa, y a la mujer advirtió que entrando en la suya se acostase al lado de su marido; lo cual fue hecho de esta suerte, porque de ninguno fueron vistos, que quien hizo que los de Sodoma no topasen con la casa de Lot,[180] cuando buscaban los ángeles, por quien les daba sus hijas; que Jacob[181] se librase de la ira de su hermano Esaú y David de la de su suegro (que no hay persecución como la de suegro airado), bien sabría hacer que ni en la puerta de la cárcel, ni en el camino de sus casas, los topase alguno. Despertando el soldado al otro día con el ansia de que había de ser aquella mujer que amaba tanto degollada por su delito, hallóla a su lado, y pareciéndole que la imaginación le burlaba con semejantes ilusiones, cosa que suele suceder a los afiigidos, la tocó en el rostro y le preguntó quién era. Ella respondió entonces que quién quería que fuese, sino su mujer propia. Al descuido con que ella le dijo estas palabras, respondió el soldado desalentado y pálido: "Pues di, mujer, ¿no te prendí yo ayer con un pintor que te llevaba por tal camino, siendo toda esta villa testigo de mi público deshonor y afrenta, y habiéndoos puesto en la cárcel te corté a ti de lástima los cabellos con mis manos, los cuales tengo guardados?" "Todo eso, replicó la mujer, debeis de haberlo soñado y la fuerza del temor hace que os parezca verdadero, que yo no he faltado de vuestra casa, ni soy mujer que en mi vida tuve pensamiento de ofender la vuestra y mi

180 *Lot*: *Génesis,* XIX, 1-11.
181 *Jacob*: *Génesis,* XXXII-XXXIII.

honra". Levantóse el soldado y fue a buscar los cabellos, dándole ella voces que no se cansase y mostrándole la cabeza tan copiosa de ellos como siempre la había tenido. Viendo esto y que no los hallaba se fue a la plaza de la villa, y preguntándoles si era verdad que juntos habían preso y tenían en la cárcel a aquel pintor y su mujer, todos dijeron que sí. A esto les dijo que su mujer estaba en su casa y que le aseguraba que jamás había faltado de ella. Los ciudadanos corrieron a la cárcel, y no los hallando en ella, fueron a casa del pintor y le hallaron bosquejando una Virgen, por ventura en satisfación de la vida y honra que le había dado, y a la referida mujer en su casa con el mismo descuido. De donde vinieron a colegir que todos lo habían soñado, permitiéndolo Dios así por los méritos de María, Señora nuestra y del cielo."

"Bien a propósito has traído esa historia, dijo el estranjero, y por ella se echará de ver cuán agradecida es esta divinísima y oriental puerta de Ezequiel, [182] que sólo Dios había de entrar por ella." "No os espantéis que pague, dijo el otro, viniendo de casta de reyes tan altos, donde la generosidad se hereda, que aunque por línea de varón hasta José, que San Mateo llama *Virum Mariæ,* se muestre decendir Jesús de aquellos príncipes, patriarcas y padres, eran los dos muy cercanos deudos y fue divino artificio haber dado a Josef aquel lugar y luego llamarle esposo de María, *de qua natus est Jesus,* que a ella bastábale esto sólo. Y acuérdome de haber oído que, desvelado un grande ingenio para escribir alabanzas a la Virgen que fuesen inauditas, se quedó dormido con la pluma sobre el papel y le pareció que había oído decir: "¿Qué alabanza para la reina del cielo como ser madre de Dios?" Y de aquí colijo que no la hay mayor para San Josef que llamarle esposo de esta Virgen. Pues todo cuanto al uno y al otro se dice fuera de esto, aunque sean altísimos pensamientos,

182 *Ezequiel*: XLIII, 1-4.

es mucho menos que lo que le parece tan ordinario y fácil".

La gran madre en esta sazón había perdido su hermosura con la ausencia del día, por cuyo vespertino crepúsculo se había entrado la noche, cuando, llegando los peregrinos que os digo a una pequeña aldea, descansaron en ella hasta que el aurora, descubriendo con alegre risa su hermoso rostro, cubrió los campos de alegría y las hojas de las flores de terso aljófar. Saliendo, pues, de su pobre albergue a vista de aquel gran peñasco, donde parece que fuera verdad la fábula de Atlante, si por él se hubiera dicho que arrimaba su frente al cielo, vieron sobre un cerro un pastor, que entre unas pocas de ovejuelas cantaba así:

En dos partes del cielo [182a] del cielo
ejércitos de estrellas se retiran,
y al sol, que en rojo velo
del alba sale, cómo nace miran,
en los brazos helados
de blancos montes y de verdes prados.
Las aves libres cantan,
desátase la yerba del rocío,
las fieras se levantan;
baja el pastor de la montaña al río,
y las cabras gozosas
sacuden el aljófar a las rosas.
Descubre el Peregrino
casas en la ciudad y en el mar velas;
comienzan su camino
la fortuna, el trabajo y las cautelas.
¡Oh bienaventurado
el que entonces despierta sin cuidado!

Informados de este pastor del camino y condiciones de aquella casa, a quien él servía, llegaron al famoso

[182a] *En dos partes del cielo*: esta poesía fue puesta en música por Company, *vid.* J. B. Trend, "Catalogue of the Music in the Biblioteca Medinaceli, Madrid", *RHi,* LXXI (1927), 509-10.

templo puesto en la falda de la espesísima montaña y a quien una inmensa peña cubre y amenaza total ruina, si no pareciese tenerse en sí misma, obedeciendo al que pudo mandar en las aguas que no excediesen de su jurisdición y términos. Entrados en ella con devoción y humildad y poniendo los ojos en aquella tapicería de Flandes, de Francia y de Alemania y de todo el mundo, quedaron como fuera de sí mismos, viendo vestidas las paredes de tan extraordinarios paños e historias, porque las cadenas y grillos, mortajas y tablas y otros mil géneros de ofrendas, haciendo una correspondencia admirable, alegraban y suspendían los sentidos. Hicieron oración a la preciosa imagen con muchas lágrimas, y después de haber visto y advertido todas las cosas de aquel monasterio dignas de consideración, y que para referirlas sería menester mayor suma que la de nuestra historia, concertaron entre sí de hacer cada uno una epigrama [183] latina a la santísima Señora de aquel lugar, y, dándolos a juzgar al prior, premiar al que señalase de una imagen de plata. Hechos, finalmente, se las llevaron. Juzgue el que lee la que le parece más digna que yo las traduzgo así, si acaso la versión no les quita la gracia y majestad que les daba la reina de las lenguas.

El alemán

Hizo el divino Salomón eterno
trono a su madre para honrarla un día,
y a vos criada, celestial María,
en la idea de Dios desde *ab æterno*.
Labró un templo el Artífice supremo
luego que el mundo en fábrica ponía,
faro que fuese de las naves guía,
perdido el norte del mortal gobierno.
Este monte, pirámide, obelisco,

183 *Epigrama*: como tantos cultismos (helenismos, en particular) su género se mantiene ambiguo por mucho tiempo, así en *Dicc. Aut.*

y eterno altar fue el templo, Virgen bella,
de vuestro Salomón fábrica altiva,
para que hiciese el nido en este risco
la cándida paloma incluso en ella,
saliendo el sol a vuestra verde oliva.

El flamenco

Ínclita pesadumbre, que a las bellas
luces del cielo la cerviz levantas,
porque la luna de tus verdes plantas
las bajase a poner la suya en ellas.
Tú que en las naves con tu punta sellas
de tantas penas diferencias tantas,
divino Olimpo, a cuyas cumbres santas
hacen dosel las fúlgidas estrellas;
natural maravilla, arquitectura
de la inmortalidad, sagrada al nombre
de aquella Virgen sola sin ejemplo,
ríndase el Apenino a vuestra altura,
pues fuiste para el arca de Dios hombre,
monte al diluvio y a su imagen templo.

El peregrino español

Serrana celestial de esta montaña,
por quien el sol, que sus peñascos dora,
sale más presto a ver la blanca Aurora
que a la noche venció, que el mundo engaña,
a quien aquel Pastor santo acompaña,
que en el cayado de su cruz adora
cuanto ganado en estas sierras mora
y con su marca de su sangre baña.
¿Cómo tenéis, si os llama electro y rosa
el Espejo, a quien dais tiernos abrazos,
color morena, aunque de gracia llena?

Pero, aunque sois morena, sois hermosa,
y ¿qué mucho si a Dios tenéis en brazos,
que dándoos tanto sol, estéis morena?

Resplandecían por las puertas del Oriente Flegón y Etonte [184] con las bordadas cubiertas y las guarniciones tachonadas de diamantes, dando en las espaldas del alba con las espumas de oro, cuando los tres peregrinos iban subiendo el áspero y devoto monte, determinados a visitar todas sus estaciones y que cada ermitaño de los que en ellas viven les dijese un ejemplo. El primero parecía hombre principal, que con venerable cabello y barba representaba un Crisóstomo o Basilio. Con éste estuvieron sentados junto a una fuentecilla, que con las riquezas de sus tasadas aguas le regaba un pequeño huerto, en cuya labranza se entretenía. Éste, sabiendo su voluntad, les dijo así:

"Para que tengáis en alta veneración la salutación angélica de la Virgen, y siempre que se tocare a rezarla la digáis con devoción, sabed, hijos, que escribe Paulo Guirlando [185] que trayendo el demonio a una mujer llamada Lucrecia de unas fiestas que en un monte se habían hecho la noche antes, donde este maldito género de mujeres se junta a sus bailes, lascivias y convites, tocaron en una iglesia al Avemaría, que en aquella tierra se hace siempre ésta al alba. Apenas, pues, el demonio oyó sonar la campana, para que el pueblo saludase a la Virgen, cuando espantado bajó a la tierra la mísera mujer y la dejó en un campo de espinas y secas hierbas a la orilla de un río, donde estuvo hasta que un mancebo, que la conocía, pasando por allí acaso, avergonzándose de verla desnuda y los cabellos sueltos, con que procuraba encubrirse, le dio su capa. Ella pretendió engañarle contándole varias quimeras, que pareciéndole

184 *Flegón y Etonte*: dos de los cuatro caballos del Sol (Apolo).

185 *Paulo Guirlando*: Paulus Guillandus, *Tractatus de hereticis et sortilegiis* (Lyon, 1545), fol. XLII-XLIII. El cuento es de brujas y aquelarre.

todas fábulas, jamás quiso llevarla, hasta que ella vencida de la necesidad le dijo cómo iba con otras muchas algunas noches a semejantes actos, y que volviéndola el demonio aquella mañana, por haber oído tocar a la salutación de la Virgen, la había desamparado. Él prometió callar el suceso dándole su palabra, pero como después lo manifestase a un amigo, él lo dijo a la justicia y el referido doctor conoció del caso, abrasando su cuerpo y el de otras muchas."

Esto les refirió este padre, y el segundo, de no menos grave y venerable presencia, a cuya barba bajaban de aquellas peñas los domésticos pájaros, les dijo así: "Debajo de ser infalible que las almas beatas nos ayudan y que las que están en carrera de salvación tienen necesidad de la nuestra, os encargo que a las unas os encomendeis y por las otras hagais. San Agustín [186] escribe en el libro del cuidado que se ha de tener de los muertos que estando la ciudad de Nola en notable peligro de perderse, cercada y combatida de los bárbaros, haciendo oración al bienaventurado San Félis mártir les apareció visiblemente y libró de aquel peligro. Y San Bernardo [187] escribe que a Enrico, obispo de Aurelia, se apareció un clérigo con un ornamento de plomo. Y San Gregorio, [188] en sus *Diálogos,* que el alma de Pascasio apareció al beatísimo Germano, rogándole pidiese a Dios en sus oraciones le librase de las penas del Purgatorio, que padecía en un baño. A este propósito escribe Bartolomé Sibila [189] en su *Espejo* (cuya historia dice que leyó en un instrumento auténtico y digno de fe, que en aquel tiempo fue enviado al papa y cardenales, estando la corte romana en Aviñón), que en los años del Señor de 1323 murió en una ciudad de Francia un hombre llamado Guillermo, después de la muerte del cual en su casa por espacio de ocho días fue oída de

186 *San Agustín*: *De cura pro mortuis gerenda,* I, xvi.

187 *San Bernardo*: B. Sibila, *Speculum peregrinarum quaestionum* (Lyon, 1528), I, iv, quaest. 1. El plomo se usaba con los endemoniados.

188 *San Gregorio*: *Dialogorum libri IV*, IV.

189 *Bartolomé Sibila*: *ut supra,* nota 187, I, iv, quaest. II.

muchas personas una cierta voz llorosa, débil y espantosa, la cual oída por la mujer del difunto, por temor enfermó de tal manera, que llegó al fin de la vida. Llamaron a un padre de la orden de Predicadores y prior de su convento, para que con otros gentilhombres visitase la enferma y le diese alguna espiritual consolación y ayuda en aquel trabajo, el cual llevando en su compañía tres de aquellos padres se fue a la dicha casa, por ver si era verdadera la voz que se oía o por ventura ficción y illusión diabólica. Viendo en efeto todos los lugares secretos de la casa, donde se pudiese presumir que estuviese escondida alguna persona que pudiese fingirlo, se fue a la enferma y le preguntó dónde oía aquella voz y ella le respondió que en la cama donde su marido había muerto. Oyendo esto aquel venerable padre, se sentó con sus compañeros en la misma cama, y habiendo dicho las nueve lecciones de los muertos con sus letanías, en el fin dellas se levantó una sombra y delante dellos se fue a la cama de la mujer, de lo cual atemorizada comenzó a temblar y dar gritos, diciendo: "¡Oh padres, veis aquí la sombra!" Los cuales, algo temerosos, callaron; pero el prior le preguntó quién era; ella súbitamente respondió con voz maravillosa en la mitad de la cámara: "Yo soy el alma de tu marido". El prior, dejando aparte el miedo, se llegó con los demás frailes al lugar donde la voz se oía, y haciendo la señal de la cruz, comenzó a preguntar a aquel espíritu si le conocía a él y a sus compañeros, el cual les nombró por sus nombres. Viendo esto, en presencia de todos dijo así: "Yo te conjuro, ¡oh criatura de Dios!, por su infinito poder, inefable sabiduría, indecible bondad, por la virtud de la Santísima Trinidad, que ha creado todas las cosas, por el misterio de la santa Encarnación, Pasión y Resurrección de Cristo, por la virtud de todas las órdenes de los ángeles, por la virtud de todas las cosas que en virtud de Dios te pueden apremiar, te mando que no te apartes deste lugar hasta que con verdad me respondas a todas las cosas que te preguntare". Y primeramente le preguntó si era espíritu bueno o condenado, y respondióle que era bueno. Luego le preguntó si las almas que se partían de los cuerpos sin algún pecado súbitamente volaban a la gloria y celestial beatitud; y respondióle que sí. Preguntóle quién era y dijo que el alma de Guillermo, la cual estaba allí detenida por un pecado cometido con su propia madre, afirmando que tal linaje de ofensas era gravísimo en la presencia de Dios y que allí había de purgar aquel pecado por espacio de dos años, si no fuese ayudado y librado con el medio de la oración. Y siendo preguntado si del buen ángel o el malo era traído allí, dijo que del bueno. Y preguntándole qué sufragios más le ayudaban, dijo que las misas y salmos penitenciales. Después finalmente de otras muchas preguntas le dijo el espíritu: "Yo te ruego, ¡oh padre!, que no me atormentes más". Y así, un doctor de leyes, que allí estaba presente, le preguntó: "¿Qué traigo yo ahora en mí?" Y respondió el espíritu en lengua latina, bien que el Guillermo jamás la había sabido: "Tú traes el oficio de Nuestra Señora". Preguntóle si el demonio se aparecía a todos los que se morían y dijo que sí. Después le preguntó qué pena padecía en aquella casa, y respondió que la pena del fuego. Preguntado si padecía otra pena, dijo que padecía en el Purgatorio común. Preguntado cómo podía padecer en dos lugares, distante el uno del otro, dijo que de día padecía la pena del fuego en el Purgatorio común y de noche en el Purgatorio de la propia casa. Díjole que se santiguase y respondió que no tenía mano. Y preguntándole si oía, respondió que sí, mas no por las orejas, que no tenía, mas por un modo inusitado por potencia y virtud de Dios. Preguntáronle qué tiempo había de estar en el Purgatorio de la propia casa y respondió dando voces: "Rogad a Dios por mí con oraciones, misas y salmos penitenciales hasta la Pascua, que entonces seré libre". Y preguntándole la mujer qué tiempo había de estar en el Purgatorio común, le replicó con voz temerosa: "Ruega a Dios por mí y no temas, que presto seré libre". Y con esto desapareció como un viento y salió de la cámara, soplando a todos los circunstantes en la cara a modo de un aliento débil, y desde entonces nunca más fue oído ni visto".

El padre que en la tercera estación estaba era más mozo, de menos palabras y más áspera vida, el cual les refirió este ejemplo:

"Escribe Michael Pselo [190] que en Elasonia había un hombre que, poseído del demonio, pronosticaba muchas cosas maravillosas a varias personas, y como del mismo autor fuese preguntado en qué virtud lo hacía, después de haber negado algún tiempo con quimeras y embustes, al fin le dijo que cierto mágico llamado Aleto Libio le había llevado una noche a un monte, y mandándole arrancar una hierba le había escupido en la boca, y untándole los ojos con ciertos ungüentos vio luego diversos escuadrones de demonios, uno de los cuales a manera de cuervo se le había entrado por la boca y desde entonces le había quedado esta facultad de predecir las cosas siempre que él quería, eceptando el día de la Pasión de Cristo que en él, aunque con todo estudio lo procurase, era imposible. De aquí conocereis el valor y reverencia de este día, para que con toda devoción le respeteis y tengais por santísimo y venerable".

Cubrían altas y empinadas peñas, de cuyas junturas salían troncos de árboles, la cuarta ermita, donde llegando con poco aliento descansaron, comiendo con su dueño de la pobreza que tenía y de lo que ellos llevaban, aunque con notable alegría y regocijo de sus almas. Éste, sabiendo su propósito, les dijo así: "Notables son las alabanzas de las lágrimas en muchos graves autores, y pues a precio de ellas se compra el cielo no las llamaron mal los poetas perlas, que aun en las cosas de la tierra vemos que hacen efetos inauditos, que las de una mujer hermosa aplaquen la furia de un soldado como David, a quien obligó Bersabé al homicidio de Urías, no es milagro ni portento, pero que, como si los

190 *Michael Psello*: *Dialogus de Energia, seu Operatione Daemonum e Graeco translatus* (París, 1577), cap. XV.

pies tuvieran ojos, se enamoren los de Dios humano de las lágrimas de un corazón contrito, que se los está lavando en casa de un fariseo, ése lo pareciera a quien no supiera que si a Dios se le pueden echar grillos, de ninguna cosa pueden ser como de lágrimas, que aquella nave santísima de su justicia cuando más con viento en popa camine a castigarnos, la rémora de una lágrima es poderosa a detenerla. No las alaban poco las exortaciones que para llorar hace Hieremías cuando dice que enseñen a sus hijos el llanto. El apóstol primo de Cristo nos manda llorar nuestras miserias. San Bernardo dice que el Redentor del mundo se compadece y llora, y el hombre padece y se ríe, y del mismo Señor dice San Pablo que con voces y lágrimas fue oído. San Lucas dice que lloró sobre Jerusalén. Las lágrimas dice San Jerónimo que constituyeron en su lugar a Pedro. Agustín llama este mundo valle de miserias y lágrimas. David le da el mismo nombre. Guillelmo Peraldo [191] dice que son como el mar Rojo y dice bien, porque lloradas por Dios habían de ser de sangre, porque el faraón infernal con su ejército de vicios se ahoga y queda sumergido en ellas. *Quebraste,* dice el salmo, *las cabezas de los dragones en las aguas*; y en otra parte, *que cogerán el fruto alegres los que sembraren con lágrimas.* San Gregorio dice que apagan fácilmente el ardor lascivo. Ana lloró y fue oída. A Ezequías dijo Dios que había visto sus lágrimas; con ellas alcanzaron la bellísima Sara y el humilde Tobías lo que no pudieron tantos miserables mancebos ciegos de su apetito; Judit a los de Betulia aconsejó las lágrimas para impetrar de Dios vitoria. Finalmente, son alegría de los ángeles, como San Bernardo y San Lucas sienten, porque la oración enternece a Dios y las lágrimas le fuerzan. Acuérdome que oí en el siglo unos versos humanos a propósito de las lágrimas y que refiriendo los primeros a un padre devotísimo de lágrimas los glosó así. Los versos decían:

191 *Guillelmo Peraldo*: *Summae virtutum ac vitiorum* (Lyon, 1551), en "De virtute lachrymarum"; es la verdadera fuente de Lope, que le proporciona las otras citas del texto.

Bien podeis,[192] ojos, llorar;
no lo dejeis de vergüenza,
que poco importa ser hombre,
que no son los hombres piedras.

Y la glosa de esta suerte:

Ojos, esforzad el llanto,
pues la ocasión habeis sido,
ya que al remedio os levanto;
porque quien tanto ha ofendido
es justo que llore tanto.
Mucho teneis que lavar,
mas si tan pequeño mar
se levanta, cuando crece,
hasta el cielo que enternece,
bien podeis, ojos, llorar.
Yo soy, ¡oh lágrimas mías!,
aquel prodigio sin bien,
yo soy el rey Ezequías,
yo soy la Jerusalén
que amenazó Jeremías;
pues Dios quiere que la venza,
cuando a castigar comienza,
agua de esa mar vertida,
salud que me va la vida,
no lo dejeis de vergüenza.
Mirad que es vida del alma,
que la perdurable espera,
no esteis un instante en calma,
que solo el que persevera
goza legítima palma:
hombre soy, mas no os asombre
el ser y valor del nombre,
que para llorar por Dios

192 *Bien podeis*: el romance original, pie de glosa, puede verse en A. Paz y Melia, "Cartapacio de diferentes versos a diversos asuntos, compuestos o recogidos por Mateo Rosas de Oquendo", *BHi,* IX (1907), 179.

Dios muestra en llorar por vos
que poco importa ser hombre.
Lloremos, porque nos den
lágrimas alegre fin,
demos agua, pues también
una piedra en Rafidín
la dio al golpe de Moisén.[193]
Hombre, si de Dios te arredras,
vida pierdes, muerte medras;
no haré tal, que humilde estoy;
golpes de Dios, carne soy,
que no son los hombres piedras.

"Tenía un padre, prosiguió tras esto, de los que en el siglos enseñan a sus hijos desde que nacen, no los institutos de nuestra fe, cuyos primeros rudimentos serían bien que formasen su lengua, luego que puede articular palabras, sino las poco honestas (que aun en aquellos años tanto ofenden cualquier recatado oído), un hijo pequeño, a quien amaba tiernamente. Éste, por haberlo aprendido por ventura del mismo, y de la no menos mal enseñada familia, blasfemaba del nombre santísimo de Dios con juramentos graves. Estando, pues, en sus brazos un día, escuchándole estas fealdades, que él tenía por bizarrías, creyendo que había de ser muy hombre por permisión del mismo ofendido Señor, le arrebataron de ellos los demonios; pero mirad la fuerza de las lágrimas, que como las vertiese con sumo arrepentimiento ante la preciosa imagen del crucifijo santísimo de Burgos, le fue restituido salvo y sano."[194]

Despedidos de Urbano, que así se llamaba este venerable monje, tomaron el camino de la montaña, confiriendo entre sí lo que dél y los demás habían oído, hasta que en la quinta celda los detuvo con apacible rostro el dueño, a quien refiriendo lo que Urbano les había dicho, casi en la misma materia, prosiguió así:

193 *Moisén*: *Exodo*, XVII, 1-6.

194 *Salvo y sano*: según Peyton, la fuente última de este episodio es San Gregorio, *Dialogorum libri IV*, IV, xviii.

"¿Quién hay que no nazca llorando y que desde la niñez no le opriman tristezas y congojas? Como los ríos cayendo de alto por las difíciles sendas de las peñas, descendiendo siempre continúan el sonido y desde su nacimiento formando voces roncas se quebrantan y rompen, hasta que por los humildes pies de las montañas entran en el mar soberbio, así el hombre sale del vientre de su madre con dolor y llanto, gime en la cuna, es oprimido en la niñez, afligido en la juventud y en la vejez impedido y llorando y gimiendo pasa sus años sin quietud y seguridad, hasta que, acabado el espacio de la vida, entra en el mar de la muerte, donde finalmente van todos los ríos, grandes o pequeños. Éstas son palabras de Hétor Pinto [195] en el capítulo treinta y ocho sobre el cuarenta de Isaías. Y el mismo profeta [196] dice que toda carne es heno, porque como el diestro pintor, cuando quiere que algún color realce la figura, le opone el contrario, como al claro el oscuro, así el divino poeta profético, dice Joanes Dardeo, [197] para que se conociese la misericordia de Dios, puso junto a ella la miseria del hombre, de donde elegantemente le compara al heno y su gloria con las flores del campo. ¿Qué cosa hay más vil que el heno? ¿Qué cosa hay más frágil que las flores? Por eso lloraba Job [198] que el hombre salía y se marchitaba como flor y huía como sombra y le decía a Dios: *Contra la hoja que arrebata el viento muestras tu poderío y una seroja seca persigues.* Y así la llama Santiago, [199] vapor que apenas parece. Homero [200] compara la vida del hombre a las caducas hojas de los árboles. Eurípides [201] dijo que duraba su felicidad

195 *Hétor Pinto*: *In Esaiam Prophetam Commentaria* (Lyon, 1561).
196 *Profeta*: *Isaías,* XL, 6.
197 *Joanes Dardeo*: como Peyton, ignoro quién fuese. El jesuita francés del mismo nombre nació en 1595, *vid. Bibliotheca Scriptorum Societatis Iesu* (Roma, 1676), s.n.
198 *Job*: XIII-XIV.
199 *Santiago*: *Epístola de Santiago,* IV, 14.
200 *Homero*: *Iliada,* VI, 146.
201 *Eurípides*: no hallo tal pasaje ni en *De eloquentia* de Demetrio Falereo, ni en la vida de éste escrita por Diógenes Laercio.

un día; pero reprendióle Demetrio Falereo de que dijese un día debiendo decir sólo un instante de tiempo. Y Píndaro [202] llamó al hombre semejante a la sombra. Caso extraño el de nuestros años, pues respecto de la inmortalidad, aunque nuestra vida fuera de muchos siglos, era corta y siendo de tan pocos, que ya es viejo un hombre de cuarenta, de cincuenta caduco y de sesenta inútil, apenas consideramos su brevedad para estimar el tiempo que después hemos de llorar tan mal perdido. El segundo año después del Diluvio engendró Sem a Arfaxad, vivió seiscientos años, y su hijo, trescientos treinta y ocho. Salé vivió cuatrocientos treinta y tres, y Heber, de quien dice Josefo [203] que tomaron el nombre los hebreos, vivió cuatrocientos sesenta y cuatro; Faleg, doscientos treinta y nueve; Reu, doscientos treinta y nueve; Sarug, doscientos treinta; Nacor, ciento cuarenta y ocho. Notad la baja que van dando los años y cómo parece que se iba enflaqueciendo naturaleza, si es que en la cuenta de aquellos tiempos no eran de menos días. Este Nacor fue padre de Tare, de quien nació Abraham, que de cien años engendró a Isaac y vivió ciento sesenta y cinco, y Sara, su bellísima mujer, ciento veintisiete. En estas vidas ya parece que fuera disculpado el sueño, el moderado ocio, el deleite; pero en las cortas nuestras, que de veinte años se abren los ojos al sentido, de treinta al entendimiento, de cuarenta al alma para mirar lo pasado, de cincuenta al arrepentimiento y a la muerte, ¿quién vive que, de este poco tiempo que vive, no dé la mitad al sueño y la otra a la vanidad de los ligeros vicios? Y más viendo tan enferma la naturaleza como se conoce de lo que produce, así en la fertilidad de la tierra, como en la longitud de nuestras vidas, porque aunque fuera de los años platónicos, [204] o magnos

202 *Píndaro*: *Odas Píticas,* VIII, 95.

203 *Josefo*: *Antiquitatum Judaicarum,* I.

204 *Años platónicos*: "Es una revolución de treinta y seis mil años, después de la qual aseguraba aquella escuela que los planetas y las estrellas recobrarían el mismo punto y orden de su primera disposición", *Dicc. Aut.* s.v.

y de los solares, que constan de doce meses y algunos digan que también es año el de la luna [205] y cada uno de los nuestros por esta cuenta incluya en sí otros doce (o sean dos, uno el invierno y otro el verano o cuatro por las divisiones de los tiempos, como le tuvieron los de Arcadia), sabiendo que Salomón de doce años tuvo un hijo, es infalible argumento que eran aquellos años como los nuestros. Y si se hubiesen de vivir todos los que ya la naturaleza nos permite, aun podríamos llamar la vida moderada; pero sujetos a tan varios casos y violentos acontecimientos, ¿qué noche es segura? ¿qué día carece de temor?, como dice Séneca y el laureado Petrarca [206] en su *Próspera y adversa fortuna.* Y ¿de qué sirve traeros ejemplos de griegos y romanos? Poned los ojos en los dos malogrados mancebos, hijos del generoso condestable de Navarra, [207] entrambos Diegos, y entrambos desdichados; al uno le mató un toro en Alba de Tormes el día que cumplió veinte años, y al otro una espada en Alcalá de Henares, de diecisiete. ¿Qué gallardía fue igual, qué entendimiento, qué partes de caballero y soldado a don Felipe de Córdoba, a quien en la flor de sus años arrebató una bala la cabeza sobre un galeón portugués a vista de sus amigos y deudos?"

Calló en este tiempo Arsenio, que este nombre tenía aquel devoto padre, porque vio que el Peregrino español

205 *El de la luna*: el año lunar astronómicco "consta de doce meses synódicos, u de trecientos y cinquenta y quatro días, ocho horas y cerca de quarenta y nueve minutos"; el año lunar embolísmico o intercalar "es el que se compone de trece lunas, o meses synódicos, y así casi siempre es de 384 días, o uno menos", *Dicc. Aut.*, s.v. *año*.

206 *Séneca*: *Epistulae,* I, vi; *El laureado Petrarca*: *De remediis,* II, cxxiii.

207 *Condestable de Navarra*: lo había sido don Diego Álvarez de Toledo, hijo del IV duque de Alba y padre del V duque (el protector de Lope); sus títulos navarros le venían por casamiento con doña Brianda de Beaumont. Su hijo natural, don Diego de Toledo, fue muerto por un toro en 1593, y Lope cantó el triste suceso en una elegía, *vid.* Entrambasaguas, "Elegía de Lope de Vega a la muerte de D. Diego de Toledo", *Estudios,* III, 75-216. No tengo datos sobre el segundo Diego. Ni tampoco sobre el don Felipe de Córdoba que se menciona más abajo, fuera de que era deudo, evidentemente, del marqués de Priego, a quien va dirigida esta novela.

se había enternecido con la memoria, por ventura, de estos caballeros. Y como discurriendo los dos sobre haberlos conocido viniesen a tratar de las grandezas de la siempre famosa casa de Alba y de las hazañas del invictísimo duque don Fernando,[208] desde sus dichosos principios en Navarra hasta las últimas victorias en la unión de Portugal a la corona de Castilla y la ilustrísima casa de Aguilar[209] y Córdoba desde aquellos famosos y celebrados príncipes, señores de las Torres antiguas de Cañete, se fueron deteniendo de suerte que, a ruego de Arsenio, se quedaron todos en su celda aquella noche. Pero apenas declaraba el cándido resplandor del día, aliento de los caballos del sol, el peligroso y áspero camino, cuando dejando sus brazos y su celda, guiándolos desde una eminente peña, le fueron siguiendo hasta la siguiente ermita donde, oyendo cantar a su habitador solitario, escucharon que decía así:

Pastor divino,[210] soberano eterno,
que en altas asperezas y montañas
por tus ovejas rompes las entrañas
abrasadas de amor y amor paterno.
Tú, que el hermoso, regalado y tierno,
precioso cuerpo de tu sangre bañas,
y en una cruz nos muestras las hazañas,
de quien se admiran cielo, tierra, infierno.
Hurtóme un labrador, gocé su pasto;
mas, ya que vuelvo a ti, dame acogida,
soberano pastor, cordero casto,
pues de tu sangre, que por mí vertida
resplandece en tus aras y holocausto,
traigo la marca de la eterna vida.

208 *Don Fernando*: Álvarez de Toledo, III duque de Alba, el Grande (1507-1582), su primera acción militar fue contra los franceses en Fuenterrabía, y su última hazaña fue la conquista de Portugal (1580).

209 *Casa de Aguilar*: *vide supra,* nota 1 al texto.

210 *Pastor divino*: esta es una versión sacra del tema del *pastor robado,* para el tema en general, *vid.* F. Lázaro Carreter, "Cristo, pastor robado. (Las escenas sacras de *La buena guarda)*", *Homenaje a William L. Fichter* (Madrid, 1971), pp. 413-27.

Viendo los peregrinos que el santo monje había cesado le llamaron y divirtieron de regar un pequeñuelo güerto a cuyas flores daba aquella música. Él supo su intención, y después de haberlos abrazado, les refirió este ejemplo:

"Iacobo Institor[211] escribe que caminando tres mancebos por un áspero monte, se levantó una tempestad de agua tan fiera, que parecía[212] rasgarse las nubes, y abriendo sus senos con horrible tronido escupir y vomitar granizo y rayos, con el fuego de los cuales quedaron muertos los dos de aquellos hombres. Y estando el que quedaba atónito, sin saber dónde librarse de la muerte, oyó una voz entre el remolino de los negros aires que decía: *Matemos éste.* Y temblando como el que escucha la sentencia de tan rigurosa muerte, oyó otra voz enfrente, que decía: *A éste no le podemos matar.* Y replicando la primera que por qué causa, dijo que porque aquel día había oído aquellas altísimas palabras del Evangelio: [213] *Et Verbum caro factum est,* en una iglesia donde había entrado a hacer oración. De aquí colegireis la majestad y precio de estas palabras y cuán provechoso es en toda aflición y pena decirlas contra el demonio, pues habiendo sido autor de aquella tempestad y de la muerte de aquellos hombres, por permisión de Dios y secretos suyos, no pudo hacer ofensa en quien aquel día las había oído."

Ya estaba en nuestro cenit el claro amante del laurel[214] ingrato mirando igualmente el cielo, donde apenas sus abrasados caballos podían resistir la fuerza de su encendido rostro, cuando en la séptima estación hallaron un mancebo de agradable rostro y presencia, a

211 *Jacobo Institor*: *Jacobo* Spranger y Enrique *Institor* son los dos autores del famosísimo *Malleus Maleficarum* ("Martillo de las brujas"), compuesto en el siglo XV, y que se convirtió en el manual contra las brujas. Pero la fuente de Lope es Menghi, *Compendio* (*vide supra,* nota 173), libro II, cap. XIX.

212 *Parecía*: como el verbo precede al sujeto podía ir en singular, *Galatea,* II, 103.

213 *Evangelio*: *San Juan,* I, 14.

214 *El claro amante del laurel ingrato*: Apolo y Dafne.

quien el cabello largo y peinado daba una apostólica majestad y compostura, el cual les persuadió que no pasasen de allí, porque tuviesen tiempo para volverse, dificultando la subida por la inacesible altura y aspereza. Obedeciéndole ellos se sentaron juntos en la peana del altar de su celda, y pidiéndole, como a los demás, un santo ejemplo, con humilde voz comenzó así:

"Bien pudiera referiros de los muchos que he leído y visto alguno que en esta ocasión pudiera satisfacer vuestro deseo y el mío; mas pareciéndome que hablando en su misma causa, se consigue mejor el fin de persuadir, que es el perfecto oficio del orador, os quiero contar una historia sacada de los libros de mi juventud, [215] a los veinte capítulos de mis años, escrita por mis desdichas e impresa en mi memoria, pues ya ni me puede hacer daño el renovarla ni a vosotros dejar de ser más provechosa. Aquella breve tiranía, lazo de la verde edad, engaño de la vista, cárcel del alma, escuridad de los sentidos y, finalmente, hermosura que en las mujeres puso el cielo para tanto mal nuestro, de tal manera cegó mis ojos al primer descubrir del mundo, que no vivía mi espíritu tanto en mí mismo cuanto en la persona que amaba ni fuera de su presencia hallaba descanso, como no le tienen las cosas fuera de su centro, porque así como el fuego siempre está exalando llamas, que suben a su esfera, [216] así mi corazón deseos, que a la de su hermosura se dirigían. Como este amor no era platónico, no tengo que disputar por qué partes era honesto, útil y deleitable; basta que a mí me pareció el mayor bien lo que era cifra de tanto mal. Llamábase este sujeto de mis desventuras, y a quien yo lo estuve

[215] *Los libros de mi juventud*: ésta es una de las tantas versiones, más o menos idealizadas, que Lope forjó con los recuerdos de sus tormentosos amores con Elena Osorio, que en el plano histórico desembocaron en su destierro de Madrid (1588), y en el plano literario remataron en *La Dorotea* (1632), vid. Introducción, nota 51.

[216] *Esfera*: se suponía que la del fuego era la última, el Empíreo (como denuncia su etimología), por eso subía el fuego naturalmente a su elemento, *vide infra*, nota 370, y la explicación que da Lope en la p. 340.

tanto, Aurelia, libre en sus costumbres y de aquel género de vida que describen en sus fábulas Terencio y Plauto, y por quien dijo divinamente Bartolomeo Anulo:[217]

Pertusum meretrix vas est, rimisque fatiscens,
perfluit hac illac: continet ergo nihil.

"Era, finalmente, gallarda sobre todo encarecimiento, de ingenio claro y atrevido, a quien con el buen natural había hecho diestro la experiencia. No me costó la posesión de su casa muchos pasos ni hacienda; porque este linaje de mujeres suele ser al contrario de las que honestamente, y porque lo digamos así, forzadas de su amor, se entregan a los hombres, porque confiadas de la blandura y hechizo de su trato más enamoran gozadas que pretendidas. Ella, en fin, con aquella piel de cabra que pinta Alciato,[218] fue acercándome a la muerte, y yo, como aquel pez simple, enamorado del esterior vestido, dándole la vida.

"No me enojaba en los principios la conversación de mancebos, que a ninguna hora, por extraordinaria que fuese, faltaba de su casa, porque los favores que me hacía y lo poco que me costaban me traían contento de verme preferido a otros más ricos y de mayores méritos. Cuando yo entraba a verla, conocían los demás esta ventaja y despidiéndose cortésmente me dejaban solo. ¿Quién dirá que en mi propia patria y con pasos tan seguros iba yo caminando a Constantinopla? Y aun pienso que no exagero bien mi cautiverio. No era apacible a las inorantes criadas esta mi visita, porque les parecía que espantaba a aquella multitud de pájaros que

217 *Bartolomeo Anulo*: *Picta poesia, ut pictura poesis erit* (Lyon, 1552) p. 88. Es bien sabido que las comedias de Plauto y Terencio están llenas de meretrices. Traduzco el epigrama: La meretriz es una vasija rota, y abriendo sus rendijas se cuela por aquí y por allí, y en consecuencia no contiene nada".

218 *Alciato*: *Emblemata* (Lyon, 1551) pinta a la Lujuria con piel de cabra. El "pez simple" que se menciona más abajo corresponde al emblema *Potentia Amoris*.

daban provecho, e imaginaban que si Aurelia se rendía no siendo mi calidad y hacienda capaz de sustentar sus galas, ornato espléndido y superfluas comidas (que más en tales casas consume la gula que en las de grandes príncipes), lo había de pagar la suya, de que también se seguiría vivir con límite, cosa que sufre mal quien sirve a semejantes, porque ningún día querrían sin excesivo gasto y regocijo, que como en otras casas despiertan los gallos a las criadas para el trabajo doméstico, en éstas las despiertan las gallinas que atadas por los pies mete por sus puertas el despensero del galán solícito y echadas en las cocinas las dan voces que se levanten a matarlas y a quitar las plumas, figura y pronóstico de lo que ha de suceder al miserable amante que las envía. No estaban engañadas en esto, porque a pocos días Aurelia, que robaba a tantos, se dejó rendir de amor y cautivar de mi gusto; con que parte deste temor fue verdadero y acortándose el gasto de su casa, alargó las riendas a su gusto, que tan enfrenado había tenido larga espiriencia. No corría por su cuenta todo, que yo, triste, martirizando a mis padres, cansando a mis amigos e importunando a mis deudos, acudía a la conservación de este amor, que casi siempre es el dinero

"La vida que pasábamos amándonos tiernamente el uno al otro, y estando en nuestra mano la libertad de gozarnos, juzgadla de veinte años que yo tenía y pocos más Aurelia. Ya nos parecía la casa estrecha para nuestro amor y buscábamos las soledades de los campos, a cuyo cielo abierto hacíamos testigo de lo que fuera bueno huir la serenidad de su rostro; mas era ya tal estado de vida una ciega imitación de los animales rudos. A los árboles que no veían fiábamos nuestros secretos, como si sus hojas no fuesen ojos el día del arrepentimiento, y a las sordas fuentes otros mil enamorados deleites que podían enturbiar la castidad de sus aguas. No pude yo pensar jamás que en tan breve camino como había desde mi casa a la suya gastara yo cinco años, que éstos tardé en acabar de conocer que había llegado a ella, siendo tan cierto que aquel famoso marinero inglés llamado Draque [219] en menos tiempo de un año, atrevido a pasar el estrecho de Magallanes, dio una vuelta al mundo. Si en estos medios fui ofendido en la fe de la lealtad no puedo decirlo, ni dejo de creerlo, porque parece imposible a la naturaleza y costumbre destas mujeres. Pero al fin dellos, cuando yo también lo estaba de mi pobre caudal, aunque más enamorado que a los principios, se dejó vencer Aurelia de las obligaciones de un hombre, [220] no de mis méritos. Y digo obligaciones, por no creer de mí que amor solo la obligase a tan estraña mudanza. No lo hube sentido cuando, como celoso toro que en los árboles de los caminos ejecuta su furia, a horas estraordinarias rompía sus ventanas y puertas. En una destas noches, que habiéndome visto sosegado en mi cama Aurelia tenía en la suya a Feliciano, que así se llamaba este caballero, incitado de mi profunda imaginación y solicitado de mis celos, me levanté della y llamando en su casa me la negaron, que para dar color a tales delitos nunca les faltan enredos. Las criadas me hablaban en las más altas ventanas, fingiéndose soñolientas, las que con tal desvelo procuraban que me volviese sin más curiosa satisfación que la inocencia que su malicia fingía; mas mi grande amor, que a tales horas no se fiaba de mis propios ojos, que por conservar su gusto creía que harían cualquier traición a mi pensamiento, me hizo pedir a voces que me abriesen las puertas con achaque de descansar un poco o a lo menos tener recelo de volver a mi casa. Mi resolución llegó a los oídos de Aurelia, y Feliciano, como es costumbre de los que poseen, comenzó a intentar vestirse, prometiendo castigar mi atrevimiento con su espada y desengañar mi amor con su presencia. Mas la fingida Circe, que sabía

219 *Draque*: *vide supra*, nota 122. Circunnavegó el mundo en 1577-1580, y no "en menos tiempo de un año", según se hiperboliza en el texto.

220 *Un hombre*: en la historia, el amante que desbancó a Lope fue José Francisco Perrenot de Granvela, sobrino del ministro de Carlos V y Felipe II.

que de cualquier suceso mío, próspero o adverso, le resultaba notable daño, le detuvo con los brazos y le persuadió con las lágrimas, bien que no eran menester muchas, porque el más valiente se arma de mala gana una vez desnudo, y el salir de un aposento a la calle es conocida temeridad, pues no debe presumir, siendo discreto, que quien le busca viene solo. Valióse Aurelia de lo que suelen todas, y dándole a entender a Feliciano que había de ser su marido y que si le sentía ella perdía su remedio, le persuadió que mal vestido en el rigor del enero se subiese a un alto de la casa sin otro reparo al frío fuera del miedo. Yo entré y la hallé en su cama tan quejosa de mi libertad y el escándalo de los vecinos, que en lugar de reñirla, fue necesario templarla; y creyendo, como ella decía, que lo había hecho por enojo de mis celos y por asegurarme de la deslealtad que della temía, ocupé el lugar del ausente, en cuyo lado aun estaba el calor que había dejado por testigo de mi inorancia y locura. El alba trajo la luz, la luz el día, el día al sol y ninguno de todos éstos me desengañó, que mal se desengaña quien ama ni en tanta escuridad de laberintos y vueltas de fingimientos halla principio la razón en que poner el hilo de Teseo.[221] Levantéme contento, y por tarde que entré, salí primero que Feliciano, que después de mi engañado gusto salió con poco de haber sufrido el desengaño costoso de mi amor y el frío insufrible de tan rigurosa noche.

"Celosa estaba Menandra, dama que algunos años lo había sido de Feliciano, y advertida desta burla, le dijo, haciéndola de él, que le había engañado Aurelia y tenido al hielo, sufriendo que yo, a quien no pasaba por el pensamiento casarse, ocupase el lado que él había perdido. Certificóla luego el mancebo de que siendo preferido por gusto a las obligaciones del amor, que me debía por tantos años, yo era el engañado, y que siempre que ella y otra le hiciesen aquel partido sufriría

[221] *Teseo*: salió del laberinto de Creta siguiendo el hilo de Ariadne.

de buena gana una mala noche por tantas buenas, y para prueba de esa verdad le dio una llave con que entraba en su casa, de que yo solía ser dueño y me habían dado a entender que se había perdido. Disimuló Menandra entonces; pero como en cierta ocasión me hallase me dio cuenta de lo que yo ignoraba y me dio la llave, con que no tuve necesidad de testigos ni de otro instrumento para abrir la puerta a los desengaños, que mi ceguedad había cerrado con la confusión de sus tinieblas.

"Pensé vengarme de Aurelia con dejarla y de Feliciano con servir a Menandra, de quien yo imaginaba que no estaba libre, y que, cuando lo estuviese, no dejaría de sentir que yo gozase lo que él amaba en la opinión de todos. Hallé a Menandra dispuesta, porque nos encontramos los dos en los pensamientos con la igualdad de la ofensa, pudiendo el uno al otro solicitar la venganza. Fingió amarme, paguéla en fingir lo mismo, súpolo Aurelia, tornóse loca Aurelia, y poco menos que desatinado Feliciano me buscó para matarme. Mirad qué buen concierto de voluntades y cómo celos y desprecios descubren las verdades que están en el centro de los corazones. Hallóme más presto Aurelia, como quien tenía menos que aventurar. Topándome, comenzó por furias y afrentas y acabó por ruegos y lágrimas. Mas ya sobre tan declarada ofensa antes ayudó a mi olvido el verla rendida que movió mi pensamiento a fiarme della, que mejor se escapa del lazo de tales mujeres un hombre con desengaño de que es amado que con certidumbre de que es aborrecido. Trocado, finalmente, el amor en odio, cosa insufrible en la mujer amada, comenzó Aurelia a perseguirme, y aunque la ciudad en que nació no consienta, fuera de dos o tres, que le aventajen en grandeza las demás de España, apenas pude tener seguro que Aurelia no me estorbase, amigo con quien no me revolviese, secreto que no me publicase y peligro a que no me pusiese.

"El cansancio destas cosas y el verme casi rendido a contentarla me hizo dar en mil pensamientos, de todos los cuales me resolví en tomar un hábito, y así, dando con la capa en los ojos al toro de los gustos del mundo, me valí de la protección de aquel seráfico padre[222] en cuyos pies y manos están por Dios las armas de nuestra reparación. Mas, ¡oh gran fuerza de un amor despreciado!, que en el sagrado de su templo, abrazado a los instrumentos sacros entre sus imágenes y altares, me sacaron otra vez al mundo las lágrimas de Aurelia, a quien, dejando el hábito que no merecía, seguí afrentosamente, despreciando el tesoro de la vida espiritual que gozaba por el vómito de la infame que había tenido, que tanto puede en nuestra flaqueza este capital enemigo de nuestra alma. Comenzó de nuevo nuestro amor con escándalo general de cuantos nos conocían, odio de nuestros deudos y abominaciones de nuestros amigos, que a poco tiempo me redujo a término que pensé acabar la vida de tristeza. La poca honra que teníamos y el peligro de la justicia nos obligó a dejar la patria, y vendiendo los pocos bienes, con la carga de tantos males, nos pasamos a Italia, donde habiendo yo servido algunos años al Rey Católico en Flandes y al de Saboya en el Piamonte, acudiendo siempre a Nápoles, donde la tenía la última vez, traté de volverme a España, donde en una fiera tempestad, que en el golfo de Narbona levantó el cielo para bonanza de nuestras almas a lo último de la vida y sin esperanza de remedio, hicimos voto de religión con tal fuerza de lágrimas, que habiendo tomado tierra, ella ocupó un monasterio de la Conceción y yo tomé el hábito que veis, donde después de algunos años de aprobación me dieron esta celda."

Ya parecía el vencedor famoso[223] de la Pitonisa fiera menos enamorado de la ingrata hija de Peneo, por-

222 *Seráfico padre*: tomó el hábito de San Francisco. Acerca de esta solución novelesca al caso real, *vid.* la Introducción.

223 *El vencedor famoso*: Apolo = el Sol. La hija de Peneo es Dafne.

que menos encendido tocaba en los laureles que a mal grado de aquellas peñas reventaban tiernos cogollos de sus ásperos cimientos, cuando dejando a Tirso [224] pájaro solitario de aquella estrecha aunque bendita jaula, [225] llegaron a la habitación otava de las que ofrecía a los peregrinos la prosecución devota de su viaje, engastada entre algunas peñas, a quien la maestra naturaleza con sumo artificio había fabricado para custodia de un alma contemplativa. Laudomio, anciano por edad e ilustre por linaje, estaba a la puerta de ella, haciendo unas cestillas blancas de descortezadas mimbres; [226] hiciéronle reverencia, pidiéronle que los consolase con su amorosa plática, y él, con risueño semblante aunque con graves ojos, les dijo así:

"Puesto que Quintiliano [227] atribuye a la naturaleza el arte de la retórica y Cicerón a los fundadores de las ciudades e inventores de las leyes, que es música de Anfión [228] la elocuencia, y de éstos y de otros esté llena de alabanzas y puesta entre los artes prácticos, Lisias [229] y otros muchos la tuvieron en poco, probando que los bárbaros naturalmente hacían sus narraciones, confutaciones y epílogos sin fuerza de artificio alguno, poniendo en su oración los nervios que eran bastantes a persuadir, fin y término del orador y blanco a que la elocuencia mira, Tulio [230] la llama una de las sumas virtudes y Ateneo la tiene por un arte de engañar; y

224 *Tirso*: si proyectamos este bosquejo sobre el cuadro acabado de *La Dorotea*, tenemos las siguientes sinonimias: Tirso = don Fernando = Lope; Aurelia = Dorotea = Elena Osorio; Feliciano = don Bela = José Francisco Perrenot de Granvela; Menandra = Marfisa = ?

225 *Jaula*: 1604 *gaula*.

226 *Mimbres*: el *Dicc. Aut.* todavía lo designa como de género ambiguo.

227 *Quintiliano; Inst. Orat.*, II, xviii; Cicerón, *Brutus*, XII, 45. Recordar que *puesto que* = "aunque".

228 *Anfión*: con su música construyó las murallas de Tebas.

229 *Lisias*: en su oración a los guerreros atenienses muertos.

230 *Tulio*: Peyton encuentra esta cita de Cicerón en la *Polyanthea* de Mirabelli, una de las enciclopedias que Lope tenía de continuo sobre su mesa de trabajo; Ateneo, *Deipnosophistarum*, III, xxiii; *Celso: Las leyes de todos los reynos de Castilla* (Alcalá, 1540), fol. CCLIII.

Celso no aprueba por justificada la conciencia del que con ella sólo procura la victoria del que litiga. Por eso dijo aquel griego, refiriendo la oración de Demóstenes: [231] *Cuánta mayor admiración les causara si en su boca hubieran oído la soberbia pompa de sus palabras.* Llámanla algunos divina ciencia, porque ablanda los ánimos, enternece los corazones y aquieta los turbados entendimientos, consuela, restaura, recrea las débiles esperanzas, encadena las almas, las voluntades, los pensamientos y los apetitos; pero Sócrates acerca de Platón [232] prueba con firmes razones que no es arte ni ciencia, sino una cierta astucia, ni famosa ni honesta, antes servil y vergonzosa aduladora. Los atenienses la desterraron, diciendo que el hablar de los hombres de bien no había de proceder del arte, sino del corazón. Los romanos la admitieron tarde en su ciudad, sospechosos de sus mentiras y adulaciones, tales que pudo decir Archídamo [233] de Pericles que puesto que dél hubiese sido vencido en campal batalla, de tal manera hablaba con su elocuencia y retórica del suceso de la guerra, que más parecía el vencido que el vencedor. Palabras dignas de toda ponderación contra algunos que afean la grandeza de sus obras con la demasía y arrogancia de sus palabras y de aquellos tan semejantes a los mosquitos, que habiendo de dar tan pequeña herida, vienen con las trompetas de sus bocas amenazando muertes. Plinio [234] decía de Carneades que difícilmente se podía conocer de su elocuencia cuándo eran verdaderas sus proposiciones, porque lo mismo que afirmaba hoy contradecía mañana. Por esto decía Eurípides [235] que el saber hablar bien tenía no sé qué de tiranía, y Esquilo, que era el más vergonzoso mal de todos el parlar bien ordenado. Los Casios, los Brutos, los

231 *Demóstenes*: el dicho se halla en Plinio, *Hist. nat.*, VII, xxxi.
232 *Platón: Gorgias,* 463.
233 *Archídamo*: Tomado de la *Polyanthea* de Mirabelli.
234 *Plinio: Hist. nat.*, VII, xxxi, pero atribuido a Catón el Censor.
235 *Eurípides: Orestes,* 907; *Esquilo: Agamemnon,* 1228-30.

Gracos, con su retórica pusieron mil veces a punto de perderse la romana república. Esto mismo hizo Catón, provocando a César, y Cicerón a Marco Antonio. Al fin Roma [236] los desterró de sí por públicos editos. Atenas les prohibió entrar en juicio, porque no torciesen la justicia, y por haber sido lisonjero y adulador al rey Darío quitó la vida a Timágoras [237] y en este mismo peligro puso Lacedemonia a Tesifonte. [238]

"Haced, hijos, elección de un moderado hablar, que ni bien seáis notados de la dulzura del estilo ni de la rusticidad del lenguaje. Esto hablando con los hombres, porque con Dios más habla la sencillez del corazón que la dulzura de la lengua. El Cicerón cristiano, fray Luis de Granada (arte de Antonio [239] para hablar con Dios), os enseñará la gramática de su lengua en cualquier capítulo de sus divinas obras. El hablar con Dios, dijo Séneca [240] en sus *Epístolas,* que había de ser como si lo oyesen los hombres, y el vivir con los hombres, como si Dios lo viese; quiere decir, considerando que Dios los mira, porque Dios todo lo vee desde sí mismo, porque dice que hay algunos que cuentan a Dios lo que no querrían que supiesen los hombres. San Gregorio dice en la sesta parte de sus *Morales* [241] que la verdadera oración es el gemido y compunción del pecho, y no el sonido de las compuestas palabras; que es lo mismo que dijo El que nos enseñó a orar con humildad a su eterno e increado Padre. Finalmente,

236 *Al fin Roma*: todo esto está tomado de la *Polyanthea.*

237 *Timágoras*: embajador ateniense a la corte de Artajerjes (que no Darío, como recuerda Lope), traidor a su patria, fue ajusticiado a su regreso, Plutarco, *Vida de Artajerjes,* 22. Las notas de Peyton a este pasaje embrollan considerablemente la cuestión.

238 *Tesifonte*: ateniense, propuso un decreto para honrar a Demóstenes con una corona, lo que fue atacado por Esquines. Todo lo narra Demóstenes en su oración *De corona.* Se desliza aquí un nuevo error de Lope, pues no fue Lacedemonia que amenazó a Tesifonte, sino Atica.

239 *Arte de Antonio*: se refiere a la famosísima *Gramática castellana* (1492) de Nebrija.

240 *Séneca: Epistulae,* X, 5.

241 *Morales*: VI, xxii.

para que vuele vuestra oración a Dios, ponelde las alas que San Isidoro[242] dice, ayuno y limosna, y vereis la ligereza con que sube penetrando el cielo. Moisén[243] era balbuciente y se disculpó con Dios para hablar a su pueblo; pero por eso no dejó de elegirle para su capitán en la mayor jornada que ha visto el mundo.

"Un mancebo cortesano criado en el palacio y no poco estimado, por una milagrosa voz que tenía, de muchos príncipes, asistía cerca de la persona del virrey de Valencia, y divertido ya en la privanza, ya en el cuidado del servicio, sin otros a que le inclinarían los pocos años para los temporales gustos, oyó un día un sermón, no de los que con elocuencia y retórica satisfacen el entendimiento, sino de aquellos que con vivas palabras dan aldabadas al corazón y rompen las puertas del alma. Vínose a su casa, y cayendo en la cuenta del premio que viene a dar el servicio del mundo y del que Dios tiene para quien con lealtad le sirve, lleno de una divina tristeza deseaba hablar con Dios y no se atrevía, ya por la indignidad, ya porque le parecía que era ignorante para hablar con la misma sabiduría; pero arrebatado una tarde en su aposento de un furor celestial, se abrazó con una cruz y dijo con algunas lágrimas cuatro o seis palabras desordenadas (digo, sin orden de eslabonarse unas con otras, que en lo demás eran castísimas), que interrumpidas de los gemidos y sollozos, parecían de niño que se regala tras el castigo, y como Dios sabe también las cifras del corazón, entendiólas de suerte que le sacó del mundo con el brazo de su divino poder y el favor humano de aquel príncipe que tomó por instrumento y puso en un monasterio del tácito San Bruno, honrando el Rey Católico su hábito con su presencia, que a la sazón había venido a casarse con la serenísima Margarita a la ciudad de Valencia, y allí resplandece ahora con santidad de religiosa vida y áspera penitencia."

242 *San Isidoro: Etimologías,* VI, xix.
243 *Moisés: Exodo,* IV, 10.

Con este ejemplo se despidió Laudomio de los peregrinos, a quien[244] por el camino fue diciendo el español que conocía aquel[245] mancebo y que de su edad y tiempo había conocido en la corte otros dos de un mismo nombre, que con la misma vocación y fuerza velocísima del espíritu (y que a los ojos del mundo parece que los arrebató de los cabellos un ángel para llevarlos al lago de Daniel,[246] que, supuesta la alegoría, se puede entender la religión estrecha), habían dejado la grandeza de la casa real, donde con divinas voces lisonjeaban los oídos del segundo y tercer Felipe y con hábito estrecho de los recoletos de San Agustín habían llegado a ser sacerdotes y muerto casi a un mismo tiempo con grande aprobación de su vida y costumbres, y que fue tal la aceptación de Madrid, su patria, que uno de aquellos ingenios había hecho a su dichosa profesión unos versos que para entretener el áspero camino refirió así:

Cristóbales,[247] pues valeis
tanto con Cristo este día.
justamente se os debía
el título que teneis,
sin comparación mayor,
que el mundo darle procura,
porque el nombre en la escritura
siempre declara el valor.
Los buenos sirven a buenos,
los viles quédanse atrás,
los dichosos valen más
y los desdichados menos.
Servistes al rey Segundo
cantando y siendo escuchados

244 *Quien*: tenía valor de singular y de plural.
245 *Aquel*: "a aquel", con *a* embebida.
246 *Daniel*: VI, 16-23.
247 *Cristóbales*: uno de los dos tiene que haber sido el Cristóbal Matías (recoleto agustino descalzo, cantor), que se menciona más abajo, p. 381 (v. nota 612), al parecer como recién muerto.

de los más altos cuidados
del Argos mayor del mundo.
Y al Tercero, que hoy [248] hereda
sus ojos, pavón divino,
que a velar a España vino
con siempre despierta rueda.
Y así es justo que de un vuelo
pase, quien tal gracia encierra,
del mejor rey de la tierra
al mayor de tierra y cielo.
Hoy, en fin, llegais los dos,
aunque en más estrechas leyes,
de ruiseñores de reyes,
a ser canarios de Dios.
Si allá en Babilonia bien
cantastes de amor flaquezas,
mejor cantareis grandezas
de Dios en Jerusalén.
Y pues sacaros ordena
de Egipto, cantar podeis,
porque en Sión no direis
que cantais en tierra ajena.
Cantad aquí con María,
no la hermana de Moisén,
sino aquella hermosa en quien
puso Dios tanta armonía.
Emplead esas canciones
en alabar la belleza
que honrando a naturaleza
alaban tantas naciones.
Estrecha jaula os han dado,
mas sabeis que siendo estrecha,
más a la voz aprovecha
para cantar regalado.
Las anchas que os dio a los dos
el mundo estragan el pecho;

248 *Hoy*: si tiene sentido literal, la fecha de este poema, al menos, debe acercarse a 1598.

aquí cantais a provecho
a sólo un Hombre, que es Dios.
Cantad, aunque es maravilla
el ver estremos iguales,
que por ser músicos tales
os dió Agustín su capilla.
Que no es bajar, ni podeis,
aunque con mudanza igual
de la capilla real
en la del obispo entreis.
Que aunque ésta es la más escasa
de Agustín santo, advertid
que en el templo de Madrid
tiene a Filipe[249] en su casa.
Dejalde que participe
de vuestra voz, pues en fin,
aunque cantais a Agustín,
también os oye Filipe.
Sólo temo, aunque os ensalzo
de humildes, que no podreis
cantar, si os enronqueceis
de traer el pie descalzo.
Mas si los gemidos son
para Dios voces süaves,
cuanto más roncos y graves,
más salen del corazón.
De un Cristóbal se contó
que dio a los cielos asombro,
porque sostuvo en el hombro
El que a los cielos crio.
Y aquí le teneis los dos,
mostrando Dios que teneis
juntos a Dios, porque habeis
ganado juntos a Dios.

249 *Filipe*: el convento de San Felipe el Real, fundado hacia 1547, era de agustinos calzados, *vid.* R. de Mesonero Romanos, *Manual de Madrid. Descripción de la Corte y de la Villa, Bib. Aut. Esp.*, CCI, 58. En la próxima redondilla Lope, con el nombre de Felipe, alude ya a los reyes.

Cástor y Pólux, que el suelo
llama estrellas, su amistad
mostró la gentilidad,
en que partieron el cielo.
Estos sois: Madrid contenta
estrellas ha de llamaros,
pues hoy os mira tan claros
después de tanta tormenta.
El hábito que tomais
muestra que luto os poneis
por el mundo, a quien teneis
por muerto, pues le dejais.
Las galas que habeis trocado
por la desnudez y frío
muestran el divino brío
que habeis al palio tomado.
Nunca el bien vestido pudo
lo que desnudos los dos,
que para alcanzar a Dios
mejor corre el más desnudo.

Parecióles que era tarde para pasar adelante, habiendo de bajar por fuerza a los albergues que en aquella santa casa se dan graciosamente a los estranjeros. Y así por esto como porque ya hería el sol con más fuerza las peñas de aquel sagrado monte, descendieron al monasterio discurriendo sobre los morales ejemplos de aquellos monjes y determinados de subir otro día,[250] si les fuese posible, a la última ermita, que con título de San Jerónimo corona la montaña. Mas las desdichas de nuestro Peregrino, que habían dormido algún tiempo, despertaron con mayor fuerza la misma noche, porque en un lugar que aquellos estranjeros habían estado faltaron de la posada con una moza del huésped algunas joyas, e indiciados los peregrinos alemanes, eran entre otros muchos buscados de la justicia, bien que inocentes, porque con juicio temerario afirmaban algunos que,

250 *Otro día*: "al día siguiente".

enamorada de la hermosura del alemán, le había seguido.

Tienen ya las naciones sus epítetos recibidos en el mundo, cuya opinión una vez recibida es imposible perderla. A los escitas llaman crueles; a los italianos, nobles; a los franceses, religiosos; a los sicilianos, agudos; a los flamencos, industriosos; a los persas, infieles; a los turcos, lascivos; a los partos, curiosos; a los borgoñones, feroces; a los picardos, alegres; a los andegavos, fáciles; a los bretones, duros; a los alejandrinos, engañadores; a los egipcios, atrevidos; blandos a los lotaringios; a los españoles, arrogantes, y a los alemanes, hermosos.[251] Esta fue la causa de haber creído que aquella engañada doncella se iría con ellos. Prendiéronlos fácilmente, pero en llegando al español, desesperado de la larga prisión que otra vez había tenido en Barcelona y de la poca justicia que alcanza un estranjero, se puso en resistencia, donde a pocas vueltas del bordón, que no menos le jugaba que un montante, salió de ellos dejando dos heridos y no poca opinión de hombre de valor en los circunstantes, de los cuales un noble lo puso en salvo y tras aquella furia, con disfrazado vestido le encaminaba a Valencia. Mas él, cuyo propósito era no desnudarse el que traía por ningún acontecimiento, salió con más peligro y fuera de camino, hasta alejarse de Barcelona.

Entre Tortosa y Castellón se levanta un collado, cuya falda cierra el mar, costa del valle de Segó y reino de Valencia, donde los moros de Argel[252] salen de sus

251 *Alemanes hermosos*: en el *Persiles* Cervantes dramatizará ampliamente algunas de estas etopeyas, *vid.* mis *Deslindes cervantinos* (Madrid, 1961), pp. 81-96. Una excelente presentación moderna del tema se halla en J. A. Maravall, "El mito de los caracteres nacionales", *Revista de Occidente*, 3 (junio, 1963), y sus complementos de S. de Madariaga, *ibid.*, 16 (julio, 1964), y de C. de Castro Aguirre, *ibid.*, 23 (febrero, 1965).

252 *Moros de Argel*: también en el *Persiles*, libro III, se noveliza un desembarco de piratas argelinos, y en la misma región mediterránea, pero aquí Cervantes tenía los materiales en su propia cantera: *Galatea*, libro II, y *Los baños de Argel*, jornada I. El propio Lope usó el mismo escenario en la comedia *Los cautivos de Argel*, *vid.* Ruth H. Kossoff, "*Los cautivos de Argel*,

galeotas cuando con la escuridad de la noche no son vistos de las atalayas, y escondidos por aquellas calas y recodos hacen sus presas, no sólo en los pescadores, pero en los míseros caminantes. Y tal vez se ha visto, si vienen muchos, llevarse los lugares enteros de aquel valle, o guiados de algún renegado o vendidos por la traición de sus moriscos, que codiciosos de pasarse al África, venden la tierra. Aquí se recostó una escura noche el Peregrino, cansado de la aspereza a que fuera de poblado le obligaba el miedo. Durmióse después de largas imaginaciones de su bien perdido, que siempre le imaginaba en poder de Doricleo, aquel capitán que ya con perdón del rey estaba pacífico en su patria. Y como el ruido del mar, que rompiéndose entre aquellas peñas parece que bramaba de sentimiento, le despertase, oyó cerca de sí entre unas matas el susurro de las voces de algunos moros, que habiendo cenado en tierra con regocijo trataban de sus hurtos, porque acostumbran que lo que en un lugar prenden lo venden en otro. No pierde la color con tan súbito yelo el que durmiendo en el campo halló a su lado la enroscada culebra como el temeroso mancebo oyendo los moros, de cuyas manos le pareció imposible poder librarse, y remitiendo a la industria lo que tan lejos estaba de acabar la fuerza, se alejó de ellos lo que pudo, haciendo pies las manos, sin levantar el cuerpo, y en estando en lo alto, donde ya por haberle sentido se alborotaban todos, dijo a grandes voces: "Aquí, caballeros[253] de la costa, que hoy es nuestro día; éstos son los moros." Pero apenas él había pronunciado animosamente estas palabras, cuando no de otra suerte que las parleras ranas al ruido del caminante saltan de los juncos de las márgenes a las quietas aguas de las lagunas, se arrojaron al mar hasta tomar la barca en que con ligera velocidad pasaron a su galeota.

---

comedia auténtica de Lope de Vega", *Homenaje a William L. Fichter* (Madrid, 1971), pp. 392-93.

[253] *Caballeros de la costa: vide supra,* nota 62.

Admirado estaba el Peregrino de ver el venturoso efeto de su determinación, cuando de un árbol que cerca dél estaba, oyó una voz que decía: "¡Ah, caballero, socorredme!" Volvió a cobrar su bordón el atrevido mozo, a quien ningún género de desdichas espantaba, y guiado de la voz al árbol donde le pareció que se oía, vio un hombre atado, que habiéndole preguntado quién era le dijo ser un caballero catalán a quien aquellos moros habían preso pasando por la posta a Valencia y habiéndole primero muerto dos criados. Desatóle el Peregrino, y alejándose los dos del mar, torcieron el camino de Almenara y por la hermosura del valle, a quien tanta copia de naranjos y acequias adornan, fueron caminando a Faura.

Ya la aurora bellísima con su oloroso aliento aromatizaba el aire, padre de las hermosas flores que de los cogollos de sus ramas descubrían las cabezas reverenciando al día, cuando las razones y el rostro del caballero mostraron al Peregrino que era Everardo, el que, preso en la cárcel de Barcelona, le había favorecido y hasta ponerle en libertad ayudado. La alegría de los dos, los abrazos, las lágrimas, las ternuras, fue tan notable como el estraño suceso que habeis oído. De donde colegireis cuánto el hacer bien a los estranjeros es agradable al cielo, también [254] significado de la antigua filosofía en Deucalión y Pirra,[255] pues por hospedar a Júpiter les dio la restauración del mundo, como al contrario castigó a Diomedes,[256] que hacía a sus inocentes huéspedes pasto de sus ferocísimos caballos. Preguntó el Peregrino a Everardo cómo había conseguido libertad, y díjole que con la ayuda de algunos amigos suyos había roto la cárcel y salido por la posta de Barcelona, de donde aunque pudiera haberse ido a Italia, no lo había intentado, respeto de no perder la

254 *También*: "tan bien", como era normal en la época.

255 *Deucalión y Pirra*: la pareja que se salvó del diluvio, Ovidio, *Metamorfosis*, I, 260 *seq.*

256 *Diomedes*: alimentaba a sus caballos con carne humana, hasta que Hércules le mató.

patria, pues le había parecido mejor acuerdo hacer que se viese en la corte su pleito, y que con esa intención caminaba cuando la emboscada de aquellos moros le atajó el camino. Preguntóle si por dicha conocía a Doricleo, y diciéndole que era su deudo suspiró muchas veces, sin proseguir la razón comenzada, aunque importunado de Everardo, le dijo cómo estaba en su poder un mancebo hermano suyo que con gusto de servirle le había dejado. Everardo, que sabía alguna parte de sus pensamientos, sospechó que sería la mujer que amaba, robada de los salteadores en la playa del mar de Barcelona, y le aseguró que no tenía en su casa Doricleo criado que no conociese y que ninguno era castellano.

En estas pláticas, que al Peregrino costaban infinitas lágrimas y suspiros, llegaron los dos amigos a la antigua Monviedro,[257] donde están hoy día las mayores señales de la grandeza romana que España tiene, aunque perdonen las puentes y condutos de otros famosos lugares. Aquí Everardo, a petición del Peregrino y dándole materia sus derribados edificios, hizo este epigrama:

Vivas memorias,[258] máquinas difuntas,
que cubre el tiempo de ceniza y hielo,

[257] *Monviedro*: hasta 1868 se llamó Murviedra, cuando se le devolvió el glorioso nombre de Sagunto, *vid. Diccionario geográfico de España,* XV (Madrid, 1961), s.n. *Sagunto. Monviedro* es la forma que prefiere Lope (seguramente por falsa etimología) *vid. Jerusalén conquistada,* ed. J. de Entrambasaguas, I (Madrid, 1954), 245 y 345.

[258] *Vivas memorias*: tema favorito de la poesía del Siglo de Oro es la moralización provocada al contemplar antiguas ruinas. Para la época de los amoríos de Lope con Elena Osorio, por una asociación natural de ideas (*Elena* Osorio — griega *Elena*; Troya — Sagunto; amor — ruinas, etc.), menudean los poemas sobre el tema. La visita de Lope a Valencia y a Sagunto, en 1588 y 1599, no hizo más que ahincar el tema, *vid.* Montesinos, *Estudios,* pp. 238 y 249, con mención de otros poemas sobre el tema. El modelo general de todos estos poemas (no sólo ya de Lope, sino también de Cetina, Rey de Artieda, etc.) fue el famoso soneto de Castiglione, "Superbi colli, e voi sacre ruine", *vid.* Lope, *El sembrar en buena tierra,* ed. W. L. Fichter (Nueva York, 1944), pp. 195-96, con abundante bibliografía.

formando cuevas, donde el eco al vuelo
sólo del viento acaba las preguntas.
Basas, colunas y arquitrabes juntas,
ya divididas oprimiendo el suelo,
soberbias torres, que al primero cielo
osastes escalar con vuestras puntas.
Si desde que en tan alto anfiteatro
representastes a Sagunto muerta,
de gran tragedia pretendeis la palma,
mirad de sólo un hombre en el teatro
mayor rüina y perdición más cierta,
que en fin sois piedras, y mi historia es alma.

Desde este insigne sitio pasaron a la noble ciudad de Valencia, entrando por su famosa puente del Real sobre el Turia, a quien los moros pusieron por nombre Guadalaviar, pasando por la famosa torre de Serranos. Era día en que se celebraba en su iglesia la otava de Aquel en que mostró Dios al mundo el efeto de su amor, y como pocos días antes[259] el Rey Católico se hubiese casado en ella con la preciosa perla Margarita de Austria, moralizando sus *Bodas entre el alma y el amor divino,* se representaba un acto sobre un teatro famoso. Rogó el Peregrino a Everardo se detuviesen a escucharle, respeto de la fama que aquella moralidad tenía, aplicándola toda a los felicísimos casamientos de los reyes y dando figuras a los príncipes y caballeros que habían traído esta real señora. Everardo, por darle gusto y por el que se le seguía de tales fiestas, tomó asiento en el mejor lugar que pudo, y estando todos atentos, salieron tres diestros músicos que cantaron así:

De las montañas del cielo
un labrador ha venido,

259 *Días antes*: las bodas fueron el 18 de abril de 1599. Para otro hito temporal de la acción novelesca, *vide infra,* nota 522. La acción de la novela empieza, sin embargo, el año santo de 1600 (*v. supra,* nota 42); el desliz cronológico se produce por la necesidad narrativa de ensamblar bodas reales y año santo.

sabiendo que el año es caro,
a dar a los hombres trigo.
Dicen que fue sacerdote
con su propia sangre ungido,
y que en el río Jordán
dijo Dios que era su Hijo.
Mesías le llaman muchos,
y muchos le llaman Cristo,
Emanüel los profetas,
y Jesús los paraninfos.
En el pan que da a los hombres
dicen que se da a sí mismo,
y que no quiere dineros,
porque es en estremo rico.
Nació el trigo en un pesebre,
por lo cual Belén bendito
se llamó casa de pan,
que nace entre paja el trigo.
Vendióle un amigo suyo,
que hasta a Dios venden amigos,
y segándole en un huerto
fue llevado al sacrificio.
Una cruz alta y pesada
fue la piedra del molino,
y el arca en que se guardó
un sepulcro y mármol limpio.
Alma mía, si le comes,
toma ejemplo en lo que digo,
que si el alma limpia estaba,
tú serás sepulcro vivo.

En entrándose los músicos comenzó el Prólogo así:

Salieron desafiados
cinco ballesteros [260] diestros,

260 *Ballesteros*: probable precedente de la alegoría de los arqueros que se halla en la *loa* de Calderón a *La vida es sueño*, *vid.* G. Girot, "L'allégorie des tireurs à l'arc", *BHi*, XLIV (1942), 171-74.

para tirar en un blanco
puesto de un terrero en medio,
con una dama gallarda,
cuyo dorado cabello
del rubio sol excedía
los resplandecientes cercos:
blanco rostro, ojos azules
de la color de los cielos,
alas con que al mismo Dios
quiere penetrar el pecho.
Todos salen con sus arcos,
y los cinco a un lado puestos
comienzan, en viendo el blanco,
a prevenir los deseos.
El primero de los cinco,
que era un galán ballestero,
llamado por apellido
los Ojos, luces del cuerpo,
tiró y dijo que era el blanco
pan blanco de trigo nuevo
hecho a manera de hostia:
erró el tiro y quedó ciego.
El ballestero segundo,
que era el Olfato, sintiendo
el olor del blanco dijo
que era de pan blanco y tierno.
Erró también y apartóse;
y luego tiró el tercero,
que el Tacto por nombre tuvo,
siempre liberal y presto.
Dijo tocando en el blanco,
aunque tocó desde lejos:
Este es Pan, y erró también,
ocupando el cuarto el puesto.
Este se llamaba Oír,
el cual disparó, que oyendo
partir el blanco era Pan,
y delicado en estremo.

Quedó sordo y no oyó más,
que supuesto que se ha hecho
por el oído la fe,
no le tuvo en este tiempo.
El quinto, llamado el Gusto,
el blanco entero comiendo,
dijo que a Pan le sabía
de suplicaciones hecho.
Pero errando más que todos,
todos juntos se rindieron,
que naturaleza y arte
son cortos en tal misterio.
Llegó en aquesto la dama,
y dijo: "Escuchad atentos
a la Fe, que así me llamo,
vereis cómo el blanco acierto".
Tiró y dijo: "El blanco es Dios,
allí están su sangre y cuerpo,
que amor le cifró en el blanco
que cubre aquel blanco velo.
No acertarán los sentidos
el modo de este misterio,
que yo sola en este blanco
puedo suplir sus defetos".
Diéronla por vencedora
entre todos cinco el premio,
y al santo blanco humillados
con la Fe vieron y oyeron.
De este misterio divino,
de este Sacramento excelso,
de este blanco y de este Pan,
donde es el altar terrero,
hoy [261] la fiesta se celebra,
cuyos misterios inmensos
con la Fe sola ha de oír
y ver el cristiano celo,

261 *Hoy*: día del Corpus.

que el que le mira sin ella
dará de este blanco lejos,
y con ella verá a Dios
como ha de verle en el cielo.

Acabado de entrar el Prólogo, volvieron a cantar así:

Pan, que eres vida y la das,
en ti quien a ti convida
nos da gracia, gloria y vida,
y trecientas cosas más.[262]
Eres pan y eres cordero
sobre el monte de Sión,
sacrificio y oblación
de otro Isac más verdadero,
Dios entero
en cualquier parte,
que no hay arte
que para entender sea parte
como cabe
en pan süave,
pan que a Dios al alma sabe,
pan que de gracia te das,
y trecientas cosas más.
Eres carne y sangre pura,
y cáliz de bendición,
eres pan de Gedeón,
prenda de gloria segura.
Tu blancura
es más que nieve;

262 *Y trescientas cosas más*: se trata de una puntual versión a lo divino de las conocidas *Coplas de trescientas cosas más* (emp. "Parió Marina en Orgaz"), que pertenecen al género, popularizado por Juan del Encina, de los *disparates*. Tuvo éxito la vuelta a lo divino de Lope, y en BNM, ms. 2856, fols. 6v-8v, se las copia como anónimas (y con mínimas variantes), de inmediato después de "Parió Marina en Orgaz", *vid.* R. Foulché-Delbosc, "*Coplas de trescientas cosas más*", *RHi*, IX (1902), 261-68. El estudio más completo sobre el tema es el de M. Chevalier y R. Jammes, "Supplément aux *Coplas de disparates*", *Mélanges offerts à Marcel Bataillon* (Burdeos, 1962), pp. 358-93.

¿quién se atreve
a ti, si no es como debe,
maná divino,
en el camino,
viático al peregrino,
que asegurándole vas,
y trecientas cosas más?

Memorial de tu pasión,
sello de tu majestad,
vínculo de caridad,
mesa de proposición,
de Sansón
panal abierto
del león muerto,
Cristo en cruz y que encubierto
fue tres días,
pan Mesías,
pan que del arca salías
como del vientre Jonás,
y trecientas cosas más.

Dios que con la fe se ve,
que el cuerpo no alcanza tanto,
hostia y sacerdote santo
como Melquisedec fue;
pan de fe,
que dio el Bautista,
y de vista
el divino Evangelista;
pan que al suelo
bajó del cielo,
pan de los hombres consuelo
y Dios por siempre jamás,
y trecientas cosas más.

Lirio entre espinas florido,
trigo entre ellas coronado
en tierra virgen sembrado
y siempre virgen nacido,
pan vendido

de un perdido,[263]
que fue apóstol escogido,
víctima acepta,
hostia perfecta,
que hiciste entonces profeta
de tu pasión a Caifás,
y trecientas cosas más.

Cordero, cuya inocencia
que no coma el hombre encargas
sin las lechugas amargas
de la amarga penitencia,
carta de crehencia,[264]
crédito abierto,
Rey encubierto,
Dios hombre y hombre tan cierto,
que trocó el hombre su nombre
por otro hombre tan ruin hombre,
que se llamó Barrabás,
y trecientas cosas más.

Habiéndose entrado los músicos con esta letra, salió por una boca de fuego, que pareció abrirse entonces con mil artificios, truenos y llamas, el Pecado, vestido en la forma que pintan el ángel que por soberbia cayó del cielo. Con éste venía la Envidia, casi en el hábito que la pinta Ovidio,[265] crinada la cabeza de culebras. No dejaban los vestidos de ser ricos y bordados de oro, por autorizar las figuras, aunque representasen estos vicios, y en saliendo comenzaron así:

PEC. ¿Qué me dices?
ENV. Lo que pasa.
PEC. No lo creo.
ENV. No lo creas.

263 *Perdido*: a continuación falta un verso tetrasílabo para conformar con las demás estrofas; lo mismo en el ms. citado en la nota 262.

264 *Carta de crehencia*: sobra una sílaba para tetrasílabo, y lo mismo en el verso siguiente.

265 *Ovidio: Metamorfosis,* II, 768-82.

PEC. Fuego me enciende y abrasa.
ENV. No es mucho que en él te veas,
sobrando tanto en tu casa.
PEC. Este de ahora es mayor;
no sé si cuando caí,
con Luzbel tanto dolor
como ahora recibí,
ni tuve tanto furor.
Que entonces si yo temía
que la humanidad de Cristo
subiese tanto algún día,
como ya, Envidia, la han visto
después la tuya y la mía,
no vi, como ahora veo,
que nuestras sillas pobló
de tanto humilde trofeo
de un ladrón que el cielo hurtó
y de un cambiador Mateo.
¿Quién pensara que tuviera
de él un pescador las llaves,
con que cerrara y abriera?
Mirad qué reyes tan graves
hizo estrellas de su esfera;
que Alejandro [266] puso en lista,
que habiendo ganado el suelo,
con grandeza nunca vista,
no tiene un rincón del cielo.
ENV. Otra guerra le conquista.
PEC. ¿El Rey negocios secretos
allá en el reino del alma?
ENV. Presto verás los efetos.
PEC. Mal nuestra ciencia desalma
estos divinos concetos.
Rabio por saber lo que es.
ENV. Pecado, ten sufrimiento,
que tú lo sabrás después.

266 *Alejandro*: Quinto Curcio, X, v

PEC. ¡Oh! Reniego del tormento
que padeciendo me ves.
¿Sufrimiento tener puedo,
la lengua muda, el pie quedo,
cuando el Rey del cielo trata
negocios con esa ingrata?
¿No ves que me yela el miedo?
En las cosas que ya vi,
aunque mil cielos hiciera
y mil glorias contra mí
para el Alma, si pudiera
darle más que El tiene en sí,
Envidia, ¿yo me esforzara
a sufrirte más secretos
que me han salido a la cara?
ENV. Si al mal estamos sujetos,
en el remedio repara.
PEC. Deja que el llanto celebre
mi desdicha y que me dé
voz que mi silencio quiebre,
así aquel secreto fue
de la cruz y del pesebre.
¿Quién le vió nacer al yelo
que dijera que era Rey
de las colunas del cielo,
por fuego el calor de un buey,
la paja por terciopelo?
¿Quién le vió en Jerusalén
entrar, que aun el nombre callo,
que dijera entonces quién?
Ved qué soberbio caballo,
qué enjaezado palafrén.
¿Quién entre aquellos honrados
le viera en cruz, que dijera
Este es Dios, hasta que viera
de sus ejes estrellados
desencajarse la esfera?
Pues si hasta que el sol se enluta
y la tierra toca a muerto

con sus piedras, es incierto
lo que su mente ejecuta
por tan divino concierto:
bien hago en temblar de espanto.

ENV. No pienses que te consuelo,
porque no lo siento tanto.

A este tiempo salió por otra puerta la Malicia, sembrado un vestido negro de llamas de plata entre varios rostros, y dijo así:

MAL. Basta, que me cubre un yelo
y de un fuego me levanto.
¡Oh Pecado!

PEC. ¡Oh mi Malicia!

MAL. Triste vengo.

PEC. Y yo lo estoy.

ENV. ¿Hay nuevas?

MAL. ¿Quién las codicia?

PEC. Yo, que siempre el blanco soy
de la divina justicia.

MAL. ¿Sabes ya que el Rey del cielo
al reino del Alma envía
su embajada?

PEC. Ya recelo
tu desventura y la mía.

MAL. La Fama con presto vuelo
de cartas un pliego lleva.

PEC. ¿Hasla visto?

MAL. Yo la vi.

PEC. De ésta sabremos la nueva.

ENV. Pues aguardémosla aquí,
que es la más segura prueba.

PEC. Al camino le saldré,
y el pliego le quitaré.

MAL. ¿Y si es de Dios?

PEC. Que lo sea,
porque por engaño lea
lo que por culpa no sé.

Escondiéndose el Pecado, la Malicia y la Envidia, salió la Fama con un vestido blanco bordado de lenguas y ojos, y el Mundo en hábito galán, que la traía asida por un velo que le pendía de los hombros, diciendo así:

FAM. Déjame, Mundo villano.
MUN. ¿La posada no es razón
que pagues, Fama?
FAM. Es en vano;
vuelve, Mundo, a tu mesón;
suelta.
MUN. Paga.
FAM. Ten la mano.
MUN. ¿Es bueno que cada día
corras todas mis posadas,
desde donde nace el día
hasta las nubes doradas,
del sol sepultura fría,
y que jamás pagues, Fama,
si siempre la mejor tomas?
FAM. Yo vuelo, soy viento y llama.
MUN. ¿Qué mesa hay en que no comas;
donde no duermas, qué cama?
Paga, Fama voladora.
FAM. No lo debo.
MUN. ¿Por qué ley?
Detente.
FAM. Soy franca ahora.
que soy correo del Rey
que el cielo y la tierra adora.
¿No ves el escudo al pecho?
MUN. Págame ahora mejor.
FAM. Tus voces son mi provecho.
MUN. El Rey es rico.
FAM. Traidor,
¿Dios paga a nadie derecho?
¿No basta que le has costado
la vida, y que le has llevado

la sangre por treinta y tres
años de casa?

MUN. Y después,
¿qué posada le he negado?
Y cuando a mi tierra vino,
¿en qué mesa no comía?
¿Qué regalos no previno
Marta en casa de María?
¿Qué no le dió architeclino? [267]
¿Qué le negó el Fariseo,
y el que a El y aun a otros doce
dió un jueves mesa y deseo?

FAM. Mundo, mal a Dios conoce
la ingratitud que en ti veo;
si a El y a doce un hombre dio
a cenar, a cinco mil
sabes que en un campo hartó.
¿Ves, Mundo, cómo eres vil
y cómo Dios te pagó?
Fuera de esto, ¿qué más paga
que darse a sí mismo Dios?
¿Hay quién sino Dios lo haga?

MUN. No disputemos los dos
la grandeza de esa paga.

FAM. Si Dios no te sustentara,
Mundo, ¿qué fuera de ti?
Y si el pan no te dejara
transustancial, ¿con qué, di,
vieras, hasta ver su cara?
Eres ingrato y grosero.

MUN. Fama, págame.

FAM. No quiero.
Basta callar las maldades
que veo por tus ciudades,
ladrón, homicida fiero.

[267] *Architeclino*: "Es aquel que tiene el empleo de cuidar de la disposición de las mesas para un convite, y que las viandas se sirvan a tiempo y en orden", *Dicc. Aut.*, s.v. *Architriclino*.

MUN. Dime a qué vas y qué llevas
al Alma.
FAM. Son sacramentos
estas cartas y estas nuevas.
MUN. Parlera, ¿con argumentos
engañar mis años pruebas?
¿Cuándo tú llevas verdades,
sino enredos y mentiras,
que cuentas y persüades?
FAM. Vete, Mundo, que deliras
con blasfemias y maldades.
Mira que a la Inquisición [268]
iré a dar cuenta de ti,
que estas cartas de Dios son.
MUN. Miedo me has puesto, ¡ay de mí!
FAM. ¿Huyes?
MUN. ¿No tengo razón?

Huyéndose el Mundo, llegaron el Pecado, la Malicia y la Envidia con sus pistolas a manera de salteadores, y poniéndose delante, le dijeron así:

PEC. Deteneos, hermosa dama.
FAM. ¡Ay triste!
MAL. Haced cortesía.
PEC. Pregunta cómo se llama.
FAM. La Fama soy.
ENV. Reina mía,
Vuestra merced es la Fama.
¿Qué de soldados galanes
que tiene desvanecidos?
¿Qué reyes, qué capitanes,
que tiene al aire esparcidos
de lienzos y tafetanes?
¿Qué letrados ha engañado?
¿Qué molinos de papel

268 *Inquisición*: aunque su mención aquí es elogiosa (como en el resto del libro), el terror que inspiraba su nombre era una triste realidad. "Ante el Rey y la Inquisición, chitón".

ha inventado y ocupado?
¿Qué poetas su laurel,
falso Dios idolatrado?
¿Dónde va tan de portante?
¿Va a quemar el templo a Efesia? [269]

FAM. Voy a una cosa importante,
desde la triunfante Iglesia
a la Iglesia militante.

PEC. ¿Y no sabremos lo que es?

FAM. No puede ser, que es de Dios,
y enemigos sois los tres.

PEC. No importa que calleis vos,
que ello se sabrá después.
Ya sé yo con qué gobierno
esas cosas suele hacer:
encubrióse niño tierno,
y hombre en cruz hasta romper
las murallas del infierno.
Dadnos el dinero luego.

FAM. Yo sin dinero camino,
que volando parto y llego.

MAL. Ya lo que lleva adivino.

FAM. Verdad es, llevo este pliego.

PEC. Muéstrale acá.

FAM. ¿Pues, traidor,
papeles del Rey me quitas?

PEC. Dile al correo mayor
que me castigue.

FAM. Tú incitas
a su justicia el rigor.
Dámele.

PEC. Vete de aquí.

FAM. Yo me iré.

MAL. ¿No ves, Pecado,
que lo dirá a Dios?

PEC. En ti,

[269] *Efesia*: el templo de Diana en Efeso, una de las maravillas del mundo antiguo, quemado por Eróstrato para dejar perenne fama.

Malicia, está disculpado
tu descuido.

MAL. ¿Cómo así?

FAM. Porque Dios todo lo ve.

ENV. Para que el mundo a lo menos
no sepa lo que esto fue,
a esos troncos de hojas llenos
atada la dejaré.

PEC. Bien dices, átala.

FAM. ¡Ah, cielo!

PEC. La nema rompo.

FAM. Traidor,
del sello rompes el velo,
cinco llagas de su amor,
armas que llevó del süelo.
Hoy otra vez has deshecho
su pecho como infïel.

PEC. ¿Qué importa, por mi provecho,
que yo le rompa en papel
si aquél le rompió en su pecho?

FAM. Los que buscándole van,
las maravillas que ha hecho
ven durmiendo como Ioan,
pero no rasgando el pecho,
donde en sacramento están.

PEC. ¿Es éste acaso el cerrado
libro,[270] al cordero guardado,
y que El solamente abrió?

ENV. Lee.

PEC. Escucha.

FAM. ¡Triste yo!

PEC. Oíd.

MAL. Comienza, Pecado.

(Sobrescrito.)

PEC. "Al Alma, que redimí
con mi sangre."

ENV. Tierno amante.

270 *Libro: Apocalipsis,* V, 5.

PEC. "En la Iglesia militante."
MAL. ¿Dice el sobrescrito así?
PEC. Sí dice.
MAL. Pasa adelante.
PEC. "Después, Alma, que en el suelo
padecí muerte de cruz,
y subí a mi Padre al cielo
mostrándote con mi luz
de mis entrañas el celo;
después que en pan me quedé
el mismo que fui y que soy,
a quien mi amor firme ve,
que guarda como los doy
los precetos de mi fe,
en regalos y contentos
de la esperanza, que fío
al plazo de mis asientos,
ayudas de costa envío
y mil entretenimientos.
Tu perfección excelente
de tu Custodio he sabido,
bien que a todo estoy presente,
y que cual virgen prudente
has velado y no has dormido.
Y porque en viendo doncella
digna de aqueste favor,
pura, casta, limpia y bella,
quiero que mi propio amor
se vaya a casar con ella.
A tus virtudes me inclino,
Alma intacta, Alma dichosa,
y escribirte determino
para que seas esposa
de mi propio Amor divino.
Es en la parte de España [271]
el reino en que está mi amor
más respetado y mayor;

271 *España*: portaestandarte de la cruzada post-tridentina.

mis aras de incienso baña,
más libre de todo error.
Tú en las galeras famosas
de la Fe a Valencia ven,
Valencia y valor del bien,
que a tus manos venturosas
quiero que las suyas den.
Esta será la Sión
donde mi amor irá a verte
para aquesta santa unión."

ENV. No leas más.

PEC. ¿Qué, de esta suerte
trata el Rey mi destruición?
¿Cómo que al Amor su hijo
casar con el Alma quiere,
por las virtudes que dijo,
tan presto, que ya refiere
la ciudad y el regocijo?
¡Ah Envidia, cómo temía
justamente este secreto!
Llegó de mi muerte el día.

ENV. Si el Rey lo pone en efeto,
llegó la tuya y la mía.
Después que te aborreció
el Alma y te echó de sí,
vil Pecado, a Cristo amó.

MAL. No yerra en decirle sí;
acierta en decirte no.
Ella escoge un buen marido,
y deja un hombre el más malo
que se ha visto ni se ha oído.

PEC. Sí, pero el de más regalo,
Malicia, al común sentido.

MAL. Pues ¿quieres tú competir
con Cristo, ni con su Amor?

PEC. No os quiero ahora decir
lo que intenta mi furor,
mientras no puedo morir.
Pero creed que, si puedo,

el Alma no ha de gozar
del Amor de Cristo.

MAL. Quedo.

ENV. Aun hay de por medio el mar.
Pecado, intenta un enredo.

PEC. Allá iré; presumid, cielos,
que os he de poner desvelos.

MAL. Dios saldrá con lo que trata.

ENV. A mí la Envidia me mata.

PEC. Y a mí del Alma los celos.

Partiéndose los tres, quedó la Fama diciendo:

FAM. ¡Ah traidores, cuán en vano
vais a estorbar estas bodas
contra el poder soberano,
que tiene las cosas todas
su voluntad y su mano!
¿Qué haré de esta suerte atada?

A esta sazón entró Custodio en hábito de un mancebo y comenzó a decir así:

CUST. Ya por última embajada,
Alma, en aquellos renglones
van las capitulaciones
de tu boda deseada.
Con estos conciertos ven
a la gran Jerusalén,
donde el Rey Amor vendrá,
y hasta el cielo te dará
de tu boda el parabién.

FAM. Gran ventura, gente veo.
Custodio.

CUST. ¿Quién llama?

FAM. Yo.

CUST. ¿Quién?

FAM. La Fama.

CUST. Buen correo.

FAM. Aquí el Pecado me ató

con temerario deseo.

CUST. ¿El pliego te tomaría?

FAM. Por él supo lo que el Rey
Cristo al Alma le escribía.

CUST. Celoso está desde el día
que sigue el Alma su ley.

FAM. Fue, cual sabes, su galán.

CUST. De su amor piensa que están
perdidas las almas todas.

FAM. ¿Hay algo nuevo en las bodas?

CUST. Que ya por la Reina van.

FAM. ¿Quién?

CUST. Las galeras de Pedro,
Andrea de Oria [272] divino,
de la Iglesia palma y cedro.

FAM. Que vendrá presto imagino,
que ricas albricias medro.
Dicen que el Alma contrita,
piedra preciosa en la tierra,
o perla que en Austria habita,
y el nácar del cuerpo encierra,
se ha llamado Margarita.

CUST. Y Filipo el Rey Amor
por la fe y felicidad
de su reino y su valor.

FAM. También muestra potestad.

CUST. ¿Qué Rey la tiene mayor?
Que todos son polvo y nada
respeto de Amor, que es Dios.
Ven a ver la desposada.

FAM. Hoy quedan juntos los dos,
él contento y ella honrada.

Entrándose la Fama y Custodio, salió el Alma con un vestido de tela de tres colores, en que significaba la

272 *Andrea de Oria*: se trata de Juan Andrea Doria (1539-1606), sobrino de Andrea (m. 1560), almirante del Mediterráneo por Felipe II y Felipe III, y, lo que hace más al caso, capitán de la flota que trajo a la princesa Margarita a sus bodas en Valencia.

Fe, la Esperanza y la Caridad; venían con ella la Oración y el Ayuno, vestidos de jerga, y el Apetito, de loco.

APET. Hareisme desesperar
si en tiempo de regocijo
me mandais, Alma, ayunar;
si es del Rey del cielo el hijo
con quien os vais a casar,
¿para qué tanta abstinencia?
Idos, Ayuno, en buen hora,
que me quitais la paciencia.
AYUN. No le escucheis, gran señora.
APET. Sí hará con vuestra licencia.
AYUN. Mejor estuviera atado.
ALM. Harto lo está donde estoy;
por loco está disculpado.
APET. Loco de la Reina soy;
y aunque loco, soy honrado.
Soy Apetito, y por Dios
que ya no tengo ninguno,
estando juntos los dos;
porque si sois el Ayuno,
¿qué mayor freno que vos?
Teneis una cara hechiza, [273]
que me helais y consumís
cuando más hambre me atiza;
basta, que siempre venís
en miércoles de Ceniza.
Yo soy hombre de más prendas;
cae mi fiesta mejor,
martes de Carnestolendas.
ALM. Hoy estás muy hablador.
AYUN. Ni le escuches ni le entiendas.
APET. ¡Que coma este hombre pescado
toda la vida sin pena!
¿Cómo puede ser honrado?
ALM. Calla, loco.

273 *Hechiza*: "Lo que está hecho a propósito y con fin particular", *Dicc. Aut.*, s.v.

APET. ¿Qué ballena
más sardinas se ha tragado?
¡Que una Reina como vos
se sirva de aquestos dos,
cada cual por si tan flaco!
ALM. Pues ¿de quién mejor?
APET. De Baco,
que aunque vende vino, es dios.
ALM. Dios de la gentilidad
y demonio en el infierno;
necio estás hoy.
APET. Es verdad;
pero tal casa y gobierno
tiene vuestra majestad.
Reniego de casa, amén,
que el Ayuno es mayordomo.
AYUN. Habla como hombre de bien.
APET. ¿Cómo puedo, si no como?
Que el *como* lo dice bien.
Vos sois un desventurado
hecho de tripas de viejas,
lacio, fruncido, arrugado,
todo garbanzo y lentejas,
oliendo a aceite y pescado.
AYUN. ¿Qué, tú te atreves a mí?
APET. Vos teneis, creedlo así,
cara de pocos amigos,
todo sois pasas e higos;
¿somos moriscos [274] aquí?
Bien se ve en vuestro pellejo,
que sois hijo...
ALM. Ten paciencia.
APET. De algún abad flaco y viejo,
que por vínculo de herencia
os dejó tanto abadejo;

274 *Moriscos*: pasas e higos se consideraban comida típica de los moriscos, *vid.* M. Herrero García, *Ideas de los españoles del siglo XVII* (Madrid, 1966), pp. 579-82.

nunca vos habeis tenido
buen aliento.

AYUN. Ya el sarao
me enfada.

APET. Ya estais corrido;
apostad que habeis nacido
donde pescan bacallao,
pues esotro compañero...

ORAC. ¿De la Oración podeis vos
decir algo?

APET. No, ni quiero;
pero también sois, por Dios,
angosta de tragadero;
¡linda gente para bodas!
¡Oh, qué bien, Alma, acomodas
tu casa! ¿Qué dirá el Rey
cuando venga?

ALM. Que en su ley
están estas cosas todas.

APET. Mejor fuera recibir
cocineros y oficiales,
comer bien y bien dormir.

ALM. De mi propósito sales;
ya no te puedo sufrir.
Cantad algo, Oración mía,
que David en poesía
a Dios cantó su deseo;
veré entretanto si veo
el aurora de mi día.

APET. El Ayuno ayudará,
que en ayunas no tendrá
estorbos en la garganta.

AYUN. Canta, porque calles, canta.

APET. Que me place.

AYUN. Di.

APET. Ya va.

Puesta el Alma de rodillas, comenzaron a cantar los tres desta suerte:

¿Cuándo, Esposo de mi vida,
te verán como desean
estos ojos y estos brazos,
tristes por tu larga ausencia?

Detrás de un trono, que estaba hecho, respondía otro coro de música desta suerte:

La que vive en esperanza
de ser mi esposa y mi reina,
Alma, sabed que ha de ser
más limpia que las estrellas.

Los músicos del Alma volvían a proseguir:

Cristo, gran Rey de la gloria,
¿adónde habrá dignas prendas
para que de vuestros pies
merezca yo ser la tierra?

Los del coro de dentro respondían así:

Con Fe y obras, Alma mía,
gozarás lo que deseas,
y más como ahora vienes
con Ayuno y Penitencia.

Los del Alma replicaban cantando así:

Mostradme a mi desposado,
Rey del cielo, porque vea
a vuestro divino Amor
el Alma, que es suya y vuestra.

Habiéndose el Alma a este tiempo levantado, por una invención, casi un estado[275] del suelo, con música de chirimías, se descubría una cortina y en una nube se

[275] *Estado*: "medida de la estatura regular que tiene un hombre", *Dicc. Aut.*, s.v.

veía el Amor divino vestido de la figura de Cristo sobre un calvario, a cuya cruz estaba arrimado, y a sus pies la Muerte y el Demonio, y proseguía la música diciendo:

Este es mi querido hijo,
Este es mi Amor, Alma bella,
que en este campo de cruz
fué vencedor de esta guerra.

AMOR. Señor, ¿que merezco veros?
AMOR. La fama de tu limpieza
gran fuerza tiene, Alma mía,
y tan grande, que a Dios fuerza.
ALM. ¿Cuándo os casareis conmigo?
AMOR. Alma, margarita, perla
hermosa, casta, divina,
ya van por ti, aguarda, espera.

Cerrándose la nube y la cortina, decía la música:

Esperad, casada,
no lloreis, doncella,
que ya vuestro Esposo
camina a Valencia.

Respondía la música del Alma:

Venga el Rey mi Esposo,
norabuena venga,
que hasta ver sus ojos
no la [276] tendré buena.

El Pecado entró a esta sazón vestido de mercader con una caja:

PEC. Tus bodas y tu placer
a todos nos dan licencia
de llegar a tu presencia.

276 *La*: entiéndase *hora*.

Nichil prodest

Quid dificilius, quam reperire quod sit omni ex parte in suo genere perfectum? Cice, in Laelio.

Sobre este retrato de Lope, véase pág. 19 de la presente edición

Santiago peregrino. Escuela castellana del siglo XVII.
Convento de Comendadoras de Santiago. Madrid
Foto Oronoz

ALM. ¿Quién sois?
PEC. Un mercader.
APET. Vos seais muy bien venido.
¿Traeis confitura, acaso?
Mostrad.
AYUN. Apetito, paso.
APET. Sí paso, el no haber comido;
dejadme, Ayuno, que rabio.
¿Traeis rosquillas? ¿qué traeis?
Dadme alguna.
ALM. ¿Qué vendeis?
PEC. De que eso pienses me agravio;
joyas son de gran valor,
que no cosas de comer.
APET. Pues bien lo podeis vender
a la infanta Canamor,[277]
que más quiero una empanada
que de Arabia todo el oro.
PEC. Aquí traigo un gran tesoro
digno de tal desposada.
ALM. Mostrad a ver.
PEC. Este es, Reina,
un cortesano tocado,
que la Soberbia ha labrado
para quien sus rizos peina.
Mire aquí tu majestad
¡qué dos joyas, así viva,
una cintura lasciva
y un collar de libertad;
qué gargantilla de gula,
qué arracadas de lisonja!

277 *Infanta Canamor*: Canamor es el protagonista de *La hystoria del rey Canamor y del infante Turián, su hijo, y de las grandes auenturas que huuieron* (Burgos, 1562; reed. moderna, *NBAE*, XI), y no la ciudad de la India que supone Peyton (!). Pero Canamor es varón. Hacerla mujer en el texto puede ser: a) errata por "el infante Canamor"; b) buscado efecto cómico, al cambiar el sexo de un personaje bien conocido; c) disparate cómico de Apetito. Obsérvese que Apetito, dentro de las posibilidades cómicas de un auto sacramental, representa el papel del gracioso.

APET. ¿Traeis acaso una lonja,
que pueda comer sin bula,
de esto que no pueden ver
los moros ni los judíos?

ALM. Son muy humildes mis bríos;
aunque Reina, mercader,
no tengo tanto caudal.

PEC. Pues yo os fiaré desa suerte.

ALM. ¿Hasta cuándo?

PEC. Hasta la muerte.
Comprad bien y pagad mal.

ALM. ¿Qué dirá de esta riqueza
mi Esposo?

PEC. Es rico, holgaráse.

ALM. Aunque es rico, enojaráse,
que amó siempre la pobreza.

ORAC. Aquí está, Señora mía,
otro mercader.

ALM. Pues entre.

APET. ¿No trujérades un vientre
y no esta volatería?

PEC. Apetito, si me ayudas,
fénis te daré a comer.

APET. Yo soy hombre de placer
y nunca me meto en dudas;
ya veis que sirvo de loco
a la Reina, que algún día
de mayordomo servía,
pero ya tiéneme en poco;
hame entregado al Ayuno,
que me pone con su azote
más lacio que un chamelote.

AYUN. ¿Quieres callar, importuno?

La Memoria entró a esta sazón en hábito de mercader, con una caja:

MERC. Reina a quien el Rey Amor
espera para su esposa,

Margarita más preciosa
que el oro o piedra mejor,
sabiendo que ya te aprestas
para Valencia, que ya
apercibiéndote está
arcos triunfales y fiestas,
traigo dignas de tu gloria
mil joyas para vender.

ALM. Pues ¿quién sois?

MEM. Un mercader.

ALM. ¿Cómo os llamais?

MEM. La Memoria.

ALM. ¿De quién?

MEM. De lo que sufrió
tu esposo el Amor por ti.

ALM. Muy buenas son para mí;
ésas he menester yo.
Abrid la caja.

MEM. Esta es
forma del sepulcro santo;
el sudario es este manto,
en que su retrato ves;
esta corona de espinas
te servirá de tocado.

ALM. Tal sangre las ha esmaltado
que parecen clavellinas.

MEM. Sea esta joya el collar,
pues que Cristo Rey de luz
le llevó cuando en la cruz
fue tan galán a espirar.
Estos clavos sean sortijas
de tus manos, que al acento
postrero de su instrumento
fueron torcidas clavijas;
éstas sus cuerdas tiraron.

ALM. Con éstas seré yo cuerda,
para que el punto no pierda
con que a Dios su ira templaron.

¿Qué tengo de dar, Memoria,
por estas joyas tan ricas?

MEM. A ti misma, si te aplicas
a la pena de su gloria.

PEC. Alma, ¿estás loca? No son
de boda esos pensamientos.
¿Joyas compras de tormentos
y tesoros de pasión?

ALM. Pues ¿puédele haber mayor
que la sangre de mi Esposo?

PEC. Para un Rey tan poderoso
lleva joyas de valor.

ALM. Yo llevo las que Él me envía;
ésta es corona de Rey;
esta soga es de su ley
el yugo y coyunda mía.
Estos clavos nos clavaron,
y el cetro del reino fueron;
si con clavos nos asieron,
para mucho nos juntaron.
Nunca vi mi Esposo amado,
aunque sangrientos y yertos,
con los brazos más abiertos
que estando en la cruz clavado.
Pablo en esta cruz tenía
toda su gloria y memoria,
y así voy bien a su gloria
con su cruz y con la mía.
¿Quién eres?

PEC. Soy el Pecado,
que te puedo hacer mil bienes.

ALM. Son como el nombre que tienes.

PEC. Alma, que me has agraviado;
Alma, ¿qué, ya no me quieres?
¿No era yo tu galán?

ALM. No,
que Cristo es mi Esposo.

PEC. ¿Y yo?

ALM. Calla.

PEC. Fiad en mujeres.
Pues tu boda estorbaré,
que al Amor tengo de ir,
y le tengo de decir...
ALM. Dile mi limpieza y fe.
PEC. Diréle...
ALM. ¿Qué le dirás?
PEC. Que fuiste mía.
ALM. Tú mientes;
todas las cosas presentes
tiene: no le engañarás.
Echalde luego de aquí.
AYUN. Con esta canción se irá.
PEC. Todo mi tormento va
conmigo y dentro de mí.

Cantaron al tiempo que el Pecado se iba, de esta suerte:

Que estén Cristo y la Memoria
de su pasión y vitoria,
bien puede ser; [278]
pero que con el Pecado,
aunque venga disfrazado,
no puede ser.
Que compre el Alma excelencia
de gloria con penitencia,
bien puede ser;
pero que con vida ociosa
quiera ser de Cristo esposa,
no puede ser.

278 *Bien puede ser*: nueva vuelta a lo divino, esta vez de una de las primeras y más conocidas letrillas de Góngora (el manuscrito Chacón la fecha en 1581), que comienza así: "Que pida a un galán Minguilla / cinco puntos de gervilla, / *bien puede ser*; / mas que calzando diez Menga, / quiera que al justo le venga, / *no puede ser*", *Obras poéticas de D. Luis de Góngora,* ed. R. Foulché-Delbosc, I (Nueva York, 1921), 10. Para la gran popularidad de esta letrilla, *vid.* Góngora, *Letrillas,* ed. crítica de R. Jammes (París, 1963), pp. 31-48, aunque no se recoge allí nuestro ejemplo.

Que de Soberbia el tocado
compre al mercader Pecado,
bien puede ser;
pero que con él de un vuelo
quepa en la puerta del cielo,
no puede ser.
Que compre su Voluntad
un collar de libertad,
bien puede ser;
mas que esa soga no sea
con que los infiernos vea,
no puede ser.
Que cintura de Deleite
la engañosa alquimia afeite,
bien puede ser;
mas que sin enmienda de ella
sea esposa limpia y bella,
no puede ser.

Con música de trompetas salieron a esta sazón algunos soldados, Custodio y la Fe con su bastón de capitán general:

CUST. Alma, aquí está el general
de las galeras de Pedro.
FE. La capitana real,
labrada de palma y cedro,
con un divino fanal,
Reina, os aguarda en el puerto.
ALM. ¡Oh Custodio! ¡Oh Fe divina!
¿Que ya mi bien es tan cierto?
FE. Venid, Reina, a la marina,
y vereis el mar cubierto
de más árboles que un monte.
CUST. Alma hermosa, a punto ponte,
que ya el Rey llega a Valencia,
haciendo con su presencia
gloria y cielo su horizonte.

FE. Antes que pongas el pie,
señora, en la capitana,
por más prisa que te dé
esta mansa tramontana,[279]
di que te diga la Fe
los capítulos que ha hecho
el Rey, y firmais los dos.

ALM. Fe, por mi bien y provecho
me decid lo que mi Dios
pide que guarde mi pecho
y lo que ha de hacer por mí.

CUST. Bien dice: léase aquí.

FE. Oye, Reina, las razones
de las capitulaciones.

ALM. Ya escucho.

FE. Dicen así:
"Primeramente, que el Alma
crea que soy Dios Eterno,
su criador, su redentor,
que por ella vine al suelo;
que en el cielo estoy sentado,
que a los vivos y a los muertos
juzgaré en la fin del mundo."

ALM. Fe santa, todo lo creo;
pasad al iten segundo,
que cuanto encierra el primero
creo bien y firmemente,
cuanto puedo y cuanto debo.
Creo el Padre, creo el Hijo,
y en el Espíritu inmenso
que procede de los dos,
aunque sólo un Dios confieso,
puesto que son tres personas,
y del Hijo adoro y creo,
que del Espíritu Santo
por estupendo misterio
fue concebido en María

279 *Tramontana*: "Aire cierzo u norte", *Dicc. Aut.*, s.v.

virgen parida y pariendo,
y antes virgen, siempre virgen.

FE. Dice más, estad atentos:
"Que el Alma deba guardar
sus diez divinos preceptos,
amando a Dios, no jurando,
a sus fiestas fiesta haciendo,
honrando al padre, no dando
la muerte, ni en pensamiento
ni obra al vicio el pecho casto,
ni hurtando a nadie lo ajeno,
sin testimonio y mentira
y sin lascivo deseo."
¿Así lo prometes, Alma?

ALM. Fe santa, así lo prometo.

FE. También de su Iglesia, ¡oh Reina!,
guardarás los mandamientos,
recibiendo penitente
a su tiempo el sacramento.

ALM. Fe santa, el mayor favor
de mi Esposo y Rey del cielo
es recibir en el mío
su divina sangre y cuerpo.

FE. Iten, que niegas mil veces
al Pecado.

ALM. Sí le niego.

FE. Y que será de Dios siempre.

ALM. A Dios hago juramento.

FE. Luego, Alma, el mismo Dios
se obliga también por esto
a ser tu Esposo y a darte
en dote y arras su reino.
Daráte, mientras le goces,
en pan ricos alimentos,
que será su cuerpo mismo.

ALM. Con reverencia le aceto.

FE. "Firmélo", dice adelante,
"con mi sangre y con mi sello,

siendo Juan el secretario,
como quien durmió en mi pecho."

CUST. A leva[280] tocan, señores,
no hay para qué detenernos;
la capitana hace salva,
izan velas, zarpan remos.
Ea, Reina Margarita,
ea, señora, ¿qué hacemos?

ALM. Vamos, y tocad vosotros
de mi gloria el instrumento.

Entrándose el Alma con el general, cantaron así:

Zarpa la capitana,
tocan a leva,
porque Margarita
viene a Valencia.
El mar de la vida,
con más arboledas
que una selva tiene,
sus campos ondea;
Los remos se mueven,
hínchanse las velas,
porque Margarita
viene a Valencia.

En cesando la música, salió Ierusalén y San Juan Bautista, como aposentador mayor.

BAUT. Ya digo, Ierusalén,
que viene el Rey esta tarde.

IER. ¿Es posible que yo aguarde,
Bautista, tan alto bien?

BAUT. Humilla de tus collados
los soberbios desatinos,
y tus ásperos caminos
allana a sus pies sagrados.

280 *Leva*: "Partida que hacen los navíos de algún puerto o playa", *Dicc. Aut.*, s.v.

El Amor viene en virtud
del Rey Dios, porque es su igual,
que toda carne mortal
verá en Cristo su salud.
Su aposentador mayor
para estas bodas me nombra.

IER. Tu voz y vista me asombra,
divino aposentador.
Alba santa del sol Cristo,
¿quién sino vos me podía
prometer el dulce día
que ya mis ojos han visto?
Dichosa en teneros soy,
de tal suerte que he pensado
si sois vos mi deseado
y el Rey que esperando estoy.
¿Sois vos acaso Bautista,
aquel Rey que los profetas
me prometen?

BAUT. No interpretas
bien su escritura en mi vista.
Que si a *Esaías*[281] leyeras,
voz clamando en el desierto
me llamaras.

IER. Así es cierto;
yo pensé que mi Rey fueras.

BAUT. Su ángel soy, que me nombra
en los libros de tu ley
con este título el Rey,
para ser de su sol sombra.
Que aunque la sombra después
de la luz ha de venir,
soy sombra para decir
que Él solo es luz y Dios es.
Quien vino después de mí
más fuerte es bien que se nombre;

281 *Esaías: Isaías,* XL, 3, y *San Juan,* I, 19-23. El siguiente discurso del Bautista es paráfrasis del comienzo del Evangelio de San Juan.

el Rey es Dios, yo soy hombre,
vengo a aposentarle en ti.
 Soy con Él indigno y tanto,
que a su zapato no llego:
bautizo en agua, Él en fuego
y en el Espíritu Santo.
 Aposentado le vi
allá en mi montaña un día,
en el vientre de María,
y harto placer recibí.
 Salió de aquel aposento
puro, limpio y virginal,
como el sol por el cristal,
el cielo al milagro atento.
 Aposentóse en Belén,
aunque poco allí duró;
pero hoy le aposento yo
en ti, gran Ierusalén.
 Hoy su Amor, que es Dios como Él,
se viene a casar en ti.

IER. Cubriréme de oro a mí,
y el suelo, palma y laurel.
 ¿Qué te daré por las nuevas?
¿Qué quieres, Bautista santo?

BAUT. Que no me prometas tanto,
mal con profetas apruebas.
 Tus hijos han aferrado
algún profeta fiel:
pidióme una Jezabel
y matóme un rey airado.
 Apercibe tu riqueza
a las bodas del Amor,
pues a su aposentador
le cortaron la cabeza.
 El Amor viene a casarse
con el Alma Margarita.
Valencia eres hoy, bendita
puede tu tierra llamarse;

pues será previlegiada
del Amor Filipo santo,
y por bien y favor tanto
de toda España envidiada.
Aquel Segundo que fue
y es de los tres el segundo,
murió en ti y dejó en el mundo
su cuerpo en pan, ley y Fe.
Y hoy desta Alma enamorado
con el mismo, que es su Amor,
la casa por el valor
del deudo humano y sagrado.
No porque con Dios le tiene
el hombre, que sólo alcanza
ser hecho a su semejanza,
si de aquí alguno le viene,
sino por la parte humana,
donde Dios carne tomó.

IER. Ya entiendo, Bautista, yo
materia tan soberana.
Parte, que todo aposento
tendrá el Rey apercibido.

BAUT. Dios te guarde.

IER. ¡Que haya sido
tanto mi merecimiento!
Mas ya debe de venir
el Rey Amor, ¡oh gran bien!;
hijas de Ierusalén,
salgámosle a recibir.

Llegó a esta sazón con mucha música de chirimías y trompetas la galera de la Fe, llena de banderas, gallardetes y flámulas, sembrados de las armas de la Iglesia y de cálices y hostias, y hecha una alegre desembarcación, tomó tierra el Alma acompañada de San Iuan Evangelista, el Ayuno, la Oración y el Apetito; la música cantó así:

Tocan los clarines
al alborada,
los remos se mueven,
retumba el agua.
Cuando Margarita,
que es el Alma santa,
viene al dulce puerto
de su esperanza;
cuando llega a Cristo,
y está en su gracia,
los remos se mueven,
retumba el agua.

ALM. Evangelista divino,
marqués, duque, camarero
del Rey mi Esposo, el mar fiero
nos allanó su camino,
y yo del trabajo de él
descansé, cuando entendí
que veníais por mí.

IUAN. Yo vengo, Reina, por él;
dadme esas manos.

ALM. Resisto
tal merced.

IUAN. No hay que tratar,
que bien puedo yo besar
manos de esposa de Cristo.

ALM. Antes, Juan, me dad las vuestras,
no querais que alguien me note;
mirad que sois sacerdote.

APET. ¿Nadie nos pide las nuestras?

AYUN. Callad, loco.

APET. Callad vos,
que hoy es todo regocijo.

IUAN. Esto, señora, nos dijo
el gran sacerdote Dios,
que si Él por el suelo echado
nuestros viles pies lavó,
echado en él nos dejó
este ejemplo por dechado.

Ya en fin a Valencia vino;
ya, señora, hizo su entrada,
y si escucharla os agrada,
oíd.

ALM. Decid, Iuan divino.

IUAN. Entró el Rey, Alma dichosa,
con gran regocijo y fiesta
de su corte celestial,
para aguardarte en Valencia.
Iban delante las guardas
de la costa de su esfera:
los ángeles soberanos,
todos de blanca librea;
de verde, los santos padres;
de azul y oro, los profetas;
mártires, de colorado,
con las estolas sangrientas;
de trecho en trecho venían
chirimías y trompetas;
arcángeles, principados
de la hierarchía tercera.
Con los mártires venía
el capitán San Esteban
de una almática [282] vestido
toda bordada de piedras,
no piedras preciosas, Alma,
puesto que preciosas eran,
sino las que le tiraron,
que son las que Cristo precia.
Adán por los viejos padres,
y por las matronas Eva,
de humildes pieles vestidos,
las cabezas descubiertas;
Abrahán por patriarcas;
el Bautista por profetas;
por los Apóstoles Pedro,

[282] *Almática*: "dalmática", aunque no hallo esta forma en los vocabularios consultados.

con la llave de la Iglesia;
Abel por los inocentes,
y por confesores lleva
Silvestre un pendón, que adorna
un cáliz hecho de perlas;
por la Religión[283] Benito
lleva una rica bandera,
aunque Elías por el Carmen
otra llevaba antes de ésta.
Aquí de más dulces voces,
Alma, una capilla suena,
la segunda hierarchía
por lo menos viene en ella.
Tañen las dominaciones
cítaras, arpas, vihuelas;
virtudes y potestades
cantan de amor excelencias.
María, divina infanta,
Reina del cielo y la tierra,
viene aquí, mas viene el cielo
besando sus plantas bellas.
Mil ángeles traen delante
sus gozos, triunfos y empresas,
la torre, el rosal, el huerto,
pozo, laurel y azucenas.
Mil vírgines la seguían;
Caterlina, gran marquesa,
y Leocadia con Casilda,
dos toledanas doncellas.
Aquí venían galanes
llenos de amorosas flechas,
pero Bernardo entre todos
la Virgen mira y contempla.
Dos reyes de armas, y de armas
de Cristo, a este punto llegan,

283 *Religión*: en el sentido de órdenes religiosas. La más antigua en Occidente es la de los benedictinos, pero una tradición carmelita insistía que su orden había sido fundada por Elías en el Monte Carmelo.

que fueron Francisco Santo
y Caterlina de Sena.
Los cuatro maceros, Alma,
cuatro evangelistas eran,
con las plumas que firmaron
las verdades evangélicas.
La espada llevó Miguel,
mas de una oliva cubierta;
no iban grandes, que con Dios
todas son cosas pequeñas,
que aunque es verdad que en su corte
grandes por méritos sean,
los méritos de la Virgen
no permiten competencia.
Luego, debajo de un palio
todo de encarnada tela,
vestido entró el Rey tu Esposo,
y la hierarchía primera:
el serafín, el cherub,
que es la plenitud de ciencia,
y el inteligente trono,
que todos las varas llevan;
pero esta fiesta sin duda
es que el Rey a verte llega;
Alma, aunque seas su esposa,
pon las rodillas en tierra.

Dscubrióse con mucha música tras esta relación, que fue al pie de la letra,[284] como su majestad de Filipo

[284] *Al pie de la letra*: por estilo pastoril, y también *al pie de la letra,* Lope cantó el mismo suceso en un "Romance a las venturosas bodas que se celebraron en la insigne ciudad de Valencia", donde va nombrando, debajo de nombres pastoriles, a todos los Grandes que se hallaron en ellas, *Bib. Aut. Esp.*, XXXVIII, 255-56. Otros reflejos literarios de estas bodas en la obra de Lope se hallan en las *Fiestas de Denia* (Valencia, 1599), *O.S.*, III; y las comedias *El Argel fingido, AcN,* III (donde menciona a don Gaspar Mercader, *vide infra,* nota 285) y *El rústico del cielo,* V. Completa bibliografía sobre las bodas se hallará en R. Gauna, *Relación de las fiestas celebradas en Valencia con motivo del casamiento de Felipe III,* 2 vols. (Valencia, 1926), y en Armando Cotarelo y Valledor, *Las jornadas del*

entró en Valencia, otra cortina en diferente lugar y vióse al Rey Amor en forma de serafín en una cruz, y de los pies, manos y costados salían unos rayos de sangre, hechos de una seda colorada sutilísima, que daban en un cáliz que estaba enfrente sobre un altar ricamente aderezado.

AMOR. Alma, pues eres mi esposa,
antes que mi rostro veas,
quiero que mi amor conozcas,
quiero que su fuerza entiendas.
Las prendas, el dote y arras
de nuestras bodas son éstas:
a mí mismo te doy, Alma;
mira qué divinas prendas.
En el pan, que estás mirando,
cuerpo y sangre juntos quedan,
que invención tan amorosa
en mi amor sólo cupiera.
Sólo yo pude, Alma mía,
darte tan notables muestras
de mi poder y mi amor,
porque sólo Dios pudiera.
Quiéreme mucho, agradece
lo que el buscarte me cuesta.
Alma, pues eres mi esposa,
advierte que no me ofendas.
No llegues a mí en pecado,
porque si en pecado llegas,
ese adulterio, Alma mía,
será tu muerte y tu afrenta.
ALM. Soberano Esposo mío,
a vuestra grandeza eterna
prometo de no ofender
de vuestras bodas la mesa.

Cardenal (Madrid, 1944), que es una relación contemporánea del viaje del cardenal D. Rodrigo de Castro Osorio, arzobispo de Sevilla, a las bodas valencianas.

Yo os adoro, dulce Esposo:
¿cómo es posible que pueda
el pecado contrastar
a quien es esposa vuestra?

APET. Huélgome, a la fe, que ahora,
Ayuno, tendreis enmienda:
vino el Rey y sobra pan,
ya tendré quien me mantenga.

AYUN. No es aquel pan para ti,
que es para mí, loco.

ALM. Inmensa
sabiduría, Amor santo,
yo soy vuestra humilde sierva.

AMOR. Tú eres mi esposa, Alma mía:
Iuan, dad fe de que ya es Reina.

IUAN. Yo la doy, dándoos mil gracias:
dalde vos la gloria eterna.

Cerrándose la cortina y entrándose el Alma, cantó la música así:

A vistas venido han
la novia y el desposado,
Cristo en cuerpo se ha quedado,
por parecer más galán.
A vistas vino el Amor
con el Alma venturosa,
pues no pudo ser esposa
de Rey más alto y mayor.
No puede faltarle pan,
pues teniendo dél cuidado,
Cristo en cuerpo se ha quedado,
por parecer más galán.

Acabadas las fiestas se fueron Everardo y el Peregrino a la casa de un caballero amigo suyo, de la nobilísima familia de los Mercaderes,[285] apellido que

285 *Mercaderes*: para los años en que Lope escribía esto, el más conocido miembro de esta noble familia valenciana era

en Valencia ha tenido y tiene ahora famosos hombres. Allí estuvieron los dos aquella noche acabándose de referir la historia de sus fortunas, que es el rato más descansado de los que salen de ellas; hasta que saliendo el sol entre mil cercos de oro, azul y púrpura, se levantó Everardo con el cuidado de proseguir su camino y Pánfilo a ver las grandezas de aquella ciudad floridísima, su concertada república, adornada iglesia de tan notables reliquias, y entre ellas aquel santísimo cáliz[286] en que fue instituido tan alto sacramento, sus illustres edificios, gallardos caballeros, hermosas damas y milagrosos ingenios.

FIN DEL LIBRO SEGUNDO
DEL
PEREGRINO EN SU PATRIA

Audientes igitur semper et scientes quoniam dum sumus in corpore, peregrinamur a Domino. (2, Corint., 5.)

---

don Gaspar Mercader, conde de Buñol, autor de la novela pastoril *El Prado de Valencia* (Valencia, 1600), y a quien Mateo Luján de Sayavedra (o sea, Juan Martí) dedicó su continuación apócrifa del *Guzmán de Alfarache* (Valencia, 1602). Lope mismo le recuerda en *El Argel fingido, v. supra,* nota 284.

286 *Cáliz*: era fama que en la catedral de Valencia se conservaba el Santo Grial, *vid.* por ejemplo, el elogio de Valencia, "segunda Roma", que trae Jerónimo de Alcalá, en la primera parte de *Alonso, mozo de muchos amos* (Valladolid, 1626), *Bib. Aut. Esp.*, XVIII, 523.

LIBRO III

DICE Boecio que ninguno es desdichado, sino el que piensa que lo es; y Séneca que ninguna tierra es destierro, sino otra diferente patria; y Terencio que conviene pensar en las desdichas, porque cuando vengan, ninguna parezca nueva; y Adimanto, en Platón, que ninguna cosa grande es fácil; y Aristóteles que más se ama lo que se alcanza con mayor trabajo; y Tulio que el destierro es terrible a los que tienen lugar determinado para vivir y no para aquellos que todo el ámbito de la tierra llaman una ciudad sola; y Demóstenes [287] que ningún instituto ni consejo, mientras que no se consigue honesto y provechoso fin, se puede llamar acertado. Todas estas sentencias visten el alma del Peregrino en su patria, cuyas fortunas refiero como testigo [288] de las mayores y lo confirmará después el límite que tuvieron, si las que le tienen se pueden llamar fortunas. Las desdichas no lo eran, cuando él imaginaba por quién las padecía, ni de su tierra el destierro, si dondequiera que está el bien, como Apuleyo y Cice-

[287] *Boecio: De consolatione philosophiae,* II, 4; *Séneca: Epist.,* XXVIII, 4; *Terencio: Phormio,* II, 1, ii; *Adimanto en Platón: República,* II; *Aristóteles: Retórica,* I, ii; *Tulio: Tusculanarum Quaestionum,* V, 37; *Demóstenes: Primer Olintíaco,* 10-11.

[288] *Testigo*: el autor como testigo es una forma elemental de dar historicidad al relato. *Las mayores* se refiere a *fortunas,* y no a *sentencias,* como supone Peyton.

rón[289] escriben, es la verdadera patria. Ninguna pena le pareció jamás nueva, porque el deseo que tuvo de obligar a la causa le hacía prevenir las futuras en el rigor de las presentes. La dificultad de su bien bastantemente asegura la grandeza de su pretensión. Que la amase por los trabajos en el más alto grado de amor, ya se verá en los sucesos que se siguen, y que todo el mundo le pareciese pequeña ciudad, se conocerá de sus pensamientos, y en el provecho del fin, que no fue errado el principio, si bien los medios han sido ásperos, difíciles y trabajosos; pero en su gran corazón cupieran mayores penas, digo grande,[290] respeto del ánimo, pues Aristóteles,[291] a los que le tienen pequeño, llama atrevidos, y a los animales de gran corazón tiene por temerosos. Pero si en él se sienten las adversidades, dichoso el que sin él hubiera nacido, como de los delfines lo afirma el mismo filósofo. Si el corazón es cuerpo espeso y cóncavo, cóncavo para que tenga la sangre y espeso para que guarde el principio del calor, ¿por qué ha de ser pequeño en los animosos? Pues las adversidades corromperán más presto su poca sangre y la costumbre de padecerlas el calor del principio de la vida, que parece que está en él como el fuego elemental en su centro; o ¿cómo se ha de acabar el amor que está en él, siendo máxima que lo primero que se engendra es lo postrero que se resuelve? Digo donde el amor es tan verdadero que se alimenta de la misma sangre del corazón, como la salamandra del fuego; pero con todo eso, aquel que sale bien de las desdichas que su fortuna le ofrece no sé por qué debe llamarse desdichado, pues no se puede negar que no sea mayor ventura salir bien de ellas que fue desdicha haberlas padecido. Nacimos para morir, y siendo tan miserable este principio, ¿cómo podía ser el camino más agradable? Duro y más firme corazón que el acero y el diamante nos conviene tener. Para restaurar el mundo,

289 *Apuleyo*: *Floridorum*, 18; *Cicerón*: *Tusc. quaest.*, V, 37.
290 *Grande*: se refiere a *corazón*.
291 *Aristóteles: De partibus animalium*, III, iv, 667a.

escribe Ovidio[292] que Deucalión y Pirra, que solos habían quedado sobre la tierra, mirando en los altos montes las espantosas márgenes de las aguas, formaban hombres de piedras. Y Nicolao Reusnerio,[293] a este propósito, acaba así un epigrama:

> Duro género somos, y nacidos
> para el trabajo, porque muchas veces
> conviene el nombre con las cosas mismas.

Fuera a lo menos necesario que siendo nuestro origen de piedra, pareciéramos a nuestro principio; pero consta de la verdad que somos polvo, y lo que es nada, ¿qué resistencia puede hacer ni de qué sufrimiento podrá armarse contra las adversidades y naufragios de esta vida? No le parecía al Peregrino que sobre tantas fortunas ya le quedaba qué padecer, o que le faltaría valor para sufrirlas, pues le quedaba aliento para esperarlas, y así, habiendo visto algunas de las grandezas que con tanto artificio adornan aquella ciudad ínclita (pues el arte de gobernar, como el Filósofo[294] dice, tiene el principado entre todas las artes); entró en un hospital famoso[295] que Valencia tiene, donde después de la cura general de varias enfermedades intentan que la tenga el seso, con la mayor comodidad de limpieza, aseo y cuidado de aquellos a quien les falta, que en otra parte de España hasta ahora se ha visto.

Detúvose algún espacio a contemplar los perdidos juicios de aquellos miserables el que tantas veces había tenido a tanto peligro el suyo, y que no sabía por qué parte le tocaba compadecerse de ellos. Y en esta sus-

[292] *Ovidio: Metamorfosis,* I, fab. 7.

[293] *Nicolao Reusnerio: Aenigmatographia* (Frankfurt, 1599), epigrama LXXIV.

[294] *El Filósofo*: Aristóteles, *Política,* I, 2, 1253a.

[295] *Hospital famoso*: Es el escenario de la comedia de Lope, *Los locos de Valencia, AcN,* XII. De una conjunción de influencias de novela y comedia parece que deriva el drama de Beys, *Hôpital des fous,* publicado en 1635, *vid.* H. C. Lancaster, "Lope's *Peregrino,* Hardy, Rotrou and Beys", *MLN,* L (1935), 75-77.

pensión vio que bajaba entre los locos menos furiosos a la mesa (que a todos los de aquella profesión que no lo están, se pone a su hora limitada) un mancebo hermoso, algo más largo de cabellos que para hombre convenía a la usanza de España. Diole el corazón tan grande golpe entonces, que parece que llamaba en el pecho para recordar los sentidos de aquel sueño en que la dificultad del lugar ocupaba la memoria. Y despertando el alma a la vehemente palpitación deste principio de la vida, diole en ella si acaso aquélla fuese su prenda, que con el mal tratamiento de la enfermedad diferenciaba en algo de la recibida idea. Pero como el suspenderse a mirarle con admirados ojos le certificase más a prisa de esta duda, confirmó su pensamiento, y acudiendo a los suyos gran copia de piadosas lágrimas, le dijo con voz baja, a hurto de la guarda, que a la mesa los conducía: "¿Conócesme?" A quien la mísera mujer jamás conocida de aquellos hombres, como le había visto llevar a las encinas del monte donde por las manos de los salteadores que habeis oído le mandó suspender de una rama el capitán Doricleo, y por cuya muerte, que por sin duda tenía por cierta, había derramado tantas lágrimas y dado tantas voces que con la fuerza del dolor había perdido el seso, mirándole dudosa de que fuese vivo, respondió toda temblando: "Solía conocerte".

Ya en la voz, temor y lágrimas quedó certificado de todo punto el Peregrino que aquel loco era el dueño de su seso, y temeroso de hacer alguna gran demostración de sentimiento a que tal desdicha obligaba, le dijo con voz humilde: "¿Cómo o por qué camino viniste a tan miserable estado?" "El dolor, respondió la mujer, de pensar en tu muerte, luego que aquel capitán mandó ejecutarla". "No, sino de haberme ofendido, replicó el Peregrino, cosa que en los años de nuestro trato jamás conocí de tu firmeza, habiéndose ofrecido mayores ocasiones, pues lo fue la de tu cautiverio". "Si haber perdido la honra, dijo ella, había de ser de dos maneras, o por fuerza o por gusto, y del gusto no había para qué llorar, ni de la fuerza para qué dar satisfación, no venía a propósito haber perdido el seso, y en prueba de esta verdad y que el haber creído tu muerte fue la causa, basta el haberle cobrado con verte vivo". "Mísero de mí, respondió el Peregrino, ¿que a tanto mal te han traído mis desdichas, hermosa Nise?" "Ninguna merece ese nombre, replicó llorando de alegría, padecida por tu causa y en sentimiento de tu muerte, amado Pánfilo, y si aquí fuera posible llegar a tus deseados brazos, tanto mayor que los trabajos fuera el premio, que me pesa de que hayan sido tan cortos, pues al paso que fueran grandes aumentaran la gloria de gozarlos". "No en vano, respondió Pánfilo,[296] que ya de aquí adelante la historia dice su nombre, mis esperanzas deseaban vida hasta sólo verte, que no era posible que en la gloria de tu vista cupiese sospecha de mi deshonra que la templase, y si los ojos que nos miran no vieran más que sus entendimientos sienten, ya conocieras de mis brazos si agradecieran el deseo de los tuyos". "Para eso, dijo Nise (que también la nombra la historia desde este punto, porque como estos peregrinos iban en este hábito por los peligros que sabreis adelante aun yo no he osado decir sus patrias y sus nombres), daré yo un buen remedio, que lo será bastante fingir que me ha dado una pasión furiosa contigo, de las que otras veces suelen". "¿Qué pasión?", preguntó Pánfilo. "Siempre que el dolor me sacaba de mi natural discurso, dicen que decía a voces lo que te diré abrazándote". Y con este concierto le dijo así: "Esposa mía, ¿es posible que te ven mis ojos? Pues habiéndote muerto los fieros soldados de Doricleo en las montañas de Barcelona te vuelvo a ver, falsas fueron las nuevas".

Esto decía Nise, abrazando amorosamente a Pánfilo, que de la vergüenza de los presentes se recataba, cuando aquel hombre a cuyo cargo estaba el sosegar la furia de aquellos locos, comenzó a desviarla con el usado

296 *Pánfilo*: ya había quedado identificado, muy a la chita callando, en el párrafo final del libro II. Sobre su nombre, *vid.* Introducción.

Lope de Vega, por Caxes
Museo Lázaro Galdiano. Madrid
Foto Oronoz

Santiago peregrino. Escuela valenciana del siglo XV
Museo Lázaro Galdiano. Madrid
Foto Oronoz

imperio, palabras ásperas y descompuestos golpes. "Dejalde, decía Pánfilo, que soy de su tierra y soy deudo de su difunta esposa, y no es mucho que habiéndome visto, haga este sentimiento".

"Seais quien fuéredes, replicó aquel bárbaro, aquí no hay cumplimientos ni visitas, y la señal de la furia deste loco es llamar a su esposa con estas y otras semejantes palabras". "Si yo le sosiego, decía Pánfilo, ¿para qué es necesario vuestro castigo?" "¿Cómo le habeis de sosegar?, replicaba el hombre. ¿No es evidente indicio de su locura que os llame esposa y tenga por mujer? Mal conoceis su furia ni de qué manera una vez furioso nos valemos con sus fuerzas; ¿no echais de ver que aun no tiene diecinueve años?" "Bien lo sé yo, dijo Pánfilo, pero dejádmele hablar, que yo solo me atrevo a sosegarle; y de la manera que a un hombre que tiene dolor le hace beneficio el que por algún tiempo se le suspende, aunque después le vuelva, así en la falta del seso es buena obra hacer que por algún espacio le cobre quien le ha perdido".

No le valieron éstas ni otras razones a Pánfilo, que ya los ministros le habían puesto a Nise unas esposas y el maestro la llevaba con imperiosas palabras a la gavia. No tenía ya necesidad Nise deste remedio, que la vista de Pánfilo lo había sido; pero de la manera que a los que siempre mienten, cuando dicen verdad no se les da crédito, así a quien una vez ha estado loco se tiene por inicio de mayor locura el verle cuerdo. Nise iba con su tema a la estrecha cárcel, y Pánfilo, vergonzoso de lo que temía que todos conociesen, la miraba llorando. Mil veces dando la rienda a su pasión, que su entendimiento enfrenaba, quiso dar voces y con iguales fuerzas romper las puertas; ni era mal acuerdo volverse loco, pues por lo menos el castigo de aquel delito había de ser quedarse donde estaba Nise, que era el mayor bien que podía esperar por premio. Y así, contra las leyes de aquella casa, quiso verla por fuerza, que, como Fausto Sabeo [297] dice,

297 *Fausto Sabeo: Epigrammatum* (Roma, 1556), libro IV.

Quien ama sin paciencia, es impaciente
de toda ley.

Pero apenas probó a intentarlo, cuando los porteros y locos de servicio, que habiéndose cobrado sirven a los otros, le sacaron maltratándole a la calle, donde como el pez halec, de quien escribía Aristóteles [298] que en sacándole del agua forma una voz humana y muere, dio un lastimoso suspiro y cayó en tierra.

Ya declinaba el sol de su mayor fuerza y le esperaba el occidente, colgando la parte de su cielo de mil paños de púrpura bordados de oro, cuando recordando Pánfilo de aquel desmayo se halló en los brazos de un mancebo que con piadoso rostro le animaba a cobrar la vida. Puso en él los ojos con igual lástima y preguntóle dónde estaba. El mancebo le dijo que a la puerta de la prisión de la furia y del hospital del seso. "Pues ¿cómo no estoy dentro?", replicó Pánfilo. "Porque tú, dijo el mancebo, más muestras estar enfermo del cuerpo que de pasiones del alma." "Has juzgado, dijo Pánfilo, por el pulso del rostro, pero si en el del corazón hubieras puesto los dedos, mi presente enfermedad atribuyeras al espíritu, donde la tengo; bien es verdad que el cuerpo también hace sentimiento a las penalidades del alma." "¿Qué tienes, preguntó el mancebo, que estás tan cerca de donde se cura el seso? Porque si bien no estás dentro, parece que estás llamando y no niegas el mal que tienes, pues confiesas que es el del alma, cuyas pasiones no están lejos de parar en la enfermedad que aquí se cura." "Mal tengo, dijo Pánfilo, que en esta casa tiene el remedio, y es tal mi desdicha que, desconfiando de remediarle, me arroja de ella." "Ninguno puedes tener, replicó el mancebo, que no quepa en casa donde se cura el entendimiento, cosa que por los medios humanos no parece medicable." "Amor, dijo suspirando nuestro Peregrino, a quien

298 *Aristóteles*: *De anima,* II, probablemente a través de Menghi, *Compendio dell'arte essorcistica,* I, xiii.

Ovidio[299] tiene por incurable, desconfiando de la humana física, hierbas y otros medicamentos." "Y amor, le replicó, ¿no se cura? Luego aquellos siete remedios que Avicena[300] pone en su tercer libro, ¿no son verdaderos?" "De ésos, dijo, y de las fábulas que escribe Plinio se ríe mi pasión. Sólo acepta uno de los de Avicena, que hubiera sido casarme; pero la disposición de mi fortuna y el rigor de las influencias de mis estrellas, no sólo[301] esto no me concede, pero lo tengo por imposible, que aunque la esperanza alguna vez me anima, con justa causa la llamó Platón[302] sueño de los despiertos." "En tu peregrino hábito, le respondió, conozco, noble mancebo, que tu pasión también debe de ser peregrina." "Eslo tanto, le dijo, que con ella he peregrinado gran parte de Europa y no poca del Africa y el Asia." "¿Eso fue la causa, le replicó entonces, del hábito que traes y de los pasos que has dado?" "Esta ha sido, dijo Pánfilo, y por ellos conocerás la calidad de mi mal y la dificultad de mi remedio." "¡Ay!, le respondió entonces piadosamente: ¡qué lástima me has hecho y qué historia me has renovado!" "¿Historia, le dijo, parecida a la mía?" "De amor, a lo menos", respondió el mancebo. "¿Amas, por dicha?", preguntó Pánfilo. "No amo, respondió, pero de sola la vecindad de quien amaba tengo mayor desdicha de que imaginas, que también soy peregrino y estranjero de mi patria como tú y no con menores persecuciones." "¿Quién eres y de dónde?", le replicó mirándole atentamente. "Si estás para escucharme, le respondió, no es mal asiento el de estas piedras, que dondequiera le hallan para contar sus desdichas los que como tú y yo las sentimos." "Prosigue por tu vida, le dijo el Peregrino,

299 *Ovidio: Met.*, I, 523.
300 *Avicena: Liber canonis totius medicinae* (Lyon, 1522), III, sent. XXII. Casarse es el primero de sus remedios.
301 *No sólo esto no me concede*: 1604 "no sólo esto me concede".
302 *Platón*: es un dicho de Platón que cita Mirabelli en su *Polyanthea,* sin dar fuente específica.

que en los años de mis destierros no he hallado hombre que las haya tenido iguales a las mías y ésa es la causa de tener mayor queja [303] que todos de mis hados y estrellas."

"Los hados, [304] replicó el extranjero, no debe culpar un hombre cristiano, ni entender que de ellos dependa su mal ni su bien; sea verdad que muchos filósofos antiguos creyeron que era una cierta especie de demonios que algunos llamaron Parcas, ciertas imaginadas mujeres que daban espíritu a la criatura nuevamente nacida, de las cuales habla Séneca en el primer coro de su primera tragedia, y de cuya opinión se ríe San Agustín en el sermón tercero sobre San Juan; y así él mismo en el quinto libro de la *Ciudad de Dios* dice que este nombre de hado sólo se puede atribuir a la voluntad de aquel sumo y verdadero Dios, que verdaderamente ve y conoce todas las cosas antes que sean, cuya alta providencia es la que las gobierna y rige con el medio de las segundas causas, la orden de las cuales pende del mismo Dios y de algunos es llamado hado. Pero esta materia disputa doctísimamente Justo Lipsio [305] en su primer libro de *Civil doctrina*." "Bien sé, dijo Pánfilo, que los poetas llamaron hado a esas Parcas y los filósofos, mayormente los estoicos, creye-

[303] *Mayor queja*: Peyton corrige innecesariamente "mayor queja que de todos".

[304] *Hados*: el hombre del Renacimiento, en particular el español, se halla un poco a la deriva al verse confrontado, por un lado, con su religión católica y la Providencia divina, y por otro lado, con conceptos paganos o neo-paganos de larga vigencia, tales como Fortuna, ventura, hado, y todo esto se complicaba aún más al entrar en juego las creencias astrológicas: una buena presentación general del problema en O. H. Green, *Spain and the Western Tradition*, en part. vol. II (Madison, 1964). En la colosal obra de Lope se registra, como era de esperar, una gran variedad de actitudes, *vid.* mi estudio de *La Arcadia* (donde hay larguísimas disquisiciones sobre astrología, magia, quiromancia, etc.), en *La novela pastoril española* (Madrid, 1959), cap. V. Las citas con que autoriza Lope el largo discurso que sigue en el texto son todas de segunda mano, tomadas de Girolamo Menghi, *Compendio dell'arte essorcistica*, II, v, como anota puntualmente Peyton, y a sus notas a este discurso remito al lector.

[305] *Lipsio*: 1604 *Lipso*, aquí y más abajo en el mismo discurso.

ron que fuese una orden o disposición de las segundas causas, como de las estrellas, planetas e influencias celestiales bajo las cuales es concebido y nace cualquiera de nosotros, el cual determina, regula y necesita todos los efectos inferiores, buenos o malos, que vienen a los hombres. Así lo siente Tolomeo, Demócrito, Crisipo y Epicuro, los cuales juntamente atribuyen al hado todos los efetos naturales y voluntarios, todas las inclinaciones, virtudes y vicios, las pasiones y deseos, hasta los pensamientos y acciones. Estos desvaríos prueban algunos con la autoridad de Boecio en el cuarto libro de *Consolación,* donde dice que la orden del hado mueve el cielo y las estrellas, templa los elementos y ata los actos humanos con un indisoluble lazo de las causas. Pero dejando esta materia tan larga, y que como San León Papa refiere en una Epístola, fue error de los priscilianistas creer que las almas y cuerpos humanos estuviesen de necesidad sujetos a las estrellas, de donde han nacido tantos errores y la opinión dudosa de los astrólogos, tan bien controvertida de Levino Lemnio [306] en su libro *De vera et falsa Astrologia,* quiero que sepas que yo hablé por la costumbre, y que *hado* en español y otros idiomas cristianos sólo se entiende ya por las desdichas. Y así en otra parte se ríe Lipsio de Ovidio, donde el mismo Júpiter dice: *Me quoque fata regunt.* Hado es ya una voz de nuestra lengua de tan simple significación como la fortuna, que ni el uno ni el otro pueden necesitar nuestras acciones, como se ve en el ejemplo de Platón, a quien dijo un astrólogo que era sujeto al vicio contra la naturaleza, y él respondió que había vencido con la sabiduría las inclinaciones de las estrellas. San Buenaventura y otros teólogos definen este nombre, y santo Tomás, en el libro *Contra gentiles* y en el primero de las *Sentencias* dice que Dios con su divina Providencia habla por el hado, como los hombres exprimen los conceptos del corazón con las palabras."

306 *Lemnio*: 1604 *Lemno.*

"No me prometía menos tu rostro, le respondió el mancebo, que lo que de tu boca escucho, y siendo así, que tu presencia sea de tu nobleza indicio y tu lengua de tus letras, con más gusto te diré quién soy, la calidad mía y de mis desdichas:

"Toledo, ciudad en el corazón de España, fuerte por sitio, noble por antigüedad, ilustre por la conservación de nuestra fe desde el tiempo de los godos en los cristianos mozárabes, generosa por letras y belicosa por las armas, de apacible cielo y de fértil tierra, a quien el caudaloso Tajo ciñe, siendo ceñido de un alto aunque agradable monte, por cuya causa a las peñas y a las casas sirve de eterno espejo, fue patria de mis padres y mía, bien que mis abuelos vinieron de aquellas partes de Asturias que llaman Santillana, [307] antiguo título de la casa de Mendoza, hasta el famoso don Iñigo, primero duque del Infantado. Aquí me crie los tiernos años de mi edad; mas cuando a mis padres les pareció que sería suficiente para enviarme a los estudios de la ínclita Salamanca, con el honor y acompañamiento debido a un hombre generoso, me enviaron a ella, para que sobre la lengua latina, que yo sabía, prosiguiese la facultad de Cánones. En este punto me es forzoso hacer una digresión larga, porque de la historia que se sigue, ajena, procede el fundamento de la mía.

"Sin mí tenía mi padre dos hijos: Lisardo estaba en Flandes con el archiduque Alberto, de cuyas prendas no ha dado pequeña satisfacción la rota de Ostende; [308]

307 *Santillana*: en 1445 don Iñigo López de Mendoza, el poeta, fue creado I marqués de Santillana; en 1475, su primogénito, don Diego Hurtado de Mendoza, fue creado I duque del Infantado. El II duque se llamó don Iñigo López de Mendoza, como el abuelo. Es evidente que aquí Lope confunde los títulos, y supone al "famoso don Iñigo, primero duque del Infantado", cuando sólo lo fue su hijo.

308 *La rota de Ostende*: el archiduque Alberto estaba casado con la infanta Isabel Clara Eugenia, hija de Felipe II, y gobernaban en Flandes. —Su boda tuvo lugar al mismo tiempo que la de Felipe III en Valencia—. El sitio de Ostende comenzó en agosto de 1601, pero la plaza sólo se rindió el 20 de septiembre de 1604. "La rota de Ostende", sin embargo, no se puede referir a esta última fecha, ya que la aprobación del *Peregrino* es de

Nise, mujer hermosa, vivía con la honestidad a que obligaba su alto nacimiento y el cuidado de tales padres." Aquí llegaba el mancebo cuando Pánfilo, turbado, puso las manos en el rostro, a quien, preguntando la causa, dijo que le volvía aquel primer dolor, que lo fue de que lo hallase en el estado que había visto, pero que le parecía que era con menos fuerza. Todo esto procuraba fingir el Peregrino Pánfilo, porque la historia que el toledano refería era la propia suya, y aquella Nise que llamaba su hermana, la Peregrina que con recelo de su muerte había perdido el seso, que así se encuentran las cosas de que se huye y cuando con más cuidado se buscan, menos parecen.

"No proseguiré, dijo el mancebo, mi historia si no te sientas para escucharla, porque no hay tiempo más mal gastado que hablando a quien no escucha." "Bien puedes, replicó Pánfilo, con deseo de saber el estado de sus cosas, que ya parece que el dolor me deja aliviado de tus brazos y palabras." "Siendo así, dijo, advierte, y prosiguió diciendo:

"Había en Madrid un caballero noble, grande amigo de mi padre, y que se habían conocido los dos desde la guerra de Granada,[309] en que el famoso hijo de Carlos Quinto, don Iuan de Austria, allanó la rebeldía de aquellos bárbaros, cuya cerviz trajo nuevamente al yugo del Rey Católico, y aun creo que se hallaron juntos en la celebrada batalla de Lepanto.[310] Resultó de este conocimiento que al cabo de muchos años trataron los dos por cartas y terceros casar a Nise con un hijo de este caballero que te digo, llamado Pánfilo; mas como

---

noviembre de 1603. Por *rota,* pues, Lope se refiere a alguna victoria parcial del largo sitio. Lo que se saca en limpio de todo esto es que al menos esta parte del *Peregrino* se escribió después de agosto de 1601.

309 *Guerra de Granada*: la sublevación de los moriscos en las Alpujarras, 1568-1571, a la que puso fin el joven don Juan de Austria.

310 *Lepanto*: "La mayor ocasión que vieron los siglos", llamó el combatiente Cervantes a esta batalla, librada el 7 de octubre de 1571.

en estos medios muriese el padre, cesó el propósito. Pánfilo, que por fama y un retrato ya estaba enamorado de Nise, y con razón, porque en doce leguas de distancia no era de temer que la fama fuese fabulosa, quedó tan triste que de una en otra imaginación vino a dar en ésta que ahora te diré, para que veas cuán disculpados estaban los que sin luz de fe creían antiguamente que había hado y fortuna; y fue que, dando a entender a su viuda madre que se iba a Flandes y habiendo ruado [311] algunos días con galas de soldado, despidió los criados en Alcalá de Henares y con disfrazado hábito vino a Toledo, donde, como no fuese conocido, buscó medios para servir en casa de mi padre. No fue difícil de conseguir este propósito porque el buen talle y rostro suyo, acompañado de su entendimiento, eran abono de su conocida persona y ponían codicia de respetarla, cuanto más de servirse de ella; y aunque no fuera así, tengo por cierto que la fuerza del suceso [312] futuro cegara los ojos de la sospecha. Recibióle Gerardo mi padre, ignorante de quién fuese y de lo que pretendía. Estraña imaginación de hombre, que siendo caballero y tan conocido de todos en el lugar donde había nacido, a tan pocas leguas dél supiese hacer de suerte que nadie le viese en lugar ni ocasión que supiese dónde estaba, ni lo que pretendía, porque si algún hombre de Madrid le hallaba acaso en la iglesia o en la calle, le daba a entender, si no le podía huir el rostro, que había venido a negocios y que se volvería con él luego que supiese que se partía. Así los desvelaba y así con su servicio, humildad y buenas partes tenía a mis padres contentos, que creo que alcanzara con la pobreza fingida lo mismo que con la riqueza verdadera. Lo que en el discurso de estos tiempos hizo, escuchadlo. El lo primero con humildes servicios pro-

311 *Ruado*: "Pasear los galanes y festear las damas", Covarrubias, *Tesoro,* s.v. *ruar* (de "rúa").

312 *La fuerza del suceso futuro*: buen ejemplo de la ambivalencia del escritor español al tratar de Providencia, libre albedrío, hado, fortuna, y demás conceptos afines, *vide supra,* nota 304.

curó cuanto pudo ser grato a Nise, lo que no fue dificultoso, porque del enemigo doméstico, ¿quién sabrá guardarse? La llaneza con que trataba esta traición este caballero, las palabras sencillas que decía, le dieron entrada donde apenas las criadas más antiguas osaban tenerla, y aquí viene a propósito lo que Homero [313] dice:

Con palabras hermosas van cubriendo
la traición que en el pecho van forjando.

"Mira con qué descuido un hombre noble tenía en su casa otro Paladión [314] griego, como la mísera Troya, que tal debía de ser el pecho de aquel mancebo lleno de armados pensamientos, que llegada la ejecución saliesen a poner fuego a nuestra honra. Cuando le pareció a Pánfilo que Nise estaba dispuesta para entender su intento, o que fuese verdad o que fuese fingimiento, que es lo más cierto, él estuvo malo. Mis padres que ya tenían este criado por su gobierno y que le amaban al parangón [315] de sus hijos, sin que para su hacienda hubiese llave, para su gasto cuenta, ni para su lealtad secreto, pusieron en curarle el cuidado posible. Los médicos decían que aquella enfermedad era una profunda melancolía y que el mayor remedio era alegrarle, lo que se conseguiría mejor con música y no debían de engañarse, que si amor desordenado tiene tanto de maligno espíritu y David [316] los ausentaba de Saúl con la dulzura de su arpa, amor pudiera dejarle con lo mismo."

"Bien dices, dijo Pánfilo, que atento escuchaba su misma historia, por ver el fin a que aquel mancebo

313 *Homero: Ilíada,* IX, 313.
314 *Paladión*: era una estatua de Palas custodiada en Troya, y salvaguardia de la ciudad, hasta que fue robada por Diomedes y Odiseo. La imagen que se desarrolla en el texto nos asegura que Lope la confunde con el caballo de madera construido por los griegos, en cuyo vientre se escondieron los más bravos guerreros, y que los troyanos, incautamente entraron en su ciudad, y provocaron su incendio y ruina.
315 *Parangón*: "Comparación o semejanza", *Dicc. Aut.*, s.v.
316 *David*: I *Samuel,* XVI, 23.

hermano de su Nise la dirigía, que sin duda amor tiene de espíritu infernal muchas condiciones, porque dejando lo principal, que es atormentar con fuego, mira la simpatía que tiene en el modo de la vida. Jerónimo Menchi [317] escribe que los demonios se deleitan en las cosas que de su naturaleza son melancólicas y predominan en los lugares horribles, solitarios, escuros y subterráneos, y como amadores de tinieblas, sombras, tristeza y melancolía, en éstos tales voluntariamente habitan y obran, de donde nace que los más de los que se espiritan [318] por miedo, muchas veces les sucede en lugares escuros, temerosos y sin luz alguna, que todas éstas son calidades al gusto de los que aman, en tanto que no consiguen lo que pretenden, apeteciendo lugares solos, tristes y melancólicos para asistir sin estorbo, aun de la misma luz del cielo, a su profunda melancolía. Pero prosigue la historia dese caballero, que voy con deseo de saber el fin que tuvo."

"Sabía, dijo Celio —que así se llamaba el mancebo que os refiero—, mi hermana Nise tañer diestramente en un arpa y cantar con tan dulce y regalada voz, que en igual peligro, mejor la llevara el delfín a la ribera del mar que a Arión [319] a Corinto, porque sin duda alguna pudiera hacer competencia a las famosas voces de nuestros tiempos, tres Isabeles [320] iguales a las tres Gracias. Y así, con gusto de mis padres y no le pesando a ella, entró en el humilde aposento de Pánfilo (considera por tu vida un hombre que estaba en aquel estado, qué gloria que sentiría), y tomando el arpa le cantó un romance que él mismo había compuesto, que lo sabía hacer con un milagroso natural y no poco arte, que por haber venido después a mis manos quiero re-

[317] *Jerónimo Menchi*: Girolamo Menghi, *Compendio dell'arte essorcistica,* II, xiii.

[318] *Se espiritan*: "Estar poseído del espíritu maligno, y lo mismo que estar endiablado u endemoniado", *Dicc. Aut.,* s.v. *espiritarse.*

[319] *Arión*: arrojado al mar por la tripulación del barco en que navegaba, fue salvado por un delfín.

[320] *Tres Isabeles*: no sé quiénes eran estas famosas cantantes.

ferírtele." "Alegraràsme en estremo, dijo Pánfilo, y tengo por sin duda que fue buen acuerdo de los médicos curar ese caballero con música, pues es cosa certísima que las yerbas, la armonía y otras muchas cosas sensibles pueden mudar la disposición del cuerpo y, por consiguiente, el movimiento de la sensualidad. Las yerbas, algunas inclinan a la alegría y otras a la tristeza y lo mismo siente de la armonía Aristóteles [321] en el sétimo de su *Política,* donde quiere que diversas armonías [322] causen diversas pasiones en los hombres, que es lo mismo que en su *Música* refiere Boecio y sobre el lugar de la de David en el primero de los *Reyes* Nicolao de Lira. Que a lo que San Agustín dice, que el cuerpo no puede obrar en el espíritu, responde Ricardo de Mediavila [323] diciendo que si las yerbas y la armonía y las cosas corporales no pueden totalmente redimir estas vejaciones con su natural virtud, a lo menos pueden aligerarlas, y advierte cuán mal estoy con amor, pues casi en cuanto te digo le trato como a demonio." "El merece serlo, respondió Celio, pero advierte el romance", y comenzó así:

> Cobarde pensamiento,
> pues todas tus promesas,
> burlándose del alma,
> el viento se las lleva,
> ¿qué quieres en mi pecho,
> que tanto me atormentas,
> pues tienes tú la culpa
> y tengo yo la pena?

321 *Aristóteles*: y Boecio y Nicolás de Lira son autoridades que le proporciona Menghi, *Compendio dell'arte essorcistica,* III, vi.

322 *Armonías*: acerca de la riquísima tradición en que se engarzan estas ideas sobre la música y la armonía, *vid.* L. Spitzer, *Classical and Christian Ideas of World Harmony* (Baltimore, 1963).

323 *Ricardo de Mediavila: Super quatuor libros sententiarum Petri Lombardi* (Brixiae, 1591), fols. 239-40, en que replica a San Agustín.

Subir al mismo cielo
tomaste por empresa;
si bajas al abismo,
¿qué quieres que te deba?
El fuego en que me pones,
contradice tu fuerza;
y si es bajar tu oficio,
¿las alas de qué prestan?
Pensé yo, pensamiento,
que al mismo sol subieras,
y que de ver tus bríos
temblaran las estrellas,
y he visto que en su ofensa
despierto sueña quien amando piensa.
¡Ay, pensamiento mío,
quién esto nos dijera,
a mí, que estoy sin vida,
y a ti, que estás sin fuerza!
Cuando el Amor, tu padre,
para tan alta guerra
rogaba a la Esperanza
te armase de firmeza,
¡qué lucido saliste
con galas soldadescas,
prometiendo despojos
de favores y prendas!
¡Qué desmayado vuelves,
las esperanzas muertas,
las alas derretidas
y las plumas deshechas!
Cobarde me saliste,
mejor pensé que fueras,
mil cosas prometías,
que las creí por ciertas,
y he visto que en su ofensa
despierto sueña quien amando piensa.
Apenas del contrario
miraste las banderas,

cuando le diste espaldas
con afrentosa vuelta;
apenas unos ojos
miraron tu soberbia,
cuando llamaste rayos
la más pequeña flecha;
apenas de su boca
una palabra tierna
toca tu blando oído,
cuando dices que truena.
Deja, deja las armas,
no es para ti la empresa:
pensamiento, quien ama
no ha de mostrar flaqueza.
Estoy arrepentido
del gasto de la guerra;
que a un hijo de buen padre
fié mi honor sin prendas,
y he visto que en su ofensa
despierto sueña quien amando piensa.

"Bien le estuviera a Pánfilo, dijo el mismo Pánfilo, haber oído a Nise con la industria de Ulises [324] y más si hubiera leído a la doctísima doña Isabel Esforcia [325] en su libro *De la quietud del alma.*" "Oye, dijo Celio entonces, lo que pasó entre los dos, y prosiguió así:

"Mientras cantaba Nise, lloraba Pánfilo, sin quitar un instante los ojos de los suyos, de suerte que de los dos se podía hacer una contienda entre la sirena y el

324 *Ulises*: tapó sus oídos y los de sus acompañantes con cera, para no oír el peligroso canto de las sirenas.

325 *Isabel Esforcia*: o sea Isabella Sforza, *Trattato della vera tranquillità dell'anima* (Venecia, 1544). Según A. Farinelli fue libro "atentamente leído y gustado por Lope (*Representación moral del Viaje del Alma...*), uno de sus libros de filosofía moral preferidos, desconocido de otros poetas de España y advertido apenas en la Italia de su tiempo", "*Peregrinos de amores en su patria* de Lope de Vega", *Homenatge a Antoni Rubió i Lluch,* I (Barcelona, 1936), 601. Lope la recuerda otra vez, *infra,* nota 597.

cocodrilo,[326] aunque se diferenciaba en que ella cantaba para darle salud y él lloraba para quitarle la honra. Viendo Nise este estremo de tristeza, le dijo que no quisiera que con él hubiera hecho la música el efeto que todos dicen, que es entristecer más a los que lo están, sino que conforme a su deseo le hubiera dado alegría. "No puede, respondió él, otra voz, otro instrumento, otra armonía fuera de la del cielo alegrarme más que la vuestra; pero mi mal tan sin esperanza de remedio me obliga a tener lástima de mí mismo, mientras más ocasiones tengo de pensar en la hermosura de la causa." "¿Mal tienes tú, dijo Nise, sin remedio, que procede de causa de quien alabas?" "Mal tengo, respondió Pánfilo, que yo mismo imposibilité el remedio, y que si algún consuelo tiene el que padezco es ser la causa la cosa más hermosa que a mis ojos ha hecho el cielo." "La licencia con que te trato, replicó Nise, me da licencia, ¡oh Pánfilo!, para que contra mi honestidad ose hablar contigo en materia sospechosa. Por las señas que me das de tu mal, he venido en conocimiento de la ocasión, aunque ignoro esa causa por quien la padeces. Tú amas, sin duda, y agradézcote mucho que lo que a los médicos has negado, oses confesarme a mí, asegurándote que a mi voluntad lo debes mejor que a sus diligencias y a mi deseo con más seguridad que a su experiencia y letras, y te suplico, por el amor que conoces de la blandura de mi condición en los años que has servido a mis padres, que me digas si yo conozco a quien quieres y si puedo serte de algún provecho, que me han enternecido tus lágrimas." "Bien puedes, dijo el astuto amante, que pudiera enseñar a Ovidio, importar a mi remedio, piadosa Nise, pues no lo espero de otras manos, conociendo tú como a ti misma la causa de mi pena."

Aquí le dijo el Peregrino a Celio, admirado de que así repitiese lo que entre él y Nise había pasado tan

326 *La sirena y el cocodrilo*: la sirena atraía a sus víctimas con su canto, y el cocodrilo con sus lágrimas.

ocultamente, que cómo sabía hasta las mismas razones que los dos pasaban, pues en aquellos medios estaban tan lejos y asistía en Salamanca a sus estudios. Celio le respondió que toda aquella historia había dejado escrita a un amigo suyo el mismo Pánfilo, y que de aquel original que a sus manos había venido, la iba él refiriendo, y así prosiguió entonces:

"Las colores que a Nise le salieron, amigo Peregrino, cuando oyó las palabras de Pánfilo, bien se pueden comparar a las encarnadas rosas deshojadas acaso sobre la leche cándida, aunque esto sea término poético, que por ventura lo fue del autor que digo; pero guardándose de darse por entendida, prosiguió diciéndole que si era alguna de sus amigas, procuraría que por lo menos entendiese su mal para que sobre este principio fundase su remedio la solicitud que ya desde entonces correría por su cuenta. "Estoy de suerte, dijo Pánfilo, que aun no me atrevo a decirte su nombre (de que ya Nise tenía mayor vergüenza), pero podré enseñarte un retrato que tengo suyo, causa original de mi desdicha, y por quien desde la mía vine a esta tierra, donde soy humilde criado de tu casa, aunque en esto dichoso, que allí soy caballero noble, igual de esa amiga tuya, con quien, si mi padre viviera, estuviera casado, que este bien cesó con su muerte." Ya diciendo estas palabras, le había dado Pánfilo el naipe (con que le ganó la honra),[327] en que estaba su rostro hecho de aquel singular pintor de nuestros tiempos, Filipe de Liaño,[328]

327 *Ganó la honra*: Lope juega del vocablo aquí al usar *naipe* en su acepción normal de "baraja" (con que gana: la honra de Nise), y en la acepción (corriente entonces, pero que no ha llegado a los diccionarios), de "pequeña cartulina, tamaño de un naipe, con un retrato pintado", *vid.* bibliografía en nota siguiente.

328 *Felipe de Liaño*: "Pintor llamado el pequeño Ticiano, por el buen gusto de color con que pintaba retratos chicos al óleo", J. A. Ceán Burmúdez, *Diccionario histórico de los más ilustres profesores de las Bellas Artes en España,* III (Madrid, 1800), 36, Murió joven, hacia 1600. Es fama que retrató a Lope (quien le elogió repetidamente) y a su primera mujer, Isabel de Urbina, *vid. Dorotea,* p. 98. Acerca de la declaración amorosa por medio de un retrato (y la segunda acepción de "naipe", *ut*

cuyos pinceles osaron muchas veces competir con la naturaleza misma, que de envidia le dio tan corta vida. Pero Nise, a quien ya por todas las venas corría un yelo, afirmó que no conocía de quién fuese." "No me espanto, dijo Pánfilo, que en la antigua filosofía se tuvo por cosa singular conocerse los hombres a sí mismos, poniendo esta sentencia en los frontispicios de sus mayores templos. Pero aquí tengo otro más grande, que no podrás negar que no lo conoces". Y diole, diciendo esto, un espejo [329] que unas molduras de ébano hacía aparecer retrato. Quitó la engañada Nise la tapa y, viendo su rostro en el cristal dijo y levantóse: "Tu atrevimiento te costará la vida." "¿Qué más bien empleada, respondió Pánfilo, que por tu hermosura?"

"Ella respondió bien, dijo el Peregrino, si cumplió lo que dijo." "Tan mal lo cumplió, replicó Celio, que en pocos días le quiso mucho, haciendo infalible aquel verso del Dante [330] que *amor ningún amado amar perdona,* de donde resultó el buen efecto de la traición de Pánfilo; y digo buen efecto, aunque sea de mal propósito, como lo dice en el *Hipólito* el poeta trágico, que el buen suceso hace honestas algunas traiciones." "En el *Hércules furioso,* dijo Pánfilo, dice Séneca [331] esas palabras con más encarecimiento.

Virtud se llama la maldad dichosa.

"¿Pero cómo vino, dime, a quererle mujer que con tanto desdén le oyó al principio?" "Porque todas, dijo Celio, consultan la primera respuesta con su vergüenza

---

supra), vid. M. Peyton, "The *Retrato* as a Motif and Device in Lope de Vega", *Romance Notes,* IV, 1 (1962), 51-57.

329 *Espejo*: sobre los usos literarios del espejo (el del texto y análogos), *vid.* F. Goldin, *The Mirror of Narcissus in the Courtly Love Lyric* (Ithaca, N. Y., 1967).

330 *Dante: Inferno,* V, 102. La obligación de amar es lugar común del amor cortés, *vid.* M. R. Lida de Malkiel, *La originalidad artística de* La Celestina (Buenos Aires, 1962), pp. 426-27.

331 *Séneca: Hyppolitus,* 598, y *Hercules furens,* 251.

y la segunda con su flaqueza, aunque yo para mí tengo (no sé si en esto disculpo nuestra honra) que Pánfilo, desesperado de remedio, se valió de hechizos." "Eso es locura, replicó Pánfilo, teniendo el hombre en su mano la potestad del libre albedrío,[332] que es el querer o el no querer lo que le place, y sería cosa terrible y cruel que una mujer que de su propia naturaleza fuese honesta y casta, violentamente fuese obligada a amar lo que no apetece. Los maléficos con sus operaciones podrían persuadirla, estimularla y tentarla de día y de noche, sin dejarla tener un mínimo espacio de reposo en cosa alguna y con la persuasión estrínseca destas obras rendirse, como al cazador la fiera, a las cartas amorosas, a los ruegos y lágrimas del amante; mas no por esto se podría decir que es violentada, mas que de su voluntad y espontáneamente consintió a su gusto, comenzando a arder en el amor de aquel hombre de propia naturaleza y voluntad y no por fuerza del sortilegio. Y así es notorio desatino quejarse los que aman de que contra su voluntad y forzados siguen la persona que apetecen, como he visto a muchos que se lamentan de la fuerza que les hacen, debiendo poner la culpa a sus apetitos, porque Dios no permitió que al hombre le sea quitada la potestad del libre albedrío y si alguno dijese que le forzaron las diabólicas persuasiones, se le ha de responder que no es forzado en la razón, sino en la concupisciencia de la carne, porque siendo tan frágil, en no haciendo fuerte resistencia, cae en el pecado."

"San Jerónimo,[333] dijo entonces Celio, cuenta en la vida de San Basilio los amores de un mancebo que, valiéndose del demonio, por el trueco de su alma le solicitó una mujer hermosa con quien vino a casarse,

332 *Libre albedrío*: con mucha mayor elegancia trata el tema de hechizos *versus* libre albedrío Cervantes en *El licenciado Vidriera, vid.* otros textos y comentarios en mis *Deslindes cervantinos* (Madrid, 1961), pp. 50-51.

333 *San Jerónimo: Vitae Patrum Sanctorum* (Lyon, 1536), fol. LXXXI.

y allí se prueba bien eso que dices porque con la persuasión la forzó a tales desatinos y locuras que el afligido padre tuvo por honesto medio contentarla. No creo yo que Pánfilo hiciese esto, pero valdríase de algunas cosas, que los que las dan aun no saben que hay pacto en ellas con el demonio ni que se sujetan, usándolas como el primero que por aquellas palabras le prometió este vasallaje miserable de su alma." "Ni es de creer, replicó Pánfilo, que un caballero cristiano cuerdo, mozo y gentil hombre se valiese de tales medios para sólo cumplir la engañosa desigualdad de tenerla por señora, pues ya en esto dices que le dijo a Nise que era caballero y que por servirla sirvió en su casa." "Satisfácesme, dijo Celio, y así pudo ser que prosiguiendo en tenerla voluntad y en manifestársela con palabras y obras, la obligase a corresponderle, que no es Nise la sola peregrina de este género de flaqueza en el mundo. Pero mira qué estraño engaño les sucedió a entrambos para principio de sus desdichas, que habiéndose dicho en Madrid que Pánfilo volvía de Flandes vino a noticia de mi padre y deseoso de casarle con Nise, como los viejos lo tenían concertado, por ventura en memoria de la amistad antigua y agradecimiento de algunas que le había hecho, la llamó un día y la dijo que tenía concertado de casarla, y sin decirle con quién, porque nuestra familia no se alterase, escribió a Madrid rogando a su madre de Pánfilo se le enviase a Toledo, dando el parabién a él de su venida y buenos sucesos y significándole este amor y la amistad de su padre.

"La triste Nise, que ya hablaba, escribía y amaba locamente a Pánfilo, le contó que la casaba su padre y que el caballero que le daba por dueño había de venir a Madrid a ser huésped suyo y que sólo sabía que era un gallardo soldado que venía de Flandes. Pánfilo, ignorante de que era él mismo, comenzó a hacer tales estremos, que después de muchas lágrimas y locuras le dijo que se determinaba a irse antes que a ver en casa al nuevo esposo. ¡Estraña y no vista historia, que un hombre viniese a estar celoso de sí mismo y a querer huir de sí propio, pues el que temía y esperaba, el que había de huir y el que había de gozar, era todo uno! Nise, a quien ya parecía más imposible vivir sin Pánfilo que la tierra sin agua, el mundo sin aire, el fuego sin materia y la armonía de los cielos sin su primer móvil,[334] llorando le dijo que la llevase consigo y que dondequiera que él quisiese le seguiría con tal condición que le hiciese un solene juramento[335] de no gozarla menos que estando casado con ella, lo que aceptando Pánfilo (que quien ama, mientras no pierde de vista el bien poco aventura en los demás peligros), sin considerar a los muchos que se ponía y en estremo alegre, la sacó de casa una escura noche por un jardín y de Toledo por el río en una barca hacia aquellos montes que llaman Sisla.[336] Esto es lo que escribió a un amigo en versos desde Valencia a Zaragoza. Ahora se sigue el principio de mi peregrinación, que por haberme alargado en la historia te contaré más breve. A las cartas lastimosas de este suceso, que apenas se había partido, cuando se supo que era Pánfilo y se entendió el engaño, vine yo de Salamanca a Toledo, trocando los compuestos hábitos en soldadescos vestidos. Hallé en mi casa general luto por nuestra honra, que es el difunto en la de un noble de mayor sentimiento. Obligóme mi padre a la venganza con palabras graves y pocas, a quien yo con muchas y libres juré de hacerla. Partí a Madrid y busqué todas las casas de sus amigos con cuidado honroso, y en la suya visité a su madre, preguntando por Pánfilo al descuido. La ignorante viuda me respondió que había dos años que estaba en Flandes y que desde que partió no había tenido carta, de donde colegía que era muerto. Yo creí que sabedora del caso le disfrazaba y poniendo los ojos en

334 *Primer móvil*: el *primum mobile* era la esfera que ponía en movimiento a todas las demás, desde la tierra a las estrellas, y ese movimiento producía la armonía celeste, *vide infra*, pp. 339-40, para la explicación científica de Lope.

335 *Juramento*: la promesa de castidad es lugar común de la novela bizantina; se halla, en consecuencia, en el *Persiles*.

336 *Sisla*: a 3 kms. de Toledo.

una doncella, que al lado de la venerable madre hacía labor, templé mi enojo con su hermosura y apenas conocí que me agradaba, cuando propuse en mi entendimiento que servirla y procurar gozarla sería satisfacción de mi honor [337] y principio de mi venganza. Referirte los pasos y solicitud que me costó hablarla y reducirla a mi voluntad sería cansarte en lo que te importa poco; basta que sepas que por los mismos filos que Pánfilo a Nise, la saqué de casa de su madre y con estraño pensamiento y locura la llevé a Francia, donde su hermosura dió ocasión a uno de los nobles caballeros della para servirla, y a mí para que una noche cuerpo a cuerpo le matase, de que me resultó dejarla y poner en cobro mi vida, cosa que la honra condena en mis obligaciones, de suerte que pienso volver a buscarla, porque fuera de que la amo tiernamente, lo debo a su virtud y al valor con que por tanta variedad de sucesos me ha hecho compañía."

La noche había tendido su escuro manto sobre la alegre cara de la tierra, y poblándose de luces las casas como de estrellas el cielo, los hombres se recogían del común trabajo, las aves del ordinario vuelo y los animales del usado pasto, cuando el mísero Peregrino acabó de oír la tragedia de su amor, con el acto postrero de su honra, conociendo de su desdicha que cuando más pensase que estaba al fin de sus trabajos entonces comenzaba a padecerlos. Admiróse, como era justo, de que su hermana con tanta liviandad hubiese desamparado su casa y seguido un hombre, pero teniendo en las manos el ejemplo de lo que él había intentado para engañar a Nise, y no siendo menos agravio que el de Celio, no le pareció justo pensar en la venganza, sino con las mejores palabras que pudiese persuadirle que no la desamparase y en la ley de noble le corría obligación precisa de volver por ella; lo que pareciéndole puesto en razón a Celio, le dió la

337 *Satisfacción de mi honor*: acerca del curioso concepto del honor que alienta en el enredo Pánfilo-Nise-Celio-Finea, *vid.* la Introducción.

palabra de hacer con todas sus fuerzas que le fuesen posibles. Y así buscando posada entrambos cenaron y durmieron aquella noche, en cuyo siguiente día le dio unas cartas para un caballero francés que él había tenido por amigo con certificación de que aquél le favorecería por ellas hasta que cobrase a Finea.

No se partió aquel día Celio, ni en algunos que después se siguieron hizo tiempo a propósito, y así creció con el trato el amor en los dos enemigos secretos, de tal suerte que Pánfilo, que sabía su ofensa, le había perdonado, y Celio, que ignoraba la suya, se había dispuesto para perdonarle cuando la supiese. El concierto fue buscarse con grandes palabras y juramento de que en todo suceso se ayudarían como hermanos, procurando el uno el honor y vida del otro y señalando por sitio para estas visitas, dentro de seis meses, la ciudad de Pamplona. [338]

Partióse Celio a su empresa, y de allí a algunos días de su partida, que iba creciendo la tristeza en Pánfilo y el imposible de cobrar a Nise, sucedió que saliendo una noche de su posada con desatinada imaginación a sólo mirar y contemplar las rejas de aquella cárcel donde la había puesto sin seso el dolor de su fingida muerte, oyó voces de un caballero que pedía favor contra algunos que le procuraban con mano armada quitar la vida. Desnudó su bordón, y metiéndose en ellos con maravillosa destreza y ánimo, les hizo perder el que traían de matarle y ponerse todos en vergonzosa huída. El caballero quiso saber quién era el que de tan peligroso trance le había librado, y aunque Pánfilo se escusaba, pudo más el deseo y cortesía del caballero que la humildad con que procuraba darle a entender que no le había servido. Llevóle finalmente a su casa, donde viendo su hermoso rostro y talle, él y sus padres y hermanos le cobraron afición notable y le

[338] *Pamplona*: esta avenida argumental no la seguirá Lope, lo que constituye una nueva forma de demostrar su control y superioridad totales sobre la materia, de lo que me hago cargo en la nota siguiente.

obligaron a que fuese su huésped. Allí estuvo Pánfilo algunos días, al cabo de los cuales le contó Jacinto, que así era el apellido deste caballero, la ocasión de haber querido aquellos forasteros quitarle la vida y que a este efeto sólo habían venido desde Sevilla a Valencia, donde él dejaba la causa de aquel suceso y de la tristeza con que vivía. Yo [339] sospecho que los amantes tienen alguna simpatía y conformidad unos a otros, que se juntan y comunican de la suerte que habreis echado de ver por este discurso, pues casi no halla nuestro Peregrino posada sin enfermo deste mal, aunque sea en la aspereza de un monte. Y así entre otras cosas que de su amor le dijo y cuyo suceso sabreis más adelante, le leyó esta carta, que en sentimiento de su ausencia había escrito viniendo a negocios de su hacienda de Sevilla a la corte, que por estar disfrazada con el nombre de pastores quiero decírosla:

Serrana hermosa, [340] que de nieve helada
fueras como en color en el efeto,
si amor no hallara en tu rigor posada;

339 *Yo sospecho*: la continua intromisión del autor en su relato es característica del *Peregrino,* y se abultará aún más en las *Novelas a Marcia Leonarda* (1621, 1624), que en muchos sentidos son culminación y remate de ciertas tendencias novelísticas de Lope. El autor (poeta = creador) establece así su absoluta superioridad sobre la materia literaria, y aparece, en postura propia del Renacimiento, como el dios de su creación, *vid.* mis consideraciones finales en "El poeta en su poema. (El caso Ercilla)", *Revista de Occidente,* 95 (febrero, 1971), 150-70.

340 *Serrana hermosa*: esta hermosa epístola es de fuerte tono autobiográfico, y como primera consecuencia se debe adelantar la identidad entre Jacinto (Centellas, se le apellidará más tarde) y Lope, *vid.* S. G. Morley, *The Pseudonyms and Literary Disguises of Lope de Vega, UCPMPh,* XXXIII (1951), 452-53. La fecha de composición es 1602: Lope ha dejado a su amante Micaela de Luján —la *serrana hermosa* de la epístola, a quien él cantaba con el nombre de Camila Lucinda, *v. supra,* nota 11— en Sevilla y él está en Toledo y Madrid, *vid.* D. Alonso, "Lope de Vega en Antequera", *Fénix,* I (1935), 170: nuevo dato para la cronología del *Peregrino.* Desde un punto de vista estructural, el episodio de Jacinto y su epístola son una forma de *amplificatio* (como lo son también los cuentos narrados en los cenobios y varios más), "la más gallarda figura de la rhetórica", según el decir del propio Lope, prólogo de las *Rimas*

del sol y de mi vista claro objeto,
centro del alma, que a tu gloria aspira,
y de mi verso altísimo sujeto;
alba dichosa, en que mi noche espira,
divino basilisco, lince hermoso,
nube de amor, por quien sus rayos tira;
salteadora gentil, monstro amoroso,
salamandra de nieve y no de fuego,
para que viva con mayor reposo.
Hoy, que a estos montes y a la muerte llego,
donde vine sin ti, sin alma y vida,
te escribo, de llorar cansado y ciego.
Pero dirás que es pena merecida
de quien pudo sufrir mirar tus ojos
con lágrimas de amor en la partida.
Advierte que eres alma en los despojos
desta parte mortal, que a ser la mía,
faltara en tantas lágrimas y enojos;
que no viviera quien de ti partía,
ni ausente ahora, a no esforzarle tanto
las esperanzas de un alegre día.
Aquella noche en su mayor espanto
consideré la pena del perderte,
la dura soledad creciendo el llanto,
y llamando mil veces a la muerte,
otras tantas miré que me quitaba
la dulce gloria de volver a verte.

---

dirigido a don Juan de Arguijo, *O.S.*, IV, 166 —pero Lope suele subordinar la figura retórica a los fines autobiográficos. Sobre la epístola en sí escribe Montesinos, *Estudios,* pp. 182-84: " Nuevamente, adelantándose casi dos siglos a su época, preludia en ella tonos románticos. Hay algo de romanticismo lacrimoso en su comienzo, pero esas lágrimas torrenciales que corren siempre por los versos amorosos de Lope no le impiden comunicarnos esta vez de muy eficaz manera los dolores de la partida y de la ausencia. Estos tercetos a Lucinda contienen versos de una plenitud de emoción sorprendente en un lírico seicentista. Libertándose momentáneamente de tópicos poéticos, evoca instantes intensamente vividos".

A la ciudad famosa que dejaba,
la cabeza volví, que desde lejos
sus muros con sus fuegos me enseñaba,
y dándome en los ojos los reflejos,
gran tiempo hacia la parte en que vivías
los tuvo amor suspensos y perplejos.
Y como imaginaba que tendrías
de lágrimas los bellos ojos llenos,
pensándolas juntar crecí las mías.
Mas como los amigos, desto ajenos,
reparasen en ver que me paraba
en el mayor dolor, fue el llanto menos.
Ya, pues, que el alma y la ciudad dejaba,
y no se oía del famoso río
el claro son con que sus muros lava,
"Adiós, dije mil veces, dueño mío,
hasta que a verme en tu ribera vuelva,
de quien tan tiernamente me desvío."
No suele el ruiseñor en verde selva
llorar el nido de uno en otro ramo
de florido arrayán y madreselva,
con más doliente voz que yo te llamo,
ausente de mis dulces pajarillos,[341]
por quien en llanto el corazón derramo,
ni brama, si le quitan sus novillos,
con más dolor la vaca, atravesando
los campos de agostados amarillos;
ni con arrullo más lloroso y blando
la tórtola se queja, prenda mía,
que yo me estoy de mi dolor quejando.
Lucinda, sin tu dulce compañía,
y sin las prendas de tu hermoso pecho,
todo es llorar desde la noche al día,

341 *Mis dulces pajarillos*: las relaciones entre Lope y Micaela de Luján duraron quince años (1593-1608), y de ellas nacieron cinco hijos. Para los años del *Peregrino* es probable que los "dulces pajarillos" fuesen Angelilla y Mariana, *vid.* Montesinos, *loc. cit.*

que con sólo pensar que está deshecho
mi nido ausente, me atraviesa el alma,
dando mil nudos a mi cuello estrecho;
que con dolor de que le dejo en calma,
y el fruto de mi amor goza otro dueño,
parece que he sembrado ingrata palma."
Llegué, Lucinda, al fin, sin verme el sueño,
en tres veces que el sol me vio tan triste,
a la aspereza de un lugar pequeño,
a quien de murtas y peñascos viste
Sierra Morena, que se pone en medio
del dichoso lugar en que naciste.[342]
Allí me pareció que sin remedio
llegaba el fin de mi mortal camino,
habiendo apenas caminado el medio,
y cuando ya mi pensamiento vino,
dejando atrás la Sierra, a imaginarte,
creció con el dolor el desatino;
que con pensar que estás de la otra parte,
me pareció que me quitó la Sierra
la dulce gloria de poder mirarte.
Bajé a los llanos de esta humilde tierra,
adonde me prendiste y cautivaste,
y yo fui esclavo de tu dulce guerra.
No estaba el Tajo con el verde engaste
de su florida margen cual solía,
cuando con esos pies su orilla honraste;
ni el agua clara a su pesar subía
por las sonoras ruedas[343] ni bajaba,
y en pedazos de plata se rompía;

342 *Lugar en que naciste*: la afirmación es terminante: la patria de Micaela de Luján es una aldea de Sierra Morena. Pero J. M. de Cossío, "La patria de Micaela de Luján", *RFE*, XV (1928), 379-81, adujo un texto de *Los esclavos libres* en que se dice que su patria era Espinosa de los Monteros. La única forma de conciliar ambos datos es suponer que Micaela efectivamente nació en algún pueblo de la Sierra Morena, pero que su oriundez era burgalesa.

343 *Las sonoras ruedas*: se refiere al famoso artificio de Juanelo Turriano para subir agua del Tajo en Toledo, muy citado en la literatura de la época, *vid.* J. C. Sánchez Mayendía, "El

ni Filomena su dolor cantaba,
ni se enlazaba parra con espino,
ni yedra por los árboles trepaba;
ni pastor estranjero ni vecino
se coronaba del laurel ingrato,
que algunos tienen por laurel divino.
Era su valle imagen y retrato
del lugar que la corte desampara,[344]
del alma de su espléndido aparato.
Yo, como aquel que a contemplar se para
rüinas tristes de pasadas glorias,
en agua de dolor bañé mi cara.
De tropel acudieron las memorias,
los asientos, los gustos, los favores,
que a veces los lugares son historias,
y en más de dos que yo te dije amores,
parece que escuchaba tus respuestas,
y que estaban allí las mismas flores.
Mas como en desventuras manifiestas
suele ser tan costoso el desengaño
y sus veloces alas son tan prestas,
vencido de la fuerza de mi daño,
caí desde mí mismo medio muerto
y conmigo también mi dulce engaño.
Teniendo, pues, mi duro fin por cierto,
las ninfas de las aguas, los pastores
del soto y los vaqueros del desierto,
cubriéndome de yerbas y de flores,
me lloraban, diciendo: "Aquí fenece
el hombre que mejor trató de amores,
y puesto que Lucinda le merece,
que su vida consista en su presencia,
él también con su muerte la engrandece".

---

artificio de Juanelo en la literatura española", *Cuadernos Hispanoamericanos,* 35 (1958), 73-92.

344 *El lugar que la corte desampara*: en enero de 1601 la corte se mudó a Valladolid, donde estuvo hasta 1605.

Entonces yo, que haciendo resistencia
estaba con tu luz al dolor mío,
abrí los ojos, que cerró tu ausencia.
Luego desamparando el valle frío
las ninfas bellas con sus rubias frentes
rompieron el cristal del manso río,
y en círculos de vidro trasparentes
las divididas aguas resonaron,
y en las peñas los ecos diferentes.
Los pastores también desampararon
el muerto vivo, y en la tibia arena
por sombra de quien era me dejaron.
Yo solo, acompañado de mi pena,
volvite al alma, del dolor quejoso,
que de pensar en ti la tuvo ajena.
Así ha llegado aquel pastor dichoso,
Lucinda, que llamabas dueño tuyo,
del Betis rico al Tajo caudaloso:
éste que miras es retrato suyo,
que así el esclavo que llorando pierdes
a tus divinos ojos restituyo.
O ya me olvides o de mí te acuerdes,
si te olvidares mientras tengo vida,
marchite amor mis esperanzas verdes.
Cosa que al cielo por mi bien le pida
jamás me cumpla, si otra cosa fuere
de aquestos ojos, donde estás, querida.
En tanto que mi espíritu rigiere
el cuerpo que tus brazos estimaron,
nadie los míos ocupar espere;
la memoria que en ellos me dejaron
es alcalde de aquella fortaleza
que tus hermosos ojos conquistaron.
Tú conoces, Lucinda, mi firmeza,
y que es de acero el pensamiento mío
con las pastoras de mayor belleza.
Ya sabes el rigor de mi desvío
con Flora, [345] que te tuvo tan celosa,

345 *Flora*: no se sabe quién era.

a cuyo fuego respondí tan frío;
pues bien conoces tú que es Flora hermosa,
y que con serlo, sin remedio vive,
envidiosa de ti, de mí quejosa.
Bien sabes que habla bien, que bien escribe,
y que me solicita y me regala,
por más desprecios que de mí recibe.
Mas yo, que de tu pie, donaire y gala
estimo más la cinta que desecha
que todo el oro con que a Creso iguala,
sólo estimo tenerte sin sospecha,
que no ha nacido ahora quien desate
de tanto amor lazada tan estrecha.
Cuando de yerbas de Tesalia [346] trate,
y discurriendo el monte de la luna
los espíritus ínfimos maltrate,
no hay fuerza en yerba ni en palabra alguna
contra mi voluntad, que hizo el cielo
libre en adversa y próspera fortuna.
Tú sola mereciste mi desvelo,
y yo también después de larga historia
con mi fuego de amor vencer tu hielo.
Viva con esto alegre tu memoria,
que como amar con celos es infierno,
amar sin ellos es descanso y gloria,
que yo, sin atender a mi gobierno,
no he de apartarme de adorarte ausente,
si de ti lo estuviese un siglo eterno.
El sol mil veces discurriendo cuente
del cielo los dorados paralelos,
y de su blanca hermana el rostro aumente,
que los diamantes de sus puros velos,
que viven fijos en su otava esfera, [347]
no han de igualarme aunque me maten celos.

346 *Yerbas de Tesalia*: en la tradición clásica Tesalia era la tierra favorita de magos y hechiceros.

347 *Otava esfera*: era la de las estrellas fijas, que Lope llama "diamantes de sus puros velos".

No habrá cosa jamás en la ribera
en que no te contemplen estos ojos,
mientras ausente de los tuyos muera;
en el jazmín tus cándidos despojos,
en la rosa encarnada tus mejillas,
tu bella boca en los claveles rojos;
tu olor en las retamas amarillas,
y en maravillas que mis cabras pacen
contemplaré también tus maravillas.[348]
Y cuando aquellos arroyuelos que hacen
templados, a mis quejas consonancia
desde la sierra, donde juntos nacen,
dejando el sol la furia y arrogancia
de dos tan encendidos animales,[349]
volviere el año a su primera estancia,
a pesar de sus fuentes naturales,
del yelo arrebatadas sus corrientes,
cuelguen por estas peñas sus cristales,
contemplaré tus concertados dientes,
y a veces en carámbanos mayores
los dedos de tus manos trasparentes.
Tu voz me acordarán los ruiseñores,
y de estas yedras y olmos los abrazos
nuestros hermafrodíticos[350] amores.
Aquestos nidos de diversos lazos,
donde ahora se besan dos palomas,
por ver mis prendas burlarán mis brazos.

348 *Maravillas*: la rima interna de este terceto lo desmejora.

349 *Dos tan encendidos animales*: alude Lope al paso del sol por el Zodíaco, y los "encendidos animales" son Taurus (primavera) y Leo (verano). El sentido es: cuando haya pasado la primavera y el verano, y haya vuelto el invierno ("primera estancia" del año), entonces el poeta contemplará la belleza de la amada ausente en los hielos y la nieve. Esta complicada alusión indica que la epístola no se escribió en noviembre-diciembre de 1602 (meses casi invernales), como supuso D. Alonso, *supra*, nota 340, sino más bien en el verano de ese año.

350 *Hermafrodíticos amores*: Hermafrodito rechazó el amor de Salmacis, pero ella se abrazó muy estrechamente a él y rogó a los dioses que los hiciesen uno, como ocurrió. Lope alude a la íntima unión entre él y Micaela.

Tú, si mejor tus pensamientos domas,
en tanto que yo quedo sin sentido,
dime el remedio de vivir que tomas,
que aunque todas las aguas del olvido
bebiese yo, por imposible tengo
que me escapase de tu lazo asido,
donde la vida a más dolor prevengo:
¡triste de aquel que por estrellas ama,
si no soy yo, porque a tus manos vengo!
Donde si espero de mis versos fama,
a ti lo debo, que tú sola puedes
dar a mi frente de laurel la rama,
donde muriendo vencedora quedes.

Bien conoció por esta carta Pánfilo que hombre que tan tiernamente escribía furiosamente amaba, y que sería capaz de sus pensamientos (por imposibles que pareciesen a quien no amase) quien disponía los suyos con tanta fuerza de sentimientos. Y así, después de haberle prevenido a cumplir lo que le pidiese con grandes juramentos de la prenda que estimaba y habiendo él asegurádolos todos por la misma, le dijo que en pago de haberle dado la vida, según él confesaba, le negociase una plaza de loco en la cárcel donde en aquella ciudad los curaban. Admirado de tan estraña petición, Jacinto quiso saber la causa, pero prometiéndole Pánfilo que conseguido este deseo se la diría, y viendo que se echaba a sus pies con inauditos encarecimientos del bien que le haría llevándole a aquella casa, imaginó que algún oculto peligro le obligaba, y quiriendo satisfacer la deuda como noble, después de algunos inconvenientes y razones se concertó entre los dos el modo. Y así aquella misma tarde vino del hospital Jacinto con cuatro o seis hombres fuertes que entrando de improviso en el aposento de Pánfilo le arrebataron de una silla y le llevaron en brazos. ¡Oh mísero estado de un hombre tan peregrino en sucesos que después de tantos viniese, estando cuerdo, si lo son los que aman, a ser llevado por loco, donde de los que lo están se procura el remedio!

Admiró esta novedad la casa y familia de Jacinto y quejábanse todos de que con la persona a quien confesaba deber la vida usase tan indigno término, y quien con más veras sentía esto y de su crueldad se quejaba era su hermana Tiberia, hermosa y discreta entre cuantas damas en aquella sazón tenía Valencia, que, aficionada a la gentileza y entendimiento de nuestro infelicísimo Peregrino, veía con la luz de sus ojos y respiraba con su aliento. Jacinto los persuadía que Pánfilo estaba loco y que convenía curarle antes que el mal creciese. Su padre de este caballero, que era letrado, afeaba la prevención diciendo aquellas palabras de Séneca [351] que en las enfermedades ninguna cosa es de mayor peligro que la medicina sin tiempo, y juraba que le había de sacar de la prisión y traerle a su casa. Esta piedad esforzaba Tiberia, diciendo que el verdadero agradecimiento fuera ése, pues no eran tan pobres que allí no le pudiesen curar con mayor cuidado y a menos costa de su honra. Replicaba Jacinto que era estranjero y que nadie le conocería, y como en toda la casa ninguna persona estuviese de su parte, les declaró el secreto, de que admirados todos se pusieron a pensar la causa, de cuyo acuerdo salió decretado que Pánfilo debía de ser espía que con aquel hábito de peregrino andaba encubierto, y que pareciéndole que de alguna persona era sentido, se valió de aquel medio para escapar la vida, y que aunque hablaba español, en el rostro blanco, rubio y hermoso parecía estranjero y en las acciones hombre noble.

Con esto quedó Jacinto en mejor opinión, la casa alborotada y Tiberia llena de piadoso sentimiento y cuidado de la de Pánfilo, que con estar en la cárcel de los furiosos, centro al parecer de muchos de la mayor miseria, se imaginaba en el de toda su felicidad y gloria. Hicieron lugar al nuevo huésped los más antiguos, procurando Pánfilo llegarse a los que le parecían más limpios y con varios efectos y transformaciones de su

351 *Séneca: Epist.*, XCIV, 20.

rostro significar su furia, que habiéndoles parecido temeraria, le tuvieron en la gavia algunos días con unas fuertes esposas, donde para confirmar su locura en algunos que le escuchaban una mañana, que a ver las cárceles habían venido unos caballeros de Castilla que con algunos genoveses pasaban a Italia en las galeras de Andrea de Oria,[352] comenzó a decir así:

Todas las cosas que ocupan
muestran henchir ocupando,
imperfectamente es cuando
el cuerpo ocupa lugar.
Mejor le suele ocupar
el corporal accidente,
porque en efecto consiente
otra cosa donde está,
aunque el alma dice ya
que ocupa mejor que todos
la materia de mil modos,
pues está en cualquiera parte
del cuerpo y cuando se parte
tiene mayor perfección,
que los espíritus son,
ya libres, como los bellos
del cielo, pues no hay en ellos
términos ni cantidades.
Aquel que por mil edades
todo lo contiene en sí,
y de nadie aquí ni allí
contenido puede ser,
cuya virtud y poder
no cabe en fin y ha de estar,
toda en parte y en lugar:
Éste ocupa en alto grado
sin término limitado,
ajeno o propio y es ente
único y primeramente

352 *Andrea de Oria*: se trata de Juan Andrea Doria, de quien he dado algunas noticias *supra*, nota 272.

sumo bien y sólo Dios,
que hizo estos orbes dos,
y al superior nos inclina.
Aquí ninguno imagina
cómo puedo yo ocupar
de esta prisión el lugar,
si soy cuerpo, o alma soy,
si como materia estoy,
o si es o no más de la forma.
Si yerra quien no se informa,
preguntando acierta el sabio,
mas será notable agravio
de mi oculto penamiento
deciros mi loco intento,
que está cuerdo y desatina:
que si en la lengua latina
loco se llama el lugar,
en éste que quiero estar
bien es que parezca loco.
Pues desde aquí miro y toco
la causa de mi locura,
porque donde está la cura
no viene mal el enfermo;
que para quien ama es yermo
la populosa ciudad,
porque todo es soledad,
donde los ojos no ven
el objeto de su bien.
Y siendo los cuerpos pocos
más vale vivir con locos,
que confiesan que lo son,
que no con la obstinación
de los que lo disimulan,
porque éstos siempre acumulan
humores sobre el que tienen,
y éstos a curar se vienen,
que es principio de salud,
y es más segura virtud
el acto que la potencia.

El vulgo no diferencia
locos o cuerdos jamás,
que mide con un compás
los estremos de ordinario;
y sólo es loco el contrario
de su inorancia y costumbre,
porque le falta la lumbre
del discurso de razón,
y sobra la confusión,
que en la multitud se esfuerza.
Muchos son locos por fuerza,
y otros por estimación,
porque puede la opinión
dar o quitar al que quiere.
¿Quién dirá que cuando muere
no canta el cisne sonoro,
y quién de este canto o lloro
dirá que el acento ha oído?
Muchos cuentan que ha nacido
la fénis en el Arabia,
que naturaleza sabia,
de Dios divino instrumento,
fabricó para argumento
de sus obras excelentes.
De mil modos diferentes
sus plumas los escritores
pintan de varias colores,
haciéndolas de oro alguno
con más ojos que de Juno[353]
suelen pintar al pavón.
Poetas dicen que son
sus pies y pico rubíes,
cuyos visos carmesíes
parecen llamas fogosas,
y que por niñas hermosas
de sus ojos cristalinos

353 *Juno*: el pavón o pavo real era atributo de Juno, y *ojos* se llaman los hermosos dibujos circulares de su cola.

tiene dos diamantes finos,
que tocados sus quilates
el Pactolo y el Eufrates[354]
no llevan arenas de oro,
para comprar su tesoro
bastantes con ser arena,
de que está su margen llena
por mil leguas hasta el mar:
y que si quiere volar,
debajo las alas bellas
descubre tantas estrellas
como la serena noche,
cuando la luna en su coche
va cortando con sus ruedas,
seguras, blancas y ledas,
las humidades que cría
su imperio, por ser tan fría;
y éstas dicen que son piedras,
que cual racimos de yedras
se engendran de cada pluma;
y que cuando viene en suma
a estar vieja, hace una hoguera
de la olorosa madera
de mirra, linaloel,
clavo, canela y laurel,
cinamomo y calambuco,
adonde el cuerpo caduco
recuesta, y batiendo el ala
enciende el aire que exhala,
como en la piedra el acero.
Muere en fin aquel primero
fénis, y el quemado aroma
cría una blanca paloma,
que sale de su ceniza,
con que su ser eterniza,
y vuelve de su vejez

354 *Pactolo y el Eufrates*: ríos de Lidia y Mesopotamia, respectivamente.

a salir moza otra vez,
dando al oriente alegría,
como Medea quería
con las yerbas de Tesalia.[355]
Esto cuenta en Vandalia,
y en Asia de otra manera,
y en Arabia y dondequiera
que escriban que el féniz nace,
y que sus exequias hace,
no habrá un hombre que aun mintiendo
diga que la vio subiendo
por los aires orientales.
Estas y otras cosas tales
reciben en su razón
la costumbre y la opinión,
y con ser maravillosas
se juzgan fáciles cosas
porque ya están recibidas.
¿Quién hay que no tenga a Midas
por loco en pedir el oro,
y cuantos con su tesoro
duermen y comen dorados?
Si ahora dos mil nublados
cubren el rostro del sol,
cuyas nubes de arrebol
se afeitaron junto al alba,
y luego, con mayor salva
que una flota que entra en puerto,
vemos todo el cielo abierto
con vómitos y con luces,
y que de sus arcaduces
lloran las nubes mil mares,
y que luego los solares
rayos vuelven a salir,
¿no podríamos decir
que es loco el tiempo, pues es
en la opinión loco un mes,

[355] *Yerbas de Tesalia: vide supra,* nota 346.

porque danzan sus balanzas
al son de aquestas mudanzas?
Luego siendo el tiempo loco,
cuanto un hombre intenta es poco
si más locura remedia.
Los fines de la tragedia
comienzan del buen suceso.
Alguno al que tiene en peso
el gobierno y la corona
tiene por loco y blasona
de que Diógenes fuera
y que a Alejandro dijera
lo mismo que él en la cuba,
porque como la tortuga
vive con su casa a cuestas.
Otro dice que son éstas
las verdaderas locuras.
El filósofo [356] que a escuras
pretendió estudiar las ciencias,
y por no haber diferencias
que le engendrasen antojos
en fin se sacó los ojos,
a pocos parece cuerdo,
si bien de algunos me acuerdo
que le estimaron por sabio.
Las palabras que el agravio
ha introducido en el suelo
para las leyes del duelo,
donde es Licurgo [357] la ira,
el ser o no ser mentira
y aventurar en contienda
alma, vida, sangre, hacienda,
locura debe de ser;
pero el mundo quiere hacer
leyes que la sangre escriba
y la furia ejecutiva

356 *El filósofo*: la tradición lo contaba de Demócrito.
357 *Licurgo*: en el sentido, casi por antonomasia, de legislador.

tan a la letra declare
que sólo en la muerte pare
del agraviado el intento.
¿Qué más loco pensamiento
que pretender y morir
en llegando a conseguir
el fin de la pretensión?
El porfïar con razón
ya por locura se sella,
pues ¿quién será quien sin ella,
con quien la tiene, porfía?
Ésta la amistad enfría
y quita la fuerza a amor,
porque es contrario mayor
que envidia, desdén y celos.
Los que miden de los cielos
la inmensidad locos son,
pues a la imaginación
del que hizo sus figuras
de imaginarias pinturas
con Andrómeda[358] y Pegaso,
el inventor del Parnaso,
Sierpe, Lira, Alcides, Copa,
Corona, Calisto, Europa,
dan crédito sin discurso,
pues mientras del cielo el curso
y de las luces que encierra
van contemplando, en la tierra
en el primer hoyo caen.
Los que sin hacienda traen
galas y casa costosa,
no son cuerdos, pues es cosa
que no acredita y consume.
El que de grave presume,
pues viene a dar ocasión
de tanta murmuración,
¿qué es lo que llama cordura?

358 *Andrómeda*: sigue una serie de nombres de constelaciones y estrellas, casi todos ellos tomados de la mitología clásica.

Quien ser famoso procura
diciendo mal, ¿en qué acierta?
Quien está siempre a la puerta
del rico y tiene salud,
¿en qué muestra su virtud
habiendo guerra y soldados?
No atender a sus cuidados
y mirar los del vecino,
¿es cordura o desatino?
¿Y a qué locura no excede
dejar la patria el que puede
vivir en ella contento?
El de humilde nacimiento,
¿qué piensa cuando se ensalza?
Y la hermosura descalza,
¿para qué da puerta al ruego?
Y si todos ven el fuego,
que por las ventanas sale,
¿fingir castidad qué vale?
aunque el ser cauto es lo cierto.
¿Y de qué sirve al despierto
el fingir que está durmiendo
si se sabe que ha sabido
ser Argos[359] y se durmió,
cuando Mercurio llegó
con la vara de interés?
¿Y de qué sirve después
de la ocasión al cobarde
hablar atrevido y tarde?
Luego no son cuerdos éstos,
ni de los ojos honestos
trato y vida estar celosos
los que viven temerosos
de su malicia y flaqueza.
Algunos llaman firmeza
ser en el vicio constantes.
Si son locos los amantes,
bien lo muestran los efetos.

359 *Argos: vide supra,* nota 93.

Mil presumen de discretos,
que cuando vienen a errar
los puede el hombre culpar
más ignorante del suelo.
Los Icaros[360] en el vuelo
locos son, si hasta la esfera
del sol con alas de cera
quieren subir atrevidos.
Los oficios mal regidos
son las riendas de Faetón:[361]
luego a la cuenta no son
cuerdos cuantos lo parecen.
Los poetas encarecen
el arte de navegar,
mas culpan al que en la mar
puso la tabla primera;[362]
porque saben que no fuera
otra cosa poderosa
a hazaña tan peligrosa
sino las manzanas de oro.[363]
¡Oh codicioso tesoro!
Manzanas pierde la tierra,
y el mar, que con ley se cierra
de que nadie por él pase,
ya consintió que la arase
de Argos la famosa proa,
por quien hoy Jasón se loa
de haber su cristal rompido
por manzanas, que han podido
en estos dos elementos

360 *Icaro*: sus alas de cera se derritieron al acercarse demasiado al sol. Acerca de *esfera del sol, vide supra,* nota 77.

361 *Faetón*: con ciega confianza quiso conducir los caballos del Sol; éstos se desbocaron y amenazaron quemar la tierra. Zeus intervino y fulminó a Faetón con un rayo.

362 *La tabla primera*: lugar común poético que remonta a Horacio, *Odas,* I, iii.

363 *Manzanas de oro*: custodiadas por las Hespérides en su remotísimo jardín, en el confín del mundo. Pero en los versos que siguen se hace evidente que Lope confunde las manzanas de oro (uno de los trabajos de Hércules) con la conquista del vellocino de oro (hazaña de Jasón embarcado en la nave *Argo*).

dar materia a mil tormentos.
Pues vea la gente sabia
si teniendo el árbol[364] gavia
y siendo cárcel del seso
la gavia, se entiende en eso
cuánto es loco el que se fía
de la plaza o la crujía
de la nave o la galera;
porque si la mar se altera
y se rompe el edificio,
puerta que lleva su quicio
en el agua y las estrellas,
las voces y las querellas,
puesto que escarmientan pocos,
¿qué es sino casa de locos,
puesto que fundada en cuerdas?
Pero tú, si ya te acuerdas
de quién soy, Nise divina,
a mis locuras inclina
los ojos que me enloquecen,
y viendo lo que padecen
mis pensamientos por ti,
tendrás lástima de mí,
que con tan vario suceso,
cuerdo, loco, libre o preso,
soy aquel mismo que fui.

Admirados estaban, y con razón, los que escuchaban a Pánfilo estas razones, que entre la furia y desconcierto mostraban la serenidad del alma, cuyos conceptos eran. Aquí primero que viese a su hermosa Nise estuvo algunos días padeciendo a cuenta suya tantas descomodidades, que es imposible decirlas, ni cabe en la brevedad de nuestra historia exagerarlas, aunque diga

364 *Arbol*: y *gavia, plaza, crujía,* son todos términos náuticos. A la *gavia* Lope la llama *cárcel del seso,* porque "a los locos furiosos los tienen en unas jaulas de palo, y a éstas también llaman gauias", Covarrubias, *Tesoro,* s.v. En esta última acepción usa la voz Lope en p. 272, por ejemplo.

Aristóteles [365] que es de hombres viles sufrir cosas indignas, no siendo por algún famoso hecho.

Celio por la perdida Finea iba caminando a Francia por Zaragoza, donde el día que llegó le dieron nuevas unos peregrinos de la paz [366] ya publicadas entre las dos naciones en tiempo del rey Felipe Segundo, guardada tan inviolablemente, que se podía caminar como por la patria. Discurrió la ciudad Celio, para informarse del camino, y viendo que en ella había grandes fiestas y representaciones, por olvidarse de sus cuidados se detuvo a verlas, y yo, como en los pasados libros, quiero detenerme a escribirlas, pues no serán de menos gusto las presentes.

Ya en la puerta del insigne templo del Pilar sacro, sobre que tiene los pies la imagen santa de la Reina del cielo y nuestra, estaba un teatro que adornado de ricas telas, obligaba la vista. Lo noble de la ciudad le coronaba [367] en torno, y estando el pueblo atento salieron tres músicos que cantaron así:

Hombre y Dios puesto en la cruz,
José divino vendido,
Cordero inocente muerto
del mundo al mismo principio,
Isac obediente al Padre,
sacrificio puro y limpio,
Salomón puesto en su trono,
Capitán de Israel invicto,
Sierpe [368] contra aquella sierpe,
César en su triunfo altivo,
árbol del fruto estimado,
trigo para pan bendito:
Cristo, Dios, hombre, José,
cordero, Isac, sacrificio,

365 *Aristóteles: Retórica,* I, 9.
366 *La paz*: se refiere a la de Vervins (1598).
367 *Le coronaba*: la nobleza de la ciudad estaba sentada en semicírculo en lo alto del teatro, como era usual entonces.
368 *Sierpe: Números,* XXI, 6-9.

Salomón, capitán, sierpe,
César triunfante, árbol, trigo.[369]
Vos sois aquel Cupido
de amor vendado y por amor vendido.
Esposo de los *Cantares*
coronado de rocío,
Rey pues aquí lo confiesan
vuestros propios enemigos,
Josué que eclipsa el sol,
si el otro le ha detenido,
manos de Moisén orando,
olivo de su olio ungido,
emperador que en sus hombros
sustenta el imperio mismo,
león con panal de miel,
juez muerto por mi delito,
arpa contra los demonios,
luz en monte, y dando silbos,
pastor que desde él nos llama,
libro con su sangre escrito:
esposo, Rey, Josué,
manos de Moisén, olivo,
emperador, león, juez,
arpa, luz, pastor y libro.
Vos sois aquel Cupido
de amor vendado y por amor vendido.
Manuel que en vez de miel
le dieron hiel que no quiso,
Príncipe santo de paz,
Padre del futuro siglo,
fuego que sube a su esfera,[370]
Absalón en alto ha sido,

[369] *Trigo*: este romance es de recolección plurimembre, según denomina D. Alonso a este difundido artificio poético, ver, por ejemplo, su libro, en colaboración con Carlos Bousoño, *Seis calas en la expresión literaria española. (Prosa-Poesía-Teatro)* (Madrid, 1951), en part. la bibliografía en pp. 48-50. El romance tiene, además, estribillo, y se convierte así en el más artificioso del libro, y es una versión muy lopesca *de los nombres de Cristo.*

[370] *Fuego que sube a su esfera: vide supra,* nota 216.

de tres lanzas de Ioab
a la encina crucifijo,
frontispicio del gran templo,
serafín que Esaías dijo,
de seis alas no cubiertas,
pues descubren llagas cinco,
víctima aquí voluntaria,
flor de Iesse que ha subido,
de la raíz del calvario,
lámpara que así fue dicho
que sería el Salvador
como lámpara encendido,
yedra en olmo y de la tierra
de Dios racimo bendito:
Manuel, príncipe, padre,
fuego, Absalón, frontispicio,
serafín, víctima, flor,
lámpara, yedra, racimo.
Vos sois aquel Cupido
de amor vendado y por amor vendido.

A estos postreros acentos salió el que hacía el Prólogo y le refirió así:

No fue el llamarle rudeza
los antiguos escritores
al dios Pan de los pastores,
dios de la naturaleza;
que dejando propiedades
que de otras cosas le dan,
son las sombras de aquel Pan
figura de estas verdades.
Y aunque hay sagrada Escritura,
es gloria desta verdad
que hasta la gentilidad
tenga deste pan figura,
aquel cuerpo santo unido;
la parte inferior de humano,

muestra el verbo soberano
de piel humana vestido.
Terrestre, humilde y mortal
y humana naturaleza
encubrió vuestra grandeza,
divino Pan celestial.[371]
En casa de pan naciste,
aunque no de las menores,
y como Dios de pastores,
luego en naciendo los viste.
Pastor después os llamais,
y decís que conoceis
las ovejas que teneis,
que con sangre señalais.
Y cuando todas huyeron
de los lobos que llegaron,
como a pastor os hallaron
en el huerto en que os prendieron.
Hombre y pastor a la gente
os muestra un hombre inhumano,
la verde caña en la mano
y la guirnalda en la frente.
Y yendo al monte, aunque tierno,
con vuestro cayado al hombro,
diste silbo, que fue asombro
de cielo, tierra y infierno.
Las siete voces[372] que Pan
juntó de cañas y cera,
fue la música postrera
que de Vos oyendo están.
Y si allá quedó vencido
Pan de Apolo,[373] vos Pan solo
con esta música a Apolo
dejasteis escurecido.

371 *Pan*: dios Pan gentílico y Pan eucarístico, equívoco sobre el que se montan todas estas redondillas.

372 *Las siete voces*: Pan inventó la flauta de siete voces, o siringa.

373 *Apolo*: Pan y Apolo tuvieron un concurso musical, en el que el rey Midas, para su daño, falló a favor de Pan.

Que dijo en esta tristeza
un hombre: El mundo es deshecho,
o padece el Dios que ha hecho
la humana naturaleza.

También os llamais Pan vivo,
luego sois pan y pastor:
vivo fue grande el amor,
pero muriendo excesivo.

Que cuando ya al fin llegastes
de lo que hacer prometistes,
como pan al hombre os distes
y como pan os quedastes.

Y así justamente a vos
de Dios Pan el nombre os dan,
porque ser Dios y ser pan,
¿quién puede ser sino Dios?

La tierra en efeto os nombre
señor de inmortal grandeza,
Dios de la naturaleza,
Dios pan, Dios pastor, Dios hombre.

Veis aquí pan celestial
entre gentiles figura
de ese pan, divina hartura
del Angel y hombre mortal.

No huya el Alma de Vos,
como aquella ninfa [374] huía,
pues vos Dios Pan este día,
puesto que sois pan, sois Dios.

Que si huyendo esos amores
se convierte en caña, luego
la cortarán para el fuego
del infierno los pastores.

Esperad, pues, Alma, vos,
y gozareisle en el cielo,
que aunque es Dios en cielo y suelo,
aquí veis pan y allá Dios.

374 *Ninfa*: Siringa (Syrinx), que para salvarse de la persecución de Pan se convirtió en caña.

La música al fin del Prólogo cantó así:

Del cielo somos aldeas,
pues hoy, Alma venturosa,
que Dios con vos se desposa,
da por colación obleas.
Aldeas somos del cielo
desde que Adán labrador
comió aquel pan de dolor,
cosecha de todo el suelo.
Mas ¿qué cortes, como aldeas,
donde en la fiesta dichosa
que Dios con vos se desposa,
da por colación obleas?
Estremada colación
es hacer que vivo esté,
donde pintado se ve
el cordero de Sión.
Trátanos Dios como aldeas,
y por eso, Alma dichosa,
cuando con vos se desposa
da por colación obleas.

Habiéndose entrado los músicos salió el Cuerpo, en hábito de villano rústico, y el Entendimiento, de un viejo venerable, y dijeron así:

CUER. ¿Conmigo torres de viento?
ENT. ¿Tú no ves que soy la basa,
la coluna y fundamento?
CUER. Alzaos con toda la casa,
porque sois Entendimiento.
Por Dios que si se pudiera
vivir sin vos y bastara
que el cielo razón nos diera,
que de la casa os echara
y que con vos no viviera.
En cuanto el hombre tropieza,
sois tan soberbio enemigo,

que ha dudado mi flaqueza
que podais caber conmigo
si no ensancho la cabeza.

ENT. Mira, Cuerpo, no seas loco,
por el Alma que en ti mora,
que en la materia que toco,
tanto estimo a tu señora
cuanto a ti te tengo en poco.

Si el Alma camina bien
en estos tristes destierros,
tú harás lo mismo también,
que no es bien que de sus yerros
culpa a tu inorancia den. [375]

El que toca el instrumento
es, con bueno o con mal son,
el que le da sentimiento,
porque él sin esta razón
¿cómo tendrá movimiento?

El Alma no me ejercita,
aunque se ayuda de ti,
y a sus fuerzas habilita
por tus órganos a mí,
ni a tus bajezas me incita.

Para nuestro oficio honrado,
yo y la Voluntad, que hacemos
al Alma ilustre su estado,
en ti, Cuerpo, no tenemos
órgano determinado. [376]

CUER. No hay paciencia que resista,
ni hay en mi cólera calma
para veros tan sofista;
ya sé yo muy bien que el Alma
no puede ser organista.

Ya sé que soy sin nobleza,
grueso, tosco y material,
y del Alma la riqueza,

[375] *Den*: según apostilla 1604, la autoridad es S. Juan Crisóstomo, *In Epistolam ad Romanos,* homilía XII, vii.

[376] *Determinado*: apostilla 1604 que la autoridad es Francisco Titelmann, *Philosophiae naturalis* (Lyon, 1551), VIII, 3.

que es su tela y mi sayal
distinta naturaleza.
Pero es tal nuestra amistad,
que no hay miembro en mí vacío
de su virtud.

ENT. Es verdad,
y es tu ornato y atavío
la ordenada variedad.
Mas ella es acto primero
y natural perfección
de tu cuerpo.[377]

CUER. Yo no quiero
rebelarme a la razón:
casa y cuerpo soy grosero.
De su forma sustancial
materia y compuesto soy,
por ella tengo caudal,
mortal nací como estoy
y ella espíritu inmortal.
Si está en mi casa contenta,
¿para qué la decís vos
que en mis gustos no consienta?

ENT. Porque teme y ama a Dios,
y está la suya a mi cuenta.
Tú perecerás cual flor,
y cual heno envejecido
tu natural resplandor.[378]

CUER. Y vos quedareis asido
al Alma.[379]

ENT. Tiempla el furor;
¿no ves que quien da el veneno
hace el pecado, y no el vaso
que va de sicuta lleno?[380]

377 *Cuerpo*: 1604 añade: Aristóteles, *De anima,* II, v.

378 *Resplandor*: 1604 aclara: *Isaías,* XL y *Eclesiástico.* XIV (Peyton interpreta mal la abreviatura *Eclesi.* e identifica erróneamente *Eclesiastés,* I, 4).

379 *Alma*: 1604 *ama.*

380 *Sicuta lleno: sicuta* por *cicuta* no lo hallo documentado. La fuente, según 1604, es Tertuliano, *Adversus Martionem,* V.

CUER. Entendimiento, hablad paso,
no me tireis tanto el freno.
¿Qué os ha hecho el Rey a vos
de las tinieblas escuras?
¿no nos regala a los dos?
ENT. ¿Rey de tinieblas procuras?
¿Tú quieres dejar a Dios? [381]
CUER. A fe que no es mal galán
para el Alma, a quien anieblas
hoy cuantos gustos le dan.
ENT. Cuerpo, de un rey de tinieblas
dime: ¿qué gustos serán?
Bien parece que no has visto
al Príncipe de la luz.
CUER. Por el nombre está bienquisto,
pero ya sé que su cruz
son los regalos de Cristo.
Mas El dice que es süave
su carga, creerlo quiero.
ENT. Es leve su yugo y sabe
que El le ha llevado el primero,
para que no fuese grave.
Yo procuro, Cuerpo amigo,
hacer estas amistades
dél y del Alma.
CUER. Yo os digo,
si os he de decir verdades,
que no está muy bien conmigo.
ENT. Así Pablo [382] lo decía,
que quien en la carne está
agradarle no podía.
CUER. Mirad que el Alma está ya
con mortal melancolía.
No la tengais tan sujeta.
ENT. Mira, Cuerpo, fácilmente
un alegre se inquïeta.

[381] *Dios*: 1604 dice *Jacob. 4,* o sea *Epístola de Santiago,* IV.
[382] *Pablo*: 1604: *Ad Romanos,* VIII.

CUER. Pues huélguese honestamente,
que mucho tu lazo aprieta.
ENT. ¿Cómo?
CUER. Vístase gallarda.
ENT. ¿Y qué tiempo sobraría
para la oración, si tarda
del alba hasta el mediodía?
Eso impide y acobarda.
CUER. Pues algo tiene de hacer.[383]
ENT. Ahora bien: por su respeto,
y por hacerte placer,
y porque para este efeto
es bellísima mujer,
hagámosla Maya.[384]
CUER. ¿Cómo,
si está agora descompuesta?
ENT. Eso a mi cargo lo tomo,
y quiero ser desta fiesta
el faraute y mayordomo.
CUER. Por Dios que según es bella,
que creo que allegaremos

383 *Hacer*: 1604 atestigua: S. Juan Crisóstomo, *In caput Matthaei XII*, homilía XL, y S. Gregorio Magno, *Moralium*, XXV, 8.

384 *Maya*: "una niña que en los días de siesta del mes de mayo, por juego y divertimiento, visten bizarramente como novia, y la ponen en un asiento en la calle, y otras muchachas están pidiendo a los que pasan den dinero para ella, lo que les sirve para merendar todas", *Dicc. Aut.*, s.v. Acerca de los remotos orígenes paganos de tal fiesta, y de sus repercusiones literarias y folklóricas, *vid.* A. González Palencia y E. Mele, *La Maya. Notas para su estudio en España* (Madrid, 1944), donde se hallará, asimismo, un estudio sobre "La Maya en las obras de Lope de Vega", pp. 47-55. De interés folklórico es el estudio de T. Maza Solana, "El auto sacramental *La Maya* de Lope de Vega y las fiestas populares del mismo nombre en la Montaña", *BBMP*, XVII (1935), 369-87. Otro estudio, bastante superficial, en A. Valbuena Prat, *La religiosidad popular en Lope de Vega* (Madrid, 1963), pp. 14-19; muy erudito, en cambio, es el que le dedica N. Salomon, *Recherches sur le thème paysan dans la "comedia" au temps de Lope de Vega* (Burdeos, 1965), pp. 631-44. En nuestro auto la Maya, o reina de Mayo, es el Alma, y el mozo preferido es Jesús. Según se verá, Lope recoge varios cantarcillos de las representaciones populares de las mayas.

grandes tesoros con ella,
porque mil ricos estremos
Dios en sus grandezas sella.
Que yo, con ser Cuerpo, es cierto
que desde el cuello a la frente
tengo otro mundo encubierto,
que es un milagro excelente,
cuando se contempla abierto.
¿Qué es mirar tanta oficina
debajo de un cráneo y güeso,
cuanto más, Alma divina,
de milagros el exceso
que en vos mi ingenio imagina? [385]
Agora sí la verán
los galanes que pasean
y buen día se darán.

ENT. Sus ojos quiero que hoy vean
a Cristo, hermoso galán:
cuán bien su hermosura dijo
su esposa. [386]

CUER. De amor se abrasa.

ENT. Es de Dios imagen y hijo. [387]

CUER. ¿Sabéis quién vive esta casa?
La Alegría y Regocijo.

ENT. ¿Quién [388] son?

CUER. Marido y mujer,
músicos tan excelentes,
que podrán la fiesta hacer,
porque ellos y sus parientes
saben cantar y tañer.
Que aquí está la Poesía,
aunque a veces enojada
con la cantora Alegría,
mas no será convidada

385 *Imagina*: dice 1604 que esto es de Titelmann, *Philosophiae naturalis*, VIII.
386 *Esposa*: 1604 explica: *Cantica canticorum*.
387 *Hijo*: 1604 anota: *Ad Hebraeos*, XIII.
388 *Quién*: en español clásico valía para singular y plural.

si tiene melancolía.
Está el Gusto, está el Contento,
está el Baile y la Locura.
ENT. Esa llevar no consiento,
que para descompostura
tiene mucho atrevimiento.
CUER. Llevaremos quien tú quieras;
parte y vístase la Maya.
ENT. Pues llama.
CUER. ¿Adónde me esperas?
ENT. En casa.
CUER. Hoy quiero que vaya
todo el resto de mis veras.
Hoy sí que ha de ser gran día.
¡Ah Regocijo!

Entrándose el Entendimiento salió el Regocijo, vestido de villano, con un instrumento:

REG. ¿Quién es?
CUER. ¡Qué presto oyó la voz mía!
REG. ¿Es el Cuerpo?
CUER. ¿No me ves?
REG. Pardiez, no te conocía.
CUER. Ando flaco y sin contento,
que me trae a mal traer
este viejo Entendimiento.
REG. ¿No te da bien de comer?
CUER. Consejos, palabras, viento.
REG. Pues ¿eres camaleón? [389]
CUER. Todas son sofisterías.
REG. ¿Y el Alma?
CUER. Con la Razón
está ocupada estos días
en cosas de perfección.
Déjanme por inorante.
REG. No sabes más de comer
con ser como un elefante.

[389] *Camaleón*: era fama que se alimentaba del aire.

CUER. ¿Adónde está tu mujer?
REG. Aquí templando un discante.
CUER. ¡Qué buena casa has labrado!
REG. Estoy aquí como un rey.
de gran gente acompañado,
que no tiene el mundo ley
que pueda darme cuidado.
CUER. ¿Qué huéspedes tienes?
REG. Grandes:
la Música, la Poesía,
que dirán cuanto les mandes;
las Burlas, la Cortesía,
que brindan que no hay más Flandes.
La Honra, la Paz, la Herencia,
Buen Suceso, Mocedad,
Dinero, alegre sentencia,
la Vitoria y la Amistad,
Salud y buena Conciencia;
la Comedia, rica cosa,
gracioso entretenimiento
para ocupar gente ociosa,
que divierte el pensamiento
de la tristeza enojosa.
He echado de casa el Juego,
porque a todos revolvía,
y nos quitaba el sosiego,
y porque echó el otro día
cierto porvida y reniego.
CUER. ¿No tienes acá las Ciencias?
REG. No soy, por tu vida, amigo
de meterme en diferencias;
las leyes nunca las sigo
por tantas inteligencias.
Eso de la Astrología
desvanéceme la testa;
la sagrada Teología
es muy sutil y dispuesta
a tener melancolía.

La Medicina, ella es cosa
que también me desatina;
aquí ha de estar gente ociosa,
porque a las ciencias afina
la tristeza religiosa.
¿Qué quieres, Cuerpo?

CUER. He sabido
tanto, aunque rudo y a tiento,
y como animal nacido,
que a este sabio Entendimiento
tengo a mis gustos rendido.
Hoy el Alma ha de ser Maya,
grande fiesta quiso hacer,
puesto que el mayo se vaya,
que creo que salió ayer
y que pasamos la raya.
Mas no importa, ven conmigo.

REG. Hola, Alegría y Contento.

CUER. ¿Es músico?

REG. Y grande amigo.

Salieron la Alegría y el Contento, de dama y galán, ricamente vestidos, con sus instrumentos:

ALE. ¿Qué nos quieres?

REG. Su instrumento
traiga cada cual consigo.

CONT. ¿Dónde vamos?

REG. A una fiesta.

CONT. ¿Es boda?

REG. Una Maya es.

ALE. ¿Quién?

CUER. El Alma.

ALE. ¿Está compuesta?

CUER. Allá la componen tres,
y todos tres apuesta.

CONT. ¿Quién son?

CUER. Amigo Contento,
son desta novia la gloria,

lustre, gala y ornamento
la Voluntad y la Memoria
y el anciano Entendimiento.[390]

CONT. Pues vamos y ande la fiesta.

ALE. Aunque los tres me perdonen,
Cuerpo, te doy por respuesta
que si tantos la componen
vendrá a quedar descompuesta.
Guiará la Voluntad
por donde el Entendimiento
no la tenga con su edad.

CUER. Esté yo gordo y contento
y tenga vuestra amistad,
y nunca paz les dé Dios.

ALE. Si no están ellos con ella,
¿cómo la tendreis los dos?

REG. Ahora bien: la Maya es bella,
Cuerpo, ya vamos con vos.

CUER. Pensad letras.

ALE. ¡Qué apacible
es el Cuerpo!

REG. Es gran persona.

CUER. Cantad algo convenible.

CONT. Un poco de vida bona
con la honestidad posible.

Luego comenzaron los tres a tañer, bailar y cantar esta letra:

Vida bona,[391] vida bona,
vida, vámonos a la gloria.

[390] *Voluntad, Memoria, Entendimiento: v. supra,* nota 112.

[391] *Vida bona*: esto es nada menos que una vuelta a lo divino de la letra del famosísimo baile de la *chacona* — Cervantes en *La ilustre fregona* trae versión profana. Pero Gaspar Lucas Hidalgo censuró duramente estas audaces divinizaciones: "Bien sé que ya se cantan chaconas a lo divino, y que han emparentado, aunque sin dispensación y sin necesidad, lo profano y lo sagrado, lo festivo y lo funeral", *Diálogos de apacible entretenimiento* (Barcelona, 1606), *Bib. Aut. Esp.,* XXXVI, 283b. En descargo de Lope se puede decir que el propio auto de *La Maya* es la vuelta a lo divino de una costumbre popular. Sobre las

Si Dios dijo que era vida
camino y verdad notoria,
¿qué vida será más buena,
Alma, entre las vidas todas?
¿Qué camino como aquel
adonde el Alma reposa,
pues si de los cielos sale,
en fin a los cielos torna?
Esta tienen por verdad
divina y humana historia;
quien otro camino sigue,
va al infierno por la posta.
Vida bona, etc.
Para el camino, Alma mía,
hagamos buenas alforjas,
carguémonos de virtudes
que llevar muchas importa;
Fe, Caridad y Esperanza
y todos con buenas obras,
que fe sin obras es muerta [392]
y ellas alcanzan vitoria.
Ama a Dios y espera en él,
haz a los pobres limosna,
perdona a los enemigos,
pues Dios a ti te perdona.
Vida bona, etc.
Cristo hace bodas y fiesta
y te dará pan de boda,
si ropas de boda llevas
y no manchadas las ropas.
Una fénis por lo menos
quiere que viva te comas,

---

versiones a lo divino *vid.* B. W. Wardropper, *Historia de la poesía lírica a lo divino en la Cristiandad occidental* (Madrid, 1958), en las pp. 219-24 se estudia la *chacona a lo divino*, y se recuerda que esta versión de Lope fue imitada por Juan de Luque, *Divina poesía y varios conceptos a las fiestas principales del año* (Lisboa, 1608).

392 *Fe sin obras es muerta*: "Fides sine operibus mortua est", *Epístola de Santiago*, I, 2, 26. Este texto es casi un grito de combate post-tridentino.

mejor que el maná de Egipto,
que fue deste fénis sombra.
Allá dicen que te aguarda
Cristo en el puerto de Ostia,[393]
porque vamos desde Cáliz
a ver la triunfante Roma.[394]
Vida bona, etc.

La Gula entró a esta sazón, que era un villano con rústico traje y persona, y dijo así:

GULA. Pues, Cuerpo, cuerpo de tal
con vos y conmigo amén,[395]
¿con música celestial
divertido estais también,
cuando yo lo estoy tan mal?
¿No pedireis de comer
siquiera una vez al día
a este viejo bachiller?

CUER. Si hambre fueras, Gula mía,
pudieras queja tener;
¿por qué tú después de estar
a mi contento relleno,
me has de venir a buscar?

GULA. Por mi vida que estoy bueno,
bien puedo echarme a rodar.
El diablo me trajo a casa
tan miserable y mezquina,
que ni se cuece ni amasa
y sin lumbre en la cocina
lo más del año se pasa.
Alquilaste aposento
a un alma contemplativa,
que os trae tan macilento,

393 *Ostia, Cáliz*: piadoso juego de palabras: Ostia, puerto de mar a la boca del Tíber, y Cáliz, forma vulgar por Cádiz.

394 *La triunfante Roma*: en el momento post-tridentino ésta es una verdadera declaración de fe.

395 *Amén*: "Pleonasmo usado en la lengua castellana para explicar la viveza de un deseo", *Dicc. Aut.*, s.v.

que envidio a un bruto, a quien priva
el cielo de entendimiento.
Mejor nos iba primero
con este rey.

CUER. ¿Qué tan bien?

GULA. Yo te confieso que es fiero;
mas come y brinda muy bien
y es muy gentil compañero.

CUER. ¿No quieres que me alborote
de no saber bien quién es
debajo de aquel capote?

GULA. Pues ¿qué dicen?

CUER. Que después
hace pagar el escote.

GULA. Coma yo y después reviente.

CUER. Calla, Gula, que hoy es día
en que haré que te contente.

GULA. ¿Cómo?

CUER. Es Maya el Alma mía
y ha de haber fiesta excelente.

GULA. ¿Maya?

CUER. Maya, pues.

GULA. Hoy pienso
sacar vientre de mal año,
hoy las faltas recompenso
de aqueste viejo tacaño,
hoy las tripas desaprenso.
Por su mala condición,
más guardosa que una hormiga
andaba en esta ocasión
con más plieges[396] mi barriga
que alguna bolsa de arzón.
¿Quién son éstos?

CUER. La Alegría,
el Regocijo, el Contento,
para celebrar el día.

[396] *Plieges: sic* 1604.

Quédate y vuelve al momento,
que los llevo al Alma mía.

GULA. Vete en buena hora.

CUER. Alto, pues.

CONT. Hoy bravamente meriendas.

CUER. Venid conmigo los tres,
que yo os pagaré.

REG. No entiendas
que vamos por interés.

GULA. Si esta fiesta se ha guiado
por el viejo Entendimiento,
no me alcanzará bocado,
que todo su pensamiento
es no darme pienso honrado.
Pues yo haré que venga a ver
algún galán a la Maya,
que nos dé bien de comer.

Habiéndose entrado el Cuerpo, El Regocijo, el Contento y la Alegría, entró el Rey de las Tinieblas.

REY. Seguirla tengo, aunque vaya
de Dios con ella el poder.
¿Qué piensa el Entendimiento,
cuando algún tiempo me oprima,
que ha de interrumpir mi intento?
¿No ve que me he visto encima
del monte del Testamento?
¿No ve que el Cherub he sido
que pintaba Ezequiel,[397]
y el cedro hermoso y florido?

GULA. ¡Oh valeroso Luzbel,
Rey de Tinieblas vestido!
¿Quién te ha dado pesadumbre?

REY. Ando, Gula, enamorado.

GULA. Bien fuera de tu costumbre,
que el amor es muy helado
para contrastar tu lumbre.

397 *Ezequiel*: 1604 apostilla *Ezequiel XXVIII.*

REY. Es amor que procedió
de grande aborrecimiento,
que amor que siempre engendró
la envidia trocó su intento,
que hoy de la envidia nació.
Amo al Alma que aborrezco,
mas es interés con Dios,
a quien me opongo y ofrezco,
que no estamos bien los dos,
por decir que le parezco.
Y yo que le igualo digo,
más que por imitación,
por potencia, aunque el castigo
de esta soberbia razón
es quedar por su enemigo. [398]
Pues séalo norabuena
que si él es Rey de la luz
yo de tinieblas y pena.

GULA. Qué importa, si de su cruz
el alma no vive ajena.
La Razón y Entendimiento
la tienen tan abstinente
de todo lo que es contento,
que ha quince días y aun veinte
que apenas me dan sustento.
Mas puede ser que hoy le haya,
que hay fiesta.

REY. ¿Por qué razón?

GULA. Porque el Alma han hecho Maya
y hay merienda y colación
hasta pasar de la raya.

REY. ¿Luego en público saldrá?

GULA. Si la quieres ver, Luzbel,
bien puedes hallarte allá.

REY. Temo aquel viejo cruel,
que siempre con ella está.

398 *Enemigo*: 1604 declara la fuente: *Petri Lombardi Sententiarum libri quatuor,* II, distinctio 2.

GULA. Ponte galán y pasea,
que a fe que te ha de querer,
como ella galán te vea
y lleva bien que ofrecer
cosa que de gusto sea,
que yo seré de tu parte.
REY. ¿Haráslo, Gula?
GULA. Camina
a vestirte y disfrazarte.
REY. Gula, si venzo, imagina
que tengo de regalarte.
GULA. Yo lo pienso procurar.
REY. Cuando estés en mi poder,
comerás sin descansar.
GULA. Dadme vos bien de comer,
que yo haré al Alma ayunar.
REY. Nunca Heliogábalo tuvo
los regalos que tendrás.
GULA. ¿Que el Alma con vos estuvo,
y que os dejó?
REY. Quiso más
a quien menos la mantuvo.
Y a fe que el Entendimiento
no la debe de sacar
con tal fiesta y tal contento,
sino por hacer rabiar
mi envidioso pensamiento.
GULA. El Cuerpo me ha dicho aquí
que es sólo para comer.
REY. Dice la verdad así,
pero no debe de ser
cosa de las que hay en mí.
GULA. Pues por lo que vos no dais,
no daré dos blancas yo,
lindamente regalais,
nadie como vos gastó,
ventaja a todos llevais.
Nunca mejor como y visto,
quédase todo fiambre,

con vos anda el vino listo,
que acá me matan de hambre,
cuando el Cuerpo sirve a Cristo.

Que es hombre Cristo en comer
tan escaso, que ayunaba,
sin haberlo menester,
siendo su Padre el que daba
al cielo y al mundo ser.

Y una vez Satán me dijo
que ayunó cuarenta días:
ved si es en esto prolijo,
quien mudó las aguas frías
otra vez que las bendijo.

Pues si vuelve el agua en vino,
y el pan crece tan sutil,
que una vez que al campo vino,[399]
con cinco hartó cinco mil,
que fue milagro divino,

¿por qué ayuna y por qué mata
de hambre a los que le siguen?

REY. Antes hoy de hartarlos trata,
porque la hambre mitiguen,
y hoy se cifra y se dilata.

Cífrase en sólo un bocado
y dilátase en amor.

GULA. ¿En un bocado cifrado
puede haber tanto favor?

REY. Sí, porque él mismo se ha dado.

GULA. ¿Él mismo se ha dado a sí?
¿No es hombre Dios?

REY. Sí lo es.

GULA. ¿Pues somos indios aquí?

REY. No es para ti, Gula.

GULA. Ves
cómo no es Dios para mí.

[399] *Vino*: la preceptiva de la época permitía el uso en rima de la misma palabra (hay más ejemplos en el *Peregrino*), siempre que su sentido fuese diferente, como aquí, *vid*. J. H. Arjona, "The Use of Autorhymes in the Seventeenth Century *Comedia*", *HR*, XXI (1953), 273-301, y *Galatea*, I, 19.

Dicen que allá los caribes
comen hombres, yo más quiero
estar contigo, que vives
a lo grande y caballero,
y a cuantos vienen recibes.
Das perdices, das capones,
pavos, pichones, terneras,
cabritos, tortas, jamones:
esto sí, que no quimeras,
que yo no entiendo invenciones.
Gula soy, si Dios se da
en un bocado, uno solo,
¿qué satisfacción tendrá?

REY. Cómese de polo a polo
quien come aqueste maná:
cómese tanto que rabio
de ver lo que el hombre come,
y de que coma me agravio;
mas guárdese que el pan tome
indignamente, si es sabio,[400]
porque come su juicio
como come eterna vida,
quien come con fe y sin vicio;[401]
y que es hoy esta comida
me ha dado la Maya indicio.
¿No se podía pasar
el Alma sin esta fiesta?

GULA. Calla, que se quiere holgar
y sentarse a mesa puesta.

REY. Y más si es Dios el manjar.

GULA. Si es Dios, yo me voy de allí,
porque vendrá la abstinencia,
y es sangriento azote en mí.

REY. Pues espera y ten paciencia,
que yo vendré por aquí.

GULA. ¿Vaste agora?

REY. Sí, que voy

[400] *Sabio*: 1604 anota: I *Corintios,* XI, 29.
[401] *Vicio*: según 1604: *S. Juan,* VI.

por algo que le ofrecer.
GULA. Confuso quedo y estoy,
paciencia habré menester
si a ver a la Maya voy;
mas, por mi fe, que es la fiesta
en esta calle y que viene
hermosa, rica y compuesta,
toda la beldad que tiene
crece su vergüenza honesta.

Entraron a este tiempo el Regocijo, el Contento y la Alegría con sus instrumentos, pandero, guitarra y sonajas; el Cuerpo y el Entendimiento y el Alma vestida de Maya con muchas joyas. Sentáronla detrás de una mesa llena de flores; el Cuerpo traía una escobilla y un paño, y el Entendimiento un plato, y la música comenzó así:

Esta Maya lleva la flor, [402]
que las otras no.
Esta Maya tan hermosa,
tan compuesta y tan graciosa
viene a ser de Cristo esposa,
y la palabra le dio,
que las otras no.
Las otras que en el pecado
están feas, no han llegado
a tan alto desposado;
y ésta por limpia llegó,
que las otras no.
ENT. Alma gallarda y hermosa,
pues siendo pobre mujer
te busca para su esposa
Cristo, mira que has de ser

402 *Flor*: era éste uno de los cantares populares asociados con esta fiesta, *vid*. bibliografía en nota 382. Tiene perfecta estructura de villancico. Con leve variante ("Este niño se lleva la flor") Lope lo usa como cantar de bautismo en *El piadoso aragonés, Ac,* X, 262a, y como cantar de bodas ("Esta niña se lleva la flor") en *El molino, AcN,* XIII, 93b.

santa, honesta y virtüosa.
En su mística y divina
compañía gozarás
sus riquezas e imagina
que todas las perderás,
si al vicio el Cuerpo te inclina.[403]
Serás una habitación
de su alta divinidad
en tan soberana unión,
pero está en tu castidad
tu gloria y tu perdición.
Así en la ley de Moisés
aquella esposa lloró,
que salió inútil después:
a quien todo se te dio,
bien es que toda te des.
Conoce tu dignidad,
Alma, y mira que los ojos
ven con mayor claridad,
cuando están libres de enojos,
y de alguna enfermedad.[404]
Lo que te importa previsto,
limpios los ojos tendrás,
que en el sol, que te conquisto,
si limpia del mundo estás,
mejor mirarás a Cristo.
Si aquí viniere este día
a ofrecer de su riqueza
alguna joya, Alma mía,
las joyas de su largueza,
estima con alegría.
Y del Cuerpo no hagas caso,
ni de sus locos sentidos
en este tránsito y paso,
que son sus bienes perdidos
y el mundo en darlos escaso.

403 *Inclina*: 1604 apunta la fuente: S. Macario, *Homiliae*, V.
404 *Enfermedad*: 1604 indica: S. Juan Crisóstomo, *Opus imperfectum in Matthaeum*, homilía X.

ALM. Mi querido Entendimiento,
mi consejero y amigo,
de mi ser claro ornamento:
mi eterno Criador bendigo,
que te dio en mi casa asiento.
Sé quién soy y adónde voy,
y esta sustancia capaz
de razón, que ves que soy, [405]
que este cuerpo pertinaz
rige, en cuanto en él estoy,
sé que es a Dios semejante
y que a su imagen soy hecha, [406]
dignidad tan importante
que obliga con ley estrecha
a que sus grandezas cante.
Precede su majestad
cuanto criado acomodas
a su ser, yo en dignidad
fuera del ángel a todas
las criaturas.

ENT. Es verdad.
Y así es grande obligación
la que tiene tu creación
a sus manos celestiales.

ALM. Tres espíritus vitales
crió Dios, distintos son. [407]
Uno que cuerpo no tiene,
otro que carne cubrió;
mas aunque ella a morir viene,
nunca con ella murió,
que en esto a inmortal conviene.
Con carne nació el tercero,
y muere con ella. El nombre
del incorpóreo primero
es ángel, segundo es hombre

405 *Soy*: 1604: S. Agustín, *Liber de Spiritu et Animo,* cap. I.
406 *Hecha*: 1604: *ibidem,* cap. XIII.
407 *Son*: esta quintilla tiene distinta combinación de rimas (*aabba*) que las demás (*ababa*).

y el tercero el bruto fiero. [408]
Grandes excelencias tengo,
pues en la parte inmortal
con los ángeles convengo,
y a mi patria celestial
es el centro donde vengo.
De Dios, que todo lo excede,
soy a su imagen formada;
cuando pueda ser que quede
de otras cosas ocupada,
sólo Dios henchirme puede: [409]
Y ojalá el esposo mío
Maya y gallarda me viera.

ENT. Que vendrá presto confío,
lleno al Alma que le espera
de su celestial rocío. [410]

ALM. ¡Oh qué süaves olores
los de aquestas flores son,
y cómo muerto de amores
ha sido gran discreción
cubrir la mesa de flores!
Hijas de Jerusalén,
cuando mi querido vaya
por vuestras puertas también,
que venga a verme hecha Maya
decid, si me quiere bien. [411]

GULA. Pardiez, Cuerpo, poco gana
con esta fiesta el comer,
aunque es la Maya lozana.

CUER. Pocos la vienen a ver,
como no es Alma profana.
Pero en acudiendo gente,
comerás hasta no más.

GULA. Es caro el año, pariente,

[408] *Fiero*: 1604: S. Gregorio, *Dialogi*, I, iii.
[409] *Puede*: 1604: S. Bernardo, *Liber de modo bene vivendi*, XVIII.
[410] *Rocío*: 1604: *idem*, *Sermones in Cantica*, XLIII.
[411] *Bien*: 1604: *Cantica canticorum*, V.

cual no se ha visto jamás:
si vale diez, piden veinte.

REG. La carne es cosa cruel;
pan y vino no es tan caro.

GULA. Cantad algo de mí y dél
y de aqueste viejo avaro,
mal fuego se encienda en él.

Cantaron los músicos así:

En año tan caro
Dios hace barato.
Quien compra en el mundo,
caro compra el gusto,
la carne es disgusto
para muchos años,
Dios hace barato.
Carne y sangre entrega
hoy Cristo al que llega
a su santa mesa,
donde de su plato
Dios hace barato.

Entró a este tiempo el Mundo, con hábito conforme a lo que representaba: la tela era verde, y la bordadura, flores.

MUN. A la fama de tal Maya
vendrá gente de la playa
del Nilo y Gange abundoso,
hasta del monte oloroso
de Líbano y de Pancaya. [412]
Por ser bella a verla voy,
que tal gracia puso en ella
el Autor de cuanto soy,
que de enamorado de ella,
cuanto él me ha dado le doy.

[412] *Pancaya*: otra quintilla distinta, *v. supra,* nota 407.

Querría correspondencia
de este amor y que me diese
a sus visitas licencia.

GULA. Éste dará, aunque le pese.

ALE. Buen talle.

REG. Gentil presencia.

CUER. Pedilde.

REG. Quiérole hablar.
¿Quién sois, hidalgo?

MUN. Respondo
que soy el Mundo.

CUER. ¡Oh pesar
de vos, que por ser redondo
nunca cesais de rodar!
Por esto en vos nunca dura
de una suerte el bien ni el mal.

REG. Vos sois casa de locura,
y un espital general
de toda mala ventura.
¿Sois comedia o entremés?

CUER. Venid acá, buena pieza,
¿para qué andais al revés,
haciendo los pies cabeza
y de la cabeza pies?
¿Cómo a indignos dais el bien
y a los dignos le quitais?
¿Cómo a los bajos también
subís en alto y bajais
a los que en alto se ven?
Si en vos todos son nacidos,
¿cómo estimais a mil rudos
y hay mil sabios abatidos?
¿Por qué andan unos desnudos
y otros de martas vestidos?
¿Por qué haceis de agravios leyes,
contra las leyes de Dios?
¿Y quien ara con dos bueyes
quiere a las veces en vos
igualarse con los reyes?

¿Cómo haceis tantos engaños,
tan sin virtud y consejo,
lleno de enredos y daños?
Pero debeis de estar viejo,
como ha que sois tantos años.
¿Por qué teneis las mujeres
llenas de tan ricos trajes,
que ya no hay para alfileres
en dotes de mil linajes,
y sois todo Baco y Ceres?
¿Por qué viven en vos tantos
con el juego, y la virtud
come arena y echa cantos?
Nunca Dios os dé salud;
¿por qué no honráis a los santos?
¿Por qué es hipócrita el bueno
y al que es malo llamais justo?
¿Por qué andais de pleitos lleno?
¿Por qué, cuando nos dais gusto,
se nos convierte en veneno?
¿Para qué allanais las sierras
y haceis los valles alcázar?
¿Por qué teneis tantas guerras,
tantas naves en la mar?
¿No veis que asolais las tierras?
¿Por qué adorais el dinero
como a imágenes sagradas?
¿Por qué amais al lisonjero
y haceis casas tan pesadas,
siendo el vivir tan ligero?
¿Por qué por bienes del suelo
de trabajar no se cansa
el hombre al calor y al yelo?
¿No sabeis que no descansa
el Alma hasta el mismo cielo?

MUN. ¿Por qué, Cuerpo, a mí me dan
la culpa de sus costumbres?
Que yo soy casa en que están

sin saber sus pesadumbres,
ni cuándo vienen ni van.
Soy tierra, que Dios formó
con plantas, para sustento
del hombre.

GULA. Aquí llego yo.
¿Vos dais el mantenimiento?

MUN. Yo, pues.

GULA. ¿Conoceisme?

MUN. No.

GULA. La Gula soy, dadme luego
algo que comer.

MUN. Querría
ver la Maya.

GULA. Dadme, os ruego,
alguna cosa, aunque fría,
que ya las tripas despliego.
Vos sois Mundo y siempre en vos
hay tiendas y bodegones;
metedme en uno, por Dios.

REG. Deja, Gula, esas razones.

GULA. Somos amigos los dos.

ALE. Mejor es que dé a la Maya.

CONT. Digámosle algún cantar.

CUER. Más que le da ropa o saya.

GULA. Pues bien podeis comenzar.

ALE. Toca, garabato.

REG. Vaya.
Dad para la Maya,[413]
gentil caballero:
más vale la honra
que todo el dinero.

REG. Vida, repica el pandero.

CONT. Repica el pandero.

413 *Dad para la Maya*: empiezan aquí los estribillos tradicionales en que se pedía para la Maya. Según la acotación de la p. 305 ésta está sentada detrás de una mesa, y hay un plato para las ofrendas, tal como perdura hoy día en Colmenar Viejo (provincia de Madrid), *vid.* N. Salomon, *op. cit., supra,* nota 382, p. 641.

ALE. Repico el pandero:
demos gusto al mundo entero,
entretanto que nos honra:
más vale la honra
que todo el dinero.

MUN. Por mi vida que es hermosa;
dóile mis gustos, mis bienes,
mis regalos.

ENT. ¡Qué gran cosa,
si son falsos cuantos tienes
y tu ofrenda fabulosa!
No los quieras, Alma.

ALM. Digo
que son placeres de viento.
Vete, Mundo, que a Dios sigo.

GULA. Callad, que me da sustento
y es muy honrado y mi amigo.

ALM. Gula, ¿tú hablas aquí?

MUN. ¿Que me has de hacer resistencia
y dejar cuanto hay en mí?

ALM. Dalde la vaya. [414]

MUN. Paciencia.

ALE. Toca, garabato.

REG. Di.
Corrido va el abad, [415]
corrido va,
corrido va el abad.
Corrido va el Mundo
de que no dio gusto,
porque al Alma al justo
sólo Dios le da:
corrido va, corrido va el abad.

414 *Vaya*: "Dar la vaya, burlar de alguno", Covarrubias, ***Tesoro***, s.v. *vaya*.

415 *Corrido va el abad*: esta *vaya* también es tradicional, y se puede ver en D. Alonso y J. M. Blecua, *Antología de la poesía española. Poesía de tipo tradicional* (Madrid, 1956), núm. 219. La Maya (El Alma) ha rechazado al primer galán (El Mundo), y por eso se le da vaya y se marcha corrido.

Cuando el Mundo se iba entrando corrido, entró la Carne muy bizarra y vanagloriosa, diciendo así:

CARN. Si no admitieron tus nombres,
yo sé que me han de admitir,
Mundo amigo, y no te asombres,
porque en mí y sin mí vivir
más es de ángeles que de hombres.
A fe que la Maya es bella,
que nos admira a los dos,
si tanto bueno hay en ella
que parezca bien a Dios
y que se muera por ella.
Está en estremo vestida
de Fe, y con la Caridad
la santa Esperanza asida
y de humilde Castidad
con mil flores guarnecida.
Hay Templanza y Fortaleza,
con Prudencia y con Justicia.
¿Quién ha visto igual belleza?
CUER. Éste es lance de codicia.
REG. ¿Quién?
CUER. La Carne.
REG. Rica pieza.
CUER. Yo muy bien con ella estoy,
porque soy lo mismo que ella
y con ella vivo y voy.
GULA. ¿Qué podré yo comer della,
que su aficionado soy?
CUER. No es ésta la [416] de comer.
GULA. ¿Por qué (duelos os dé Dios)
tan cara os haceis vender
este año, que aun de vos
no puedo un cuarto tener?
Si el yelo mal os conserva
por el invierno profundo,

416 *La*: refiérese a *carne*.

y su aspereza proterva,
pues sois su amigo del Mundo,
decid que os preste su yerba.

Cantáronle así:

Dad para la Maya,
gentil mi señora;
más vale la fama
que la hacienda sola.

REG. Mi vida, alégrate toda.
Alégrate toda.

ALE. Alégrome toda,
por el contento que espero;
más vale la fama
que todo el dinero.

CARN. Por mi fe que quiero daros,
Alma, toda mi blandura,
mi deleite y gustos raros.

ALM. No quiero bien que no dura
ni gustos que son tan caros.

CARN. ¿Mis gustos tienes en poco?

GULA. Sin duda, Carne, soy flaca.

CARN. ¿Que ya en fin no te provoco?

GULA. Falda sois.

ENT. Dadle matraca. [417]

ALE. Toca, garabato.

REG. Toco.

Cantáronle así:

Guarda el coco, niña,
guarda, niña, el coco.
Guardad, Carne, aquesos motes

417 *Matraca*: "Burla y chasco que se da a uno, zahiriéndole y reprehendiéndole alguna cosa que ha hecho", *Dicc. Aut.*, s.v. La Carne, segundo galán de la Maya, también es rechazado, y se le da matraca, llamándole *coco*. "Guarda el coco" es expresión proverbial y "dízese a los niños", según recuerda Gonzalo Correas, *Vocabulario de refranes*, ed. L. Combet (Burdeos, 1967), p. 345.

donde no haya resistencia,
que está aquí la Penitencia
y os darán dos mil azotes;
buscad otros marquesotes,[418]
que aquí vive Cristo solo.
Guarda el coco, niña,
guarda, niña, el coco.

CARN. Yo traeré quien este día
gane estatuas de alabastro.

GULA. Flaca sois, Carne, a fe mía;
no sois comprada en el rastro,
sino en la carnicería.

Entrándose la Carne, salió disfrazado con galas a su propósito el Rey de las Tinieblas.

REY. Vencido mi campo y gente,
ya no tengo qué buscar;
ya no hay remedio que intente;
sólo quiero blasfemar
de quien la Maya consiente;
de quien tan bella la hizo
que en ella su efigie estampa,
de Aquel que la contrahizo
de su bellísima estampa
y en ella se satisfizo.
Mirad qué se me da a mí
que sea este mundo un mar
tan alterado por mí,
si para poder pasar
tanto favor le da aquí.
Nave es la Iglesia entretanto,
velas penitencia son,
piloto es Cristo, ¡qué espanto!,

418 *Marquesote*: en el sentido, usual entonces, de "joven necio, rico y desocupado", que no registran los vocabularios, pero del cual se han recogido muchos ejemplos, *vid*. Lope, *El sembrar en buena tierra*, ed. W. L. Fichter (Nueva York, 1944), p. 210.

su cruz divina el timón,
viento el Espíritu Santo.[419]
Contrastalda dél regida,
o querelda combatir;
a pesar de mi caída,
¿no pudiera yo morir
para no sufrir tal vida?
¿Qué me quiere agora el cielo?
ALE. ¡Oh qué buen galán!
CONT. Gentil.
REG. Límpiale,[420] que trae buen pelo.
REY. ¿Qué me limpias, Cuerpo vil?
Harto lo estoy de consuelo.
CUER. ¿Quién sois?
REY. Un vecino soy,
que vengo muy enfadado
que ocupeis la calle hoy
con este enredo trazado
de alguien con quien mal estoy.
¿De qué sirve que a la gente
detengais desta manera?
GULA. ¿Esto os enoja, pariente?
REY. Si ésta de mi casa fuera,
sufriérala fácilmente.
CUER. ¡Qué vecino tan malquisto!
REY. Si yo hiciera aquesta Maya,
holgara de haberla visto,
mas yo no gusto que haya
Maya de en casa de Cristo.

419 *Espíritu Santo*: 1604: S. Juan Crisóstomo, *Opus imperfectum in Matthaeum,* hom. XXIII.

420 *Límpiale*: como se dice en la acotación de la p. 305 "el Cuerpo traía una escobilla y un paño", instrumentos con los que pretende limpiar al Rey de las Tinieblas. Esto era parte de la Maya tradicional, según corrobora el anónimo *Baile de la Maya*: al llegar dos nuevos galanes "saliéronles al encuentro [las mozas que acompañan a la Maya], / y en estando en su presencia, / limpiándoles los vestidos / les dicen desta manera: / Den para la Maya ...", *NBAE,* XVIII, 485, *vid.* además, González Palencia-Mele, *La Maya* (*supra,* nota 382), pp. 57 y 60.

Quitad luego, Entendimiento,
la mesa.

ENT. Este mal vecino
siempre estorba tu contento,
desde que a la tierra vino
del más alto fimamento.
No seais tan mal criado,
vecino y Rey de Tinieblas,
si el Alma no os ha llamado,
ni querais con vuestras nieblas
eclipsar su sol dorado.
La Maya en su puerta está,
y no en vuestra pertenencia.

GULA. Decilde, si algo le da.

REY. ¿Qué le he de dar? Mi impaciencia
y mi fuego si va allá.
Mi envidia, que no es muy poca,
mi pena y en mi tormento
las blasfemias de mi boca.

ALM. Echalde de aquí al momento.

ALEG. Toca, garabato.

REG. Toca.
Pase el pelado,[421]
que no lleva blanca, ni cornado;
pase el pelado.
Pase, pase el mal vecino,
que a afrentar la Maya vino,
porque de Cristo divino,
vió que era mesa y estrado.
Pase el pelado, pelado.

REY. Gentil Maya, fea y fría,
no tendreis en todo el día
quien os dé blanca, a fe mía.

ALEG. Miente, señor licenciado,
que no lleva blanca, ni cornado.
Pase el pelado, pelado.
Blanca de gracia no tiene,

421 *Pase el pelado*: en la Maya tradicional a los galanes escasos o avaros se los abucheaba con este cantar.

y aunque cornados mantiene,
sin moneda de cruz viene,
que es cuarto [422] falso y mellado.
Pase el pelado, pelado.
Cristo las almas buscando,
principio süave y blando,
ya viene aquí desatando
la bolsa de su costado.
Vete, pelado, pelado,
que no llevas blanca ni cornado.

REY. Vamos, Gula, al hondo abismo.
GULA. Cristo viene; pon los pies,
que esperar es barbarismo.
REY. Yo apostaré, según es,
que viene a darse a Sí mismo.

Partido el Rey de Tinieblas y la Gula, salió el Príncipe de la Luz, Cristo Nuestro Señor, acompañado de algunos ángeles.

PRÍN. Que también el Alma aprueba
la limpieza de su fe.
ENT. La palma a las Mayas lleva.
PRÍN. Aunque yo todo lo sé, [423]
Custodio me dió la nueva.
Y no es mucho que les lleve
la palma, si su estatura
a ser cual palma se atreve; [424]
el fruto de su hermosura
ya es razón que yo le pruebe. [425]
Ya no será justa cosa
que de olvidada y desierta
tengas nombre, amada esposa;

[422] *Blanca, cornado, moneda de cruz* [= *cruzado*], *cuarto*: todas monedas antiguas, cuyos nombres se prestan a diversos juegos de palabras.
[423] *Sé*: 1604: *Job*, XXIV.
[424] *Atreve*: 1604: *Cantica canticorum*, VII, 7.
[425] *Pruebe*: 1604: *ibidem*, VII, 8.

hoy tu habitación es cierta, [426]
Dios con tu fe se desposa. [427]
Tu tiempo es tiempo de amantes,
Maya hermosa, y si desnuda
de mi gracia estabas antes [428]
llena de temor y duda
y peligros semejantes,
hoy tu desnudez abrigo,
y mi capa estiendo en ti;
hoy juro de ser tu amigo,
hoy me tendrás todo a mí
y firmo paces contigo.
No tienes ya que llorar,
contigo estoy. [429]

REG. Este sí
que es galán que puede dar.

CUER. ¿Luego conoceisle?

REG. Sí.

CUER. Templad, que le voy a hablar.
¿Quién sois, Señor?

PRÍN. Una vez
que aqueso me preguntaron
los criados de un jüez,
cayendo en tierra, callaron.

CUER. Sería gente soez.
Verdad es que a esa presencia
no yo, que soy una hormiga,
pero ni hará resistencia
el mundo.

PRÍN. ¿Quieres que diga
de mi valor la excelencia?
Pues yo soy omnipotente; [430]
ciencia y fortaleza soy, [431]

426 *Cierta*: 1604: *Isaías*, LXII.
427 *Desposa*: 1604: *Oseas*, II, 20.
428 *Antes*: 1604: *Ezequiel*, XVI, 7-8.
429 *Estoy*: 1604: *S. Mateo*, IX, 15 y *S. Marcos*, II, 19.
430 *Omnipotente*: 1604: *Génesis*, XVII.
431 *Soy*: 1604: *Job*, XII, 13.

todo lo tengo presente.[432]
Soy quien soy y en todo estoy,[433]
mi ser será eternamente.[434]
  Principio y fin no he tenido,[435]
nadie es primero que yo,[436]
ni será después ni ha sido.

CUER. ¡Qué lindas señas que dio:
cantad que ya es conocido!
  Dad para la Maya,
hombre y Dios eterno;
más valeis vos solo
que el suelo y el cielo.

REG. Vida, recibe contento.

CONT. Recibe contento.

ALEG. Recibo contento,
que ya Dios en pan se ha dado;
más vale un bocado
que el suelo y el cielo.

PRÍN. ¿Alma mía?

ALM. Gran Señor,
gran Príncipe de la luz.

PRÍN. ¿Tienes amor?

ALM. Grande amor,
aunque Vos puesto en la cruz
mostráis que el vuestro es mayor.
  Como Pedro respondiera,
que vos, Señor, lo sabeis,[437]
si yo como Pedro fuera.
Ya es tiempo que al Alma deis
lo que de esa mano espera.
  No quise del Mundo nada,
de la Carne, ni del Rey
de Tinieblas, obligada

432 *Presente*: 1604: *Ad Ephesios,* III, 10.
433 *Estoy*: 1604: *Exodo,* III, 14.
434 *Eternamente*: 1604: *Apocalipsis,* I, 8.
435 *Tenido*: 1604: *Isaías,* XLIII, 13.
436 *Yo*: 1604: *Tobías,* XIII.
437 *Sabeis*: 1604: *S. Juan,* XXI, 17.

al yugo de vuestra ley,
de vuestra sangre comprada.

ENT. Ea, Señor, tiempo es ya
que abrais de vuestra grandeza
los tesoros, pues está
el Alma con la limpieza
que vuestra gracia le da.

ALM. Señor, sea yo, si se muestra
en mí la lealtad jurada,
para digna desa diestra
la ciudad que vio adornada
San Juan para esposa vuestra.[438]

CUER. Señor, pues dais de comer
a tantos, que no hay quien vaya
que no vuelva con placer,
dad que meriende la Maya,
que no comió desde ayer.

Ea, Alegría dichosa,
Regocijo verdadero,
alegraos, que es justa cosa
en las bodas del Cordero,
que ya está a punto la esposa.[439]

Cantaron luego así:

Echad mano a la bolsa,[440]
cara de rosa.
Echad mano al esquero,
caballero.

438 *Vuestra*: 1604: *Apocalipsis,* XXI, 2.

439 *Esposa*: 1604: *ibidem,* XIX, 7.

440 *Echa mano a la bolsa*: volvemos con este cantar a la Maya tradicional. Es interesante, con referencia a estos versos, lo que dice Covarrubias, *Tesoro,* s.v. *escarcela*: "Usáronse pocos años ha cierta manera de bolsas que colgauan del cinto; por la haz tenían un anillo redondo y un apartado para poner lo que fuese manual, y en el reverso una bolsa recogida con sus cerraderos que también le llamaron los antiguos esquero, como consta por el cantarcillo de las donzellas en tiempo de las mayas, que dize: 'Echa mano al esquero, cavallero, / echa mano a la bolsa, cara de rosa'".

Rosa de rosa nacido,
lirio entre espinas hallado,
trigo blanco en cruz molido,
del dedo de Dios sembrado,
echad mano a ese costado
y dadnos alguna cosa,
cara de rosa.
Echad mano, aunque clavada
a la cruz, que es bien que pueda,
y aunque del clavo pasada,
no se os caiga la moneda;
dadme una blanca que exceda
los tesoros y las joyas,
cara de rosa.

PRÍN. Alma, mi gracia te he dado
y mi gloria te daré,
y echando mano al costado
el tesoro sacaré
con llave de amor guardado.
Hoy tendrás el galardón
de haberme sido fïel.

ALM. Pues, fortísimo Sansón,
sacad el panal de miel
de la boca del león.

PRÍN. Dóite siete sacramentos
de mi ley, Alma querida:
Bautismo, Confirmación
y mi santa Eucaristía,
Penitencia, Extremaunción,
Orden, Matrimonio; [441] y mira
que los cinco perfeccionan
al hombre y los dos aspiran
a multiplicar la Iglesia
y la vida humana imitan,
que por la generación
nace el hombre y luego cría
por aumento cantidad

441 *Matrimonio*: 1604: S. Tomás, *De Ecclesiae sacramentis.*

y por quien virtud reciba.
Sustento le es necesario
a la virtud, y la vida,
la salud, porque enferma
se sigue con mucha estima,
tal se regenera el hombre
por el bautismo e imagina
que sin Espíritu santo
y agua, del cielo se priva.
La Confirmación le aumenta,
porque más perfecto viva,
que así el Espíritu santo
los apóstoles confirma.
Da salud la Penitencia,
así David lo decía; [442]
y de alma y cuerpo la cobra
con la Extremaunción bendita.
La Orden sacerdotal
de espíritu multiplica
la Iglesia y el Matrimonio
corporalmente, Alma mía.
Al Alma da de comer
la Eucaristía divina.
Este es mi cuerpo y mi sangre;
Alma, llega, si estás limpia.

ALM. ¿Cuándo, mi Dios verdadero,
merecí tanto favor?

CUER. Yo, que soy Cuerpo grosero,
si no veo el pan, Señor,
sabed que de hambre muero.

PRÍN. Pues, Alma, espérate aquí,
que quiero enseñarte el pan.

Entráronse el Príncipe de la Luz y los ángeles.

CUER. ¿Qué el pan va a mostrarnos?

ENT. Sí.

CUER. ¡Oh, qué famoso galán!

[442] *Decía*: 1604: II *Samuel* XXIV, 10.

¿Si habrá harto para mí?
ENT. No es éste el pan material
que comes cotidïano,
que es pan supersustancial,
pan divino y soberano,
pan blanco, pan celestial.
Aquí es Dios el que convida,
y es El mismo el que se da
en tan sabrosa comida.
CUER. Si Dios en el pan está.
bien se llama pan de vida.
ENT. Sacerdote y sacrificio
verás en esta ocasión.
CUER. ¡Qué divino beneficio!
ENT. Y un cáliz de bendición
que da de su hartura indicio.
Así lo promete Dios
por su boca.
ALM. ¡Qué contento,
qué gloria para los dos!
Cuerpo, está a mirarle atento.
CUER. Miradle con la fe vos.

Descubriéndose una cortina, se vió un cáliz de notable altura y grandeza, a cuyos lados estaban algunos ángeles, y en él una hostia con dos puertas, de la proporción de la medida de un hombre.

CUER. A fe que es de buen tamaño
el pan, bien promete hartura.
¡Oh, cómo es pan de buen año!
ENT. Es la carne y sangre pura
de Cristo.
CUER. ¡Milagro estraño!

Abriéronse a esta sazón las puertas o mitades de la hostia y viose Cristo sobre el cáliz, vestido como se pinta en la Resurrección con su manto rojo y bandera, y diciendo así:

PRÍN. Alma, yo soy: no podía
nadie amar tanto, ni dar
lo que yo doy este día
a mi mesa y a mi altar.
Hoy te convido, Alma mía,
aquí estoy como en el cielo,
aquí con una palabra
bajo de mi trono al suelo.
ALM. Señor, mis sentidos abra
la caridad de tu celo:
hoy tu grandeza es notoria,
límpiame de mi desgracia,
para que alcance vitoria.
PRÍN. Aquí te daré mi gracia,
y allá te daré mi gloria.

Con este aplauso acabaron el acto y representación referida, y cerrando aquellas mitades, o puertas de la hostia en que quedó cerrado el Príncipe de la Luz, y alabando unos la acción de los representantes y otros la industria del artífice, cantó la música este baile:

Diole el novio a la desposada
corales y zarcillos y patenas de plata.
Dióle su sangre en corales,
y su cuerpo en la patena,
y sus palabras rëales
por zarcillos y cadena,
y en el jueves de la Cena,
su Mesa, su Vida y su Alma,
corales y zarcillos y patenas de plata.

No quiso Celio pasar aquel día desta ciudad famosa, ni dejar de ver en ella todas las cosas que le parecieron dignas de ser consideradas, aunque siendo tantas bien conoció que era imposible ser comprendidas en muchos. Detúvose en mirar algunos de los retratos [443]

443 *Retratos*: con un poco más de moderación y economía (algo no usual en él), Lope reproduce aquí el tópico de la no-

de la insigne casa de Austria, que sobre unas telas encarnadas y verdes adornaban gran parte de aquella ilustre calle llamada el Coso. Resplandecía entre ellos la cesárea y siempre augusta imagen del esclarecido rey, hijo, sobrino y tío de emperadores, don Felipe el Prudente, en cuya basa, y por su fresca muerte,[444] había puesto su curioso dueño estos versos:

> Rey, para atreverse a vos,
> buscó la muerte un Tercero,[445]
> tan vos mismo, aunque os prefiero,
> que en parte imitais a Dios,
> pues os vais quedando entero.
> Sobraba el valor profundo
> de dos Filipos a un mundo,
> crece el Tercero y conviene
> irse el que primero viene,
> que así fuistes vos Segundo.

Nació entre los peregrinos y proprios, que en aquella sazón miraban este retrato, una justa plática y conversación de las alabanzas deste monarca, campo bastantemente anchuroso, no sólo para las lenguas, pero para ocupar las plumas. Unos le llamaron Salomón, otros Numa, otros Pomponio[446] y otros Arístides; cuál por la religión, cuál por la justicia y cuál por la verdad y modestia. Contaron de él cosas sabidas de cuantos

---

vela pastoril de la galería de retratos, que él ya había desarrollado con amplitud frondosa en *La Arcadia,* libro III; para sus orígenes y algunas imitaciones, *vid.* mi *Novela pastoril española,* cap. V. En el *Persiles,* IV, vi, Cervantes retoca el tema al crear una galería "futurista" de retratos de poetas, más bien que de personajes históricos. En sustancia, nos hallamos ante otra forma de *amplificatio,* o digresión instructiva, *v. supra,* nota 340.

444 *Fresca muerte*: ocurrió el 13 de septiembre de 1598.

445 *Tercero*: juega con su sentido numérico (Felipe III) y de "intermediario".

446 *Pomponio*: creo que es el único nombre de esta lista poco conocido, y merecedor, en consecuencia, de nota. Fue fidelísimo amigo de Cayo Sempronio Graco, y sacrificó su vida en aras de su amistad.

viven, que por eso escusan de referirlas o se remiten a mayores historias. Dijo Celio algunas, considerándolas de pequeña cantidad en orden a sus grandezas, pero en su entendimiento de igual estima que las severidades de Catón, las modestias de Arquitas,[447] las humanidades de Marcelo o grandezas de Fabio Máximo. Dijo a propósito del retrato que miraban, que habiéndole algunos de su cámara referido al Rey Segundo[448] que muchos pintores viles, de los que suelen levantarse de entre la plebe, osaban retratar su persona en gran desautoridad suya con alguna fealdad, por la ignorancia del arte, y que así le tenía mucha gente humilde en lugares que también lo eran (cosa en que habiendo reparado Alejandro,[449] mandó que sólo Apeles le retratase en lienzo, Pirgoteles en piedra preciosa y Lisipo en mármol), respondió con divina modestia: *Dejaldes que vivan, pues no retratan nuestras costumbres*; palabra verdaderamente magnánima y digna de ponderación.

Desde aquí fueron celebrando otros muchos, cuyas alabanzas conocidas del mundo ampliaran, sin novedad, nuestra historia, y por eso tan justamente las cubrimos de silencio. Vio Celio en otro lienzo, que a éste correspondía, muchos retratos griegos y romanos, en cuya hermosa pintura, sacada de algunas antiguas medallas, ocupó la curiosa vista no poco espacio. Allí vio a Sila, de quien dice Macrobio,[450] que primero fue llamado Sibila, y el que osó llamarse Felice por sus buenas fortunas y sucesos, y a quien Plinio[451] llama

447 *Arquitas*: victorioso militar y filósofo pitagórico, afamado por sus virtudes domésticas. *Marco Claudio Marcelo* muerto en 23 a. de C., a los 20 años de edad, fue llorado universalmente e inmortalizado por Virgilio, *Eneida*, VI, 861-87. *Fabio Máximo*: el famoso general de las guerras samnitas.

448 *Rey Segundo*: esta anécdota, histórica o no, la repitió Lope en un memorial impreso, sin año (probablemente 1605-1616), para que no se vendan coplas impresas por las calles, *vid*. María Cruz G. de Enterría, "Un memorial *casi* desconocido de Lope de Vega", *BRAE*, LI (1971), 139-60.

449 *Alejandro*: sobre esto, *vid*. Plinio, *Hist. nat.*, VII, 37 y 125.

450 *Macrobio*: *Saturnalia*, I, 17.

451 *Plinio*: *Hist. nat.*, VII, 137.

más rico que Craso, pero grande ejemplo en su infelicísima muerte de la vanidad del mundo.

Vio también aquel excelentísimo capitán Pirro, rey de los epirotas, aquel que por tantos prisioneros romanos no quiso rescate alguno, y cuyo perro fue tan leal, que cuando hacían las exequias de su muerte se arrojó en su fuego.[452] Vio a Mario, aquel famoso viejo que, después de siete veces cónsul, vencido de Sila, estuvo tanto tiempo escondido como Ovidio[453] escribe:

> Aquel famoso por el triunfo insigne
> de Iugurta y los cimbrios, que fue cónsul
> en tanto que venció Roma, en las cañas
> de una laguna entre el arena estuvo.

Vio al magnánimo Cimón, ateniense, de cuyas grandezas están llenas las historias de Plutarco, Justino y Herodoto, y aquel gran Sertorio, cuyas astucias escribe Gelio,[454] y a quien Perpena, el mayor amigo que tuvo, quitó la vida cenando juntos, que esto hay que fiar de los más obligados a los beneficios y amistades recibidos.

Vio al primer Cornelio, a quien llamaron Cipión, de quien tomó nombre esta ilustrísima familia, porque siendo su padre ciego, le guiaba y llevaba consigo en todas ocasiones, y *scipión,* en la lengua romana, quiere decir lo mismo que báculo o arrimo.

Y aquel valeroso griego Filopómenes, que como Livio[455] escribe, vencido de los mesenios, tomó el veneno en la cárcel con tanta majestad de ánimo, que correspondió bien la muerte a la grandeza de la vida.

No faltaba aquel gran dictador romano Julio César, cuyo caballo jamás se dejó subir de otro algún hombre que del mismo César, y cuya imagen refiere Plinio[456]

[452] *Fuego*: Plinio, *Hist. nat.*, VIII, 61.

[453] *Ovidio*: *Epistulae ex Ponto,* IV, iii, 47.

[454] *Gelio*: Es Aulio Gelio, *Noctes Atticae,* XV, xxii. Las demás autoridades no necesitan comentario, y sus lugares quedan identificados por Peyton.

[455] *Livio*: Tito Livio, década IV, ix.

[456] *Plinio*: *Hist. nat.*, VIII, 42; *Estacio, Sylvae,* I.

que fue puesta delante del templo de Venus, aunque dicen que tenía los pies de hombre, monstruosa mentira o monstruosa naturaleza. Stacio describe su estatua gallardamente en el primero de sus *Selvas.* Ni el severísimo Foción[457] de Atenas, discípulo de Platón, a quien jamás vieron reír ni llorar por ningún estraño suceso, y a quien dijo Demóstenes: *Si se enloquecen los atenienses, Foción, ellos te darán la muerte.* Y él respondió: *Mas si ellos tienen juicio, Demóstenes, te quitarán la vida.* Pero ¿qué se puede decir de un hombre que anduvo siempre descalzo en la ciudad y en la guerra, y que después de su muerte mereció de sus ciudadanos tantas estatuas y honras?

El príncipe de la elocuencia latina, Marco Tulio[458] (a quien preguntando un día Metelo, por afrentarle, quién fuese su padre, dijo: *No oso responder por no ofender a tu madre,* que tenía en Roma poca fama de honesta), estaba con la severidad que en el Senado reprehendía las temeridades de Catilina, aunque mezclada con alguna blandura jovial, de que fue dotado, como se ve en la respuesta a Gneo Popilio, doctor de leyes, ignorantísimo, que habiéndole llamado para ser testigo en una causa que había visto, respondió el dicho Popilio que no sabía nada, a quien replicó Cicerón: *No te preguntan de leyes.*

Allí estaba Demetrio Poliorcetes,[459] que sujetó a Babilonia, recobró a Atenas, a Chipre, a Tesalia y a Beocia, y que tantas ilustres victorias escureció con la infamia de su lascivia, pues huyendo de su fuerza Democles, bellísimo mancebo, se echó en un baño ardiendo, donde espiró gloriosamente. Dio este mismo Demetrio doscientos cincuenta talentos de oro a la ramera Lamia.

Vio el retrato de Evágoras,[460] a quien mataron los atenienses justamente, porque adoró a Alejandro. Y al

457 *Foción*: la fuente es su vida por Plutarco.

458 *Marco Tulio*: en su vida, Plutarco narra la anécdota, lo mismo que la siguiente, aunque Lope cambia el nombre.

459 *Demetrio Poliorcetes*: tomado de Plutarco.

460 *Evágoras*: Ateneo, *Deipnosophistarum,* VI, vi.

gran Platón, que nació en el mismo tiempo que la hermosa Ester fue reina y Mardocheo libre de la opresión de Amán. A éste rogaba un amigo que le escuchase un libro que había compuesto, y preguntándole Platón [461] el título, le respondió el amigo que se llamaba *Libro de no contradecir cosa ninguna deste libro,* a quien el filósofo dijo: *Según eso, no me pides parecer, sino oído,* y estimólos tanto, que, no siendo rico, compró tres libros de Filolao Pitagórico por diez mil ducados, y en la última hora de su vida estudió en los números de Sofronio, como refiere Valerio Máximo. [462] A éste consagró un altar Aristóteles, su discípulo, con unos versos que decían: *Este es aquel a quien todos los hombres de bien deben imitar y loar.* Crinito [463] refiere los versos. Junto a él estaba el mismo Aristóteles, con aquella policía y curiosidad de vestidos de que fue notado, las manos llenas de anillos y el cabello y barba tan peinado, igual y compuesto, que desdijo en gran manera de la generosidad de aquel alma la blandura afeminada de su cuerpo. Adornaba un hermoso cuadro el griego Timoteo, [464] que edificó los muros de Atenas, a quien un pintor por adularle pintó en una tabla un día con la figura de la Fortuna, que con algunas redes de pescar le traía las ciudades, a quien el mismo Timoteo hizo castigar, corrido de que atribuyese a la felicidad de su fortuna la gloria de sus empresas y no al propio valor de su persona.

En éstos y otros muchos fue Celio contemplando los valerosos hechos de capitanes antiguos, y deseoso de descansar y recogerse, porque esperaba al aurora el entrar por las montañas a Francia, volvió a un dosel los

461 *Platón*: Diógenes Laercio, en su vida, y lo mismo para la siguiente anécdota. En este maremágnum de citas Lope descuida su prosa al extremo.

462 *Valerio Máximo*: *Factorum et dictorum memorabilium,* VIII, vii.

463 *Crinito*: *Petri Criniti de Honesta Disciplina* (Lyon, 1561), XXIV, 1.

464 *Timoteo*: Eliano, *Varia Historia,* XIII, 43.

ojos en que estaba un enigma,[465] con que puso fin a su deseo y yo con su discripción al tercer libro.

ENIGMA

Bajo en forma de alquimista,
y a la blancura y pureza
del que tiembla de mi vista
junto mi naturaleza,
si no hay tierra que resista,
y como yo rojo esté,
luego en el punto hace fe
la transformación preciosa
de la más subida cosa
que entre los hombres se ve.
Si llego blanco, el efeto
es blanco, el precio es menor;
si estoy rojo y con defeto,
y cerco aquel temblador,
truécome en oro imperfeto;
si blanco me corrompí,
y abrasando al que tembló
cuando se vio junto a mí,
mala tierra nos juntó,
tanto erré que yerro fui.
Inventé el mayor rigor
que ha visto Marte en su esfera:
soy de tan vario color,
que desfiguro a cualquiera
que toque mi resplandor;
hay paz y guerra por mí,
en nieve y fuego nací,
no soy ámbar, rosa o flor,
y a la fuerza de mi olor
huye el demonio de mí.

465 *Enigma*: *v. supra,* nota 146. Está escrito en coplas reales (*supra,* nota 110), y no quintillas, como dice Peyton.

No le fue dificultoso a Celio conocer que era el *azufre,* que si es rojo y limpio y en tierra limpia se encuentra con el azogue, engendra el oro, continuándole y decociéndole su naturaleza; y si es blanco, se vuelve en plata; si rojo y corrompido, en metal; y si corrompido, blanco y abrasante, en tierra sucia, se engendra el hierro. Dice que inventó el rigor mayor de Marte, porque la invención de la pólvora se atribuye a un tudesco que, habiendo puesto unos pedazos de azufre para una medicina en un mortero, cubiertos con unas piedras, se acertaron a encender, y arrojándolas, le dieron motivo para inventar la pólvora y los arcabuces. Que vuelva los rostros de varias colores, ya es cosa notoria, donde él se enciende sin otra lumbre. La paz se atribuye a sí por la moneda y abundancia del oro y plata, que él engendra; la guerra, por la invención de la pólvora, y que el demonio [466] huya de su perfume es cosa muy cierta y que por espiriencia se ve cada día en los energúmenos, que son hombres que él atormenta. Se sabe que el maestro de la historia eclesiástica, sobre aquel paso de Tobías, también hace memoria de un árbol que tiene la misma virtud y de la ruda y del hipericón, que del efeto se llama *Fuga demonum* y vulgarmente *perforada*; escribe lo mismo Jerónimo Menchi, donde podrán verse las causas en el libro tercero de su *Arte exorcística.*

FIN DEL TERCERO LIBRO

Omnis peregrinatio obscura et sordida est, iis quorum industria in patria potest esse illustris.
Cic. [467] *ad marc. calium famil., lib. 2.*

[466] *Demonio*: como se dice más abajo, Lope sigue aquí a Menghi, *Compendio dell'arte essorcistica,* III, vii, quien asimismo cita a Juan de Pineda ("el maestro de la historia eclesiástica"), en su *Monarquía eclesiástica* (Salamanca, 1583-1588).

[467] *Cic.*: Cicerón, *Epist. Famil., Ad M. Caelio*: "Omnis enim peregrinatio (quod ego ad adolescentia iudicavi) obscura et sordida est iis, quorum industria Rome potest illustris esse". Está visto: Cicerón se tiene que conformar a los azares de la novela de Lope.

LIBRO IV

SI al poeta heroico le conviene el argumento verdadero, ¿con cuánta más razón le convendrá al histórico? Y si esta opinión en la poesía tiene pareceres contrarios, a la historia ninguno le niega que la verdad sea su fundamento, como se ve en el poco crédito que ha merecido en el mundo Diodoro Sículo. De las cosas incógnitas, o que jamás fueron escritas ni vistas, arguye el que lee, o el que escucha, la falsedad del que las trata. Las que no tienen apariencia de verdad no mueven, porque, como dice en su *Poética*[468] Torcato Taso, donde

[468] *Poética*: *Apologia del Sr. Torquato Tasso in difesa della sua Gierusalemme Liberata* (Mantua, 1585). En el siglo XVI y comienzos del XVII los tratadistas neoaristotélicos usan como arietes en sus guerras literarias los conceptos de Historia, Poesía y verosimilitud. Para apreciar las dimensiones del conflicto literario (que afecta en particular a Italia, España y Francia), y aparte de las obras mencionadas en la nota 28 al texto, es de indispensable consulta el hermoso libro de E. C. Riley, *Teoría de la novela en Cervantes* (Madrid, 1966). Lope aprovecha la resonancia del conflicto para embarcarse en una larga digresión en la vieja tradición de la *amplificatio* instructiva, con citas de Tasso, Aristóteles, Ovidio, Justo Lipsio, etc. Pero no puede con su genio, y le da un sesgo personal al problema, y usando del concepto de verosimilitud como de una palanca, se aúpa sobre su materia artística y acoquina al lector con su superioridad. Esta técnica de imponerse y arredrar al lector con desplantes y humoradas, ya presente en el *Peregrino*, se convertirá en característica diferenciadora de las *Novelas a Marcia Leonarda*. Cervantes en su *Persiles* también discutirá el problema de la verosimilitud (como se puede ver en las notas de mi edición), pero allí son los personajes mismos los que se apasionan por el problema (v. por ejemplo, mi nota 207 al *Persiles*), o sea que la

falta la fe, falta el afecto o el gusto de lo que se lee, y acreditando esta opinión con Píndaro, grandemente esfuerza la elección de los argumentos de las cosas verisímiles, que han sido, que pueden ser o que hay fama de su noticia. ¿A quién parecerá creíble el que yo sigo? Tanto más obligado a que sea cierto cuanta diferencia tiene la licencia de la poesía a la verdad de la historia. El ir suspenso el que escucha, temeroso, atrevido, triste, alegre, con esperanza o desconfiado, a la verdad de la escritura se debe; o a lo menos, que no constando que lo sea, parezca verisímil. Cuyo ejemplo se ve manifiestamente en la pintura, porque si en un cuadro miramos una historia que sabemos que es verdadera, nos mueve a dolor o alegría con la representación de lo que sabemos; lo que no hace la fábula, porque cuando vemos pintadas algunas ninfas, que sabemos que no han sido, sólo nos alegran, porque imaginamos que retratan la hermosura de las mujeres, de que tenemos ciencia, como de cosa conocida primero, como dice el Filósofo; [469] pues nos consta que hay mujeres, aunque no que hayan andado por las selvas siguiendo a Diana, convirtiéndose en fuentes y árboles, huyendo fuerzas, o consintiendo en ellas, como se escribe de Júpiter y otros dioses. Pero cuando se ve pintada la guerra de los gigantes, poniendo un monte sobre otro para subir al cielo, con la monstrosidad que los pinta Ovidio: [470]

> A cada uno de ellos dio mil manos,
> y mil culebras en lugar de piernas,

¿a quién le puede causar deleite, más que la alegría de las colores y la destreza del pincel valiente?

---

teoría deja de ser abstracción y se personaliza en las vidas de cada uno de los opinantes, no como aquí, que el autor está *super omnia*. El distinto cuadrante desde el que se enfoca la cuestión nos debe hacer recordar que Cervantes llega al *Persiles* desde el *Quijote*, mientras que Lope llega al *Peregrino* a través de *La Arcadia*.

469 *Filósofo*: Aristóteles, *Analytica Posteriora*, I, 1.
470 *Ovidio*: *Metamorfosis*, I, 152.

Pues a ninguno parezca nuestro Peregrino fabuloso, pues en esta pintura no hay caballo con alas, Chimera de Bellerofonte, dragones de Medea, manzanas de oro, ni palacios encantados, que desdichas de un peregrino no sólo son verisímiles, pero forzosamente verdaderas. Y si el poeta de Venusia,[471] que Justo Lipsio llama hijo de las Musas, pintó en los naufragios de Ulises las transformaciones de Circe en los soldados griegos que le acompañaban y la espantosa estatura del gigante, que mató con el tizón ardiendo; y el príncipe de los poetas latinos en la peregrinación de Eneas pone tantas cosas fabulosas, hasta bajarle a los Campos Elíseos, aunque esto, hablando como gentil, bien pudo ser que lo tuviese por verdadero; pero, en fin, transformó las naves y levantó aquel testimonio a Dido,[472] con otros mil imposibles para exornación de su poema, de donde por ventura tomaron ocasión muchos para decir que el argumento de él había de ser de cosas falsas, ¿por qué lo han de parecer que una mujer con dolor perdiese el seso, y que un hombre por verla fingiese que le había perdido? Respondida,[473] pues, esta objeción, nuestra historia, cuyo fin es mover con los trabajos deste hombre, prosigue así:

En tanto que el afligido Celio iba por las montañas de Jaca, entrando en Francia, para ver si podía hallar su amada Finea, Pánfilo, nuestro Peregrino, ya fuera de la gavia, como loco a quien había faltado la furia, comía en la mesa común al lado de la hermosa Nise, donde siempre procuraba sentarse, y allí en otros lugares la

[471] *Poeta de Venusia*: Homero, según una de las tradiciones, que ya recordó Lope *supra*, p. 113. Sobre Justo Lipsio, *v. supra*, nota 159.

[472] *Testimonio a Dido*: los poetas españoles consideraron que Virgilio había calumniado a Dido, y salieron como paladines a su defensa, *vid.* M. R. Lida, "Dido y su defensa en la literatura española", *RFH*, IV (1942), 209-52, 313-82, y V (1943), 45-50.

[473] *Respondida, pues, esta objeción*: Lope, satisfecho, envaina la espada con que ha despachurrado los fantasmas creados aposta por su imaginación, y para terminar de amilanar al lector declara explícitamente el fin moral, neoaristotélico y posttridentino de su obra.

hablaba de sus desdichas y ella le culpaba de haberse puesto en aquel hábito, aunque conocía la obligación que por tan gran desatino le tenía. Pánfilo, como verdadero amante y que sólo atendía al fin de su honesto amor, que era casarse con ella, hasta cuyo punto le era por mil juramentos forzoso resistir sus deseos, la consolaba diciendo que si ella había padecido aquella afrenta por él, y los dos hacían de ser una cosa misma, que no era justo que él no participase della, para que, en todo iguales, fuese sin engaño de ninguna de las dos partes su casamiento, que no había podido acabar con su amor dejar de verla un día, por ningún género de peligro, aunque fuese en la honra.

No reparaban los ministros en que aquellos locos se hablasen, porque como Nise conservaba el hábito de varón y tenía cuenta con el cabello, era tenida de todos generalmente por lo que imitaba, porque aunque era tan grande su hermosura, ninguna tiene el mundo que descompuesta mucho, no lo parezca poco, que los diamantes de más fondo y quilates, si el arte no los labrase, perficionase y engastase en oro con el adorno del blanco y rojo esmalte, no mostrarían la luz con la gracia y hermosura que después tienen. Ya no les era molesto a los dos amantes aquel género de vida, porque respecto de los trabajos que habían pasado, y que sabreis a su tiempo, no eran aquéllos los mayores, y como dos que se amen puedan hablarse y verse, he oído decir a muchos, y yo lo tengo experimentado, que no sienten los medios trabajosos porque lo consiguen. El frío riguroso de Castilla pasa el amante desde la mitad de la noche, hasta que se ríe el alba de verle por ventura cubierto de la misma escarcha que los árboles, con gran contento hablando con la tierna doncella que está pasando lo mismo, y de la misma suerte los calores excesivos del verano por los desiertos campos caminando a verla. ¿A qué no se determina quien ama? ¿Qué no le parece posible? ¿Qué trabajo perdona? ¿Qué peligro no intenta? ¿Qué infamia siente? ¡Oh amor, fuerte como la muerte! Pues como un cuerpo muerto no sentiría ningún género de tormento que le diesen, así un amante, porque tiene el alma en lo que ama y está muerto cuanto a sí mismo.

¡Con qué lágrimas sentían el apartarlos las noches aquellos crueles ministros, si fuera crueldad el tratar con rigor a la locura!; pero éstos éranlo entonces, que aquellos que maltrataban estaban cuerdos. Porque en lo demás procedían muy a propósito en todo, que en esto y en todas las demás obras de piedad y cristiano celo es Valencia tan insigne, que, como se gloriaba Cicerón [474] de los romanos, que no por engaño o fuerza, pero por piedad y religión, habían vencido a las demás naciones, esta famosa ciudad podría decir lo mismo. ¡Con qué cuidado y ansias esperaban el día para volver a verse! ¡Qué locuras discretas se decían en público, equívocas para divertir a los que las oían y los males que padecían! ¡Y qué de enamoradas razones en secreto, significando el uno al otro el deseo de su casamiento justo! Alábese Nise desta virtud de su honrada y casta resistencia, que Pánfilo, al fin hombre, muchas veces se hubiera rendido a su apetito, si ella no gobernara con su modestia el freno de aquella furia. ¡Con qué gracias se hacían favores, qué traía Pánfilo de graciosas prendas en su vestido, no las joyas costosas que en otro tiempo, no las bandas y plumas que solía, sino las cosas viles que en el suelo de aquella casa se hallaban acaso! Mas la fortuna, que aun en este mísero estado no les permitía sosiego, armóse nuevamente contra ellos, y cuando tenían tratado irse juntos con el favor de Jacinto, el caballero que os dije, trujo a ver aquella famosa casa un conde italiano llamado Emilio, de la generosa casa de Anguilara, el cual, deseoso de llevar consigo un loco, [475]

474 *Cicerón*: *De Inventione,* II.

475 *Un loco*: Hasta hace bien poco, la locura era espectáculo público y de entretenimiento (comp. *El licenciado Vidriera*), y los locos ocupaban destacado lugar en la vida palaciega, *vid.* J. Moreno Villa, *Locos, enanos, negros y niños palaciegos. Gente de placer que tuvieron los Austrias en la corte española desde 1563 a 1700. Estudio y catálogo* (México, 1939). Sobre la locura como tema literario en el Siglo de Oro, *vid.* A. Vilanova, *Erasmo y Cervantes* (Barcelona, 1949).

prometió una gran limosna si se le daban tal que perdida la furia le sirviese de entretenimiento. Prometiéronle así, y sabida la posada del conde, le llevaron algunos locos pacíficos, entre los cuales iban la hermosa Nise y el Peregrino Pánfilo. Holgó el conde en estremo de haberlos visto, y preguntando al ministro las condiciones, respondió así:

"Este robusto fue un famoso soldado que habiendo en muchas ocasiones servido como un Héctor, pretendió el premio, y como el que él merecía fuese dado al más cobarde de su ejército, dio con esta imaginación en tan profunda melancolía que perdió el seso. Ha perdido la furia en la prisión, aunque algunas veces le vuelve: trata con mil desatinos del modo de formar un ejército, de sitiar un fuerte, de alojar un campo, de marchar la infantería; todo es exclusas, diques, contradiques, el camino de la estrange,[476] la campaña, los barracheles,[477] el sargento mayor, plantar la artillería, el foso, contrafoso, fajina, terrapleno, caballeros, escuadras, mangas, cañones, mosquetes, pistolas, los tudescos, los herreruelos, la milicia, el peto fuerte, coseletes, picasecas y el prior don Fernando.[478] Este flaco y descolorido es un

476 *Camino de la estrange*: "Es la estrange el camino que hacen cuando la marea se retira con la menguante de las dunas y arenales, la cual deja con la humedad la arena firme; y así, se va por ella por camino tieso y muy apacible de andar en cualquiera tiempo que sea, y los carros hacen por él gran diligencia", D. Bernardino de Mendoza, *Comentarios de lo sucedido en las guerras de los Países Bajos* (1592), *Bib. Aut. Esp.*, XXVIII, 478b. Muchos de los demás términos militares citados aquí por Lope también eran de actualidad en las guerras de Flandes. Me parece evidente que la etimología de "estrange" es el germ. *Strand* "playa seca". No hay ninguna errata en el texto, como supuso Peyton, asiéndose al chivo emisario favorito de los editores cuando no comprenden un texto.

477 *Barracheles*: italianismo ("bargello"), "vale tanto como capitán de alguaciles y corchetes, o alguacil mayor del campo", *Dicc. Aut.*, s.v. Claro está que Lope hace aquí alarde de su vocabulario militar.

478 *El prior don Fernando*: se trata de don Fernando de Toledo, Prior de San Juan, hijo ilegítimo del gran duque de Alba. Se distinguió como general de caballería en Flandes y más tarde en Portugal, murió en 1593. Aparece como personaje en la co-

notable humor, que según dicen de darse tan de veras al estudio de la filosofía perdió el seso." A éste preguntó el conde qué fuese cielo impíreo,[479] aqueo o cristalino y primero móvil,[480] y el loco respondió así:

"Después de las esferas por movimiento local movibles, la fe católica y los divinos teólogos nos enseñan a ver otro cielo *motus localis expers,* perpetuamente quieto de todo movimiento local, criado desde el principio y lleno de inestimables millares de inteligencias y de bienaventurados espíritus que juntamente con él y en él fueron criados, como en lugar diputado para ellos, de la manera que los cuerpos mistos suelen engendrar algunas cosas en los lugares inferiores, como en las aguas los peces, en el aire las aves y sobre la tierra los animales y las demás plantas, y dentro della los minerales y otras cosas. Este cielo, por grandeza inmenso, por la luz inestimable y sobre todo humano entendimiento por claridad resplandeciente (por lo cual se llama empíreo, que quiere decir *ígneo,* no por la propiedad y naturaleza del fuego, mas por la luz y resplandor gloriosísimo), es el asiento destinado antes de la constitución del mundo y como un palacio real y solio preordenado desde *ab inicio* para todos aquellos que han de reinar en el concepto de Dios y del Cordero, cuya luz conviene que sea clarísima y limpidísima y que no la pueden mirar nuestros corporales ojos, de la manera que las nocturnas aves no pueden mirar la luz del sol. Pero vos, quienquiera que seais, ¿para qué preguntais esto, si no, deseándolo, procurarlo alcanzar con los medios que su Autor divino os ha dado? Porque sabed que más os conviene, si sois cristiano, *Huius cœlis ex fide simplex notitia, quam caeterorum omnium et cunctorum, qua in eis sunt astrorum ac motuum exactissima comprehensio.*"[481]

---

media de Lope *El asalto de Mastrique, Ac,* XII, y es uno de los protagonistas, con su padre, de *El Aldegüelâ, ibid.*

479 *Cielo impíreo*: *v. supra,* nota 216.

480 *Primero móvil*: *v. supra,* nota 334.

481 *Comprehensio*: resume a Aristóteles, *De Caelo,* II, x.

Admirados los presentes deste discurso, comenzó un loco de aquéllos a dar voces, llamando perros, ojeando aves y dando a entender que había sido cazador, de quien, como con risa el conde se burlase, Pánfilo le respondió así:

"No debeis, señor conde, reiros del ejercicio, sino del que por ejercitalle mal, sin aguardar sazón y tiempo y no midiéndole con las fuerzas humanas, le ejercita. La caza [482] fue celebradísima entre los persas; así lo escriben Xenofon y Ateneo Dipnosofista. Homero dice que se usaba en sus tiempos para que los mancebos se hiciesen más hábiles y robustos, que como Horacio escribe, *Manet sub Iove frigido venator, tenerae coniugis immemor.* Y Filo Hebreo cuenta de ella notables cosas en el preludio que hace a la milicia y lo mismo piensa Cicerón en el libro de la *Naturaleza de los dioses.* Pedro Gregorio dice que fue su origen para librarse los hombres de la persecución de las fieras en el principio del mundo."

"Si la caza, replicó el conde, que era hombre docto, no se hubiera pasado del ejercicio honesto, imitador de la guerra, al deleite y a la gula, ¿quién dudara de su excelencia? La crueldad de Nembrot, a quien Josefo llama cazador, era pasar de las fieras a los hombres, como en aquellos espectáculos de los romanos, donde se vio la piedad del león que agradeció al esclavo el haberle sacado la espina. Es mala la caza, como escribe Aulo Gelio, por el daño de los campos y la consumación de la hacienda, que por eso la prohibió Luis Segundo de Francia, como refiere Gaguino. ¿Y qué otra cosa significa Ovidio en la fábula de Acteón sino haberle comido sus perros que es el haberle consumido la caza la hacienda y la vida? Pasando en silencio otras cosas, que se entienden por lo que Virgilio cuenta en aquellos versos:

482 *La caza*: Lope sigue puntualmente aquí, con citas y todo, a Pierre Grégoire (Pedro Gregorio le llama), *Syntaxeon artis mirabilis* (Lyon, 1521), XXIX, "In quo agitur de venatione". En la edición de Peyton se hallará la precisa referencia bibliográfica de todos los pasajes de Grégoire.

Juntos Eneas y la triste Dido
van a cazar a un bosque.

"Pues los peligros de la vida no hay para qué referirlos, ni para mí es nuevo que éste se haya vuelto loco, que el emperador Adriano lo estuvo del ejercicio de la caza, como Dión lo afirma."

Aquí respondió el cazador al conde que con más razón que a él le habían de poner aquella ropa, pues a los locos quería persuadir y con los que no tenían discurso argumentar. "Las razones deste loco, dijo Emilio, en tanto que no lo parecen, me obligaron a respuesta, porque con quien da ocasión se ha de reñir, jugar con quien trae dinero y responder a cada uno en el modo que habla. Y si en España todos los locos sois desta suerte, habiendo de vivir en ella yo procurara que todos mis hijos fueran ignorantes." [483] "Advertid, dijo el loco, que si a un hombre [484] le fuera posible había de procurar nacer en Francia, vivir en Italia y morir en España: el nacer, por la nobleza francesa, que siempre ha tenido rey de su nación y nunca se ha mezclado con otro; el vivir, por la libertad y la fertilidad de Italia, y el morir, por la fe, que en España es tan segura, católica y verdadera. Y en materia de querer ignorantes hijos, por ningún caso los deseis necios, que más vale, por escaparlos deste peligro, que estén cerca de ser locos. Queredlos como a la luz de vuestros ojos, que

[483] *Ignorantes*: en España hay que estar loco para ser sabio, actitud anti-intelectual mayoritaria, que Cervantes recordará en versos de sangrienta mordacidad: "*El Bachiller*: ¿Sabeis leer, Humillos? / *Humillos*: No, por cierto, / ni tal se probará que en mi linaje / haya persona tan de poco asiento / que se ponga a aprender esas quimeras / que llevan a los hombres al brasero [de la Inquisición], / y a las mujeres a la casa llana [= prostíbulo]", *La elección de los alcaldes de Daganzo,* en mi edic. de los *Entremeses* (Englewood, Cliffs, N.J., 1970), pp. 67-68.

[484] *Un hombre*: Lope apura aún más la etopeya aforística en su comedia *Carlos V en Francia*: "Español huelgo de ser; / de no lo ser, francés fuera; / de no ser francés, no hay ser", *Ac,* XII, 126b. Es bueno recordar que la comedia (el autógrafo es del mismo año que el *Peregrino,* 1604), celebra unas paces franco-españolas bendecidas por el Papa. Sobre las etopeyas, *v. supra,* nota 251.

por eso el español sólo diferenció una letra de ojos a hijos."

Cantaba en este tiempo un loco y echó de ver Emilio que por ventura la música le había puesto en aquel estado, que hasta en esto dicen que tiene parentesco con la poesía. "La música,[485] dijo entonces el estudiante, pusieron los antiguos entre las disciplinas liberales. Aristóteles, en el octavo de su *Política,* Budeo, en los *Comentarios a la lengua griega,* y Celio Rodiginio, en el segundo libro, tratan y escriben della. La música es una junta y mezcla proporcionada de voces sonoras, graves y agudas. Plutarco, en la vida de Homero, pone un tono agudo y otro grave; el grave en la voz sale del íntimo espíritu y el agudo de la superficie de la boca, como Marciano dice; del temperamento diverso de las sonoras y heridas nace la sinfonía y armonía. El objeto del oído es el son y la repercusión del aire, como lo enseñan Galeno, Aristóteles y Plutarco. El son se hace del acto de alguno en otro y a otro, mediante el golpe que causa el son mismo. Dos cuerpos se requieren para sonar, porque el solo no hace son. El eco que después de la concusión resulta es aquel aire impelido contra el lugar cóncavo, que resistiéndole que allí se desatase le hizo que se quebrase y retorciese: así lo tienen Temistio y Plinio, Ovidio en la fábula de Eco, y Macrobio en sus *Saturnales.* No es una cosa misma la voz y la palabra; de la palabra tiene el principado la lengua, ayúdanle las narices, los labios y los dientes, y los instrumentos de la voz, la garganta, los músculos que la mueven y los nervios que desde el cerebro traen su fuerza, de quien habla Galeno, *De præcognitione ad Posthumum.*

"¿Quién inventó la música?", dijo el conde al estudiante. "Josefo[486] dice que Tubal, nieto de Adán,

485 *La música*: las autoridades citadas en este discurso, y su mismo meollo, también responden a Pierre Grégoire, *v. supra,* nota 482.

486 *Josefo*: *Antiq. Judaeorum,* I, 2,2, recuerda la afición de Jubal a la música, fundado en *Génesis,* IV, 19-21, pero Pierre Grégoire escribe: "Musices inventionem refert Josephus ad Tubal,

respondió el loco; aunque otros dan la invención a Mercurio, como Gregorio Giraldo. Filostrato dice que Mercurio se la dio a Orfeo y Orfeo a Anfión; otros la atribuyen a Dionisio, como Eusebio." "¿En qué se divide la música?" "En teórica y práctica, dijo el loco, según Boecio; o sea en natural y artificial, en celestial y humana. La natural celestial es la que se considera de la armonía de todas las partes del mundo; la humana es la que trata de las proporciones del cuerpo y del alma y de sus partes, porque todos los movimientos y conversiones de los astros Pitágoras, Platón y Arquitas no pensaron que se podía hacer sin música, porque hasta los mismos edificios quiere Vitrubio que se hayan hecho con ella. Dejando la música celestial y humana, se sigue la artificial, dividida en instrumentos y órganos musicales."

Aquí éste y los demás locos empezaron a poner en prática lo que hasta aquel punto se trataba en teórica, que era imposible oírse ni entenderse: tal era la disonancia de las descompuestas voces. En quietándose esta gente, alabó mucho el maestro un loco astrólogo que por la contemplación de cosas tan altas había venido a la mayor bajeza. Habló con éste apenas el conde Emilio, cuando comenzó a decir que la composición y figura del mundo de su forma se llamaba esfera y que ésta era sólida; por la mitad de la cual pasando una línea,

---

nepotem Adami, *Antiquit,* cap. I". La confusión de Grégoire era total, porque Túbal ni siquiera era nieto de Adán, sino de Noé. Pero si Túbal no inventó la música, la tradición histórica española, fundada en otro texto de Josefo (*Antiquit.*, I, 6,1), lo consagró como el primer poblador de España, por eso el nombre de Túbal era muy familiar a oídos españoles, *vid.* M. R. Lida de Malkiel, "Túbal, primer poblador de España", *Abaco,* 3 (1970), 11-48, donde hay un recuerdo muy impreciso de este texto de Lope (p. 48). Dado que Lope no hace más que traducir a Grégoire en el texto, no veo por qué enmendarle la plana, como hace Peyton, aparte de las gratas resonancias que el nombre Túbal tenía para él, *vid.* M. R. Lida de Malkiel, art. cit., pp. 43-44. Y por último, en la dedicatoria de *El caballero de Illescas, AcN,* IV, hablando de música, Lope dice "desde el origen que le dio Túbal (como consta de las Sagradas Escrituras) ...", lo que nos demuestra que el ardiente españolismo de Lope, al leer *Génesis,* IV, 19-21, le hacía leer *Tubal* donde decía *Iubal.*

ponían los ejes en aquellas extremidades o puntos. Estos dijo que eran los polos, quicios o vértices inmobles; el uno hacia el septentrión de la Osa y de las estrellas de aquella parte del cielo llamado Artico, Aquilonar o Boreal; el otro, opuesto por diámetro, llamado Antártico y Meridional, porque está hacia el Mediodía.

No le dejaron pasar adelante los donaires y confusas voces de los otros locos [487] ni ya desde aquel punto fue posible sosegarse, aunque quedaba gran cantidad de pintores, trazadores, poetas y otros artífices, entre los cuales lucían dos, un alquimista y un famoso discípulo de Raimundo Lulio. No quitaba en este tiempo los ojos Emilio de la hermosura de Nise, y viendo que con tristeza callaba, preguntó al maestro el humor de aquel loco, a quien dijo que amor le había puesto en aquel estado. Su bello rostro y la ocasión de su enfermedad aficionaron al conde y le pusieron codicia de manera que concertado con el maestro, y dándole de limosna cien escudos, le escogió para llevarle a Italia entre los otros. Pero apenas este concierto tuvo efecto, cuando creciendo en Pánfilo la furia de veras, que hasta entonces había sido de burlas, comenzó a herir con las manos y los dientes a los criados, para quitarles a Nise, que al airado no le faltan armas, como dice Antonio de Nebrisa [488] sobre Virgilio, y el mismo poeta [489] que el furor las hace. Mas como para un hombre solo fuesen tantos, el conde la sacó de la posada y de Valencia, y Pánfilo fue llevado al hospital atado y lleno de azotes, palos y golpes, donde de las miserias de su fortuna dicen que se quejaba así:

Amor, [490] cansado de ver
que sus profundos efetos

487 *Los otros locos*: análoga galería de maniáticos, aunque más amena y menos pedantesca, trae Cervantes al final del *Coloquio de los perros.*

488 *Nebrisa*: es el famoso Nebrija en su *Ecphrasis Virgiliana,* comentario a *Eneida,* II.

489 *El mismo poeta*: Virgilio, *Eneida,* I, 150.

490 *Amor*: En estas redondillas se remoza la vieja alegoría de *la cárcel de amor, infierno de enamorados,* y otras piezas por

enloquecen los sujetos
con pesar o con placer,
hizo una casa de locos
fundada entre montes yermos,
mas para tantos enfermos
gavias y aposentos pocos.
Eran las paredes viento,
vidro el techo, y las colunas
doradas de engaño algunas
y sobre arena el cimiento.
Hizo portero al Temor,
porque ya convalecía,
pues amar sin osadía
es poner llave al amor.
Puso muy fuertes prisiones,
cepos, grillos y candados,
del mismo yerro [491] labrados
de sus locas pretensiones.
Llevó al Respeto, aunque es poco
lo que en ser loco tocó,
mas en efeto le ató
por melancólico loco.
En la gavia más cerrada
fue el Atrevimiento atado
por loco desatinado,
que no reparaba en nada.
Prendió la Imaginación,
porque jamás descansaba,
que no hay locura más brava
que no dormir la pasión.
Puso un sayo verde y blanco
a la Esperanza en amar,
porque tras largo esperar
entretiene y deja en blanco.

el estilo, y que Quevedo pronto pondría en solfa en su *Casa de locos de amor, Bib. Aut. Esp.*, XXIII, 350-57.

491 *Yerro*: una vez más topamos con el trajinadísimo juego de palabras *yerro-hierro*.

Esta a los locos de fama
libre a la mesa servía,
que una esperanza baldía
sustenta y mata a quien ama.
A la Tristeza mayor
hizo guarda de la cava,
para ver si se alegraba,
que el vino es cama de amor.
Prendió por desvanecido
al Pensamiento altanero,
pero salióse ligero
y resistióse atrevido.
Consintióle que se aleje
y mandó tener atado
al Favor, por deslenguado,
y al Agravio por hereje.
Mandó poner al Desdén
unos grillos de piedad
por loco de gravedad
y que a nadie trató bien.
Y por loco divertido,
poco de ofender seguro,
en un calabozo escuro
hizo poner al Olvido.
Y por sufrir el calor
y al llanto hacer resistencia,
cocinera a la Paciencia
y al Sufrimiento aguador.
Y mandó que los aprieten
adonde los vean pocos
a los Suspiros por locos,
que dondequiera se meten.
Y que atados pies y manos
duerman siempre en cosas vanas
las Sospechas por livianas,
y los Celos por villanos.
A la Ausencia puso en gavia,
que era loca siempre ciega;

porque cuando agravia, niega,
y cuanto piensa le agravia.
Hizo un aposento aparte,
sin puerta, ventana y lumbre,
para encerrar la Costumbre,
contra quien no vale el arte;
que era loco peligroso
con furia de tantos daños,
que suele estar muchos años
en una tema furioso.
Con esta casa el Amor,
encerrando sus efetos,
mandó que solos discretos
entren a ver su labor.
A lo menos la botica
del Escarmiento famosa,
que de Apuleyo [492] la rosa
para medicina aplica.
Donde el doctor Desengaño
y el cirujano Vejez
remedian más de una vez
que el Peligro en todo un año.
¡Ay de mí, que en ella estoy,
gran mal, desengaño poco!
Pero no soy yo muy loco,
pues confieso que lo soy.

Así, tenido por loco el Peregrino, aunque esta vez con más razón que hasta entonces, lloraba su perdida Nise, y los ministros de aquella cárcel tanto más se persuadían a que lo estaba cuanto más los desengañaba de que era cuerdo, porque como ya el dolor le desatinase tanto que claramente les dijese que sólo por ver aquel mancebo, que siempre habían tenido por hombre y era su esposa ligítima, que por el temor de un padre noble, a quien la había robado, la traía en aquel hábito, que-

492 *Apuleyo*: al final del *Asno de oro* Lucio recobra su forma humana al comer una rosa.

daron tan persuadidos a que estaba loco, que por donde pensó que los obligaba a su libertad los hizo pertinaces en dársela hasta que conociesen en él más evidentes indicios de la quietud de su entendimiento.[493] En tanto, pues, que le perdía, quejándose de ver que la verdad no le aprovechaba, que es la cosa del mundo que más aprisa vuelve a un hombre loco, y que por estar Jacinto ausente no tenía a quien apelar de aquel agravio, la desdichada Nise, al igual de su dueño, había llegado a Barcelona con tanta tristeza y lágrimas, que casi venía Emilio arrepentido de traerla, porque no hay más inútil cosa que un loco triste, ni que más se parezca a un hombre bajo grave, que es cansada cosa de ver e insufrible[494] de sufrir.

Embarcóse el conde no sabiendo que llevaba consigo poco menos que el caballo seyano,[495] que a todos sus dueños costó la vida. Procuró que regalasen a Nise y haciéndola llamar a su mesa para forzarla a comer, porque le habían dicho que se dejaba morir, mirando con atención su rostro y acciones vino a sospechar que ni era loco ni hombre. Dejó pasar aquel día, y como el siguiente procurase desengañarse, certificóse más de entrambas cosas; porque ya las palabras de Nise eran compuestas, que una tristeza grande no finge burlas, y el recato y honestidad de sus ojos declaraban lo que con tanto cuidado en otras ocasiones encubría. Desengañado Emilio de que su loco era mujer, a lo menos con notables indicios de que lo fuese, comenzó a inquirir con mayor cuidado la causa de su tristeza, tratándola ya como a persona noble y con el respeto debido a quien tenía en la razón discurso y en las palabras sosiego. Nise, que ya no estimaba su engaño ni aun

493 *Entendimiento*: como suele ocurrir en esta novela, casi siempre que Lope se embarca en algún largo y engolado período, se resiente la sintaxis y el sentido. Esto ya no ocurrirá en las *Novelas a Marcia Leonarda*.

494 *Insufrible de sufrir*: una muestra más de que Lope no castiga mucho el estilo en esta novela, a pesar de las ínfulas de enciclopédica cultura.

495 *Seyano*: acerca del caballo seyano, v. Introducción, nota 20.

su vida, ni negó que era mujer, ni recibió consuelo de las palabras del conde; mas Emilio, que mientras más hablaba más se satisfacía de sus dudas, dejóse vencer de su belleza, porque en queriendo Nise dejar de parecer hombre, rendía cuanto miraba con singular gracia, donaire y hermosura.

Amor comenzó a engañar a Emilio por piedad, que es la capa con que suele entrar rebozado en el alma, para que no se escandalice de su amargura, como el oro a la píldora, y la compasión creció hasta desear saber su mal y procurar su bien. Mas por ningún efecto de amor ni esperanza de remedio mostró Nise ni alegría ni agradecimiento. Llegó con estos deseos a mayores demostraciones Emilio, de que cansada Nise se esforzó a desengañarle de sus pretensiones y a pedirle con encarecimiento no la llevase en aquel hábito. Cortés el conde, le ofreció sus vestidos, pero ella le aseguró que por sus votos no podía vestirse lo que no fuese jerga y hábito peregrino hasta haber visto en Compostela de Galicia al patrón de España. Emilio, por darle gusto, hizo en la misma galera hacer el hábito, que en tales tiendas no falta jerga, ni deja de haber oficiales, porque pocos entran allí que en breve tiempo no lo sean. Vestida la Peregrina, quedó hermosa, que no hay vestido nuevo que no adorne, ni tan pobre hábito que no le enriquezca un cuerpo proporcionado. Diole Emilio algunas de sus camisas, y procuró con todo regalo y solicitud que de allí en adelante durmiese con más comodidad que hasta entonces había tenido.

Todo esto aceptó Nise, porque perder la limpieza no es hidalga melancolía, mas habiéndose levantado un poco de borrasca en el golfo, conocieron los marineros por las señales, que suelen ser tan ciertas, que habían de correr fortuna. [496] No fue vano el pronóstico, porque se esforzó el viento de suerte y la mar ensoberbecida salió de sí misma con tan violenta furia, que pasando

[496] *Fortuna*: italianismo corriente entonces por "tempestad", v. *Galatea,* I, 188.

ríos de agua de unos filaretes a otros, por momentos la sumergía en su centro. Ya ni el cómitre acertaba a mandar ni la chusma a obedecer; los bogavantes turbados perdían la armonía con que los bancos a un tiempo se gobiernan; el capitán estaba atónito, el timonero, pálido; unos daban gritos, otros enmudecían, ya el viento mandaba, ya el mar se enloquecía, y en esta confusión, que duró más de seis horas, dio la mísera galera entre unas peñas. Emilio, que ya no se acordaba de amor, ni sabía que las desdichas de Nise hacían siempre aquel efecto (al contrario de la fortuna de César,[497] que sosegaba las aguas, como se vio una vez en el ejemplo de Amiclas), trató de salvar su vida, aunque con mucho trabajo, y guardando para otros[498] muchos la de Nise el cielo, la arrojó en las orillas viva, como otra vez en la playa de Barcelona, que a nuestra historia dio principio.

Recogidos a tierra los que quedaron vivos, Nise, desde el primer lugar de Francia, en que se reparó de la pasada fortuna, se fue peregrina a Marsella, donde visitando un día aquel famoso templo[499] de la divina penitente, a quien en aquel monte que el capitán de Israel recibió las Tablas de la Ley sepultaron los ángeles, vio una mujer de su hábito que atentamente y con grande contrición de su espíritu junto a las gradas del altar estaba de rodillas. Parecióle española, y con deseo de saber si lo era (a que el amor de la patria obliga) la esperó a la puerta. Salió la Peregrina y saludándola Nise, las dos se conocieron por españolas. Fue notable el regocijo de la que salía, tanto que estuvo por confirmarle con los brazos si el pensar que Nise era hombre no le hubiera detenido. Fuéronse poco a poco a un lugar apartado, donde pudiesen hablar con más espacio y seguridad de los franceses, que ya reparaban

497 *César*: Lucano, *Farsalia,* V, 578 *seq.*, narra la anécdota, que se hizo tradicional, del capitán Amiclas en cuyo barco viajaba disfrazado Julio César: aterrorizados todos por una tempestad, César los calmó al revelar su identidad.
498 *Otros*: entiéndase *trabajos.*
499 *Templo*: de Santa Catalina de Alejandría.

en sus talles, y estando sentadas a la sombra de unas peñas que cerca del mar había, le dijo Nise: "¿De qué tierra eres, hermosa española?" La peregrina le respondió: "Noble mancebo, yo soy del reino de Toledo." "¿En qué lugar naciste?", dijo Nise. "En el mejor, fuera de su imperial cabeza, respondió ella, pues ha merecido por tantos años aposentar a sus reyes." "¿De Madrid eres?, replicó Nise: mira qué dos peregrinos nos hemos juntado, que yo soy de Toledo." La peregrina entonces con un suspiro dijo: "Ahí nació la causa de mi peregrinación y desventura." "Bien echo yo de ver, respondió Nise, de tu hermosura y pocos años, que amor te debe de traer en estos pasos, y siendo hombre noble de quien te quejas, pongo en duda que yo no le conozca." "Sí harás, dijo la peregrina de Madrid, y créeme que así como te vi se me heló la sangre, porque eres el mismo rostro de mi enemigo." "Querrásme mal, respondió Nise, a esa cuenta." "Antes bien, respondió la peregrina, todo lo que imita su cuerpo, me es agradable, que de sola la crueldad de su alma tengo queja." "¿No me dirás sus señas, dijo Nise, sus padres o su nombre?" "Ninguna cosa aventuro, replicó ella, en decírtelo; antes, después que te he visto, parece que descanso, cosa que desde que le perdí no me ha pasado por el pensamiento. Celio se llama este hombre, tiene una hermana que se llama Nise, que son las mayores señas que puedo darte, porque fuera de que ha sido famosa por su hermosura, lo ha sido mucho más por su desgracia."

Atónita se quedó Nise oyendo su nombre y el de su hermano Celio, porque ésta era Finea, la que, como sabeis, había dejado en Francia. Procuró Nise saber muy despacio su historia y refirióle Finea la que habeis oído que Celio dijo a Pánfilo en Valencia, añadiendo la crueldad que había sido matar por celos a aquel caballero francés, de donde habían resultado su ausencia y los trabajos que por ella había padecido, pareciéndole que fuera más justo no dar ocasión a desampararla, o que habiendo sucedido, antes perdiera la vida que dejalla entre sus enemigos sin amparo, fuera del cielo. Nise, disimulando la parte que tenía en la historia, afeaba mucho la crueldad de Celio, y con el contento que recibía de ver en la hermosa Finea retratado a Pánfilo, templaba el dolor del suceso y el que tendrían sus padres de ver que sus dos hijos anduviesen perdidos por una misma causa. Díjole que conocía a Pánfilo y no había mucho tiempo que le había visto, asegurándola de que creía que estaba ya en España. Preguntaba Finea a Nise cómo lo sabía y dónde había visto a Pánfilo, y Nise entonces, por no descubrirle quién era, le dio a entender que le había conocido en Constantinopla, donde con él había estado cautivo. Finea, deshecha en lágrimas, abrazaba a Nise, y le rogaba que le dijese su nombre y la historia de su hermano, si la sabía. Nise la respondió que él mismo se la había contado un día que los dos iban a un monte a hacer leña y que se la repetiría de buena gana, porque a vueltas de ella entendería la suya. Engañóle lo primero con decirle que se llamaba Felis y que habiendo salido de Toledo con un capitán su tío, y embarcádose en Cartagena, habían sido cautivos pasando a Orán y llevados a Argel, donde a él le compró un turco de Constantinopla, y luego prosiguió en la historia de Pánfilo, que era la suya misma, y cuyo principio habeis oído, hasta que salieron de Toledo, diciendo así:

"Después que Pánfilo y Nise salieron de aquella insigne ciudad con el engaño, que te habrá dicho Celio, de pensar que su padre la quería casar con otro, y tiniendo celos de sí mismo, me refirió, donde te dije, que pasando algunas descomodidades de las que se ofrecen a los hombres que no caminan con sus legítimas mujeres, pues aun con las que lo son se suelen pasar tantas, llegaron a Sevilla, ciudad, en cuanto mira el sol, bellísima por su riqueza, grandeza y majestad, trato, policía, puerto y puerta de las Indias, por donde todos los años se puede decir que entra dos veces [500]

500 *Dos veces*: se refiere a las flotas de Indias. Conviene recordar que Lope escribe y publica el *Peregrino* en Sevilla.

en ella el sustento universal de España. Aquí intentó Pánfilo gozar de Nise, mas como ella se quejase del juramento roto hasta que los dos estuviesen casados y él procurase como hombre perderle el respeto, Nise, desabrida, se escondió de su presencia algunos días, en los cuales estuvo cerca de volverse loco, pero volviendo a hallarla, pidiéndole perdón y prometiéndole cumplir con grande puntualidad el juramento hecho, quedaron amigos.

"Estando un día Pánfilo en la lonja, le conoció un mercader de Toledo, grande amigo de su padre de Nise, y queriendo hacerle prender, le obligó a que sacando su espada se defendiese de la justicia. Sucedióle bien a Pánfilo, cuyo ánimo y destreza en las armas es increíble, acompañado de notable fuerza, que se ha conservado en su persona con haber huído toda su vida la secreta conversación de las mujeres (que pues me lo decía a mí, no debía de ser para obligar a Nise), pero fuele forzoso salir con toda brevedad de Sevilla. Y pareciéndole descomodidad y peligro llevarla en su propio hábito, cerrándose los dos en su aposento, se vistió Nise uno de sus vestidos, y cortándose el cabello (de que Pánfilo ha hecho grandes reliquias), se ciñó una espada y así salieron los dos camino de Lisboa, donde, apenas habían entrado, cuando un capitán grande amigo de Lisardo, el mayor hermano de Nise y Celio, que a esta sazón está en Flandes, advertido [501] de su padre por cartas tuvo aviso de su venida, aunque no de que trujese consigo a Nise; porque, como te digo, venía bastantemente disfrazada, si el rostro no descubriera algunas veces (pareciendo más que bien) lo que el cuidado de entrambos encubría. Quiso la buena dicha, que de tales peligros los libraba, por ventura para otros mayores, que el día que este capitán y sus amigos vinieron a buscar a Pánfilo Nise estaba sola. Preguntáronle quién era y a quién servía: ella dijo que era un mu-

501 *Advertido*: el desaliño de la prosa oscurece el sentido, pero hay que entender que el *advertido* es el capitán.

chacho vizcaíno que servía a Pánfilo de Luján,[502] un caballero de Madrid, no creyendo que en reino estraño importaba decir su nombre. No quiso más información el capitán de lo que pretendía, aunque un alférez la preguntó por Nise, a quien ella, turbada y arrepentida de haber descubierto a Pánfilo, dijo que estaba con ella en el mar, donde por recreación la había llevado en una barca hasta Belén, un famoso monesterio en sus orillas y sepultura de los reyes de Portugal. No fue menos que la vida o la honra a los dos amantes esta mentira de Nise, porque les pareció a los soldados mejor acuerdo esperarlos al tiempo que desembarcasen; y así el capitán, como bienes de quien le parecía que había de morir en sus manos o en las de la justicia afrentosamente, pidió a Nise que le sirviese de paje de la jineta,[503] aficionado a su talle, y que le daría las mejores galas que otro ninguno de aquel oficio se hubiese puesto. Fingió Nise agradecer al capitán que se quisiese servir de su persona, y disimulando el cuidado que ya le daba la vida de su esposo, dijo que le pediría licencia y daría cuenta de algunas cosas que le había entregado y luego iría a buscarle al castillo.

"Apenas de la posada se habían partido el capitán y los soldados castellanos,[504] cuando Pánfilo llegó, bien descuidado de que allí tenía enemigos; mas ¿qué importan los reinos estraños a quien son tan propias las desdichas? Diole cuenta del grande peligro en que los dos amantes estaban, y Pánfilo, acudiendo al remedio,

502 *Pánfilo de Luján*: por un lado este apellido del protagonista es nueva pleitesía a la amante de turno, Micaela de Luján (sobre Pánfilo, v. Introducción, nota 50). Pero, por el otro lado, responde a la verdad histórica de que Luján era uno de los apellidos de mayor antigüedad y rango en Madrid, como recuerda aun hoy día la Torre de los Lujanes (además, *v. infra*, nota 666).

503 *Paje de la jineta*: "El que acompañaba al capitán llevando este distintivo de su empleo", *Dicc. Aut.*, s.v. *page*; *jineta*: "lanza corta ... insignia y distintivo de los capitanes de infantería", *ibid.*, s.v. *gineta*.

504 *Soldados castellanos*: recordar que desde 1580 hasta 1640 Portugal perteneció a España, por eso, más abajo, al decidir Pánfilo huir de Lisboa y Portugal, dice el autor que decidió "dejar a España".

tomó por breve resolución dejar a España. La hermosa Nise le prometió seguirle, aunque fuese por los mares y tierras jamás navegadas ni vistas de la ambición humana. Ofrecióse un caballero portugués a llevar a Pánfilo a Ceuta, donde tenía una compañía. Es Ceuta una ciudad frontera de moros en Africa, no lejos de Tetuán y puesta casi por frente de Gibraltar, último límite de Europa y por donde dicen que entraron los moros, que guiados del conde don Julián,[505] fueron señores de España. Partiéronse los dos amantes a esta frontera, donde vivieron pacíficos algunos días, aunque Pánfilo, con el descontento de ver tan imposible su deseo en la honesta determinación de Nise, no tenía mucha paz con sus pensamientos. Intentaba casarse y no le era posible, porque en razón de estar Nise en aquel hábito le parecía notable ofensa de su honra y aun tratándole de esto lo contradecía con lágrimas, persuadiéndole de que era suya y que el verdadero amor sólo mira al fin honesto, porque el que le tiene en el deleite es común con los animales. Maldecía Pánfilo estas filosofías de Nise y tal vez enojado no la hablaba en algunos días, hasta que, vencido del rigor con que ella le trataba, enviaba con sus suspiros mil embajadores de paz al imperio que sobre él tenía.

El ánimo gallardo del mancebo entre soldados tan belicosos y ejercitados tenía por deshonor de su nacimiento y obligaciones, en tanto que ellos peleaban, tener la espada en ocio; y así una mañana que se habían tocado las campanas a rebato y las trompetas a ponerse a punto, con esta consideración y incitado de sus desdenes, que sobre huir sus brazos habían sido rigurosos dos o tres días, salió Pánfilo armado de una jacerina, atada una liga roja al siniestro brazo, con un sombrero blanco que coronaban seis plumas, dos moradas, dos verdes y dos blancas, con lanza y adarga, donde había hecho poner a un pintor un monte de nieve, de cuyo

505 *Conde don Julián*: según la tradición, era el padre de la Cava, que para vengarse del rey Rodrigo, abrió las puertas de España a los moros.

estremo salía una boca de fuego, como el Etna de Sicilia, con esta letra: MI IMPOSIBLE. Gallardo iba Pánfilo de su persona y pensamientos en un bayo cabos negros, que bebía con blanco, dando admiración a los portugueses con el brío y agilidad, fuerza y gracia con que regía el caballo, a que correspondía el movimiento de la lanza, supliendo el donaire y gala la falta del ejercicio. Mas la mala fortuna de Nise o su [506] desesperado propósito de que ya la había advertido partiéndose, que, según me refirió, le había dicho: *Plega a Dios que no me veas volver vivo,* trazaron de manera la batalla de aquel día que, llevando los cristianos la peor parte, Pánfilo se arrojó a morir entre un escuadrón de moros, donde habiéndole herido, fue preso de un alcaide y llevado a Fez cautivo.

Las nuevas deste triste suceso llegaron a los oídos de Nise apenas sucedidas en el campo, porque a quien ama llegan primero los ecos de los daños que las relaciones de los sucesos. Cuál sería su dolor, no es necesario encarecerlo, pues bien conocerás, hermosa Finea, cuál quedaría Nise fuera de su hábito, de su tierra, de su centro y de su misma vida. Mas como los grandes encuentros de la fortuna hacen sacar al alma mayores fuerzas, el mismo dolor la sacó tan grandes de su flaqueza que, haciendo amistad con un moro de paz, que con salvoconducto del general trataba en Ceuta, le obligó de manera con regalos y caricias y algunas joyas, que la llevó a Fez consigo en su hábito alarbe, enseñándole en pocos días la mayor parte de la lengua. Nise, pues, en hábito de moro, vivía en Fez a título de sobrino de aquel bárbaro, que enamorado de su talle y entendimiento le persuadía que dejase nuestra fe y le daría con una hija suya la mayor parte de su hacienda. Nise no le contradecía, pero le suplicaba que la dejase enterar de las cosas de su ley, para que con mayor seguridad la recibiese y con mayor quietud de su entendimiento la abrazase. Con estas palabras y su hermosura

506 *Su*: entiéndase *de Pánfilo*.

era señora Nise de este moro, de sus mujeres y de Lela Axá (que así se llamaba su bella hija), de su hacienda, de sus esclavos y caballos, en que algunos días ruando [507] por Fez era poco menos que adorado de aquellos bárbaros.

Llamábase Nise entre ellos Azán Rubín, nombre que Alí Iafer le había puesto y lo había sido de un hijo suyo, en cuyo lugar le tenía y de cuya muerte con ver a Nise, de quien decía que era retrato, se consolaba. Entre los esclavos de Alí Jafer había un español, hombre ya entrado en días, natural del Viso, aquel lugar de la Mancha donde el marqués de Santa Cruz [508] labró aquella insigne casa, testigo de sus felicísimas victorias marítimas, y en cuyos cuatro lienzos se miran hoy los fanales de aquellas capitanas francesas y turcas que rindió su valeroso esfuerzo. A éste hablaba Nise, y después de algunos días le pidió que secretamente se informase dónde y con quién vivía un esclavo español del reino de Toledo, que se llamaba Pánfilo. El esclavo se informó aquel día, y le dijo el siguiente estando a solas que Salí Morato [509] le había preso en una batalla en Ceuta y le tenía en su poder, y que él y otros esclavos le servían en una casa que edificaba. Alegre de esto, Nise se puso aquella tarde a caballo con un sayo [510] de grana cairelado de oro, un alquicel de maraña blanca de seda con rapacejos de plata y aljófar, bonete con muchas bengalas listadas y plumas de colores, borceguíes y chinelas de tafilete y un alfanje de Túnez en un tahalí bayo de piezas de oro y plata nieladas. Pasó por la calle de Salí Morato la contenta Nise y vio en la nueva

507 *Ruando*: *v. supra,* nota 311.

508 *El marqués de Santa Cruz*: don Álvaro de Bazán (1526-1588), a cuyas órdenes Lope participó en la afortunada expedición de la Tercera (1583). El Viso del Marqués hoy día es pueblo de la provincia de Ciudad Real, y aunque marchito, todavía se puede ver allí el palacio del Marqués.

509 *Salí Morato*: y Jafer, nombres de corsarios argelinos en el libro I, p. 82, v. también nota 61.

510 *Sayo*: la riqueza descriptiva de este atuendo árabe recuerda la de los romances moriscos del Romancero Nuevo (p. ej., "Límpiame la jacerina", *Bib. Aut. Esp.*, X, 14), moda a la que tanto contribuyó el propio Lope.

casa que labraba al miserable Pánfilo, convaleciente de las heridas, con un jaleco[511] de sayal, que apenas le cubría el pecho, unos calzones de anjeo y los pies descalzos, llevando a cuestas con otro esclavo cristiano el yeso, cal y madera del edificio.

No se paró, como pensaba, respeto de que viéndole pasar se echó en el suelo, y de esta humildad y verle tan desnudo y flaco, fueron tantas las lágrimas que de tropel acudieron a sus ojos, que unas por otras no salían, hasta que tras la primera rompieron todas. Fingió que daba vueltas por la calle, y habiendo quitado al sol bellísimo de su rostro (que dicen que lo era entonces) aquellas nubes de agua, paróse una vez junto a los esclavos y dijo a Pánfilo en la lengua de Fez que para qué labraba aquella casa Morato, pues la tenía tan buena. Pánfilo respondió, como supo, que eran unos baños para tener esclavos, porque el buen suceso de la pasada guerra le había ensoberbecido y pronosticado que había de tener muchos. "¿Tú eres de ellos?", le dijo entonces en castellano Nise, Pánfilo, más advertido, le respondió: "Sí soy, por mi desdicha." Y mirando su rostro dejó caer en tierra lo que llevaba en las manos y admirado de que hubiese un moro que pareciese en tanto estremo a Nise, porque aunque era ella misma, no se podía persuadir ningún entendimiento a que lo fuese por la lengua, por el hábito y por la poca distancia de tiempo que había desde que la dejó en Ceuta. Hasta aquel tiempo estuvo sin hablarla atónito. Díjole entonces ella, volviéndole a hablar en alarbe: "¿Eres caballero?" Pánfilo, más advertido de la semejanza que Nise tenía a sí misma, y por otra parte, desconfiado de verla hablar la lengua fezí tan despiertamente, le dijo: "Yo he dicho a Salí Morato que soy un pobre hombre, pero a ti, porque pareces a un dueño que he tenido, a quien en mi vida mentí, no osaré engañarte. Caballero soy castellano del reino de Toledo y de un lugar que

511 *Jaleco*: así se escribía el moderno *chaleco*, que era "un jubón de paño de mangas cortas, hasta el codo", Corominas, *DCELC*, s.v. *chaleco*.

por fuerza habrás oído, porque a todas las naciones son notorios los nombres de las cortes de los reyes, como París, en Francia; Roma, en Italia; Constantinopla, en Asia, y Madrid,[512] en España. Aquí nací con la ventura que ves. Pero tú, gallardo moro, ¿quién eres y por qué me preguntas mi calidad y patria?" "Yo soy, respondió Nise, sobrino del alcaide Alí Iafer, hijo de Muley Nazar su hermano y de una cautiva cristiana natural de Toledo. Mi nombre es Azán Rubín, aunque primero me llamaba Celín Mendoza, del nombre de mi madre; pero habiéndosele muerto a mi tío su hijo, fue por mí a Marruecos, donde nací, y me trujo a su casa, y por consolarse me puso el nombre que te digo y me casa con su hija Lela Axá, que es la más bella mora que ha criado Alá en toda el Africa. Esto es lo que me obliga a amar a los cristianos bien nacidos, porque lo era mi madre, mayormente españoles y de su patria; pésame que vivas con el alcaide, que tiene fama en Fez de tratar mal sus esclavos, y bien se echa de ver en que siendo tú del talle que se conoce, pues aun no le puede desdorar la miseria del hábito, siendo verdad que el vestido es el mayor adorno y majestad de la persona, te ocupó en tan vil oficio. Y así porque me agradas como por las razones que te he referido, si tú quieres, haré que Alí Iafer te compre, y en su casa no te faltará más de la libertad, porque en las demás cosas te trataré como a igual mío."

"Pánfilo llorando echóse a los pies del caballo, y rehuyendo Nise, fue de rodillas hasta que la tomó los pies y se los besó muchas veces. Agradecióle la merced que le hacía, y despedidos, Nise contó a Alí Iafer el mucho deseo que tenía de un esclavo español a quien maltrataba Salí Morato. El moro, que sólo deseaba ser-

512 *Madrid*: si esta alusión a Madrid como corte (y la anterior, p. 352, también de la historia de Nise) ha de referirse al momento de redacción de la novela, y no de la acción de las peripecias africanas de los protagonistas, entonces la fecha de estos pasajes, al menos, es anterior a enero de 1601 (mudanza de la corte a Valladolid). Pero no me atrevo a afirmar si la cronología es la del autor o la de sus personajes.

virla, fue otro día y trató con él de la venta, que no rehusándola, vinieron al precio. Quería Salí mil ducados, porque decía que le había preso en buen hábito, con buenas armas y caballo y una banda roja atada al brazo siniestro, cosa que estando él en España decía que había visto en retratos de reyes y de príncipes. Terciaba Nise en esta venta, que era la más interesada, y satisfacíale de que en España los trajes eran comunes y la soberbia de los soldados igual a la majestad de los señores. Concertáronse en quinientos ducados, y Nise fue a la mazmorra donde dormía Pánfilo, de donde sacándole le llevó consigo. Deshacíase Pánfilo en lágrimas y en imaginaciones, atribuyendo aquella piedad a ser aquel moro tan verdadero retrato de su Nise, y muchas veces se determinaba a creer que lo era, porque aunque el hábito y la lengua la diferenciaban, el rostro, la voz y la persona bien conocía que eran los mismos. Diole mejor lugar que a los demás que tenía esclavos y mandóle vestir luego, y bajándole a ver la primera noche, le llevó algunas de sus camisas, rogándole que las encubriese de los otros que estaban allí cautivos. Pánfilo se echaba a sus pies, y cuando Nise los desviaba, besaba humildemente la tierra en que los ponía.

"A pocas veces que los dos se hablaron, ya Pánfilo estaba tan certificado de que si no era Nise él estaba loco, y la falta del discurso de la razón le ponía aquellas quimeras en la fantasía que no dormía, ni comía, ni dejaba de demostrar con suspiros y ansias su imaginación a Nise. Ella, temiendo que Pánfilo con aquellas dudas se volviese loco, por asegurarle y por conocer lo que tenía en él, le dijo un día: "Pánfilo, el amor que te tengo me obliga a procurar tu bien y solicitar tu descanso, y he dicho a Alí Iafer lo que te quiero, y él me ha respondido que si te quiero enviar a tu tierra, que vayas bajo tu palabra y desde allá le envíes como caballero lo que le cuestas; mas yo, que si te perdiese perdería la vida, le pedí que te diese a Fátima, mi hermana, por mujer, que yo acabaría contigo que te volvieses moro. Si quieres hacer esto por mí, yo conoceré tu hidalguía y tú gozarás la mujer más bella que ha nacido en Marruecos, porque tiene hermosura africana y brío de Toledo. Serás rico, porque fuera de lo que le dejó mi padre, te dará mi tío gran parte de su hacienda y yo te daré la mía y viviré con mi mujer bajo tu gobierno."

"Pánfilo, que deseaba desengañarse, o a lo menos, si no estaba engañado, picar a Nise para que se declarase, respondióle fingidamente que de buena gana, por servirle y pagarle el amor que le debía se volvería moro, así por esto como porque había visto ir al baño algunas veces a Fátima y estaba de manera enamorado della que la poca salud y gusto que traía procedían de eso. Apenas hubo Nise oído esta resolución de Pánfilo, cuando en estremo furioso le dijo: "¡Ah traidor enemigo, bárbaro sin Dios, sin fe, sin ley, sin lealtad, ¿es eso lo que debes al cielo, a tus padres, a tu patria y a la desdichada Nise, que por librarte se ha puesto en tanto peligro?" "Bien sabía yo, Nise mía, respondió Pánfilo abrazándola, que para la aspereza de tu condición era necesario este engaño, porque gobiernas tus cosas con tanto acuerdo y con tanto tiento, que me hicieras perder el seso y la vida primero que de otra suerte te declararas, y te confieso que ha sido piedad del cielo no haber acabado con el seso, ya que la vida guarda para tantas muertes." "Deja los brazos, respondió Nise, ingrato, y no te valgas de esos engaños una vez conocida tu flaqueza. Pero yo ¿de qué me quejo? Pues quien dejaba a Dios no me agraviaba en dejarme."

"Finalmente, por no detenerme en esto, después de muchos enojos pudieron las satisfaciones tanto, que vencida del amor la pesadumbre, quedaron amigos con mayor firmeza y gusto, como sucede siempre a los que se aman y sobre sospechas de la voluntad se enojan. Este día pasó esto; otros muchos trataron su libertad, lo que parecía imposible, respecto del amor que Alí Iafer tenía a Nise y aun respecto del que Fátima mostraba a Pánfilo, que habiendo entendido que quería ser moro y que trataba su tío de casarla con él, le favorecía y regalaba, con mucho disgusto de Nise, sobre cuyos celos tuvieron más de tres meses notables enojos y pesadumbres. Mira qué historia tan inaudita y que tanto encarece el ingenio de una mujer que ama, pues supo animosamente engañar a un moro y poner toda su casa en tal punto, que ya sólo se gobernaba por la voluntad de Pánfilo, que tomando mejor acuerdo, en una ausencia que hizo Alí Iafer a Tarudante,[513] donde el rey estaba, se concertaron con Axa y Fátima[514] de que fuesen a España con ellos, porque la suya era ley segura y la que ellas profesaban engañosa. No fueron difíciles de persuadir, que eran mujeres, moras y amantes, tres cosas de corta resistencia. Y así una noche con las joyas que le pudieron tomar, caminaron los cuatro en buenos caballos, tomando Pánfilo el traje que llevaba Nise, para pasar seguros.

"Llegaron a Ceuta, donde siendo recibidos del general con justo regocijo, los envió a Lisboa. Allí les dieron a entender a Axa y Fátima que les convenía pasar a Roma[515] para que el Pontífice les diese la fe, y los perdonase a ellos, lo que sólo hacían por salir con toda brevedad de España. Contentas ellas de seguirlos dondequiera que tuviesen voluntad de llevarlas,

513 *Tarudante*: v. *supra,* nota 65.

514 *Axa y Fátima*: estos nombres quizá sean recuerdo del cantarcillo popular: "Tres moricas me enamoran / en Jaén: / Axa y Fátima y Marién", vid. Alonso-Blecua, *Antología* (*ut supra,* nota 415), núm. 25.

515 *Roma*: así como Pánfilo y Nise llegan en hábito de peregrinos a Roma, en año santo, y en compañía de dos damas moras, de la misma manera, en el mismo año y vestido llegan a Roma Persiles y Sigismunda, llevando en su comitiva, entre otros acompañantes, a tres damas francesas. Con sofismas, que no con razones, A. A. Beringer, "*Persiles* and the Time Labyrinth", *Hispanófila,* 41 (1971), 1-11, establece la fecha de la acción del *Persiles* en 1575; en *Persiles,* III, i, se habla del "visorrey" de Portugal: esto sólo puede ocurrir durante la ocupación española, o sea después de 1580. Por lo demás, y para las posibles concomitancias entre este episodio del *Peregrino* y los dramas *Clitandre* y *La Galérie du Palais* de Corneille, *vid.* F. W. Vogler, "Hyppolite, the Woman Scorned: Corneille's Unconscious Debt to Lope de Vega", *Symposium,* XVIII (1964), 171-73.

se embarcaron en una nave arragocesa,[516] que había traído trigo, y caminando con próspero viento, tomaron puerto en Sicilia, donde por ser el año santo todos cuatro en hábito de peregrinos se fueron a Nápoles y desde allí a Roma. Axa y Fátima se bautizaron: Axa se llamó Clemencia, del nombre de Su Santidad,[517] y Fátima, Hipólita, del que tenía su padrino. Persuadíanlos al prometido casamiento, pero Nise y Pánfilo las entretenían con que hasta llegar a Toledo en casa de sus padres no era justo.

"Y así, habiendo visto gran parte de Italia y Francia, dieron la vuelta a España, donde les parecía que estarían los padres de Nise menos rigurosos, que estos hurtos de amor, cuando no se castigan en el suceso, con el tiempo se perdonan siempre. Mas habiendo corrido fortuna una mísera tartana en que desde Villafranca de Niza se habían embarcado, deshecha de todo punto con el temporal deshecho, se acabó de rendir al mar a vista de los muros de Barcelona, donde no se sabe que sean muertos ni vivos Nise y las moras. Pero tu hermano Pánfilo, nadando vino a llegar a una cala, donde estando acaso recogidos unos moros de Biserta le prendieron y llevaron a Constantinopla, donde, como te dije, le vi cautivo y me contó su historia." Esto añadió Nise a la verdad por engañar a Finea, pues del primer[518] libro sabeis que Nise y Pánfilo salieron medio muertos a la playa, donde el uno fue amparado de aquellos pescadores y el otro del capitán Doricleo, sucediendo la peregrinación en su patria España que hasta venir a ser locos habeis oído.

516 *Arragocesa*: *v. supra,* nota 64. Como se puede apreciar por algunas de estas últimas notas, Lope dispone, en el libro IV, muchos de los mismos elementos del libro I, pero en distinta combinación.

517 *Su Santidad*: *v. supra,* nota 42.

518 *Primer libro*: la recapitulación parcial es casi una necesidad argumental de la novela de aventuras, pero Lope la usa con suma moderación (*v. infra,* 664). Cervantes, en cambio, en la segunda mitad del *Persiles,* la usa en abundancia y con muy clara y definida intención artística, v. *Persiles,* notas 288, 462, 529 y 530.

Pensó Nise que Finea se hubiese enternecido con la historia; pero ella, que en la hermosura de su rostro y suavidad de su lengua había estado transformada, sólo se enterneció con sus pensamientos, dejándose llevar de su imaginación donde quisieron sus deseos. Agradecióle, en fin, haberle dado cuenta de su hermano, mostrando algún sentimiento de la muerte de Nise. Y después de haber las dos concertado de volver a España, se volvieron a Marsella, donde en los días que descansaron ya Finea, declarando su amor, pedía piedad a Nise, creyendo que era el Felis que le contaba, y era, sin duda, que estaba Nise tan diestra en las acciones de hombre que a cuantos la veían engañaba, aunque a la primera vista a todos parecía lo que realmente era.

El miserable Pánfilo entretanto padecía en la cárcel, donde quedaba con mayores penas y dobladas prisiones, porque como la furia del dolor crecía, también crecían ellas. Vino, en fin, Jacinto a Valencia, y siendo avisado de Pánfilo, le sacó de la gavia e hizo llevar a su casa, diciendo que sus deudos le habían enviado de Castilla quinientos ducados para curarle en ella. Pesó a todos de que le llevasen, porque hasta entonces no se había visto loco más cuerdo ni cuerdo que tan altas locuras imaginase. Allí tomó Pánfilo su antiguo hábito, y despedido de Jacinto y de su hermana (que admirada de su historia entre el amor y la piedad estaba en calma), tomó segunda vez el camino de Barcelona, donde apenas hubo llegado cuando, siendo conocido de uno de aquellos hombres que había herido en Monserrate, segunda vez fue preso y llevado donde los peregrinos alemanes lo habían estado hasta entonces. Caso digno de ponderación [519] en cualquiera entendimiento discreto que un hombre no pudiese ni acertase a salir de tantas desdichas desde Barcelona a Valencia y desde Valencia a Barcelona, peregrinando en una pequeña parte [520] de

519 *Caso digno de ponderación*: como en los casi obligados finales de comedia, Lope demanda aquí la admiración y aplauso de su público.

520 *Pequeña parte*: que a Lope le ha bastado para mostrar la naturaleza laberíntica del mundo, como él señala, muy orondo.

su patria España con más diversidad de sucesos que Eneas hasta Italia y Ulises hasta Grecia, con más fortunas de mar, persecuciones de Juno, engaños de Circe y peligros de lotófagos y Polifemos.

Pánfilo volvió a ver a sus amigos con alegría dellos y tristeza suya, y Nise y Finea salieron de Marsella y vinieron a Perpiñán [521] poco a poco, por la aspereza de los montes que dividen la Francia. Llegaron a la ciudad un domingo, donde algunos de los soldados castellanos hacían una fiesta al patrón de España. [522] Vieron aquella noche grandes luminarias y fuegos y otro día en un teatro una representación, que desde Barcelona habían traído y conducido a los que la hacían para mayor regocijo de su fiesta. Sentáronse en buen lugar, alborotando con su hermosura la ciudad y obligando a los caballeros della a preguntarles quiénes eran. Nise dijo que venía de Roma y que eran hermanos, con que perdieron más el respecto a Finea. Y así un caballero llamado Ricardo le ofreció su casa aquella noche, y ella dijo que con licencia de su hermano la acetaría. Finalmente, mirando Ricardo a Finea, Finea a Nise y Nise las fiestas, salieron los músicos y comenzaron a cantar lo que se sigue:

Abre los ojos del alma,
pues los del cuerpo te ciegan,
¡oh, tú!, que vienes al mundo
y estás llamando a la puerta.
Mira que sales al mar,
aunque sales a la tierra,
donde mayores peligros
y más naufragios te esperan.
¡Oh puerto de juventud,
cuyas ondas lisonjeras
están llamando a los años,

[521] *Perpiñán*: fue española hasta 1642. Los peregrinos de Cervantes llegan a Perpiñán en *Persiles,* III, xiii.

[522] *Patrón de España*: Santiago, 25 de julio. Como hito temporal anterior de la acción, *v. supra,* nota 259.

que tus orillas pasean!
Sale la nave gallarda,
poco lastre, muchas velas,
al pajaril[523] de esperanza,
que sobre las aguas vuela.
Manda el piloto Apetito,
rige, discurre, gobierna,
porque la Razón divina
va debajo de cubierta.

Y cuando el golfo de la vida llega,
ciérrase el cielo y no se ve la tierra,
braman los vientos, y llorando el alma,
dice desde la popa: "Amaina, amaina."

Llega el ingenio de Ulises
al canto de las sirenas,
a los encantos de Circe,
y de Calipso a la cueva;
llega al monte de Sicilia,
donde con el remo ciega
al gran hijo de Neptuno,
y vuelve contento a Grecia.
Pero tú, engañado joven,
que sin ciencia y experiencia
de las sirenas que cantan
para que el alma suspendas,
rindes el fácil oído
y la voluntad elevas
a la música lasciva,
que te llama y te despeña,
la proa en sus ecos pones,
todas las velas despliegas,
duermen al son los sentidos,
y cuando a sus brazos llegas,

523 *Pajaril*: "Voz que se usa en la phrase hacer paxaril, que vale amarrar el puño de la vela con un cabo, y cargarle hacia abaxo, para que esté fixa y tiessa quando es viento largo", *Dicc. Aut.*, s.v. *paxaril*. Como en el comienzo del auto del *Viaje del Alma*, Lope comienza el auto del *Hijo Pródigo* desarrollando una larga imagen marítima.

su voz es quejas, su blandura es peñas,
la fiesta llanto, sirtes la sirenas;
encallan, toda es agua la carlinga,
dan a la bomba, y que se pierden gritan.
Hállase la edad gastada,
la vida corta y enferma,
la vejez en un escollo,
amenazando las fuerzas;
la muerte viene detrás,
que por unas nubes negras
truenos y piedra amenaza,
aunque hay sepulcros sin piedra;
y el mísero navegante
adonde vio las estrellas
vuelve los ojos y dice:
"Piedad, que la mar me anega."
Turbulento le responde,
revolviendo agua y arenas,
articulándole el aire
voz que responda a sus quejas:
"Tú entraste, ciego el piloto;
si te pierdes, que te pierdas;
que no hay soberbia más alta
que ser Faetón [524] de bajezas.
Y cuando el cuerpo llora el alma tiembla,
saca el sol de piedad las rubias trenzas,
y en una tabla de arrepentimiento
llega el cuerpo a la orilla, el alma al puerto."

Ya estaba el Prólogo en el teatro, cuando los músicos acabaron este romance y dijo así:

Siendo tan corta nuestra vida humana,
y habiendo muchos hombres puesto en duda
ser el alma inmortal, solicitaron
que la gloriosa fama de sus obras
los hiciese inmortales en el mundo;

524 *Faetón*: *v. supra*, nota 361.

tanto de conservar su ser se estiende
la común ambición en los mortales,
que no contentos por haber nacido
con excelencia de progenie o estirpe,
como dice Iodoco Clitoveo, [525]
o de tener de honesto honor del príncipe
aquella calidad que dice Bártulo, [526]
procuraron ser nobles por sí mismos;
porque muchos romanos, que nacieron
de padres libres, y a quien Marco Tulio
llama y tiene por nobles en su *Tópica,*
hicieron hechos de memoria dignos,
por exceder la fama de sus padres,
que así dice Salustio [527] que llamaba
a la virtud su nacimiento Mario;
porque Alejandro, Scipión y Pirro,
por vencer a sus padres en la fama,
hicieron lo que sabe todo el mundo;
aunque diga Platón [528] que es un tesoro
magnífico y preclaro para el hijo
la gloria y excelencia de su padre.
Y así le dijo al tierno Ascanio Eneas
que aprendiese a ser noble de sus obras,
y de la fama de su agüelo Héctor,
como refiere de los dos Virgilio. [529]
Por adquirir esta nobleza propia
fueron tan excelentes en las letras

525 *Iodoco Clitoveo*: *Ioducus Clichtoveus, De vera nobilitate* (París, 1520).

526 *Bártulo*: *Consilia, Quaestiones et Tractatus Bartoli a Saxoferrato* (Turín, 1589), "Tractatus testimoniorum".

527 *Salustio*: *De Bello Jugurthino,* LXXXV.

528 *Platón*: Referencia que trae Clitoveo, cap. VI (*v. supra,* nota 525).

529 *Virgilio*: *Eneida,* III, 341-43. Héctor no fue abuelo, sino tío de Ascanio, ya que era hermano de su madre Creusa. El problema surgió porque Virgilio escribió "et pater Aeneas et avunculus excitat Hector" (v. 343), y *avunculus* significaba "tío materno", mientras que como diminutivo de *avus,* "abuelo", podía significar "hermano de la abuela" (*avunculus magnus*), y otras relaciones en tercer grado. De todas maneras, la cita de Virgilio también se halla en Clitoveo.

los muchos que hoy celebran nuestros siglos,
porque Ulpiano, Felino y Casiodoro
sólo en las letras la nobleza ponen,
a que también Ovidio[530] alude y muestra
que el ingenio ennoblece más que el oro.
Mas no tratemos desto, que si lo oyen
las armas volverán por su excelencia,
contienda[531] eternamente definida,
y más si la defiende Casaneo,[532]
que da a las armas solas la nobleza,
de que nacieron en la antigua Roma
tantas coronas cívicas, murales,
obsidionales, triunfos, y en Cartago
dar al soldado tantas joyas de oro
cuantos fuesen los muertos enemigos,
y España levantar a su sepulcro
los mismos obeliscos y pirámides.
Tanto, en fin, de la fama fue el deseo,
que ha habido muchos sin virtud alguna
que han querido en la infamia ser famosos.
A Elvidio hereje llama San Jerónimo,[533]
noble en maldad, y así pienso que Eróstrato[534]
quiso serlo quemando el templo a Efesia,
que de cualquiera suerte es tan glorioso
este inmortalizarse los mortales,
que cada cual pretende en lo que puede,
o fue su inclinación, adquirir fama.

530 *Ovidio*: *Amorum*, III, viii, 3.

531 *Contienda*: alude al tradicional debate acerca de la primacía de las armas o las letras, y del que el ejemplo más conocido es el discurso de don Quijote, I, xxxvii-xxxviii.

532 *Casaneo*: revela aquí Lope otra de sus fuentes principales, junto con Clitoveo: Bartolomeo Casaneo, *Catalogus gloriae mundi* (Lyon, 1546), allí se citan, entre otros, a Ulpiano, Felino y Casiodoro. El detalle preciso de citas y fuentes lo hallará el lector en la edición de Peyton. Una fuente que no menciona pero sí usa, es Carolus Stephanus, *Dictionarum historicum geographicum, poeticum* (Lyon, 1595), sobre el cual, v. Introducción, nota 58.

533 *San Jerónimo*: *De perpetua virginitate B. Mariae,* 224.

534 *Eróstrato*: *v. supra,* nota 264. Como se puede apreciar, menudean en estos *sueltos* los versos esdrújulos.

Famoso fué Platón, claro Aristóteles,
entre los académicos filósofos;
entre los oradores Marco Tulio,
y en los griegos, clarísimo Demóstenes;
legislador notable fue Licurgo,
prudente y sabio Salomón pacífico;
Torcuato fue de la milicia ejemplo;
en la severidad, Catón loable,
y en las sentencias de la vida, Séneca.
Marón y Homero, en la poesía príncipes;
en las historias, Tito Livio y Tácito;
de fortaleza alaba Roma a Cévola;
a Orfeo y Anfión la dulce música,
la perspectiva a Euclides matemático,
los pinceles a Apeles y a Protógenes,
a Lisipo los jaspes y los mármoles,
a Jerjes en grandeza de un ejército,
al rey de Batro rombos y carácteres,
industrias militares a Semíramis, [535]
y el amor conyugal a Isicratea. [536]
Fueron notables los hebreos en letras,
en dotrinas, misterios y prodigios,
como lo muestra el arte cabalística;
los griegos, en ingenio y disciplinas,
y en políticas ciencias los romanos.
Conrado, duque de Moscovia, [537] tuvo
ochenta hijos que le dieron fama.
Néstor, porque vivió trecientos años,
por bendición se tiene entre los hombres;
por domar o vencer monstros indómitos
se nombran hoy Belerofonte y Hércules.

535 *Semíramis*: y Nino y el sitio de Bactra, todo lo narra en detalle Diodoro Sículo, II, 1-20. Los nombres anteriores son lo suficientemente conocidos como para prescindir de notas.

536 *Isicratea*: Hypsicratea, mujer de Mitrídates Eupator, a quien acompañó en todas sus campañas, peligros y privaciones, Plutarco, *Pompeyo*, 32.

537 *Conrado, duque de Moscovia*: no puedo identificarle; quizá, como sugiere Peyton, se trate de Conrado, duque de Masovia (m. 1247), región de la antigua Polonia, aunque ignoro el número de hijos que pudo haber tenido.

Alcón,[538] cretense, porque de un flechazo
mató una sierpe y no mató a su hijo,
estando tan revuelta al cuerpo toda
como la estatua de Laocón se mira.
Por el león al capitán Lisimaco,[539]
a Ciro, Telefonte,[540] Remo y Rómulo
por la crianza de la loba y cierva,
aunque mejor por sus famosos hechos;
por las abejas es Abidis célebre,
aunque a Aristeo, el amador de Eurídice,
de esta fama Virgilio[541] en su *Geórgica*;
a Perilo[542] dió nombre y muerte el toro;
fuertes espadas Licaonte[543] hizo;
su casa hizo nombrado a Marco Lépido,[544]
y a Escauro[545] el lienzo del primer teatro;
Mistilo[546] fue famoso cocinero,
Díaulo[547] enterrador, y de Toranio.[548]

[538] *Alcón*: Valerio Flaco, *Argonautica*, I, 399, probablemente a través de Ravisio Textor, *Officina* (Basilea, 1538), s.n. "Sagittarii et iaculatores peritissimi". Claro está que el cretense Alcón no tiene nada que ver con la estatua del troyano Laocoon, fuera de la serpiente que figura en ambas leyendas. Supongo que Lope usa la bien conocida estatua de Laocoon como punto de comparación.

[539] *Lisímaco*: capitán de Alejandro Magno, una popular tradición cuenta que encerrado en una jaula con un león, y sin armas, consiguió matarle.

[540] *Ciro*: de recién nacido fue abandonado en el monte y criado por una perra, cuenta una de las versiones de su niñez. *Telefonte*: (Telephus), hijo de Hércules, fue criado por una cierva.

[541] *Virgilio*: *Geórgicas*, IV, 315-19.

[542] *Perilo*: fue el que construyó el toro de bronce para el tirano Falaris, y fue su primera víctima.

[543] *Licaonte*: *Eneida*, IX, 303-05, espadero cretense que hizo el arma que da Ascanio a Euríalo.

[544] *Marco Lépido*: como cónsul participó en la guerra de Numancia; los censores le pidieron cuentas por la construcción de su fastuosísima mansión, Valerio Máximo, VIII, I, 7 y Plinio, *Hist. nat.*, XXXVI, 15 y 24.

[545] *Escauro*: M. Aemilius Scaurus, construyó un teatro tan suntuoso (58 a. de C.) que fue acusado, y defendido por Cicerón, Valerio Máximo, II, 4 y 6.

[546] *Mistilo*: citado por Marcial, *Epigrammata*, I, 50.

[547] *Diaulo*: también citado por Marcial, I, 30, 47.

[548] *Toranio*: célebre vendedor de esclavos, Macrobio, *Saturnalia*, II, iv, y Suetonio, *Octavio*, LXIX. La anécdota de los dos niños la trae Plinio, *Hist. nat.*, VII, 10.

Macrobio y Suetonio cuentan cosas
famosas en su infamia, pues vendía
las casadas, solteras y las vírgenes;
y a Marco Antonio dos hermosos niños.
De Licinio [549] barbero hay quien escriba;
a Butes [550] se celebra por armero,
y por pastores a Mirmilo y Faustulo; [551]
por pobre a Baucis [552] y por rico a Tántalo. [553]
Hasta Cadmo [554] es notable por verdugo
y mereció gozar versos de Horacio.
No hablo en inventores [555] de las cosas,
que es proceso infinito, mas resuélvome
que en toda inclinación, en cualquier arte
es honra y gloria ser famoso un hombre,
(si bien la profesión no lo parezca),
cuanto más en las cosas levantadas.
Famosos hombres nuestros siglos tienen
en todas profesiones y ejercicios,
desde el príncipe al súbdito, que hacen
el armonía desta gran república,
como el agudo y grave, el alto y bajo,
que tal vez en el dulce canto de órgano
vemos cómo es forzosa la semínima.

549 *Licinio*: en realidad, *Licino,* mencionado por Horacio, *Ars poetica,* 301.

550 *Butes*: el armero de Anquises, *Eneida,* IX, 646 y XI, 690.

551 *Mirmilo*: Plinio, *N.H.*, VII, 10, inmediatamente antes de la anécdota comentada en nota 548, menciona al boyero Mirmilo, famoso por su parecido con el orador Casio Severo. *Fáustulo*: el pastor que recogió a Rómulo y Remo, Tito Livio, I, 4-5.

552 *Baucis*: y su esposa recibieron en su humilde posada a Júpiter y Mercurio, Ovidio, *Met.*, VIII, 620-724.

553 *Tántalo*: en todas las versiones de su leyenda se cuenta que antes de su suplicio era el riquísimo rey de Lidia.

554 *Cadmo*: Horacio, *Sátiras,* I, vi, 38-39.

555 *No hablo en inventores*; la obra clásica de Polidoro Virgilio, *De inventoribus rerum,* circulaba en español, desde 1550, gracias al bachiller Francisco Thámara, aunque el Inquisidor General D. Fernando de Valdés, la puso en su *Indice expurgatorio* (Valladolid, 1559); bien es cierto que algunos entusiastas, como el primo de Basilio el Pobre, intentaban adicionarla considerablemente, *Quijote,* II, xxii.

¡Qué gran soldado fue el Toledo de Alba,[556]
soldado al alba, como rayo al mundo!
Aquel Bazán de Santa Cruz[557] famoso,
a quien hereda tan gallardo hijo.
El gran Cortés[558] fue Iosué católico,
el duque de Alcalá[559] con su Ribera,
honra del Betis andaluz la suya;
los tiernos años del famoso conde
de Niebla,[560] luz de España, el mundo admira;
el duque de Pastrana[561] es fénis único
de las grandezas de su heroico padre;
dos veces se ha humillado el mar a un Córdoba,[562]
del marqués de Ayamonte ilustre hermano,

556 *Alba*: sobre el gran duque de Alba, *v. supra,* notas 51 y 208.

557 *Santa Cruz*: sobre el primer marqués de Santa Cruz, *v. supra,* nota 508. Su hijo, también llamado don Álvaro de Bazán (1571-1646), tuvo destino casi tan brillante como el del padre. Lope elogia a los Bazanes en general, y al segundo Marqués de Santa Cruz en particular, en *Servir a señor discreto, Bib. Aut. Esp.*, LII, 72bc, y a una hazaña del segundo Marqués dedicó su comedia *La nueva victoria del marqués de Santa Cruz, Ac,* XIII.

558 *Cortés*: Hernán (1485-1547), émulo del guerrero bíblico Josué, por arrasar Tenochtitlán, así como éste arrasó Jericó.

559 *Alcalá*: don Fernando Afán de Ribera Enríquez, tercer duque de Alcalá de los Gazules, a quien Lope dedicó su comedia *Lo cierto por lo dudoso, Ac,* IX. Tuvo academia literaria en su suntuoso palacio sevillano (la Casa de Pilatos), v. J. Sánchez, *Academias literarias del Siglo de Oro español* (Madrid, 1961), pp. 207-08.

560 *Conde de Niebla*: título del primogénito de la casa ducal de Medina Sidonia. En 1604 era conde de Niebla don Manuel Domingo Alonso Pérez de Guzmán el Bueno, hijo del VII duque de Medina Sidonia, el que mandó la Armada Invencible, que murió en 1619. Peyton confunde a don Manuel (que murió en 1636), con su hijo, D. Gaspar Alfonso, a quien Lope dedicó *La Dorotea* (1632). Noticias biográficas de D. Manuel en F. Rodríguez Martín, *Pedro Espinosa. Estudio biográfico, bibliográfico y crítico* (Madrid, 1907), caps. VII-VIII.

561 *Duque de Pastrana*: se trata del III Duque, don Ruy Gómez de Silva, que lo fue de 1596 (fecha de la muerte de su padre, D. Rodrigo de Silva, valiente soldado y empedernido juerguista), hasta su muerte en 1626.

562 *Córdoba*: don Luis de Córdoba, ilustre general de la flota de Indias, era hermano de D. Francisco de Guzmán y Zúñiga, marqués de Ayamonte, muerto en 1607. En Luis Cabrera de Córdoba, *Relaciones de la corte de España desde 1599 hasta 1614* (Madrid, 1857), v. *Indice,* se hallarán diversas noticias de estos dos hermanos. Don Luis murió en 1606.

y al galán don Jerónimo de Torres; [563]
la mano liberal admira el mundo,
no en Alejandro, en Juan Antonio Corzo; [564]
en don Pedro de Zúñiga [565] mil flores
de discreción, de gala y cortesía;
honró las letras mientras vive España,
el insigne, el famoso Covarrubias. [566]
En don Francisco de la Cueva [567] hallaron
su esfera y luz las leyes y las Musas;
y si el famoso Urbina [568] retratara
a la Piedad, haciendo el rostro solo

563 *Don Jerónimo de Torres*: caballero de Santiago, era hijo del conde de Villardompardo, don Fernando de Torres y Portugal, que fue Virrey del Perú.

564 *Juan Antonio Corzo*: banquero oriundo de Córcega, señor de Cantillana, tan famoso por sus riquezas como por sus limosnas y liberalidad, según recuerda D. Luis Zapata, *Miscelánea, Memorial Histórico Español,* XI (Madrid, 1859), 240-41.

565 *Don Pedro de Zúñiga*: Peyton le identifica con el beato Pedro de Zúñiga, martirizado en el Japón en 1622. No puede ser. ¿Elogiaría Lope la *gala* de un religioso, y le llamaría *don*? Se trata de D. Pedro de Zúñiga, primer caballerizo y primer cazador de Felipe III, su embajador en Inglaterra, que fue creado en 1612 primer marqués de Flores-Dávila, *vid.* Cabrera de Córdoba, *Relaciones* (*ut supra,* nota 562), Indice. Antes de ser marqués era señor de Flores de Ávila (provincia de Ávila), de allí el juego de palabras de Lope al hablar de "mil *flores* de discreción".

566 *Covarrubias*: D. Diego de Covarrubias y Leyva, Obispo de Segovia, fue el más famoso miembro de esta ilustre familia, pero había muerto en 1577; su hermano D. Antonio, oidor de Valladolid y Granada, Consejero de Castilla, murió en 1602, y me parece más lógico candidato a la identificación, *vid.* noticias suyas en Nicolás Antonio, *BHN,* s.n., y en Pedro Sáinz de Baranda, "Noticia de los españoles que asistieron al Concilio de Trento", *Codoin,* IX, 25. No puede ser el lexicógrafo Sebastián de Covarrubias Horozco, porque éste murió en 1613, y Lope habla en tiempo pasado: *honró.*

567 *Don Francisco de la Cueva y Silva*: famoso jurisconsulto y literato vallisoletano, Lope le elogió en la dedicatoria de *La Arcadia* y en el *Laurel de Apolo,* silva III, y le dedicó su comedia *La mal casada, AcN,* XII, *vid.* D. Catalán Menéndez Pidal, "D. Francisco de la Cueva y Silva y los orígenes del teatro nacional", *NRFH,* III (1949), 130-40.

568 *Juan de Urbina*: pintor madrileño, discípulo de Alonso Sánchez Coello; Lope le cantó como ya muerto en el *Laurel de Apolo* (1630), silva IX. No se trata de Diego de Urbina, como supone Peyton, porque éste vivió antes, *vid.* Ceán Bermúdez, *DH,* V, s.n.

del ilustre don Juan de Zūazola,[569]
dijeran todos: La Piedad es ésta.
Mas todos los ejemplos se detienen
en poniendo los ojos, siglo de oro,
en el Francisco;[570] que te ha dado el cielo,
gloria de Rojas, Sandoval y Zúñiga,
a quien España, como Roma a Numa,
llama su augusto padre de la patria.
El conde de Miranda[571] y el de Lemos[572]
son dos trasuntos, de Catón, el uno,
y el otro de Scipión, senador joven.
La grandeza en su punto ha hecho templo
en el marqués de Priego,[573] en quien compiten,
sin vencerse jamás, virtud y sangre.
El padre Ibáñez,[574] dominico teólogo,
es monstro al mundo, como Fray Juan Márquez[575]
divina lengua en cátedra y en púlpito;

569 *Don Juan de Zuázola*: Obispo de Astorga del 2 de septiembre de 1589 a su muerte, ocurrida el 1 de noviembre de 1590. Era hijo de Pedro de Zuázola, secretario de Carlos V.

570 *Don Francisco Gómez de Sandoval y Rojas*: (1553-1625), duque de Lerma, el famoso valido de Felipe III.

571 *Conde de Miranda*: don Juan de Zúñiga y Avellaneda, VI conde de Miranda, murió el 4 de septiembre de 1608, v. Cabrera de Córdoba, *Relaciones* (*ut supra*, nota 562), Índice.

572 *Conde de Lemos*: don Pedro Fernández de Castro, VII conde de Lemos (1576-1622), gran mecenas, protector de Cervantes, quien le dedicó las *Novelas ejemplares*, las *Comedias y entremeses*, la segunda parte del *Quijote*, y el *Persiles*, v. mi edición, nota 8. En 1598, y cuando D. Pedro todavía era marqués de Sarria, Lope le había servido como secretario, v. Introducción, p. 14.

573 *Marqués de Priego*: a quien va dedicado el *Peregrino*, *v. supra*, nota 1.

574 *Padre* [*Pedro*] *Ibáñez*: fue el primero que ordenó a Santa Teresa escribir su *Vida*, cap. XI, 8, y ella le llamó "un gran letrado, muy gran siervo de Dios, de la orden de Santo Domingo", *ibid.*, XXXII, 16, "santo varón", XXXIII, 4; fue su confesor por seis años y después regente del Colegio de San Gregorio en Valladolid, Santa Teresa, *Cargos de conciencia*, LII, 11. Abundan sus referencias en las obras de la Santa.

575 *Fray Juan Márquez*: agustino madrileño (1564-1621), cuyo epitafio reza: "Corporis et animi specie insignis, eloquentiae flumen et fulmen". Lope le elogió nuevamente en el *Laurel de Apolo*, silva VII.

y aquel Gracián [576] doctísimo, que sube
al monte del Señor, al gran Carmelo,
con limpias manos y con alma limpia,
Roma testigo y los cautivos de África.
Alma, lenguaje, acción y entendimiento
cifráronse en Tamayo, [577] victoriano.
Muchos dijera, pero el tiempo es poco,
que la Iglesia a sus santos en un día,
por ser tantos, incluye y hace fiesta.
Gran legista es Enríquez, [578] Soria [579] médico,
Valle [580] es Galeno, Hipócrates Victoria, [581]
y el doctor Marañón, [582] nuevo Esculapio.
Hablan las musas por el docto Céspedes, [583]
y Tormes alza la cabeza a oírle,
que ya el adagio se mudó de Plauto [584]

576 *Fray Jerónimo Gracián*: (1545-1614), carmelita, discípulo de Santa Teresa, cuya mística expuso en *Dilucidario del verdadero espíritu* (Madrid, 1604). En *La peregrinación de Anastasio* (1605) narró las persecuciones que sufrió, su viaje a Roma y cautiverio por los piratas argelinos.

577 *Tamayo*: Fr. Francisco Tamayo, primero agustino y después mínimo, o, como se llamaban comúnmente, frailes *victorianos* o de la Victoria, de quien escribe Nicolás Antonio, *BHN*, s.n.: "Verbi Evangelici non ignobilis fuit praeco".

578 *Gabriel Enríquez*: jurisconsulto madrileño, catedrático salmantino, ministro de Felipe III, trae noticias suyas Nicolás Antonio, *BHN*, s.n. *Gabriel Henríquez*.

579 *Soria*: quizás el médico granadino Diego de Soria, v. Nicolás Antonio, *BHN*, s.n.

580 *Valle*: probablemente el doctor Bartolomé del Valle, médico y catedrático salmantino, *vid.* F. Picatoste, *Apuntes para una biblioteca científica española del siglo XVI* (Madrid, 1891), pp. 322-23, o bien el Dr. Luis del Valle, médico de cámara de Felipe III.

581 *Victoria*: será el Dr. Pedro de Victoria, médico valenciano pero avecindado en Sevilla, de quien da noticias Nicolás Antonio, *BHN*, s.n.

582 *Doctor Marañón*: *v. supra*, nota 3.

583 *Céspedes*: como era salmantino tiene que ser el Dr. Maximiliano de Céspedes, madrileño, pero doctor en medicina por Salamanca, médico de cámara de Felipe III, que escribió poesías laudatorias para *La hermosura de Angélica con otras diversas rimas* (Madrid, 1602) de Lope, y para su *Isidro* (edición de 1602); Lope, a su vez, le volvió a elogiar en el *Laurel de Apolo*, silva III.

584 *Plauto*: "Ea tempestate flos poetarum fuit, / qui nunc abierunt hinc in communem locum", *Cassinaria*, 18-19.

y en verso heroico en el maestro Córdova,[585]
y si son castellanas en mi oído,
Liñán[586] tiene en el Tajo dulces números,
Jorge Enríquez[587] ha sido un gran filósofo,
Moya[588] es notable y célebre aritmético,
Juan Bautista Lavaña[589] matemático,
Ambrosio de Ondériz[590] claro geómetra,
y Luis de Rosicler[591] famoso astrólogo.
Dimas[592] supo, si alguno lo ha sabido,
el *Arte magna* de Raimundo Lulio.
Tomás Gracián[593] en cifra, en varias lenguas,
en ingenioso estudio de medallas,
en pintura, en retratos, prosa y verso,

585 *Maestro Córdova*: Juan de Córdoba, gran latinista, amigo y maestro de Lope, también elogiado por Cervantes en su *Canto de Calíope, vid. Galatea,* II, 196.

586 *Pedro Liñán de Riaza*: poeta toledano, íntimo amigo de Lope, *vid. Galatea,* II, 199.

587 *Jorge Enríquez*: Enrique Jorge Enríquez, médico portugués, que sirvió al duque de Alba por los mismos años que Lope, autor, entre otras obras, del *Tratado del perfecto médico* (Salamanca, 1595), que lleva al frente dos sonetos de Lope, *vid.* Nicolás Antonio, *BHN,* s.n.

588 *Moya*: el bachiller Juan Pérez de Moya (1513?-1597), matemático y humanista, conocido hoy en día en particular por *Filosofía secreta,* ed. E. Gómez de Baquero, dos vols. (Madrid, 1928), con buen estudio bio-bibliográfico. H. A. Rennert y A. Castro, *Vida de Lope de Vega* (Madrid, 1919), p. 29 n., identifican al Moya del texto con un licenciado Pedro de Moya, que declaró en el proceso de Lope, y de quien no sabemos más nada.

589 *Juan Bautista Lavaña*: o Labaña, matemático y cosmógrafo portugués (1555-1624), maestro de Lope, quien le recordó en varias obras, *vid.* Entrambasaguas, *Estudios,* I, 528-31.

590 *Ambrosio de Ondériz*: colaborador de Labaña en la Academia de Matemáticas fundada por Felipe II. Cosmógrafo Mayor y Cronista Mayor de Indias, parece que murió a fines de 1595, *vid.* Entrambasaguas, *Estudios,* I, 531-32.

591 *Luis de Rosicler*: bordador, astrólogo y poeta, cuñado de Lope; en 1605 sus aficiones astrológicas le causaron un proceso inquisitorial, *vid.* Entrambasaguas, *Estudios,* I, 475-76.

592 *Dimas de Miguel*: natural de Elna, bibliotecario del Escorial, lulista apasionado, al punto que en 1586 le fue prohibido enseñar el Arte de Llull en la cátedra luliana de Valencia, o en cualquier otro lugar de la ciudad, *vid.* T. y J. Carreras y Artau, *Historia de la filosofía española, Filosofía cristiana de los siglos XIII al XV,* II (Madrid, 1943), 258-60.

593 *Tomás Gracián Dantisco*: secretario de lenguas y cifra de Felipe II, censor de libros (aprobó el *Peregrino*), gran amigo de Lope, doy noticias suyas en *Galatea,* II, 202.

en mil curiosidades inauditas,
y en virtud sobre todo es peregrino.
Y si Laurencia,[594] su querida esposa,
que ya goza del cielo, porque el suelo
no mereció sus méritos divinos,
quisiera competir con cuantas viven
eternas en el nombre de la fama,
Nicostrata,[595] inventora de las letras
latinas, se rindiera a las que supo,
Safo a su verso y la mujer famosa,
que corrigió los de Lucano[596] heroicos;
que en discreción, prudencia y mansedumbre
basta el testigo de su muerte santa.
Doña Isabel de Esforcia[597] fue ilustrísima
en letras y virtud y en Milán fénis;
doña Oliva de Nantes[598] musa décima,
y doña Valentina de Pinelo[599]
la cuarta Gracia, o verso o prosa escriba.
¿Qué hermosura ha nacido en nuestros siglos
como doña María Enríquez[600] tuvo,

594 *Laurencia de Zurita*: también la elogió Lope en su *Laurel de Apolo,* silva I, donde recuerda en particular sus versos latinos.

595 *Nicostrata* (Nicostrate): una de las Camenae, que según la tradición cambió las quince letras griegas, introducidas por Evandro en el Lacio, en letras romanas.

596 *Lucano*: una antigua tradición atribuía esa labor a la misma mujer del poeta, Argentaria Polla; Lope lo recuerda otra vez en *Laurel de Apolo,* silva II.

597 *Isabel de Esforcia*: *v. supra,* nota 325.

598 *Oliva de Nantes*: por mucho tiempo se le atribuyó *La nueva filosofía de la naturaleza del hombre* (Madrid, 1587), en realidad obra de su padre, el médico Miguel Sabuco.

599 *Doña Valentina de Pinelo*: monja profesa en el monasterio de San Leandro de Sevilla, autora de *Libro de las alabanzas y excelencias de la gloriosa Santa Ana* (Sevilla, 1601), que lleva dos sonetos de Lope.

600 *María Enríquez*: Peyton la identifica con el homónimo a quien Quevedo dedicó, bajo el anagrama de Mirena Riqueza, *El sueño de la Muerte* (o sea *La visita de los chistes*). Esto es imposible, porque ese *sueño* es de 1622, y la María Enríquez que elogia Lope ya estaba muerta en 1604. Se trata, más bien, de doña María Enríquez, mujer del III duque de Alba, don Fernando, el Grande, y por eso la "llora Tormes"; ejemplar mujer que sobrevivió a su marido, y de quien había escrito Garcilaso que era "dulce, pura, hermosa, sabia, honesta", égloga II, 1418.

que hoy llora Tormes y la envidia misma?
Y si en hombres se sufre esta alabanza,
el duque de Pastrana [601] fuera Adonis,
a no haber sido Marte con la espada.
Habla doña Ana de Zuazo [602] y canta,
que todo encanta, cuanto canta y habla.
Puede doña María de los Cobos [603]
mover las piedras otra vez en Tebas [604]
con los Perazas, [605] singulares hombres.
Isasi [606] vive por la tecla insigne;
y en la música Riscos, [607] Lobo [608] y Cotes. [609]
Gracia tuvo del cielo Palomares, [610]

601 *Duque de Pastrana*: *v. supra,* nota 561. Se refiere aquí al duque, D. Rodrigo de Silva.

602 *Ana de Zuazo*: madrileña (lo dice Lope en el *Laurel de Apolo,* silva VIII), poetisa, música y camarera de la Reina, había muerto ya para 1618, como lamenta Alonso de Salas Barbadillo en sus *Rimas castellanas* (Madrid, 1618).

603 *María de los Cobos*: probablemente alguna parienta del marqués de Camarasa que desconozco.

604 *Tebas*: *v. supra,* nota 228.

605 *Perazas*: Francisco y Jerónimo, organistas y compositores salmantinos, aunque ambos prebendados organistas en la catedral de Sevilla. Francisco, el más famoso, murió en 1598 de treinta y cuatro años de edad, según recuerda Francisco Pacheco, *Libro de descripción de verdaderos retratos* (Sevilla, 1599). Casi todos los músicos mencionados aquí por Lope estuvieron relacionados con Sevilla, donde Lope escribe o ultima el *Peregrino,* y noticias de todos ellos se hallarán en R. Mitjana, "Comentarios y apostillas al *Cancionero poético y musical del siglo XVII,* recogido por Claudio de la Sablonara y publicado por D. Jesús Aroca", *RFE,* VI (1919), 14-56 y 233-67. Recojo aquí sus datos.

606 *Isasi*: 1604: *Y assí*: Jerónimo Isasi fue clavicordista insigne.

607 *Riscos*: Juan Martín Riscos (? Cabeza del Buey - 2 de agosto de 1619, Toledo), seise y maestro de capilla en Córdoba, pasó con el mismo cargo a Toledo.

608 *Lobo*: Alfonso Lobo de Borja (? Osuna - 5 de abril de 1617, Sevilla), autor de un *Liber I Missae* (Madrid, 1602), murió como maestro de capilla de la catedral hispalense, y antes lo había sido de la toledana, vid. además de Mitjana (nota 605), a C. Pérez Pastor, *Bibliografía madrileña,* II (Madrid, 1906), 39-40.

609 *Cotes*: Ambrosio de Cotes, maestro de capilla en Granada, Valencia y Sevilla, donde murió el 9 de septiembre de 1603; Lope le recuerda también en la dedicatoria a Vicente Espinel (músico asimismo) de *El caballero de Illescas, AcN,* IV.

610 *Palomares*: seguramente el vihuelista sevillano (así le identifica Lope en el *Laurel de Apolo,* silva IV) Juan de Palomares,

en cinco cuerdas; grandes fuerzas tiene
y ingenio don Jerónimo de Ayanza; [611]
de Cristóbal Matías, [612] Madrid dice
que en cantar y llorar fue un ángel hombre,
porque lloró después de haber cantado:
que si cantando mereció a los reyes,
a Dios llorando mereció descalzo.
En nombrando a Juan Blas [613] se nombra Orfeo.
Pintó el Mudo [614] divino de tal suerte,
que le sirvió el pincel de voz y lengua;
Juan de la Cruz [615] retrata en lienzos grandes,

---

de quien hay composiciones en el *Cancionero musical y poético del siglo XVII recogido por Claudio de la Sablonara,* ed. J. Aroca (Madrid, 1916), pp. 176 y 335-36. Lope le cita a menudo, y en *La bella malmaridada,* comedia de 1598, alude a su muerte, vid. más datos en *Dorotea,* p. 442, y en Mitjana, (*ut supra,* nota 605), pp. 264-66.

611 *Don Jerónimo de Ayanza*: caballero navarro (la forma propia del apellido es Ayanz), famoso por sus fuerzas. Don Luis Zapata, *Miscelánea* (*ut supra,* nota 564), pp. 259-60, cuenta diversas anécdotas suyas. Lo mismo hace Lope en *Lo que pasa en una tarde, AcN,* II, 322-23, donde dedica un soneto a su muerte: como el autógrafo de la comedia es del 22 de noviembre de 1617, es de suponer que la muerte habrá sido inmediatamente anterior. Lope recogió el soneto en *La Filomena* (1621). Ceán Bermúdez, *DH,* I, 87-88, le recuerda como pintor aficionado, de gran ingenio e instrucción. En *Bib. Aut. Esp.,* LVIII, 152, se dice que fue excelente cantor y compositor.

612 *Cristóbal Matías: v. supra,* nota 247.

613 *Juan Blas de Castro*: aragonés, muy amigo de Lope, uno de los grandes músicos del siglo XVII, murió en 1631. Lope le saca como personaje en *La Arcadia,* con el sobrenombre poético de Brasildo, y Juan Blas compuso tonos para versos de Lope, *vid.* datos sobre su fortuna literaria, en especial en las obras de Lope, en J. B. Trend, "Catalogue of the Music in the Biblioteca Medinaceli, Madrid", *RHi,* LXXI (1927), 509, *Dorotea,* p. 442, y Mitjana (art. cit., nota 606), pp. 248-55.

614 *El Mudo*: el famoso pintor de cámara de Felipe II, Juan Fernández de Navarrete (1526-1579); Lope le recuerda también en el *Laurel de Apolo,* silva IX, y en sus *Rimas, O.S.,* IV, 398. Para otras citas de Lope, vid. M. Herrero García, *Contribución de la literatura a la historia del arte* (Madrid, 1943), pp. 66-67, para citas de otros autores vid. Índice, s. n. Navarrete. Por cierto que se ha impreso el verso de la forma siguiente: "Pintó el mundo divino ...", errata que llevó al musicólogo Soriano Fuertes a convertir a Juan Blas de Castro en célebre pintor, según recuerda Mitjana, art. cit., p. 248n.

615 *Juan*[*Pantoja*]*de la Cruz*: (1551-1610), asimismo pintor de cámara de Felipe II, y también de Felipe III.

y el curioso Guzmán[616] cifra los rostros.
Don Francisco de Herrera[617] fue en la espada
tan diestro ejecutando su destreza,
como el docto Carranza[618] en la teórica.
Francisco Ruiz[619] les dio famoso temple,
y es hoy Pedro Ángel[620] un divino artífice
con el buril, en oro plata o cobre.
Mas ¿adónde voy perdido, pretendiendo
contar la arena al mar y al sol los átomos?
Ya sabeis la invención de las comedias
y que han tenido antiguamente fama,
puesto que nos escriban Livio y Tácito[621]
sus destierros de Roma y que las leyes
no las ayuden mucho; pero en cuanto
puede mirar el arte a ser perfeto,
también merece gloria y alabanza
el que por él lo fuere, y si celebran

616 *Guzmán*: Pedro de Guzmán el Cojo (1557?-1616), pintor de cámara de Felipe III, Lope le dedica el soneto XLVII de las *Rimas humanas y divinas,* y le recuerda en *La viuda valenciana, Bib. Aut. Esp.,* XXIV, 80b. Evidentemente, se conocían desde los alegres tiempos de Alba de Tormes, pues Guzmán había sido pintor de la casa ducal hacia 1593, como demostró el Conde de la Viñaza, *Adiciones al Diccionario Histórico de ... D. Juan Agustín Ceán Bermúdez,* II (Madrid, 1889), 249.

617 *Don Francisco de Herrera*: no hallo su nombre en E. de Leguina, *Bibliografía e historia de la esgrima española* (Madrid, 1904), y no acierto a identificarle. Al parecer había muerto para 1604.

618 *Carranza*: Jerónimo Sánchez de Carranza, celebrado en las armas y en las letras, autor del *Libro ... de la filosofía de las armas y de su destreza* (Sanlúcar de Barrameda, 1582). Doy más noticias suyas en *Galatea,* II, 207.

619 *Francisco Ruiz*: famoso espadero toledano, a quien elogia Lope por boca de un soldado español, en estos términos: "De Francisco Ruiz, único artífice / en temple y en labor, tengo esta hoja", *La serrana de Tormes, AcN,* IX, 450a.

620 *Pedro Ángel*: o Ángelo, excelente grabador de láminas, algunas de las cuales se conservan, residía en Toledo a comienzos del siglo XVII, *vid.* Ceán Bermúdez, *DH,* I, 31.

621 *Livio*: libro XLVIII; *Tácito: Anales,* I, 77; VI, 13; XIII, 24. Estas consideraciones sobre "la invención de las comedias" las amplía Lope en su *Arte nuevo de hacer comedias, Bib. Aut. Esp.,* XXXVIII, 230-32.

Macrobio[622] y Tulio a Esopo y Amerino,
Dïón[623] al docto Píllades y a Publio,
y Grecia se honra tanto de Nicóstrato[624]
por la *Electra* de Sófocles el trágico,
no más de porque hizo recitándola
llorar al auditorio, justamente
Baltasar de Pinedo[625] tendrá fama,
pues hace, siendo príncipe en su arte,
altos metamorfóseos de su rostro,
color, ojos, sentidos, voz y efetos,
transformando la gente. Mas no es justo
que os diga lo que aquí vereis tan presto
recitando esta tarde un hombre pródigo,
ya rico y fuerte, ya perdido y mísero.
Sólo os suplico que le oigais atentos,
para que pueda daros aquel gusto
que a tan discreto ayuntamiento es justo.

Habiéndose entrado el Prólogo, volvieron los músicos a cantar así:

622 *Macrobio*: *Saturnalia,* II, x, recuerda al famoso histrión Claudio Esopo, citado con gran elogio por Cicerón en *Pro Sexto,* LVI. Y aquí la memoria descarrila la erudición de Lope: el Sexto que defiende Cicerón en esa oración en que cita a Esopo es Sextus *Roscius* Amerinus (de Ameria), rico mancebo acusado de asesinar a su padre. El histrión, tan famoso como Esopo, su contemporáneo, y también amigo de Cicerón, se llamaba Quintus *Roscius,* y Cicerón le menciona a menudo, a veces, como en *De Divinatione,* I, 36-37, en compañía de Esopo.

623 *Dión Casio: Hist. rom.*, LIV, 17, menciona al famoso histrión Pílades, autor de una *Ars saltatoria,* razón por la que Lope le llama *docto.* Publio es el liberto Publio Siro, que no sólo fue aclamado histrión, sino también autor de unas conocidas *Sententiae.*

624 *Nicóstrato*: actor trágico de inmensa fama, que se suele confundir con su homónimo, hijo de Aristófanes y comediógrafo.

625 *Baltasar de Pinedo*: el *autor de comedias* que representó con su compañía este auto, *vid.* N. Díaz de Escovar, "Comediantes del siglo XVII: Baltasar de Pinedo", *Boletín de la Real Academia de la Historia,* XCII (1928), 162-74; más noticias en N. D. Shergold, *A History of the Spanish Stage* (*ut supra,* nota 100), Índice onomástico, s. n. Lope le elogia nuevamente al final del *Peregrino, infra,* p. 481.

Tarde me buscais,[626] engaños,
que si las lágrimas mías
dieron principio a mis días,
¿qué será el fin de mis años?
Si al principio que he tenido
es fuerza corresponder
este fin que he de tener,
¿qué me pedís o qué os pido?
Dejadme, locos engaños;
no más, esperanzas mías;
que el alba dice los días
y la desdicha los años.
¡Cuán vanamente os parece,
y por consejo engañado,
que anochece arrebolado
el sol que en agua amanece!
Que si tales desengaños
muestran que lágrimas mías
dieron principio a mis días,
tal será el fin de mis años.
Muestran los ojos llorando
que un mar la vida ha de ser,
pues con llorar al nacer,
van en agua navegando.
Luego ciertos son los daños,
pues siendo lágrimas mías
el principio de mis días,
la muerte es fin de mis años.

En acabando de cantar salieron de un palacio, que en el lienzo del vestuario estaba fingido, Damasceno, gentilhombre que representaba la figura del Pródigo, y la Juventud, en hábito de criado suyo.

PRÓD. Estraña es la condición
de mi hermano.

626 *Tarde me buscais*: estas redondillas tienen el artificio de que en las estrofas impares los versos 2-3 riman siempre las mismas palabras *mías-días,* mientras que en los versos 1-4 menudea la rima *engaños-años.*

JUV. Temeraria,
es a lo menos contraria
a mi noble inclinación;
que el rudo del que es sutil,
que el español del romano,
que el francés del africano,
que el hebreo del gentil,
sean contrarios no espanta,
que son naciones diversas,
y así entre griegos y persas
fue la competencia tanta.
Competir un elemento
con otro es puesto en razón,
no dos hermanos, que son
una sangre, un nacimiento.
La antigua filosofía [627]
quiere que todo se entienda
hecho a modo de contienda,
y así se sustenta y cría.

PRÓD. No corre así por mi cuenta,
siempre lo contrario fue,
que amor del centro se ve
que el agua y tierra sustenta.
Las más firmes y altas peñas
se rompen con la discordia,
y crecen con la concordia
hasta las cosas pequeñas.

JUV. ¿Qué importa que de los dos
un mismo padre se nombre,
si ése es milagro en el hombre
de los mayores de Dios?
¿Qué es ver la diversidad
de rostros y condiciones?

PRÓD. Por ésa y otras razones
no haremos buena amistad.

627 *La antigua filosofía*: las primeras palabras del *prólogo* de la *Tragicomedia de Calisto y Melibea* son: "Todas las cosas ser criadas a manera de contienda o batalla, dice aquel gran sabio Heráclito en este modo: *Omnia secundum litem fiunt*".

Como arroyos hemos sido,
que nacidos de una fuente
él lleva turbia corriente
y yo agradable al oído.
En las estrellas consiste,
porque yo en nada reparo
y él es en estremo avaro;
yo, muy alegre; él, muy triste.
Si va a decir la verdad,
ya me cansan él y el viejo.

JUV. Si tomaras mi consejo,
gozaras tu mocedad,
que si ahora en lo mejor
de tus años, Damasceno,
estás obediente al freno
de su enfadoso rigor,
cuando en otra edad estés
sujeto a la enfermedad,
al tiempo, a la autoridad,
al gobierno, al interés,
no podrás salir un punto
de aquel reloj concertado
con que vive un hombre honrado
para sus gustos difunto.
Ni sé de qué sirvo en ti,
si este viejo estás sirviendo.

PRÓD. Juventud, estoy temiendo
no se enoje contra mí.

JUV. ¿Contra ti? Pues bien: ¿qué importa?
¿Puédete quitar tu hacienda?
Di que te alargue la rienda,
que no corres bien tan corta.
Cuenta por muerto al mancebo
que sin dinero camina.

PRÓD. Ahí, Juventud, imagina
que es de mil peligros cebo.

JUV. Si has de ser a la vejez
mozo, ¿agora no es mejor?
Todos disculpan a amor

en poca edad y una vez.
Si viejo has de andar con plumas,
¿no es mejor en esta edad,
mientras tienes mi amistad,
que no cuando me consumas?
Como flor dicen que soy,
como heno y como abril.
¿Qué importa un mozo gentil
cuando en él sin lustre estoy?
Ahora es tiempo de galas,
bríos sin dinero son
como sin fuerza el león,
o como el ave sin alas.
Al mozo que va galán
codíciale la mujer,
a todos causa placer,
mil bendiciones le dan,
sálenle mil casamientos,
promete mil esperanzas,
halla empréstitos, fianzas,
convites, ofrecimientos.
Hácenle todos lugar,
el vulgo le quiere bien,
los de la hoja [628] también
le vienen a acompañar.
Juega, empresta, da barato, [629]
dicen que es noble en efeto,
que el que da siempre es discreto,
si es bestia en ingenio y trato.
Pide, señor, tu dinero,
vamos a ver mundo, corre,
quítate el freno.

PRÓD. Qué torre

628 *Los de la hoja*: "Modo vulgar de que usan los espadachines y valentones para decir que alguno es de su gremio", *Dicc. Aut.*, s. v. *hoja*. Peyton desbarra lamentablemente al decir que *los de la hoja* es "la nobleza".

629 *Barato*: "La porción de dinero que da graciosamente el tahur o jugador que gana a los mirones, o a las personas que le han servido en el juego", *Dicc. Aut.*, s. v.

de viento es tu ardor ligero.
Pero yo, ¿por qué razón
considero el mal ni el bien?
¿Por qué he de vivir tan bien
en esta vil sujeción?
¿Soy yo esclavo o libre soy?

JUV. Libre es tu libre albedrío.

PRÓD. Aquí viene el padre mío,
atrevido a hablarle voy;
como el caballo animado
del trompeta acometió,
así de tus voces yo,
rompiendo el temor helado.

Entró a este tiempo Cristalio, padre de familias, con una tunicela de raso de oro morada y una ropa de brocado encarnado, e Invido, su hijo mayor, curiosamente vestido.

PRÓD. Padre y señor.

CRIS. Damasceno.

PRÓD. ¡Qué bien haces de alargar
tus brazos!

INVI. Y dar pesar
por un malo a un hijo bueno.

CRIS. ¿Cuándo no ha sido bien hecho
que yo mis brazos te dé?
Que como su centro ve,
vase a descansar mi pecho.

PRÓD. Cristalio, mi padre amado,
pronostican mi partida
tus brazos.

CRIS. Y de mi vida
el fin temido y llegado.
Hijo mío, ¿tú partir
de mis ojos? ¡Qué mortal
nueva!

INVI. Antes buena.

PRÓD. Estoy mal
con este ocioso vivir.

CRIS. ¿Dónde vas, amada prenda?
PRÓD. Ea, padre de mi vida,
dadme la porción debida
de mi sustancia y hacienda,
que a ver el mundo me voy,
que habeis para mí criado.
CRIS. ¡Ay, que no puedo, hijo amado,
negar que tu padre soy!
Yo te hice y te crié
a mi semejanza propria,
sacando della la copia,
que en tu imagen trasladé,
y es bien, hijo, que imagines
lo que a mi voluntad debes.
PRÓD. Padre, con palabras breves
es bien que te determines;
no revolvamos historias,
dame mi hacienda.
INVI. Señor,
quien no merece tu amor,
no merezca tus memorias.
Reparte, Adán soberano,
tu hacienda a Caín y Abel;
ni padre te llames dél,
ni él tu hijo, ni mi hermano.
PRÓD. Cómo te alegra el echarme,
Invido, de casa.
INVI. Creo
que agradeces mi deseo,
como deseas dejarme.
No estés triste, padre mío,
dale su parte.
CRIS. Sí haré,
que por eso le crié
y le di libre albedrío.
Vamos, haremos la cuenta
y tome lo que le toca.
JUV. Camina y calla la boca.

CRIS. Tú lo que recibe asienta
que te tengo dado.

PRÓD. Padre,
agora esa cuenta cierra,
dame lo que es de la tierra,
que es la parte de mi madre,
que de ti tengo este ser
y esta alma racional pura,
bella e inmortal criatura.

CRIS. ¡Ay, que te vas a perder!

Entrándose el padre de familias con sus hijos, quedó la Juventud diciendo:

¡Qué bien que se va trazando:
hoy sí que ha de ser el día
que desde la infancia mía
estoy alegre esperando!
Juventud era sujeta,
ya estoy libre del consejo
y la obediencia de un viejo,
no hay bien que no me prometa.
¡Oh, qué brava casa espero
que habemos de poner hoy!
Gustos, la Juventud soy,
venid, que tengo dinero.

De una calle, que estaba hecha a la mano siniestra del teatro, salió el Juego en la figura de un *zan* [630] italiano, con su vestido de anjeo cubierto de remiendos de diversos colores, y la Lascivia, que representaba un mancebo hermoso con muchas galas y plumas.

630 *Zan*: los *zanni* eran figuras de la *commedia dell'arte*, emparentados con Arlequín, *vid.* A. Dabini, *Notas sobre la "commedia dell'arte"* (Bahía Blanca, 1967); para su éxito en España, *vid.* N. D. Shergold, "Ganassa and the *Commedia dell'Arte* in Sixteenth Century Spain", *MLR*, LI (1956), 359-68, y J. V. Falconieri, "Historia de la *commedia dell'arte* en España", *RLit*, XI (1957), 3-37, y XII (1957), 69-90.

JUE. Lasateme andar un poco,
e dapoi me intenderete.
LASC. Cuanto tu lengua promete,
Juego, es quimeras de loco.
JUE. Corpo di la mona, amén,
con vostro remifasol.
LASC. O habla bien español,
o habla toscano bien.
JUE. Sapete que piu me agrada
parlar in macarronea:
mi son il Gioco.
LASC. Y que sea
es bien tu lengua acertada.
JUE. Voi mentite per la gola,
perche si il inganno tiene
moltas faccias, li conviene
no usar di una lingua sola.
Il giocar y el ingannar
no es una cosa.
LASC. Eso fío.
JUE. Cusi voglio far anche io,
y en omni lingua parlar.
En valenciano diró:
Cap de mi mateix, voleu
que os nafre, giraus, per Deu,
que os trenque el cap, bo está axó.
En portugués: Miña dea
ollai que por vos me fino,
morto sou; y en vizcaíno:
Agur zuremecedea; [631]
y en francés y en alemán.
LASC. Pronuncia el francés, a ver.
JUE. Qui te pourra, Amour, louer
subiet petit, labeur van.
Latín, Amadís de Gaula
mi elegancia y frasi imita:

631 *Agur, zuremecedea: agur* es el tradicional saludo o despedida vasco; *zuremecedea* "su merced", *vid.* J. de Riezu, "Acerca de la palabra *agur*", *BRSVAP*, XXVI (1970), 415-29.

"Quantum est lubrica vita
iis, qui versantur in aula."
¿Voi tu che parle tedeschi?

LASC. Basta el francés y el latín;
¿eres Vilhan [632] o Arlequín?

JUE. Per mia vita che estiam freschi:
son il gran diabolo.

LASC. ¿Cuál?

JUE. El de Palermo. [633]

JUV. Esta gente
me parece conveniente,
y a mi pensamiento igual.
Gente honrada, ¿buscais amo?

JUE. Aquesto spagnolo vil
credo que es guadamesil.

LASC. Detente.

JUE. Iglesia mi chiamo.

LASC. Eres el Juego: es costumbre
tuya huir de la justicia.

JUE. Si pregunta di malizia,
mi piglio gran pesadumbre,
si aquel che sonno sapra,
a Galilea mi aplica,
o a la forca dove dica.
Credo, oime, credo, cra, cra,
mi non voglio fermar più.

LASC. Aguarda, ¿qué preguntais,
señor?

JUV. Si señor buscais.

JUE. Patrón dice, ¿e chi sei tu?

JUV. La juventud de un mancebo,
que por el mundo se va,
a quien hoy su padre da
gran dinero y yo le llevo.

[632] *Vilhan*: se le atribuía la invención de la baraja, *v. infra*, p. 393, y *Rinconete y Cortadillo*, ed. F. Rodríguez Marín (Sevilla, 1905), p. 361.

[633] *Palermo*: acerca del gran diablo de Palermo, atado por San Benito, según el cuento popular, *vid.* Gonzalo Correas, *Vocabulario de refranes* (*ut supra*, nota 417), pp. 96 y 340.

JUE. Bona, bona, jura a tal
il vostro servo son mi.
JUV. ¿Quién eres?
LASC. Lo que eres di.
JUE. Mi sonno il proprio hospedal,
de più remiendos son fatto,
que una manta.
JUV. ¿La razón?
JUE. Perche imito quel che son,
e quel ufficio che trato,
ludus me llama el latín,
el flamenco *quaertspel,*
el alemán *fartenspiel,*
que no Vilhan ni Arlequín;
gioco di carte il toscano,
jeu de cartes el francés,
juego de naipes después
questo spagnolo marrano.[634]
Sonno tristo, alegro, ingrato,
homicida, liberale,
blasfemo, perjudiciale,
voltario, falso, sfacciato;
e come il naipe a colores
está fatto, cuasi tutto
son di remiendos.
JUV. ¡Qué astuto!
¿Tú quién eres?
LASC. Que lo ignores
me espanto. Lascivia soy.
Soy el amor proprio mío,
por mi talle, rostro y brío
como otro Narciso estoy.
¿No me has visto?
JUV. Qué criados
para no le poner cebo:

634 *Marrano*: el insulto clásico aplicado al español en Italia, para herirle por sus filos y llamarle *judío, vid.* la excelente bibliografía que trae J. E. Gillet en su edición de la *Propalladia* de Torres Naharro, III (Bryn Mawr, 1951), 438.

Lujuria y Juego.

LASC. A un mancebo
son, Juventud, estremados.

JUV. Escondeos, que ha salido
para despedirse dél
su padre, y si os ve con él
quedará todo perdido,
que le quitará el dinero
y no nos podremos ir.

JUE. Guarda la forca, a fuggir,
salvate.

LASC. Ven.

JUV. Aquí espero.

JUE. Guarda il vechio si me credi,
che si in la forca ti pone
farai la beneditione
al popolo con li piedi.

En escondiéndose el Juego y la Lascivia entró Cristalio, dándole el dinero al Pródigo, y su hermano Invido.

CRIS. Toma, Damasceno, y parte;
Dios te guarde y te defienda.
Ésta, hijo, de tu hacienda
es la legítima parte.
Ya tienes apercibido
en qué partir, ya te aguarda
recámara, gente y guarda.

PRÓD. Todo de tu mano ha sido.
Eres padre liberal;
adiós.

CRIS. Él vaya contigo.

PRÓD. Invido, adiós.

INV. Como amigo
te abrazo y con sangre igual.
Mira que des buena cuenta
de tu hacienda y tu persona.

PRÓD. Amado padre, perdona.
Pues, Juventud, ¿vas contenta?

JUV. Vamos, triunfemos, vivamos,
tiempo hay de aquí a la vejez,
y en fin el padre es jüez.
PRÓD. Bien dices, camina.
JUV. Vamos.
CRIS. ¡Oh Juventud, caballo acelerado,
que pasas la carrera velozmente,
que no sientes el freno ni el bocado,
y estás a la razón inobediente!
¿Qué me aprovecha haberte dotrinado
en tantas ocasiones diligente?
¿Para qué te di ley, que no mereces?
Llámasme padre y nunca me obedeces.
Mal a mi amor el tuyo corresponde,
mal conoces lo mucho que me debes,
tu corazón algún diamante esconde,
que apenas a mis lágrimas te mueves;
ya ni me escuchas ni tu voz responde;
pues prueba a ver el mundo, que aunque prue-
[bes
todo lo que te puede dar fingido,
verás después el padre que has perdido.
INV. ¡Qué injusto sentimiento! Estraño eres,
por un perdido se te van los ojos.
CRIS. Si sangre y vida me costó, ¿qué quieres?
INV. Siempre estimas en más quien te da enojos;
¿por qué, señor, a mi humildad prefieres
su loca vanidad llena de antojos?
CRIS. Porque la penitencia alegra al cielo
y no merece pena el justo celo.

El Pródigo, con un vestido de camino verde y cuajado de plata, salió por una de aquellas calles fingidas, en entrándose su hermano y padre, sobre un caballo con aderezos verdes de monte y cercado de algunos criados, que todos representaban vicios.

PRÓD. Ten, Juventud, ese estribo.
LASC. Libertad, ten el caballo.

JUV. La Gula puede llevallo.
PRÓD. Desde hoy triunfo, desde hoy vivo,
¡qué bella es esta ciudad!
JUV. Lindas damas.
LASC. Poco afeite.
PRÓD. ¿Cómo se llama?
JUV. Deleite.
PRÓD. ¿Y esta calle?
JUV. Novedad.
PRÓD. ¿Quién reina aquí?
JUV. El Interés.
PRÓD. ¿Trae guerra?
JUV. Con el Amor.
PRÓD. ¿Quién ha sido el vencedor?
JUV. Siempre el Interés lo es.
PRÓD. ¿Dónde vive la Verdad?
JUV. Es lejos.
PRÓD. ¿Dónde?
JUV. En el cielo.
PRÓD. Luego ¿no la hay en el suelo?
JUV. Poca y con poca amistad.
LASC. No pretendas su rigor,
que es muy estrecha posada;
la de estas damas me agrada,
que es todo gusto y amor.
JUE. Amor es gioton per Dio,
vituperoso asasin,
andiamo al hostal dil vin,
dove magnaremo oblio,
qui se aloggia un garitero.
LASC. Juego, en casa destas damas
le podrá haber.
JUV. Pues no llamas,
yo llamaré.
LASC. Llamar quiero,
mas ya salen: bella es
la señora.
JUV. Y la criada

es, por mi vida, estremada.
Dadme, señora, esos pies.

Salió, en diciendo esto, el Deleite en figura de dama hermosa y gallardamente aderezada, y el Engaño de criado suyo.

DEL. ¿Quién es este caballero?
JUV. Damasceno es su apellido.
DEL. Sin duda es recién venido.
LASC. ¿No hablas?
PRÓD. Hablarla quiero,
a vuestra gran perfección
mi voluntad se presenta
del entendimiento esenta
y libre de la razón.
La memoria de mi tierra
y de mi padre olvidada,
sólo está en vos empleada,
y a todos la puerta cierra.
Teneis de vuestra hermosura
en mi Juventud tal fama,
que por ella el alma os ama
y mereceros procura.
¿No sois el Deleite?
DEL. Soy
una humilde esclava vuestra.
PRÓD. Noble sois.
DEL. En vos se muestra
y en que ya rendida estoy;
estraño efeto habeis hecho
en mis sentidos, por Dios;
toda me pierdo por vos,
todo se me abrasa el pecho.
¡Ay Dios, qué ilustre mancebo,
qué galán, qué gentil hombre!
Hola, Engaño.
PRÓD. Estraño nombre.

ENG. ¿Qué efeto es éste tan nuevo?
¿Tú enamorada?
DEL. Y perdida.
Cansado estareis.
PRÓD. Un poco.
LASC. ¿No es muy hermosa?
PRÓD. Estoy loco,
quiérola más que a mi vida.
DEL. Traed asientos.
ENG. Aquí están.
DEL. Hola, traigan colación.
JUV. ¡Qué casa de bendición!
JUE. ¿Si portarán vin?
LASC. Sí harán.
JUE. Giochemo un poc, Juventud.
JUV. ¿Traes naipes?
JUE. Po far de mi.
PRÓD. ¿Habrá algún músico?
DEL. Sí.
JUE. Porta un liuto.
DEL. Un laúd.
PRÓD. No laúd, que más me agrada
música española.
DEL. Venga,
para que nos entretenga.
PRÓD. ¿No habrá chacona? [635]
DEL. Estremada.
PRÓD. ¿Quién son los músicos?
DEL. Son
la Lisonja y la Locura.

Entraron los músicos que eran la Locura y la Lisonja, y otros criados que les traían colación.

PRÓD. Canten.
LIS. Templa.
PRÓD. Gran ventura.

[635] *Chacona: v. supra,* nota 391.

DEL. Hola, dadnos colación.
PRÓD. Bebed todos.
DEL. El Engaño
te dé a beber.
PRÓD. Bebed vos.
DEL. Aquí habrá para los dos.
LIS. De balde vale.
LOC. Es buen año.
DEL. Brindis a vuestra merced.
PRÓD. Digo que haré la razón.
JUE. ¿E vu a mi, caro patrón?
JUV. De buen gusto.
JUE. Orsú, bebed.
PRÓD. ¿Cómo se llama este vino?
ENG. Olvido.
PRÓD. Sabroso es.
JUV. Brindis.
JUE. Caraus.[636]
DEL. Cantad, pues.
LASC. Bravo gusto.
PRÓD. Es desatino.
JUV. Todos estamos remotos.
PRÓD. No pienso que soy quien fui.
JUV. Mas que te quedas aquí,
como Ulises con el Lotos.
LASC. ¿Qué sientes destas molestias,
Juego?
JUE. Che magnando oblio,
tuti usciremo, per Dio,
senza un quatrin, y hechos bestias.

Los músicos cantaron así:

En la casa de la Gula
hoy hay regocijo y boda,
el Hombre con el Deleite

636 *Caraus*: "Palabra tudesca introduzida en España quando se brinda unos a otros, y vale tanto como acabar el vaso y beverle todo", Covarrubias, *Tesoro,* s. v. *carauz.*

se dan la mano y desposan.
Presentes están los Vicios,
vestidos de ricas ropas,
con aguas de olores riegan
y siembran flores y rosas.
Con el vino del olvido
le han quitado la memoria;
ya no se acuerda del cielo,
centro en que el alma reposa:
ésta es vida [637] en el mundo bona,
pero no llega a la gloria.
Las Virtudes ha dejado
y los Vicios ha seguido,
al principio de la vida
le ofrecieron dos caminos:
el ancho le ha dado gusto
por los regalos que ha visto.
La Juventud le ha guiado,
la Lascivia le ha perdido,
los enemigos del alma
acabando van sus bríos
y no menos los del cuerpo,
Juego, Venus, Gula y Vino.
Antes que se corte el hilo,
Vida, mira que vas perdido.
Ciego está el entendimiento,
la voluntad se apasiona,
ya de sus cinco sentidos
llevó el Deleite victoria.
Las dos caras del Engaño
fueron sierpe venenosa,
que con la lengua le halaga
y muérdele con la cola.
El Deleite, salteador
de la hacienda y de la honra,

637 *Esta es vida en el mundo bona*: sobra una sílaba en este verso inspirado por el estribillo de la *chacona*, *v. supra*, nota 391.

los ojos tiene en los suyos,
y las manos en la bolsa.
Huye, vida, la vida bona,
que uno vende y otro pregona.

PRÓD. ¡Oh, qué bien habeis cantado!
Hola, daldes dos vestidos.
DEL. Son músicos escogidos.
PRÓD. Ninguna cosa os he dado,
pero a vos ¿qué os he de dar?
Quiéroos dar cuanto me dio
el padre que me crió,
desde hoy lo podeis tomar:
mi ser os entrego y doy,
alma, potencia y sentidos,
que aunque son bienes perdidos
es lo más que tengo y soy.
Hola, amigo Juventud,
mi recámara franquea,
dale cuanto bueno sea,
fuerza, edad, honra y salud.
DEL. ¡Oh príncipe liberal!
PRÓD. Cierto que si Dios me diera
más bien, que más te ofreciera.
DEL. No se ha visto mano igual;
muestra, besártela quiero.
PRÓD. Deja esa humildad, señora,
cantad vosotros ahora,
decid que de amores muero.

LOS MÚSICOS

Esta es la justicia [638]
que mandan hacer
al que por amores
se deja prender.

638 *Esta es la justicia*: antiguo pregón con que se acompañaba a los condenados por las calles. Pero el estribillo del villancico (los cuatro primeros versos) es tradicional: se publicó en 1610, atribuido a D. Diego Hurtado de Mendoza, aunque sólo la glosa

Esta es la justicia,
que a su tiempo llega,
del que a amor se entrega
y en su gusto envicia.
Su ley es malicia,
pesar su placer.
Esta es la justicia
que mandan, etc.

JUE. Patron, volite giocar.
PRÓD. Prevén la mesa y los dados.
LASC. Dad algo a vuestros criados.
PRÓD. No hay contento como dar;
toma tú mi ropa toda,
tú mis caballos.
ENG. ¿Y a mí?
PRÓD. Cuanto traigo, Engaño, aquí
esta noche te acomoda.
En desnudándome es tuyo.
ENG. Dame esa cadena agora.
PRÓD. Lo que no es de vos, señora,
con vuestra licencia es suyo.
JUV. Plega a Dios que en esto pare.
JUE. Oh bella patrona mía,
per far a vosiñoría
piacer, mi voglio danzare.
Suona, suona, toca, toca.
LIS. Pues alto, quitaos la capa.
JUE. Ea, Arlequín, chiapa, chiapa.
PRÓD. Colgado estoy desa boca.

Mientras el Pródigo se entretiene con el Deleite, danza el Juego diestramente al modo que los *zanes* en Italia.

---

es suya, *vid. Obras poéticas,* ed. W. I. Knapp (Madrid, 1877), p. 405, pero circulaba en pliegos sueltos con anterioridad a 1540, *vid.* A. Rodríguez-Moñino, "Doscientos pliegos poéticos desconocidos, anteriores a 1540", *NRFH,* XV (1961), 99. Hay variantes en el verso 4.

DEL. Bien ha danzado.
LASC. Es el Juego
gran volteador de ordinario.
LOC. Así le llaman voltario.
LIS. Dél y su nombre reniego.
DEL. ¿Quereis entrar a comer?
PRÓD. El hambre no disimula.
DEL. Pregunta, Engaño, a la Gula
si está bien frío el beber.
JUE. No, no, yo intraré in cucina.
DEL. Pues parte.
PRÓD. ¿Cuándo, señora,
veré de gozar la hora
esa hermosura divina?
DEL. Toda soy vuestra, mi bien,
vuestro es el tiempo, el lugar.
ENG. No hay deleite sin pesar,
ni regalo sin desdén;
¡ay de ti cuando te veas
como otros mil de tu edad!
LIS. No le digas la verdad,
si es que engañarle deseas.
JUE. Tuta la comida a punto
ti espeta, charo poltrón.
DEL. Está ya todo en sazón.
JUE. Tuto, madona, está junto,
vitela di latte buona,
e tordi, e starne, e caponi,
lepri, fagian, macarroni,
beli o corpo di la mona.
LIS. ¿Habrá formacho gratato?
JUE. ¿Qué dice tu mariolo?
Ha dio si esto spagnolo
tuto fossino amazato.
DEL. Dadme esa mano y entrad.
PRÓD. Vamos, mi bien.
ENG. Vos a mí.
JUV. Yo soy muy vuestro.
LASC. Eso sí,

con la mozuela os alzad.

GUL. La comida al punto saco.

JUE. Il magnar a tuto ecceda,
perche Venus si rafreda,
senza la festa de Baco.

Habiéndose entrado todos, salió Montano, señor de ganados, de unas cabañas que estaban al lado del teatro cubiertas de árboles.

MONT. Cuán bienaventurado [639]
justamente se llama
aquel que como yo contento vive,
aquel que con su hacienda
alegre en pobre casa
no envidia los alcázares pomposos
de los soberbios príncipes,
no los jaspes y mármoles,
no los dorados techos,
no los suelos de pórfido,
ni sus mesas espléndidas y llenas
de diversos manjares,
que despueblan las tierras y los mares.
Cuál hay que por oficios
de la propia república
bebe los vientos, las estrellas cansa,
los pajes y porteros
tiene ya tan mohinos,
que hasta las mismas puertas le conocen.
Cuál para la defensa
de sus confusos pleitos
solicita el letrado,
y el letrado sus libros,
y el juez los escucha, y todos juntos
sin descansar trabajan,
para subir por donde algunos bajan.

639 *Cuán bienaventurado*: imitación del *Beatus ille* horaciano, en que reaparece la temática de *La Arcadia,* invasión pastoril reforzada por los nombres bucólicos Montano y Belardo, que son, además, personajes de esa novela.

Cuál sigue al fiero Marte,
y honrado de su herida,
la seca sangre al rey presenta fresca.
Cuál vive con lisonjas,
cuál fingiéndose hipócrita
el corazón en dignidades baña.
Cuál se queja de todos,
cuál de todos murmura,
¡oh vanidad del mundo,
oh gran casa de locos!
¡Oh cuerdo yo, que en soledades vivo
señor de mi ganado,
no envidioso jamás, siempre envidiado!
Ríndenme aquí los montes
su leña en el invierno,
sus sombras y frescura en el verano,
su cristal estas fuentes,
su fruto aquestos árboles,
estos sembrados sus espigas rojas,
su lana estas ovejas,
sus flores estos campos,
sus peces estos ríos,
estas aves su música:
dichoso yo, que de la envidia lejos,
sin servir a ninguno,
ni vivo importunado ni importuno.

Entró Belardo,[640] un villano muy rústico, y dijo:

BEL. Ahorrado me habeis camino,
voto al sol que me he holgado.
MONT. ¿Qué hay, Belardo?

640 *Belardo*: fue el sobrenombre poético más favorecido por Lope, *vid.* S. G. Morley, *The Pseudonyms and Literary Disguises of Lope de Vega, UCPMPh,* XXXIII (1951), 429-34, donde, por cierto, no se menciona *El Hijo Pródigo*. Aquí, sin embargo, como en otras obras que menciona Morley, el sobrenombre no parece velar una anécdota autobiográfica, sino, más bien, proveer un breve intermedio de pastoril rústica.

BEL. Del ganado
vengo a buscaros mohino.
MONT. ¿Cómo es eso?
BEL. El prendador
de la dehesa de abajo,
porque eché por el atajo,
sin ver que sois mi señor,
un borrego me ha tomado
y otra prenda del cabrío.
MONT. Es un ruin.
BEL. Es un jodío.
MONT. Con razón te has enojado;
¿por qué no te defendías?
BEL. Porque eran dos contra mí.
MONT. ¿Y Orfindo?
BEL. No estaba allí,
que anda en el monte estos días;
al porquerizo di voces,
mas no me quiso ayudar,
con verme con dos andar
a mojicones y coces.
MONT. ¿Que vió que era de Montano
el ganado y te prendió?
BEL. Que era de Montano vió;
pero sabed que un villano,
si está en su juridición,
no hay bárbaro más cruel,
porque no podrán con él
ni el ruego ni la razón.
MONT. El enojo que tenía
con el prendador, Belardo,
se me ha quitado, aunque aguardo
que me lo pague algún día;
pero con el porquerizo
le tengo de tal manera,
que si un hijo proprio fuera,
como hiciera lo que hizo,
no comiera más mi pan.
BEL. Hechos a quien sois iguales,

que a los perros por leales
eso que comen los dan.
Voto a mí que se reía,
como si un estraño fuera,
cuando la canalla fiera
el polvo me sacodía.

MONT. Alto, no quede en mi casa,
yo le voy a despedir.

BEL. Dejalde agora servir,
mientras el concierto pasa,
que no hallareis quien os lleve
los puercos.

MONT. No importa nada:
la culpa no castigada
al mismo jüez se atreve.

Habiéndose entrado Montano y Belardo, salió de aquel palacio el Pródigo, desnudo, y el Deleite y el Engaño dándole de palos.

DEL. Salid allá, picarón.

ENG. Dale, señora.

PRÓD. ¿Esto pasa?

DEL. Pues osad mirar la casa.

PRÓD. ¡Oh casa de confusión,
cuando aquí mi mocedad
y mi dinero traía,
recibióme tu alegría,
abrióme tu voluntad!
La mocedad consumí,
y los dineros gasté
en tu deleite, que fue
cocodrilo para mí,
y agora que me has llorado,
trágasme vivo.

DEL. ¿Qué, aun tienes
lengua?

PRÓD. Vuélveme mis bienes,
ya que tus males me has dado;

de ti saco enfermedad,
deshonra, infamia, pobreza:
y trájete amor, riqueza,
brío, fuerza y tierna edad.

Toma, Deleite, lo que es
tu hacienda y dame la mía.

DEL. Y antes, ¿por qué no lo vía,
como lo mira después?

¿Con qué pensaba pagar
lo que le habemos servido,
lo que ha jugado y comido
a todo tiempo y lugar,

los jardines, los regalos
de tan varios gustos llenos?

PRÓD. Pagábalos como buenos
y páganme como malos.

Déjame, Deleite amiga,
siquiera en aqueste umbral.

DEL. Vete, infame, a un hospital,
vete a una iglesia y mendiga.

PRÓD. ¿Qué iglesia, ¡triste de mí!,
será para mí sagrado
habiéndola yo dejado,
cuando a mi padre ofendí?

Este es el premio, Deleite,
que de ti mi vida espera;
en efeto, eres ramera,
toda hechizos, toda afeite.

DEL. ¡Ay bellaco, con la hacienda
la vergüenza habeis perdido!
Dale, Engaño.

PRÓD. Justo ha sido,
si es penitencia y enmienda.

Sacúdeme el polvo bien,
que los andrajos que dejas
para que a su son mis quejas
hagan música también;

con ella me recibiste
y me despides con ella;

pero entre aquésta y aquélla
gran diferencia consiste.
¡Ay vil Deleite, y cuán malos
son tus fingidos contentos!
Recibes con instrumentos,
para despedir con palos.
Dame siquiera un vestido
con que me cubra.

DEL. ¿Qué pudo
pedir vestido un desnudo
de razón, alma y sentido?
Dejémosle, Engaño, así.

PRÓD. ¡Ah Engaño! ¿Así me has dejado?

ENG. Pues dime, ¿en qué te he engañado?
¿Supiste mi nombre?

PRÓD. Sí.

ENG. Hermano, al Engaño huirle.

PRÓD. No tiene la mocedad
error de más calidad
que ver su engaño y seguirle;
haced cuenta que he llegado
pobre a pedir a los dos,
dad por Dios.

DEL. ¿Pides por Dios
lo que por Dios has dejado?
Vete, loco.

PRÓD. Loco he sido.

DEL. Pues llega a la puerta.

PRÓD. ¡Ah, cielo!

DEL. Esa está cerrada.

PRÓD. Apelo.

DEL. ¿A quién?

PRÓD. A un padre ofendido.

DEL. Ya no hay padre.

PRÓD. No es posible.

DEL. ¿Por qué?

PRÓD. Porque es Dios eterno.

DEL. Justiciero es Dios.

PRÓD. Es tierno.

DEL. Grande es tu culpa.
PRÓD. Terrible,
pero su piedad es más.
DEL. Vámonos, que se arrepiente.
PRÓD. Hola, criados, ah gente.
ah Juventud, ¿dónde estás?

Entrados el Engaño y el Deleite, salió la Juventud.

JUV. ¿Llámasme a mí?
PRÓD. ¿No lo ves?
JUV. ¿Quién eres?
PRÓD. Tu dueño soy.
JUV. No lo creo.
PRÓD. Tal estoy
de la cabeza a los pies.
Sírveme.
JUV. Mejor estás
para servir.
PRÓD. ¿Cómo puedo?
Ven conmigo.
JUV. Aquí me quedo,
desde hoy no te sirvo más.
PRÓD. ¿No eres tú mi Juventud?
JUV. Amigo, ya me acabaste,
¿qué quieres, si me pasaste
y te ha faltado virtud?
Adiós, hermano.
PRÓD. ¡Ay de mí!
¡Ah Lascivia!

La Juventud se entraba y salía la Lascivia.

LASC. ¿Quién me nombra?
PRÓD. Yo soy.
LASC. Más parece sombra.
PRÓD. Sombra soy de lo que fuí.
Acompáñame, que estoy
cual me ves.

LASC. Hermano mío,
si falta dinero y brío,
luego de casa me voy.
¿Para qué, pobre y enfermo,
quieres Lascivia?
PRÓD. Mil veces
me seguiste.
LASC. Ya pareces
campo solitario y yermo.
Vete, hermano, a un hospital,
donde limosna te den.
PRÓD. A fe que me pagas bien.
LASC. Si soy mal, no pago mal.
Vos teneis la paga al justo,
y yo doy lo que recibo,
que este pecado lascivo
tiene el castigo en el gusto.
PRÓD. En fin, te vas, ¿quién irá
conmigo? ¡Hola Juego, ah Juego!

El Juego entró, habiéndose ido la Lascivia.

JUE. ¿Qui sei tu?
PRÓD. Vesme, ¿estás ciego?
JUE. Aspeta, fermati qua.
PRÓD. Yo soy, Damasceno soy.
JUE. Ya la signoria bestia
mi da fastidio y molestia.
PRÓD. Bien lo creo, tal estoy.
JUE. ¡Ah poltron, que te hay perduto
per putane e per il gioco,
pazo che tu sei!
PRÓD. Fuí loco.
JUE. ¿Perche consumasti il tutto?
PRÓD. Pensé ganar.
JUE. Ah pobreto,
qui fida in me, mai guadaña.
PRÓD. Pues agora me acompaña.
JUE. Senza dinare, ¿a qué effeto?

PRÓD. Oye, espera.
JUE. Fratel pique,
como dice lo spagnolo.
PRÓD. Juego, ¿que me dejas solo?
JUE. A la forza, que te impique
vate in malora, furfante,
il cancaro che ti vegna
vituperoso.
PRÓD. ¿Qué sueña
quien sigue a un vil semejante?
Todos me han desamparado,
triste, ¿qué tengo de hacer?

Quedando Damasceno solo, entraron Montano y Belardo.

MONT. En fin, te ha dado placer.
BEL. Hasme en estremo obligado.
PRÓD. Gente viene por aquí:
el hambre es contrario fiero;
limosna pedirles quiero.
¿Si se dolerán de mí?
¡Ah, señores, dad por Dios
a este estranjero perdido!
MONT. Buen mozo.
PRÓD. Harto malo he sido.
MONT. ¿Vos pedís?
PRÓD. Sí, señor.
MONT. ¿Vos?
PRÓD. ¿No os parece que soy pobre?
MONT. Sí, pero mancebo y fuerte,
y que podeis de esta suerte
trabajar para que os sobre.
PRÓD. ¿En qué puedo trabajar,
tan roto y desta manera?
MONT. ¿Guardareis puercos?
PRÓD. Quisiera,
perdido, saber guardar.
MONT. Aquí tengo una manada.

PRÓD. Mi señor, dádmela, pues.
MONT. ¿Cuánto quereis cada mes
y estad un año a soldada?
PRÓD. Qué bien saldaré mis yerros.
Dádmela y pagad después.
BEL. Dalde dos reales.
MONT. Y aun tres.
PRÓD. ¿Dónde están?
MONT. En esos cerros;
llévale, Belardo, allá.
PRÓD. ¿Cómo os llamais, señor amo?
MONT. Montano, ¿y vos?
PRÓD. Yo me llamo
el Pródigo.
MONT. Bien está:
pues, Pródigo, tres reales
teneis al mes; la comida
os dará el campo.
PRÓD. Qué vida,
qué salario de hombres tales.
BEL. ¿Cuarenta y ocho es muy poco
ganar en un año bueno?
PRÓD. ¡Ay mísero Damasceno,
pobre, solo, roto y loco.
BEL. Pagar teneis la patente.
PRÓD. No tengo, hermano, caudal.
BEL. Yo os prestaré medio real.
PRÓD. ¿Dónde están?
BEL. Junto a esa fuente.
MONT. Ventura ha sido encontrar
tan presto un buen porquerizo;
el talle me satisfizo.
Este año le he de probar:
si guarda bien, al que viene
le doy ovejas y cabras,
que en sus humildes palabras
muestra la virtud que tiene.
Algunos no están contentos
de guardar vasallos graves,

de regir campos y naves
y sujetar elementos;
y éste con haber hallado
puercos que guardar al yelo
va contento. ¡Oh santo cielo,
qué de monstros has criado!

Por parte diferente entró el Pródigo, después de haber dejado solo el teatro Montano, con unas alforjuelas pobres y un cayado.

PRÓD. Perdona, padre mío,
mis culpas y pecados,
la brevedad advierte de mis días.
Pequé, Señor inmenso,
pero vuelve tus ojos,
como guarda del hombre, a mis flaquezas.
Aquí duermo en el polvo,
al aire, al sol, al hielo;
si mañana me buscas,
no seré por ventura,
pues [641] el fin de la vida es tan incierto
que aun teme el alma mía
si la vida ha de ver el fin del día.
Enfádale a mi alma
esta carga enojosa;
en su amargura hablo y a Dios digo:
Señor, no me condenes,
pues me hicieron tus manos;
no me escondas tu rostro, Padre mío;
contra una hoja leve,
que arrebatan los vientos,
no muestres tu potencia.
Señor, no me castigues

641 *Pues*: este verso no figura en 1604; lo añade Bruselas, 1608. El caso es que el verso es necesario, porque las silvas que componen esta canción real (como las anteriores del mismo auto, p. 404), constan de trece versos cada estrofa, con rima sólo en versos 12-13. Sin este verso esta estrofa cuenta no más que doce versos.

por los pecados de mi edad primera;
tu ira, Juez eterno,
me obliga a que me esconda en el infierno.
¡Oh cuántos labradores
en casa de mi padre
tienen sobrado el pan! Yo, triste, solo,
aquí perezco de hambre;
mas si por dicha advierto
en su misericordia y que le cuesta
su sangre mi pecado,
iré y diréle: Padre,
pequé contra los cielos,
y contra ti, y confieso
que no soy digno de llamarme hijo;
hazme tu mercenario
porque tenga sustento necesario.
¿Qué pienso, pues? ¿Qué miro?
Mas, ¡ay!, su furor temo;
pues ¿heme de quedar entre estos puercos,
donde de sus bellotas
apenas puedo hartarme?
¿Estaréme más tiempo en mis pecados,
sin hacer penitencia?
¿No es mejor que a sus plantas,
clavadas por mi culpa
en una cruz, le diga
que estoy arrepentido y que es mi Padre?
Animo, que Dios quiere
que me convierta y su piedad espere.

Entraron la Penitencia, el Consejo y el Arrepentimiento, por una parte, y por otra, Cristalio, padre de familias, Custodio y Rafaelo.

CUST. No muestres tanta tristeza.
CRIS. No es, Custodio, buen pastor
quien por la oveja menor
no saca al sol la cabeza.

RAF. ¿No has tenido nueva alguna
de tu hijo Damasceno?
CRIS. ¡Ay Rafaelo, estoy lleno
de una tristeza importuna!
Pero tengo confïanza
que presto la he de tener.
RAF. Tu omnipotente poder
cielo, tierra y mar alcanza;
tiende tus divinos ojos
y mira bien dónde está.
CRIS. ¿Llaman?
CUST. Sí.
PRÓD. ¿Quién está acá?
CRIS. ¿Es el fin de mis enojos?
Hijo de mi alma y vida.
PRÓD. Padre, pequé contra el cielo
y contra ti.
CRIS. Gran consuelo
de mi vejez tu venida.
PRÓD. Con el arrepentimiento,
el consejo y penitencia
vengo, ¡oh Padre!, a tu presencia.
CRIS. ¿Qué gloria en hallarte siento!
PRÓD. Cristalio, mi Padre amado,
ya no soy digno de ser
llamado tu hijo.
CRIS. Ayer
en darte vida el cuidado
puse y hoy me vivo en él.
PRÓD. Qué vergüenza tengo.
CRIS. Hola,
traed una rica estola
y el más precioso joyel.
Calzadle, matad al punto
una ternera y comamos,
que el hijo perdido hallamos
y vivo el que era difunto.
Traed música.

PRÓD. Bendigo
tu piedad que así me ha puesto.

Con música le fueron vistiendo Custodio y Rafaelo ricos vestidos y entró Invido, su hermano.

INV. Grita y música. ¿Qué es esto,
Rafaelo?
RAF. ¡Invido amigo!
INV. ¿Qué fiesta es ésta?
RAF. A tu hermano,
que ha venido; entra.
INV. No quiero.
CRIS. ¿Es mi hijo?
RAF. Sí.
CRIS. ¿Y tan fiero?
INV. No estoy enojado en vano;
muchos años te serví,
jamás contra ti pequé,
ni tus precetos quebré,
ni de tus puertas salí,
y un cabrito no me has dado
que coma con mis amigos,
de que casi son testigos
cuantas cosas has criado;
y a éste matas ternera,
que gastó su hacienda ciego
con el truhán, con el juego
y con la infame ramera.
CRIS. Hijo, siempre estás conmigo;
tuyo es cuanto yo tengo;
si a estar tan alegre vengo,
que es bien hecho y justo os digo.
Aquel tu perdido hermano
he hallado en aqueste punto
vivo y estaba difunto;
mira si me alegro en vano.
Recibe contento y gloria.
Ea, venga la comida.

INV. Ya me alegra su venida.
PRÓD. Con ella acaba la historia.

Habiéndose entrado con música y regocijo, se acabó la fiesta, y Finea y Nise se fueron a ver las calles, que colgadas de diversas telas y sedas de colores, con cuadros de varias pinturas, estaban curiosamente adornadas, y particularmente la iglesia, en que había muchos hieroglíficos, enigmas y diferentes versos. A una tabla del Príncipe de los Apóstoles, cuando de las muchas lágrimas tenía callos en el rostro, decía un epigrama así:

Pedro a Dios hombre vida y alma entrega,
que le juró por Rey, como vasallo,
pero llegó de la sentencia el fallo,
y olvidado de Dios, al hombre niega.
Mírale Dios y alumbra el alma ciega;
madruga Pedro en escuchando el gallo,
donde de hablar los ojos vino un callo,
que por el rostro hasta la boca llega.
Va de los ojos, por aquel conduto
agua a la boca, de su culpa autora,
porque a lavarla y castigarla viene.
Y así lloró, que de su humor enjuto
hecho piedra quedó, tan firme ahora,
que no la mudan del lugar que tiene.

A siete tablas de los instrumentos de la Pasión, que en unas tarjetas tenían unos ángeles, obra de algún pintor excelentísimo, decían unos versos así:

Con triste rostro mira,
alma devota, el precio
en que el Cordero santo fue vendido,
la soga con que tira
el que con tal desprecio
a la muerte le lleva conducido;
el cuchillo en la oreja vil teñido

del que vino a prenderle,
y no le vendas tú con ofenderle.

El gallo te despierte
del sueño en que dormida
la fe tuviste y la lealtad jurada;
y la corona fuerte
en la cabeza herida
traspase el mármol de la tuya helada;
la caña, que por burla le fue dada,
para ejemplo te quede,
que es burla cuanto el mundo darte puede.

Si la llama importuna
del vano amor lascivo
solicitar quisiere tu cuidado,
abraza la coluna
con dolor excesivo
del que tuvo su cuerpo delicado
de amor, de sangre y de dolor bañado,
y cuando así lo notes,
no añadas más a cinco mil azotes.

Lavado y satisfecho
con lágrimas ardientes,
que la culpa del alma limpia el llanto,
con puro y limpio pecho,
con manos inocentes
sube al monte de Cristo, lugar santo,
en que podrás enternecerte tanto,
que digas con María:
¿Adónde hay soledad como la mía?

¡Oh clara imagen bella
de aquel rostro afligido
de Isac, que con la leña va cargado,
porque ha de ser en ella
a su padre ofrecido
y en fuego de su amor sacrificado.
Alma, si te enternece, ¿por qué has dado

en ser tan dura y fiera?
No imprime el sello en piedra, imprime en cera.

De la túnica mira
las suertes y la suerte,
alma, que para ti no será poca,
de un ciego que ya mira
la lanza cruel en muerte,
la esponja, que amargura te provoca,
que con vinagre y hiel tocó su boca:
aquí te cubre y clava,
aquí juega, aquí bebe, aquí te lava.

Estos son los despojos
de Cristo ya difunto,
dulces y alegres para el hombre humano:
mira con tristes ojos
que ya está todo junto
al fin del edificio soberano,
y asida al clavo de su santa mano
sube, dejando el suelo
por esta escala de Jacob al cielo.

En un dosel estaba puesta esta glosa a los casamientos de nuestros felicísimos reyes:

Nace en el nácar la perla,
en Austria una Margarita,
y un joyel hay de infinita
estima donde ponerla.

Cuando el cielo, que el sol dora,
para formar perlas llueve
las que en el norte atesora,
ábrese el nácar y bebe
las lágrimas del aurora.
De esta suerte, para hacerla
a Margarita preciosa,
quiso el cielo componerla

de la manera que hermosa
nace en el nácar la perla.
Para un joyel rico y solo
buscaba perlas España
y piedras de polo a polo,
o en nácares que el mar baña,
o en minas que engendra Apolo. [642]
La fama, que en todo habita,
le dijo, viendo el joyel,
que al sol en belleza imita,
que hallaría para él
en Austria una Margarita.
Austria también pretendía,
dudosa, informarse della,
y certificólo un día
que Margarita tan bella
sólo en Filipo cabía.
Luego España solicita
con tal Tercero a tal dama,
y con su pecho la incita,
donde hay oro de gran fama,
y un joyel hay de infinita.
Este joyel español
se hizo a todos distinto,
y tan solo como el sol,
del oro de Carlos Quinto,
siendo Filipo el crisol.
Déste, para engrandecerla,
se engasta, adorna y esmalta;
éste pudo merecerla,
que ninguno hay de tan alta
estima donde ponerla.

Quid necesse est homini maiora se quaerere, cum ignoret, quid conducat sibi in vita sua, numero dierum peregrinationis suae et tempore, quod velut umbra praeterit? (Ecles., *cap. 7.)*

642 *Apolo*: era común creencia que el Sol (Apolo) engendraba el oro.

LIBRO V

GRANDE es amor y entre los dioses y los hombres maravilloso, dice Fedro en Platón[643] y refiere de Hesíodo que después del caos las primeras dos cosas que se vieron fueron el amor y la tierra, y de Parménides que fue engendrado primero que los dioses. Prefiérele a Apolo en la ciencia, a Marte, en las armas, haciendo argumento de que más poderoso es el que detiene que el detenido, y que el que vence los fuertes es digno de llamarse fortísimo. Alábale de luz y guía del entendimiento, de poeta y de músico, y afirma que ése sólo vive escuro que no ha tocado en fuego. Llámale dios de la paz y el que da tranquilidad al mar y quietud al viento; dice que da mansedumbre, quita la fiereza, distribuye la benevolencia y aparta el odio. Entre otros muchos atributos le llama padre del deseo; después[644] en la persona de Diotima le hace un apetito del bien, en cuya presencia desea estar el alma eternamente. De donde concluye ser el amor un deseo de la inmortalidad, y que así como entre la sabiduría y la ignorancia hay un modesto medio, así entre la pulcritud y fealdad de amor pone el bien que resulta de su causa; pero conócese desto con evidencia que no habla del amor

643 *Platón*: la disquisición que sigue sobre el amor está tomada del *Banquete*, 178 *seq.*, con citas de Hesíodo, Parménides y todo.
644 *Después*: *Banquete*, 201 *seq.*

que casi generalmente en esta edad se usa, y más adonde dice el mismo Fedro [645] que no hay hombre tan perezoso a quien amor no inflame y le vuelva para la virtud casi divino, que es lo que adelante dice Pausanias [646] en la definición de las dos Venus, y así llama vulgar amor al que más desea la hermosura del cuerpo que la del alma, y da la razón verdadera de la inconstancia del amor deste tiempo diciendo que es imposible que sea firme en su propósito quien trata de cosas que no lo son, pero que quien ama las virtudes del alma, por todo el curso de la vida persevera en su amor, como aquel que sigue una cosa estable, inmortal y eternamente firme.

Casi podíamos alabar a nuestros peregrinos de aqueste amor platónico, a lo menos a Nise, pues con tanta castidad la vemos seguir su comenzado propósito. No sé si en este mismo estado se halla Finea, mudada del primero que tenía y amando a Nise; pero como a mí no me toca el disculparla, sino la prosecución de la narración propuesta, para volver a ella sólo digo que me lastima su nuevo pensamiento, porque aunque fuera posible, no hallara en Nise género de esperanza de remedio, que quien jamás se le dio a Pánfilo, por ningún mortal interés le hiciera ofensa. Finalmente, Nise era como aquellos de quien dice Aristóteles, en su *Retórica,* [647] que carecen de aquello mismo que poseen, que si el tiempo en ninguna cosa muestra más presto su fuerza que en la hermosura, avaricia se puede llamar el no comunicarla a quien la goce, que muchos, dice Demóstenes, [648] pierden lo que poseen con la esperanza de mayores bienes.

Declinaba el sol de la mitad del día, aunque pequeña parte, deseando los brazos de la noche, como si le fuera

645 *Fedro: Banquete,* 178-79.
646 *Pausanias: Banquete,* 180. No Pausanias el geógrafo (!), como quiere Peyton.
647 *Retórica*: I.5.1361b7-15.
648 *Demóstenes: Oratio de Pace.*

de alguna gloria llegar más presto a ser adorado de los indios, cuando Finea y Nise, habiéndose librado del peligro en que se habían visto, entraron por Barcelona. Mas no cansada la fortuna de sus ofensas, que la primera sólo se suele temer por las que della se siguen, mirando la hermosa ciudad, las detuvo en una calle la multitud confusa de alguna gente. Deseosa Nise de saber a qué ocasión se había juntado en aquella parte, preguntó a un anciano que con algún dolor la refería a otros que se la dijese a ella en cortesía. "Esto es, amigos peregrinos, dijo el lastimado viejo, que sacan a cortar la cabeza a un caballero castellano, porque cerca de Monserrate, donde había ido, como agora vosotros, en romería, mató un ministro de justicia, resistiéndose de ser preso por la sospecha de un hurto; y fuera de que es crimen tan grave, se le prueba traición, porque del bordón que traía sacó una espada más larga de lo que por las premáticas reales es permitido y con la punta buída, que en estos reinos tiene trescientos ducados de pena y diez años de servicio sin sueldo en las galeras de España."

"Pésame, respondió Nise, por muchas cosas y la principal dellas por ser castellano, que, como conocereis de nuestra lengua, esta peregrina hermana mía y yo lo somos." "Más os pesara, dijo el viejo, y a mayor compasión os hubiera movido, si hubierais visto su hermoso talle y rostro, acompañados de tan tiernos años que no parece que llegan a veintitrés cumplidos." ¿Sabeis por dicha, replicó Finea, el nombre de ese caballero?" "Un hijo mío le ha servido de procurador, dijo el anciano, y me ha dicho que se llama Pánfilo de Luján, y que es natural de Madrid, insigne villa, que en todas partes es tan conocida de todos."

Con descoloridos rostros a esta sazón se miraron Finea y Nise, y vertiendo tiernas lágrimas, como dos fuentes a quien han quitado una llave misma, se abrazaron y cayeron juntas. Admirado el noble ciudadano de aquel suceso, conoció que con su nombre les había tocado en la sangre y en el alma, y animándolas cuanto pudo, las trajo, por obviar el tumulto de la gente, que a la novedad del caso concurría, al portal de la casa de un caballero que estaba enfrente. Habiendo, pues, las dos llorado amargamente un rato, diciendo al viejo que eran sus deudos, vieron que por la espesa multitud del vulgo rompía un hombre, que más con los pechos del caballo en que venía que con las palabras, dividía la gente. Fue el viejo, rogado de Nise, a saber lo que fuese, y volviendo de allí a un rato, les pidió albricias. Finea le dijo que si le habían perdonado acaso. "Este que vistes pasar a caballo y entrar en la cárcel, les dijo, es un caballero valenciano, llamado Jacinto Centellas, que habiendo venido a esta ciudad a otros negocios conoció a Pánfilo, y sabiendo que le habían sentenciado a muerte dijo al virrey que era loco y que él probaría que huyendo se había salido del hospital de Valencia. Deseoso el virrey y el justicia criminal que este gallardo mancebo se librase, le dieron comisión para hacer esta probanza y al Peregrino prorrogaron el término. Fue esto fácil de persuadir a la ciudad por ver que Pánfilo confesaba el delito y con suma tristeza pedía la muerte y no fue dificultoso de probar a Jacinto, que volviendo con información bastante, trae orden de su excelencia del Duque para suspender la ejecución, y aun sospecho que le mandan volver a Valencia preso."

Resucitaron Finea y Nise con estas nuevas, y habiendo descansado aquel día, determinaron de ir a verle a la cárcel por la mañana. Hiciéronlo así; entrando por ella vieron que le sacaban con prisiones de loco y que poniéndole en una mula se decía que le llevaban al hospital de Valencia. Al punto, pues, que alzando Pánfilo los ojos reconocía a Nise y que ella iba a hablarle, llegó un alguacil de aquéllos, y asiendo a Nise y sus criados a Finea, los metieron en la cárcel, donde, aunque Pánfilo daba voces, diciendo que era su hermano, como le tenían por loco no fue oído, antes porque se echaba en el suelo fue atado y con palos y palabras ásperas puesto en el camino. No me excuso, todas las veces que llego a las desdichas de este hombre, de admirarme de nuevo y de advertir a quien me escucha, que como si a mí le mueven, apenas puedo resistir las lágrimas.[649]

De Barcelona salió la primera vez para Valencia a padecer las penas que habeis oído; ya parece que vuelve de nuevo con el mismo camino a padecer las mismas. La causa de la prisión de Finea y Nise fue haber pensado que Nise fuese hombre, como en su hábito y cortado cabello lo parecía, y que Finea venía con él sospechosa de mal trato, cosa que la capa de peregrino encubre algunas veces y que por aquella tierra es ordinaria. No quiso Nise darse a conocer por ningún temor de castigo; antes, como hombre defendía su causa, negando que jamás hubiese hablado a Finea menos que honestamente. Finea, que tenía a Nise por hombre, y que sin duda era aquel mismo Felis que fingía, confesó sus deseos, que era imposible sus obras, y aunque constaba de la confesión de entrambos su honesta compañía, la hermosura de los dos era cruel testigo contra su inocencia.

Bajaba en estos medios el afligido Celio de las montañas de Francia, cuyas principales ciudades había inquirido, buscando a Finea, y como en Barcelona fuese haciendo la misma diligencia, y sólo preguntar por peregrinos de Castilla bastase para informarle de los que estaban presos, fue a la cárcel, creyendo que de ellos podría saber algunas nuevas, cuando no de Finea, de cosas de su patria. Quiso su dicha que hallándola primero que a su hermana Nise, y estando advertido de que su prisión era con un mancebo, y la sospecha del poco honesto trato, por una reja que a las mujeres presas dividía de los hombres llegó y le dijo: "¿Es ésta, Finea, la confianza que yo tenía de tu valor, tan conforme a la nobleza de tu nacimiento? Después de haber en tu busca corrido la mayor parte de Francia, mi-

649 *Las lágrimas*: el control absoluto que el autor ejerce sobre su materia quiere extenderse ahora a dictaminar, no sin guasa, las reacciones que se esperan del lector.

diendo a pasos los lugares en que pudiera hallarte, con tan notorio peligro de mi persona, te hallo en una cárcel pública presa con un mancebo. Confirmadas quedan con esto las sospechas de la razón que tuve para matar a aquel caballero francés, por quien he pasado tantos trabajos. ¿Es éste el premio de los muchos que me cuestas? ¿Cumples bien de esta suerte con tus obligaciones, ya que las mías no tuvieron fuerza con tu flaqueza? A lo menos con esto podré yo volver a mi patria, seguro de que a mis deudos y amigos no parezca infamia el haberte dejado en aquel peligro, ni en los que pueden resultar de éste, pues ya tienes quien te acompañe, quien te honre y quien te defienda."

"No creas, le respondió Finea llorando, que yo te haya ofendido, que no me cuestas tan poco, ingratísimo Celio, que por ningún interés humano osase aventurarlo. Mataron un hombre tus injustos celos y dejásteme sola, de donde pude salir con la dificultad que, considerada en las fuerzas de una mujer, parece milagro, en cuya peregrinación hallé este hombre, que no menos inocente que el casto José por la gitana [650] lasciva, padece esta prisión injusta; antes bien le debo el haber sido en tu ausencia el más honesto amparo que he tenido, lo que creo que si le hablas conocerás de la compostura de sus palabras y modestia de su rostro." "Disculparte, respondió Celio, en tan conocido crimen es moverme a mayor ira que dél solo he recibido contra ti, porque errar pudiste como mujer y disculparte es indicio de que me quieres engañar. Ni aquí ni en la patria, si a ella llegares algún día, oses nombrarme, ni para siempre digas que me conoces."

Así dijo Celio, y volviendo a Finea las espaldas, la dejó en el mayor dolor que una mujer siente, que es por aquel instante que pierde el rostro de quien la ampara, donde le parece que no espera otro género de remedio.

650 *Gitana*: en su sentido etimológico de *egipciana,* mujer de Egipto, en este caso la mujer de Putifar.

Celio, encubriendo la prisa de las lágrimas, en saliendo de la puerta vertió algunas, y con la ira del agravio y la furia de los celos, dos cosas que a quien ama eternamente dieron buen consejo, aguardó el día en que Nise saliese de la cárcel para quitarle la vida. Los jueces, aunque les constaba de la inocencia de los dos, no les dieron libertad de volver a juntarse, acuerdo que no desagradaba a Séneca,[651] cuando decía que da licencia para pecar quien no lo prohibe cuando puede. A Finea pusieron en una casa de recogimiento, y a Nise, a quien llamaban Félix, mandaron que en espacio de un día saliese de Barcelona. Salió Nise bien descuidada de que su hermano Celio la esperaba para matarla, pensando que era aquel hombre con quien Finea le había ofendido. Y como ya la noche se cerrase y el hábito que llevaba Nise la diferenciase tanto, ni en el entendimiento de Celio pudiese caber entonces sospecha de la cosa que en él estaba más remota, metiendo mano a la espada le dio dos heridas, y acabara de matarla si de la gente que al mismo tiempo se recogía no fuera impedido y con vituperosas palabras puesto en la cárcel. La mísera Nise, que entonces parece que comenzaba a padecer, fue llevada de un piadoso ciudadano a su casa, el cual, después de haber cuidado de la vida de Nise, cuyas heridas no parecían mortales, persiguió de tal manera a Celio, informando a los jueces y siendo uno de los testigos del delito, que para tercer día le sentenciaron a muerte. Celio se comenzó a defender, diciendo que Finea era su mujer ligítima, y que habiéndola hallado presa con aquel mancebo, los había procurado matar a entrambos, cosa con que fue oído y por cuya razón mandaron volver a la cárcel a Finea; pero como ella fuese advertida, se puso en salvo.

Pánfilo en llegando a Valencia tuvo libertad por industria de Jacinto, con no pequeño regocijo de Tiberia, a quien fingiendo Pánfilo agradecimiento, resucitó mil muertas esperanzas, que no hay cosa que no intente

651 *Séneca*: *Epist.* XXVIII.

quien desea libertad para seguir lo que ama, mayormente si por cualquiera dilación piensa perderlo. Despidióse della con amorosas palabras, y volviendo a Barcelona fue a buscar a la cárcel su amada Nise, donde la había visto llevar cuando le sacaron della. Pero como en su lugar hallase a Celio en tan estrecho punto y le informase de la causa, advirtiéndole de que Finea le había ofendido con aquel peregrino a quien había herido, cayó en que era Nise, su hermana del mismo Celio, el hombre a quien por celos había procurado la muerte, y con grave dolor le dijo a voces: "¡Oh cruel Celio, que has quitado la vida a tu misma hermana y mi adorada esposa, que en ese hábito acompañaba mis trabajos y peregrinaciones, y por ventura a Finea, mi desdichada hermana, por quien agora tan injustamente la has muerto. Yo soy Pánfilo, tu enemigo, a quien referías tu historia sin conocerme en Valencia, y tú eres aquel[652] a quien yo había perdonado el agravio[653] de mi honor y el robo de Finea, respecto de haberse anticipado al tuyo el mío, sacando de tu casa la malograda Nise."

Con menos sentimiento había oído Celio la sentencia de su muerte que las razones de Pánfilo, y pues no de otra suerte que si le sacaran a ejecutarla quedó suspenso. Iba a satisfacerle de su inocencia y la voz detenida en la garganta no le ayudaba; probaba a detenerle y apenas los helados brazos podían, ni los cortados pies hallaban su movimiento. Pánfilo entonces, desatinado, dejó la cárcel, y buscando por la ciudad a la herida Nise, era tenido de cuantos le veían por loco, porque habiendo estado tan cerca de la muerte a ese título le dieron la vida.

De las veces que nuestro Peregrino fue y vino a casa de Jacinto, amor para más confusión había aumentado el pensamiento de su hermana Tiberia, que, como habeis oído en el tercer[654] libro, había puesto los ojos en la

652 *Tú eres aquel*: falta en 1604; lo suple Bruselas, 1608.
653 *Perdonado el agravio*: acerca de este insólito concepto del honor he discurrido en la Introducción.
654 *Tercer libro*: acerca de este tipo de recapitulaciones parciales, *vide supra*, nota 518, e *infra*, nota 664.

hermosura de Pánfilo y el cuidado en la piedad de sus desdichas. El triste mozo, que de sus beneficios agradecido no había tratado con aspereza sus pensamientos, dio lugar, con más cortesía de la que fuera justo, a los[655] que muchas veces entendió de su boca, y como esta última le viese volver a Barcelona con tanto desatino, sin que sus ruegos ni sus lágrimas bastasen a detenerle, escribió a su hermano, que en la ocasión que escribió le acompañaba, que Pánfilo con atrevido ánimo de ingrato huésped se había descompuesto a solicitarla, y que ella rendida a sus engaños había embarcado en su amor más prendas que, fuera de ser su marido, eran lícitas a su honor y a la opinión de entrambos. Airado Jacinto de la mala correspondencia de su amor, ingrato término de su amistad y beneficio de su hospedaje, buscó a Pánfilo, cuando él buscaba a Nise, y sacándole a la playa, le enseñó la carta de Tiberia, y con la espada desnuda le pedía que la que en Valencia había sacado para su favor sacase en aquella playa para su ofensa, aunque un hombre traidor no merecía medirla con la suya. El Peregrino, inocente, se disculpaba, rogándole que le dejase buscar a Nise, de quien tenía nuevas que estaba herida y que en aquella ocasión no le impidiese con desatinos de una mujer despreciada, que por la mayor parte son mentiras, buscar la[656] propria suya, que estaba tan a peligro de perder la vida y que él era el mayor testigo de lo que le costaba Nise, cuyos pensamientos no le daban lugar, no sólo a tener gusto en otra cosa, pero apenas a saber de sí mismo.

No satisfacían disculpas a Jacinto, porque la opinión que tenía concebida de la virtud y reconocimiento de Tiberia atropellaban cualquiera luz de razón que a su entendimiento ofrecían las que le daba Pánfilo, satisfaciéndole que, siendo tantas sus obligaciones, resistía contra su natural condición las injuriosas palabras de Jacinto. Y así, desnudando la espada para detener la suya, que llamándole cobarde, con atrevidos pasos,

655 *Los*: entiéndase *pensamientos*.
656 *La*: entiéndase *mujer*.

voces y golpes le tiraba, entre la defensa natural y la destreza aprendida se escapó de la punta, de que hiriéndole por el pecho cayó Jacinto, si bien no muerto, pareciendo que lo estaba y cerca de estarlo. Pánfilo, con dolorosas palabras, le tomó en brazos, y llevándole a la ciudad, vertiendo el uno sangre y el otro lágrimas, le persuadió la verdad del suceso, y dejándole a la puerta de una iglesia, donde ya la gente concurría, sabiendo que estaba herido y no sabiendo de Nise, salió de Barcelona, como otras veces, y pienso que más triste, pues dejaba el mayor amigo herido por su mano y la mayor amiga en las de la muerte.

Ibero,[657] así llamado de Ibera, ciudad antiguamente opulentísima, como refiere en sus *Diálogos* Mario Arecio,[658] no lejos de la cual Scipión venció los penos,[659] y según Tito Livio[660] acabó de juntar al imperio romano la universal España, arrojado de una peña, por las abiertas bocas de dos fuentes, riega los hidalgos campos cántabros y celtíberos, que de los celtas que bajaron de Francia y la provincia Iberia tomaron este nombre, no menos ricos y fértiles que aquellos que con el mismo apellido cerca el Cáucaso, a quien Strabón[661] por la abundancia del oro llama Iberes. Nace por la opinión de Plinio[662] este famoso río junto a la antigua Iuliobriga y con torcidas vueltas viene a saludar los muros de Saldiba, a quien Augusto César llamó Cesaraugusta y la injuria del tiempo Zaragoza.[663] En la corriente de sus cristalinas aguas paró Pánfilo la de su temor, y alargó la de sus lágrimas sentado en sus orillas, con tanta piedad de sí que hasta los aires sacudiendo las hojas

657 *Ibero*: o sea el río Ebro.

658 *Mario Arecio*: Mario Arezzo, *Hispaniae situs in dialogi modum conscriptum, apud* A. Schott, *Hispaniae Illustrata,* I (Frankfurt, 1603).

659 *Penos*: latín *poenus* vale *cartaginés.*

660 *Tito Livio*: libros V-VI.

661 *Strabón*: *Geographia,* XI.

662 *Plinio*: *Hist. nat.,* III, 21.

663 *Zaragoza*: Lope obtiene la amplitud de este período a costa de la claridad, que se resiente por la sucesión de eruditos incisos. La erudición, seguramente, es de segunda mano.

de los árboles ayudaban a sus quejas y las aves alternaban a versos sus desdichas, sin reservarse cosa que tuviese alma sensitiva, fuera de los peces, que por ser mudos no sacaron las cabezas de las lucientes aguas a la importuna porfía de sus lastimosas voces.

"¿Posible es, decía mirando la tierra que atrás dejaba, que el temor de perder esta inútil vida ha podido más conmigo que las obligaciones de mi noble nacimiento y las que tengo a Nise? Como que por no perder cosa tan vil a mis ojos, tan grave a mi alma, tan enojosa a mi sufrimiento, perdí la más estimada de mi entendimiento, más adorada de mi voluntad y más venerada de mi memoria. ¿Eres tú,[664] bellísima Nise, la que por los ásperos montes de Toledo enseñaste tus delicados pies a mis peregrinaciones y desde aquellas peñas que eternamente azota hasta las arenas, por donde el mar de España le recibe seguiste animosamente mis pasos? ¿Eres tú aquella que en la batalla de Ceuta lloraste mi cautiverio con tan amargas lágrimas? ¿No fuiste, Nise mía, la que con traje moro y el nombre de Azán Rubín me sacaste de Fez y de la esclavitud de Salí Morato? ¿No te perdiste conmigo, volviendo de Italia, en la nave *Rosaura,* que se abrió desde la quilla a la gavia a vista de los muros de Barcelona, a quien como a nácar de tan preciosas perlas arrojaron las aguas a la orilla? ¿No viviste en la cárcel del perdido seso tanto tiempo fuera de ti misma a fuerza del dolor de mi muerte, porque mi alma, que en la tuya vivía, gustando de tus finezas, jamás quiso desengañarte de que tenía vida? ¿No volviste a padecer nuevos naufragios en las Pomas[665] de Marsella y, últimamente herida de tu her-

664 *Eres tú*: comienza aquí las más amplia de todas las recopilaciones, para indudable beneficio del lector, y con miras a la ya cercana conclusión. Debe observarse que en esta recopilación el orden de los sucesos es el cronológico, y no el narrativo, con lo que Lope quiere aclarar cualquier duda sobre la ilación de los sucesos que pueda abrigar el lector.

665 *Las Pomas*: las islas a la entrada del puerto de Marsella; Lope las recuerda, y describe la entrada al puerto, en la comedia *Carlos V en Francia, Ac,* XII, 131b.

mano, celoso de que eras hombre, yaces en tierra estraña enferma o muerta? Pues ¿qué es esto? ¿Cómo ha cabido en mi pecho el primer movimiento de dejarte? ¿Adónde está mi ánimo? ¿Soy yo Luján por dicha? ¿Es esta sangre de aquellos alcaides[666] que defendieron los muros de Madrid de los moros de Toledo con tan gloriosas hazañas? No es posible, no soy yo; trocado me han desdichas, con las fortunas soy otro, cobarde y amante es contrariedad notoria, pues negar que amo es decir que el sol es escuro y las tinieblas claras, que no me puedo yo negar a mí mismo que he visto a Nise. Pues si confieso que la vi, ¿cómo negaré que la quiero? Pues si la quiero, ¿cómo la he dejado? Y si la he dejado, ¿por qué vivo? A lo menos si ella es mi vida, ¿por qué acompaña a quien la deja, alienta a quien la huye y estima a quien la desprecia?"

Así se culpaba Pánfilo de haber por ningún peligro desamparado a Nise, cuando (no de otra suerte que al que camina si se le acuerda que se le olvidó donde estuvo alguna cosa de importancia, rompiendo la conversación de quien le acompañaba vuelve furioso la rienda a la posada, donde no pensó volver en su vida), tornó a proseguir Pánfilo el camino que había dejado con tanto miedo. Estraña cadena de los que aman, asida a la hermosura que desean, que con la fuerza que se alarga, con esa misma se encoge hasta volver a su centro. Sin duda es sol la belleza que levantando vapores de las lágrimas de quien es amada, parece que quiere tirar a sí la misma tierra, siendo una cosa tan grave. Y es tan semejante en todo, que así como el sol convierte aquel humor congelado en las nubes muchas veces en ardientes rayos, así la hermosura convierte en fuego todos los amorosos deseos, ansias, lágrimas y suspiros para consumir la vida que los rindió a su fuerza.

666 *Alcaides*: larga historia de la madrileña familia de Luján y de sus hazañas trae el madrileñísimo Gonzalo Fernández de Oviedo, *Quinquagenas de la nobleza de España,* II, est. XXXII, BNM, ms. 2218, fols. 66-67 (*v. supra,* nota 502).

Pocas leguas de la famosa ciudad,[667] colonia de los romanos, había caminado Pánfilo, cuando al bajar de un monte y tan al fin de la tarde, que sólo descubría el sol una pretina de oro en el ocaso que ciñendo el horizonte servía de corona a la vecina noche, oyó en un prado, que con sombra de las peñas ya estaba escuro, una dolorosa voz que llamaba a la piadosa Madre de los hombres, al que fue voz de los desiertos de Judea y a la guarda y custodia de las almas, que como Rafael a Tobías, nos va guiando desde los umbrales de la vida al último tránsito de la muerte.[668] Llegó el animoso mancebo a unas adelfas, juncia y mastranzos, que la frescura de un arroyo ensoberbecía, y vio tendido un hombre, a quien preguntando quién era le dijo que se acercase, porque de tres mortales heridas estaba cerca de rendir el alma. Pánfilo, aunque con algún recelo, se acercó a él, y levantándole la cabeza la reclinó en un alto. "Caballero soy, dijo el herido entonces, y muerto a traición de la mano que más beneficios ha recebido de la mía. No está lejos de esta senda un monesterio en el campo; si allí me puedes llevar en tus hombros, serás Eneas de mi alma y yo Anquises del fuego eterno que por ventura merezco."[669]

Pánfilo, dejando su bordón entonces (¡oh cuánto daña en ninguna ocasión dejar las armas!), puso en los brazos el cuerpo, que acordándose de que así llevaba a Jacinto, le pareció que pues ya trataba en llevar y traer muertos, no estaba lejos de estarlo, y consolado de que ya que no era el difunto a lo menos era las andas, caminó con aquel hidalgo al monesterio, que con remisas palabras, interrumpidas de la vecina muerte, le

667 *Famosa ciudad*: Zaragoza, y no Barcelona, como quiere Peyton. Lo confirman las menciones del Ebro, de la propia ciudad y de los bandidos de Jaca (*infra*, p. 435).

668 *Muerte*: el moribundo invocaba a la Virgen María, a Jesucristo, al Espíritu Santo. El arcángel acompañó a Tobías en su viaje, *Tobías*, V. El encuentro del protagonista con este caballero moribundo halla eco en el *Persiles*, III, iv, donde los peregrinos topan con el malherido Diego de Parraces.

669 *Merezco*: "Para estar tan herido este mancebo, dijo a este punto Sancho Panza, mucho habla", *Quijote*, II, xxi.

refería la ocasión de ella. Llegó el Peregrino a la puerta, en cuyo frontispicio con los rayos de la luna se veía una imagen de la que sobre ella[670] tiene sus hermosas plantas, dando claridad al retrato, cuyo original había tenido nueve meses al sol en las entrañas. Mientras llamaba le dijo Pánfilo que se encomendase a ella. Oyó el portero los golpes y llegando a la puerta se informó del caso, y respondiéndole que con otro engaño semejante ciertos bandoleros de Jaca habían una noche robado el monesterio, no quiso abrir sin licencia del superior. Rogóle Pánfilo que se diese prisa, pero como hasta su celda hubiese gran distancia y se pasase una güerta, entretanto el caballero espiró en sus brazos. Pálido le miraba Pánfilo y con vehementes voces le animaba al temeroso tránsito, habiéndole puesto de dos ramas de murta una cruz sobre el pecho, cuando sintió una tropa de caballos, cuyos dueños, divertidos por varias sendas le buscaban. Entendió sus propósitos en sus palabras y diligencias, y dándoles voces les mostró el difunto y les contó el suceso. Entre ellos venía un hermano suyo, y viendo sangriento a Pánfilo y en hábito peregrino, para cualquier desdicha sospechoso, dijo, con voz espantosa: "¡Ay!, traidor castellano, que tú le has muerto por roballe." A quien el mismo amigo que le había herido y por disimular su traición le acompañaba, asió luego de los brazos diciendo: "Peregrino infame, ladrón, asasino,[671] salteador, homicida, ¿qué te había hecho el mejor caballero que honró esta tierra?" "Señores, replicó Pánfilo, yo le hallé en aquel prado que se quejaba de que el mayor amigo que tenía le había muerto y con piedad le traje donde le veis, y acaba de rendir en mis brazos el alma, para cuya salvación pienso que he sido de grande efeto."

Temiendo entonces el traidor que el mísero Peregrino descubriese alguna de las cosas que imaginaba le habría

670 *Ella*: entiéndase *luna*, o sea que se trata de una imagen de la Asunción.

671 *Asasino*: la vacilación *asesino-asasino* todavía la registra el *Dicc. Aut.* (1726), s.v. *assasino*.

oído, sacó del tahelí[672] una pistola francesa y apuntóle al pecho, mas no permitiendo el cielo que diese fuego la piedra (que hasta las piedras ayudan a la inocencia), y deteniéndole el mismo hermano, quedó con vida. "Dejalde, decía Tirso, que así se llamaba, por agora vivo, pues es mejor que llevándole preso nos diga con iguales tormentos su delito: si le mató por robarle o pagado de algún enemigo de mi hermano Godofre, le sacó por engaño y le quitó la vida." Replicaba el traidor Tansilo a Tirso y a los demás caballeros diciendo que la caliente sangre de su amigo no permitía tanta dilación en la venganza. Pero pudiendo más la opinión de los otros que la inocencia de Pánfilo, atado de pies y manos fue llevado sobre un caballo preso y el cuerpo del difunto en otro.

"Castigo justo es éste, iba diciendo Pánfilo por el camino, de haber dejado a Nise herida y a Jacinto muerto." "¿No veis, decía Tirso, lo que dice? Esta Nise es sin duda la mujer por quien le ha quitado la vida, y aquel Jacinto, algún amigo que mi hermano llevaba consigo." Entonces creíanlo todos, y el traidor Tansilo interpretaba las desesperaciones de Pánfilo a su propósito, de suerte que a todos les parecía que hablaba en la historia de Godofre. No le llevaron a lugar ninguno, como él pensaba, sino a una quinta que distaba del monesterio legua y media, la puerta de la cual estaba entre dos torres. Llamó Tirso, y respondiendo a la ventana una esclava le dijo: "Di a mi madre y hermanas que traigo a Godofre y al que le ha muerto." Oyóse a esta sazón un alarido espantoso en la sala de la casa, no de otra suerte que en las plazas públicas por algún condenado a muerte ejecutándola. Bien conoció Pánfilo el gran mal que la fortuna le apercebía, y tragando la muerte hizo resolución de que la vida, que no pudo resistir con armas, no fuese defendida con la lengua.

Abrieron la puerta de aquella casa, y con algunas hachas la madre miserable del difunto y sus hermanas

672 *Tahelí*: así también los primeros usos (siglo XVI) que registra Corominas, *DCELC*, s.v. *tahalí*.

y criadas recibieron el cuerpo. Unas le subían con aullidos a la sala y otras arremetían a Pánfilo y mesando sus barbas y cabellos le daban golpes. Con este buen recebimiento le metieron aquella noche en una de las dos torres y con crueles prisiones aseguraron su cuerpo, sin que de su boca se hubiese oído otra palabra que "Yo lo merezco todo, pues dejé a Nise". Con esto aquella noche no se oyó otra cosa que las voces y llanto del difunto, y el rato que descansaban deste ejercicio fúnebre, tratar de aquella Nise de quien el matador de su hermano se lamentaba. No bien la luz del alba, que por la puerta de las cárceles entra más tarde, daba nuevas a Pánfilo del día, no despertando sus ojos, que no habían dormido, sino advirtiendo su alma de la vecina muerte, a quien si fuera cosa sensible diera albricias, cuando abriendo el aposento vio que entraban la madre y las hermanas de Godofre y con airadas palabras le preguntaban la causa por qué le había muerto. Mas como sólo respondiese: "Por Nise estoy en este punto", volvieron a poner en él las manos con tanta ira que le dejaron poco menos que muerto, y cerrando la prisión se determinaron a dejarle morir de hambre, que para como quedaba bastaba una hora.

En tanto, pues, que cerca del mediodía llevaban el difunto a Huesca con funeral acompañamiento, luto y luces de sus amigos y deudos, Flérida, la menor hermana de Godofre, enternecida de las quejas de Pánfilo, y habiéndole obligado su persona y hermoso rostro y que por correspondencia de sangre o influencia de estrellas, segura de que estaba inocente, procuraba su vida, fue a la prisión y le dijo por el hueco de la llave del aposento: "Desdichado mancebo, no desmayes, ten ánimo, que yo te sacaré de aquí, aunque pese a mis hermanos y madre." "¿Quién eres, dijo Pánfilo, que me prometes vida, cuando sólo el cielo milagrosamente es poderoso a dármela?" "Flérida soy, una de las hermanas de Godofre, que lastimada de verte te la procuro, y porque estoy cierta en mi imaginación de que padeces sin culpa." "Por Dios te juro, dijo entonces Pánfilo, piadosa señora, que viniendo anoche por un prado, hallé a tu hermano herido, y según me advirtió, de la mano del mayor amigo que tenía. Púsele en mis hombros y llevéle a un monesterio, donde tardando en abrir rindió el alma en mis brazos. La confianza que de su salvación se puede tener es sin duda que me la debeis todos. Yo no deseo vivir, pero el cuidado de una vida que deseo pide mi libertad al cielo contra mi gusto. Si puedes dármela, yo soy caballero y de lugar en que jamás nació traidor, cobarde, ni ingrato, digo entre gente noble. Harás una heroica hazaña, digna de una mujer ilustre, y cuando yo no pueda pagarte, cobrarás del cielo, que es abonado fiador en misericordiosas obras."

No había menester Flérida tantas razones, que era mujer de valor, y dispuesta una vez a su remedio perdiera mil vidas que tuviera para dársele. No habían de venir del entierro aquella noche, así por la distancia del camino como por la gravedad de las exequias, en que por lo menos gastaron nueve días, y así Flérida pudo, desentablando el techo, dar bastante sustento a Pánfilo para muchos. En todos los demás, su madre, hermanas y criados entraban a atormentarle, y viéndole vivir, sin entender cómo sin sustento fuese posible, crecían la indignación, la crueldad y la ira con tanto exceso que se determinaron a matarlo de todo punto antes que Tirso y los demás viniesen. Pero aquella misma noche le dio Flérida limas tan fuertes que, rotas las prisiones y asiéndose a una soga, le sacó por el techo de la casa, y estando todos en profundo sueño le abrió las puertas y con un honesto abrazo y algunas lágrimas, dándole sus joyas, aunque él lo resistía, se despidió dél, que con humildes palabras, echándose a sus pies, le prometió pagarle ausente aquel beneficio con inmortal memoria, y le dijo que si cosa suya fuese algún tiempo a Castilla, con su nombre solo y preguntando por Pánfilo, un caballero de los Lujanes y Vargas [673] de Madrid,

673 *Vargas de Madrid*: otro madrileñísimo linaje, del que da amplias noticias Gonzalo Fernández de Oviedo, *ut supra,* nota 666, fols. 67-68.

estuviese cierta que volvería con las nuevas de su agradecimiento.

Pánfilo llegó a Zaragoza con ánimo de proseguir el camino de Castilla, conociendo que si pasaba adelante el que llevaba de buscar a Nise era resistir la voluntad del cielo, que con tan ásperos sucesos lo defendía. "Si no ocuparas, hermosa Nise (iba diciendo por el camino), con tantos años de antigüedad mi pensamiento y tuvieras de mi cuerpo tanto lugar como el alma, que en todas las partes dél asiste, anima y vive, ¿quién dudara que Flérida fuese señora della en este punto?" ¡Oh cuánto pueden los beneficios en fuertes ocasiones! Pues a la firmeza de un amor que no pudieron ofender trabajos tan esquisitos, naufragios tan estupendos, cautiverios tan insufribles, cárceles tan afrentosas, una buena obra sola en sazón tan triste hizo temblar y estremecer, si no el dueño de la casa, si no los cimientos, las paredes, y por lo menos se cayeron algunas almenas, aunque se quedaron los muros firmes. No le pese al que escucha, que esto no fue mudanza del amor de Nise, sino agradecimiento de la voluntad de Flérida, que como no hay pared tan sólida por donde el sol alguna vez no penetre, así no hay voluntad tan firme por donde alguna vez el primer movimiento no entre, que aunque es verdad que por esta mudanza y variedad pudiera mi narración ser más lépida [674] y festiva, que es lo que Cicerón llama *acroama,* [675] no dudo de mi condición que si Pánfilo hubiera ofendido a Nise rompiera el hilo a su historia y destroncara el curso. Cortándolo, pues, a esta digresión, [676] que siendo larga es contra las leyes de la buena retórica, pues en la poética misma divierten los episodios.

Digo que Pánfilo en Zaragoza entró a las horas que el lubricán [677] resplandece casi en la frente de la serena

674 *Lépida*: latín *lepidus = gracioso*.
675 *Acroama*: latín, del griego, "cosa agradable, gustosa al oído". Cicerón la usa a menudo, *e.g., Pro Archia,* IX.
676 *Digresión*: digresión, autocrítica e ironía, características que se ahondarán en las *Novelas a Marcia Leonarda*.
677 *Lubricán*: "crepúsculo".

noche, por si acaso le seguían o estaba en ella de quien fuese conocido. Visitó lo primero, y con razón, aquel edificio en que cupo el Emperador del cielo, puesto sobre una coluna sola o pilar[678] divino, que desde que vivía en el mundo su hermoso Dueño no pudo el largo tiempo (Sansón de los pirámides[679] bárbaros de Menfis), derribar ni torcer de su milagroso fundamento y basa, más excelente sin labor que la romana y dórica arquitectura, y después de haberle dado gracias de tantos beneficios recebidos, deseando alabarla, dijo estos versos:

Paloma[680] celestial, en cuyo nido,
envuelto en pobres paños cupo al yelo
aquel sol que midió, sin ser medido,
la tierra, el mar, el aire, el fuego, el cielo;
Rachel hermosa del Josef vendido,
Ester discreta cuyo santo celo
de la opresión de Amán rompió los daños,
criada antes que el mundo inmensos años.

Coluna de divina fortaleza,
que la fe de Abraham atrás dejastes,
y a vuestro sí de su mayor grandeza
de Dios al Unigénito humillastes;
Virgen que la mortal naturaleza
sobre los nueve coros[681] ensalzastes,
a pesar de Luzbel, que no quería
rendir su frente a vuestros pies, María.

Si entiende sólo Dios vuestra excelencia,
y no mortal ni angélica criatura,

678 *Pilar*: la Seo de Zaragoza, dedicada a la Virgen del Pilar.

679 *Pirámides*: como muchos helenismos, su género fue ambiguo por mucho tiempo.

680 *Paloma*: estas octavas a la Virgen del Pilar se corresponden, estructuralmente, con la canción "Virgen del mar" del primer libro (*v. supra,* nota 71). De esta manera, el *Peregrino* se abre y se cierra con exaltados loores a la Virgen, y el culto mariano es piedra de toque de la religión católica, y en el momento en que escribe Lope, de la reforma post-tridentina.

681 *Nueve coros*: *v. supra,* nota 77.

y nuestra fe de Dios os diferencia,
con cierta ciencia de que sois su hechura,
¿adónde habrá para alabaros ciencia,
puerta de Ecechïel intacta y pura?
Alábeos Dios, que os hizo, que Dios sabe,
como quien cupo en vos, lo que en vos cabe.

Cuando la fresca aurora, como Júpiter en lluvia de oro, transformada en aljófar enriquecía el regazo de la tierra, salió el Peregrino Pánfilo de Zaragoza y por no usadas sendas, de monte en monte y de pastor en pastor, procuraba cuanto podía desviarse del real camino, temiendo siempre que los hermanos de Godofre y Flérida con toda diligencia le buscarían. Determinóse, al fin de algunas leguas, ir una noche a poblado, fatigado de la aspereza de los montes y la rusticidad del sustento, y entrando en una villa, término de los dos reinos, [682] pidió posada; mas como en ninguna se la diesen, respeto de verle ya tan mal tratado, los pies corriendo sangre, quemado el rostro y los cabellos revueltos, procuró el hospital, último albergue de la miseria.

Abierto le halló Pánfilo a aquellas horas, pero sin luz alguna, y preguntando la causa le dijeron que por el escándalo que se había oído muchas noches, y después que en él había muerto un estranjero, no se habitaba ni vivía, pero que entrase dentro, que en una capilla dél vivía un hombre de santa vida y conversación, que sufría por Dios aquellas molestias y él le informaría donde sin peligro durmiese. Pánfilo entró dentro, tentando por el oscuro portal con un cayado que en vez de su bordón traía. Vio lejos una pequeña luz y enderezando a ella llamó a aquel hombre. "¿Qué me quieres, respondió a sus voces, maligno espíritu?" "No soy quien piensas, respondió Pánfilo; abre, amigo, que soy un peregrino que busco posada para esta noche." Abrió la puerta entonces y vio Pánfilo un hombre de mediana estatura y edad, los cabellos largos y la barba crecida

682 *Dos reinos*: Aragón y Castilla.

y enhetrada; [683] cubríale una ropa de sayal hasta los pies. La capilla era pequeña, el retablo devoto y en la peana dél dormía aquel hombre; tenía por cabecera una piedra, su báculo por compañía y una calavera por espejo, que ninguno muestra mejor los defetos de nuestra vida.

"¿Cómo has osado entrar, le dijo, Peregrino? ¿No te ha dicho ninguno el mal hospedaje desta casa?" "Sí han dicho, respondió Pánfilo, pero he pasado ya tantos trabajos, desdichas, prisiones y malos acogimientos, que ninguno será nuevo para mi ánimo." Encendió una vela entonces el huésped en la lámpara que delante de las imágenes ardía, y sin preguntarle quién era le dijo: "Sígueme." Fue Pánfilo tras el hombre, y pasando un jardín tan intricado que más parecía bosque, entre unos cipreses le mostró un cuarto de casa, y abriendo el cerrojo de un aposento grande le dijo: "Entra y pues eres mozo robusto y enseñado a trabajos, haz la señal de la cruz y duerme sin reparar en nada." Pánfilo tomó la luz y afirmándola sobre un poyo que la sala tenía, se despidió del hombre y cerró la puerta. En la sala había una cama bastante para descansar quien en tantas noches la había tenido en el suelo. Desnudóse y vistiéndose una de dos camisas que Flérida le había dado partiéndose, se acostó en ella. Apenas había revuelto en su fantasía la confusión de historias que en la quietud del cuerpo repite el alma, cuando la imagen de la muerte, que llaman sueño, ocupó sus sentidos con la fuerza que suele tener sobre cansados caminantes.

La parte [684] que desampara el sol cuando se va a los indios estaba en profundo silencio cuando al ruido de

[683] *Enhetrado*: "Enmarañado, confuso, revuelto", *Dicc. Aut.*, s.v. No hay necesidad alguna de corregir *enredado*, como hace Peyton.

[684] *La parte*: nos hallamos ante un cuento de fantasmas, tema por cierto insólito en la literatura artística del Siglo de Oro, y que, en consecuencia, añade una dimensión más al nuevo tipo de la novela de aventuras que Lope tiene en su alfar. Pero es digno de notar que los relatos de fantasmas tenían amplia circulación en forma de cuentos populares (v. M. Chevalier, *Cuentecillos tradicionales en la España del Siglo de Oro* [Bur-

algunos caballos despertó Pánfilo. Parecióle que caminaba, cosa que a los que caminan siempre sucede, que la cama se mueve como la nave o anda como el caballo que traía, pero acordándose que estaba en aquel hospital y advertido del escándalo por cuya causa era inhabitable, abrió los ojos y vio que, como si entraran a jugar cañas de dos en dos, entraban a caballo algunos hombres, los cuales encendiendo unas ventosas de vidro que traían en las manos en la vela que había dejado, las iban tirando al techo del aposento donde se clavaban y quedaban ardiendo por largo espacio, quedando el suelo pegado a las tablas y la boca vertiendo llamas sobre la cama y lugar donde había puesto los vestidos. Cubrióse el animoso mancebo lo mejor que pudo, y dejando un pequeño resquicio a los ojos para que le avisasen si le convenía guardarse del comenzado incendio, vio en un instante las llamas muertas y que en una mesa, que a la esquina de la sala estaba, se comenzaba un juego de primera [685] entre cuatro. Pasaban, descartábanse y metían dineros, como si realmente pasara de veras, y habiéndose enojado los jugadores se trabó una cuestión en el aposento con tantos golpes de espadas y broqueles que el mísero Pánfilo comenzó a llamar a la virgen de Guadalupe, que sólo le faltaba de visitar en España, aunque era del reino de Toledo, porque las cosas que están muy cerca, pensando verse cada día, suelen dejar de verse muchas veces. Pero cesando el golpear de las espadas y todo el ruido por media hora, quedó de un sudor ardiente bañado el cuerpo en

---

deos, 1971): nuevo aspecto de ese concepto de "arte integral" que practicaba el Fénix. Desde la época en que el estrambótico hispanista inglés George Borrow (1854) llamó a este cuento "the best ghost story in the world" hasta nuestros días, este relato ha gozado de gran popularidad (v. bibliografía en Peyton). El caso es que Lope evidentemente tenía una cierta debilidad por los cuentos de fantasmas, como lo termina de demostrar la frecuencia con que recordó la anécdota fantasmal y genealógica de *los cuartos de Osorio, vid.* mi artículo, "Un problema resuelto: los cuartos de Osorio", *NRFH*, XVIII (1965-66), 166-69.

685 *Primera*: juego de naipes muy popular.

agua, y estando a su parecer satisfecho que ya no volverían, sintió que asiendo los dos estremos de la colcha y sábanas se las iban quitando poco a poco. Aquí fue notable su temor, pareciéndole que ya se le atrevían a la persona, pues le quitaban la defensa, y estando desta suerte, vio entrar con un hacha [686] un hombre, detrás del cual venían dos, el uno con una bacía grande de metal y el otro afilando un cuchillo. Erizáronsele los cabellos en esta sazón de tal suerte que le pareció que de cada uno de por sí le iban tirando. Quiso hablar y no pudo, pero cuando a él se acercaron, el que traía el hacha la mató de un soplo, y pensando que entonces le degollarían y que aquella bacía era para coger su sangre, fue a detener con las manos el cuchillo adonde le pareció que le había visto, y sintió que se las tragaron a un mismo tiempo. Dio un grito Pánfilo, y en este instante volvióse a encender el hacha y vio que dos grandes perros se las tenían asidas. "Jesús", dijo turbado, a cuyo voz se metieron debajo de la cama, y vuelta a matar la luz, sintió que le ponían la ropa como primero y que alzándole de la cabeza le acomodaban de mejores almohadas y le igualaban con grande aseo, curiosidad y regalo la sábana y colcha.

Así le dejaron estar un rato, en el cual comenzó a rezar algunos versos de David de que se acordaba (si entonces se podía acordar de sí mismo), y recobrando aliento con alguna confianza de que habiéndole compuesto la cama le dejarían en ella, vio que los que debajo de ella se habían entrado la iban levantando por las espaldas con su persona encima hasta llegar al techo, donde, como temiese la caída, sintió que de las mismas tablas le asía una mano del brazo, y cayendo la cama al suelo con espantoso golpe quedó colgado en el aire de aquella mano, y que alrededor de la sala se habían abierto gran cantidad de ventanas, desde adonde le miraban muchos hombres y mujeres con notable risa y con algunos instrumentos le tiraban agua.

686 *Hacha*: entiéndase "vela de cera".

Ardióse la cama en este punto y así la llama della le enjugaba, aunque con mayor miedo que al agua había tenido. Cesó la luz de aquel fuego, y tirándole de las piernas también le pareció que le faltaban y que había quedado el cuerpo tronco[687] y sin ellas. Fuese a este tiempo alargando aquel brazo que le tenía asido hasta la cama, donde otra vez de nuevo le acostaron y regalaron como primero.

Descansaron estas vanas ilusiones cerca de una hora, después de la cual sintió que le asían las pobres alforjuelas en que traía algunas prendas y papeles de Nise y las joyas de Flérida, y que se las llevaban arrastrando por la sala. ¿Quién creerá lo que digo? Levantóse Pánfilo animoso a cobrarlas, y el valor que no tuvo para defender su persona le sobró para resistillas. Salieron del aposento al huerto y como los siguiese, vio que por entre aquellos cipreses llegaban a una noria, adonde las echaron y a ellos tras ellas. No quiso Pánfilo pasar más adelante, mas volviendo con valeroso esfuerzo por donde el ermitaño le había guiado, llamó a su aposento. Abrióle el hombre, y viendo su color y desnudez le dijo: "Mala noche te habrán dado los huéspedes." "Tan mala, dijo Pánfilo, que no he dormido y les dejo mi pobre hábito por paga de la posada." Albergóle entonces en la suya aquel hombre lo mejor que pudo, y refiriéndole sucesos de otros esperaron la mañana.

Muchos que ignoran la calidad de los espíritus, su naturaleza y condiciones, tendrán esta historia mía por fábula, y así es bien que adviertan que hay algunos de quien se entiende que cayeron del ínfimo coro de los ángeles, los cuales, fuera de la pena esencial, que es la eterna privación de la vista de la divina esencia, llamada de los teólogos la pena del daño, la cual padecerán eternamente, respeto de su menos grave pecado padecen pocas penas y éstas son de tal naturaleza que pueden dañar y ofender poco, pero sólo toman placer

687 *Tronco*: participio pasado irregular de *troncar*.

en hacer algunos estrépitos y rumores de noche, burlas, juegos y otras cosas semejantes, los cuales son oídos y vistos de algunos, como se sabe de muchos lugares y casas, las cuales son turbadas de tales escándalos hechos de los demonios, echando piedras o molestando los hombres con golpes, encendiendo fuego o haciendo otras operaciones delusorias. Estas cosas hacen éstos muchas veces porque no pueden ofender a los hombres de otra manera que con estos efectos ridiculosos y inútiles, constreñidos y ligados del infinito poder de Dios. Estos se llaman en la lengua italiana *foletos* y en la española *trasgos,* de cuyos rumores, juegos y burlas cuenta Guillermo Totani,[688] en su libro *De Bello Demonum,* algunos ejemplos, llamándolos espíritus de la menos noble jerarquía. Casiano[689] escribe de aquellos que habitan en la Noruega, a quien el vulgo llama *paganos,* que ocupando los caminos, juegan y burlan a los que pasan por ellos de día y de noche. Michael Psello[690] pone seis géneros déstos: ígneos, aéreos, terrestres, acuátiles, subterráneos y lucífugos. En él se pueden ver sus propiedades. Hierónimo Menchi[691] cuenta de un espíritu que agradado de un mancebo le servía y solicitaba en varias formas y hurtando dineros le pagaba algunas cosas que le agradaban; y sin éste pone otros muchos, sus daños, sus burlas, sus amores, sus vanas ilusiones y sus remedios.

La luz del día, amable e ilustre obra del Hacedor del cielo y única guía de los mortales, dio aviso a Pánfilo de que ya podía estar seguro de las malditas infestaciones de aquel espíritu, y despertando al hombre se levantaron entrambos y juntos se fueron por la huerta al aposento donde había dormido, y entrando en él a ver el estrago de la pasada noche, hallaron la cama y las demás cosas del aposento sin lisión alguna y la

688 *Guillermo Totani*: su tratado *De bello daemonum* va añadido a la edición que él enmendó de Alonso de Espina, *Fortalitium Fidei* (Lyon, 1511).
689 *Casiano*: *Collatione,* VII, xxx.
690 *Michael Psello*: *v. supra,* nota 190.
691 *Hierónimo Menchi*: *v. supra,* nota 173.

ropa de Pánfilo en el mismo lugar donde la había puesto. Vistióse, y corrido de que aquel hombre le tuviese por fabuloso y hombre de poco ánimo, le pidió licencia para irse, desde cuyos brazos tomó el camino de Guadalupe, sin osar volver la cabeza a aquella villa, donde prometió no volver en su vida por ningún acontecimiento, fuera de estar en ella su amada Nise.

Por término de la Morena Sierra están dos montes hacia la banda de Andalucía, que como dos muros fortísimos ciñen la villa y monasterio de Guadalupe, fundados en la profundidad de un valle con tanta amenidad de fuentes que por las peñas se descuelgan a su centro flores, árboles y caza, que parece que la naturaleza, sabedora del futuro suceso, desde el principio del mundo edificaba aquel palacio a la Princesa del cielo, hija de Joachín y esposa de Josef. Que puesto que viviendo este mortal destierro le dio Nazaret tan estrecha casa, después de su glorioso tránsito los agradecidos hombres, al beneficio de haberles dado de sus entrañas aquel nuevo Redentor de cautivos, de la merced que nos hizo y de la trinidad de su eterno Padre, le labraron e hicieron muchos [692] dedicados a la grandeza de su excelso y bienaventurado nombre. Loreto [693] engastó su aposento felicísimo en que oyó la salutación angélica en un templo insigne que con alta veneración es visitado del mundo. Roma le consagró muchos de la religión engañosa de los romanos, y España, entre infinitos, tiene por memorables: Monserrat, el Pilar, la Peña de Francia, la Cabeza, el Sagrario de Toledo, la Antigua de Sevilla, el Puche de Valencia, la Atocha de Madrid, la Caridad de Illescas y el insigne Guadalupe, [694] donde llegó Pánfilo atravesando montes como

692 *Muchos*: entiéndase *palacios*, audaz elipsis, ya que el término eludido está muy alejado. Desde luego que el antecedente no es *beneficio*, como quiere Peyton.

693 *Loreto*: en su Santa Casa.

694 *Guadalupe*: este verdadero itinerario mariano es una nueva declaración de fe por parte de Lope, escritor y propagandista post-tridentino. Los peregrinos de Cervantes también visitan a Guadalupe (*Persiles*, III, v), y también cantan a la Virgen, *v. supra*, nota 71.

yo sus fortunas por no pintar tanta variedad de cosas en una estrecha tabla, que como Triberio[695] dice, le quita la hermosura y decoro, como a la sentencia provechosa la inútil copia de las palabras.

Cumplió el Peregrino el voto. Visitó su templo y adorando la Virgen le consagró estos versos:

> ¡Oh viña[696] de Engadí, no de Nabot,
> zarza más defendida que Sidrac,
> que Abdenago bellísimo y Misac
> del fuego de Nabuc, Luzbel Nembrot!
> ¡Oh planta sobre el cuello de Behemot,
> prudente Rut, carísima Abisac,
> divina madre de otro nuevo Isac,
> por quien se libra el mundo como Lot!
> ¡Oh Jordán a Israel, arca a Jafet,
> espada contra el fiero Goliat,
> estirpe de David y de Sadoc!
> ¡Oh estrella de Jacob en Nazaret,
> sol que se puso al mundo en Josafat:
> quién fuera de tus pies perpetuo Enoc!

Las gradas del insigne templo bajaba Pánfilo a la sazón que el sol igualmente distaba de los dos polos, cuando un caminante que las subía se le puso delante y deteniendo sus pasos le dijo: "¿Sabrásme decir acaso, Peregrino, si en ésta o en otra estación has conocido un hombre de tu hábito, caballero y natural de Madrid que ha pocos días que estuvo en Huesca de Aragón?" Turbóse Pánfilo, creyendo que con alguna provisión era buscado de la justicia por la muerte de Godofre, y volvióse huyendo al templo. El aragonés conoció que era

695 *Triberio*: *Hieremiae Thriveri Brachelli Commentarii in VII Libros Aphorismorum Hippocratis* (Lyon, 1551), dedicatoria.
696 *¡Oh viña de Engadí*: las rimas de este soneto son un derroche de ingenio y de erudición bíblica. Lope ya había incluido un soneto por casi los mismos consonantes en *Rimas* (1602), soneto CC, que le fue escarnecido por Góngora, *Obras completas,* ed. J. e I. Millé y Giménez, sexta ed. (Madrid, 1967), p. 535, en el soneto "Embutiste, Lopillo, a Sabaot".

el mismo en el indicio de la fuga, que tan mal quieren las leyes que se purgue,[697] y siguiéndole le llamó cortésmente y dijo: "Espera, Pánfilo, que ni yo vengo a prenderte, ni las inmunidades y previlegios deste lugar santísimo lo permitieran. Esta carta es de Flérida, por ella sabrás quién soy y para lo que te busco." Sosegóse Pánfilo entonces, tomóla y abriéndola, vio que decía así:

"AL PEREGRINO DE MADRID:

"Tú mismo habrás juzgado, Pánfilo, con el cuidado que me dejaste, y por si le tienes de mi suceso después de tu partida, hago esta diligencia, más por cumplir con el mío que porque entienda que puedan haber parado tus desdichas. Mis hermanos vinieron de Huesca y hallándote fuera de la cárcel, hicieron mayor sentimiento de tu ausencia que de la muerte de Godofre, pero como a pocos días una mujer desta ciudad riñese con otra, le dijo, entre algunas palabras a que la ira provoca, mayormente en mujeres, que ella había sido causa de la muerte de Godofre. Fue oída, fue presa y confesó que Tansilo de celos della había muerto a Godofre. Prendiéronle sobre seguro, y probándole el delito, al tercer día le cortaron la cabeza. Mi madre y hermanos lloran tu mal tratamiento, ciertos de tu inocencia, y han hecho diligencias para buscarte. Si quieres volver, pagaránte en regalos y caricias la prisión injusta, y tú a mí el deseo de tu bien, y algunas lágrimas que me cuestas."

Admirado quedó Pánfilo del estraño suceso de Tansilo y de los golpes que le daba la voluntad de Flérida, pero, temiendo la ofensa de Nise, satisfizo cuanto pudo al mensajero y dándole la cadena y joyas que Flérida le había dado, advirtiéndole de que no se las mostrase,

697 *Purgue*: el sentido es "la fuga mal se purga", es decir, difícil resulta "desvanecer los indicios" cuando uno se da a la fuga, *vid. Dicc. Aut.*, s.v. *purgación*.

con una larga, agradecida y amorosa carta le despachó aquel día, contento del breve camino, que él imaginaba tan largo, porque Flérida le había dado orden que le buscase en todas las casas de peregrinos que España tiene. Acuérdome[698] en este punto de haber oído decir muchas veces a Pánfilo, ya descansado destas fortunas, que en su vida había hecho por Nise cosa más fuerte que resistir la voluntad de Flérida, porque fuera de tan altos beneficios, era singularmente hermosa, mas que había continuado su amistad y correspondencia con muchos regalos y cartas a ella y a sus hermanos, hasta que casada con un caballero andaluz la llevó a las Indias.

Diez veces había el sol por otros tantos paralelos cercado el cielo casi en la sazón que Astrea[699] igualaba las balanzas al equinocio, cuando el mísero Pánfilo, caminando por despoblados de día y de noche, se halló una mañana a la risa del día en la aspereza de un monte cansado del camino, fatigado del hambre y mucho más de las memorias de Nise. Sentóse al pie de un roble, y tendiendo la vista a la soledad de los campos, a la pesadumbre de las sierras, al curso ronco de los arroyos que se despeñaban dellas y a algunas luces que apenas escurecía la escasa presencia del venidero sol, se quejó así:

> Deja el pincel, rosada y blanca Aurora,
> con que matizas el escuro cielo
> sobre el bosquejo que en su negro velo
> pintó la noche del silencio autora.
> Huya la luz que las molduras dora
> de los paisajes que descubre el suelo,

698 *Acuérdome*: sobre la intervención del autor en su relato *v. supra,* notas 339, 473, 519 y 649.

699 *Astrea*: esta rebuscada perífrasis, expresiva de los gustos estilísticos y de las aficiones astrológicas del autor, la declara el propio Lope en sus notas a la *Jerusalén conquistada* (Barcelona, 1604), fol. 153v: "Assí llamaron a la justicia los poetas en la edad dorada, Ovid. prim Math., y de allí tomó la Astrología llamar Astrea a la Libra, porque entrando en este signo el Sol por Octubre se causa el Equinocio autumnal".

no quiebre al campo el cristalino yelo
de que ha cubierto sus tapetes Flora.
Detente, Sol; tu resplandor no prive
de sus engaños a mi fantasía,
pues que del sueño tanto bien recibe.
Huye de ver la desventura mía,
que a quien en noche de tristezas vive,
¿de qué le sirve que amanezca el día?

Cuando llegaba al fin destos versos Pánfilo, oyó, no lejos de donde estaba, una zampoña rústica, de cuyo son llevados los oídos guiaron a los ojos y vio al dueño, que entre dos peñas se disponía entre algunas ovejas, que parecía que por escucharle no pacían, a cantar desta suerte:

Hermosas[700] alamedas
deste prado florido
por donde entrar el sol pretende en vano;
fuentes puras y ledas,
que con manso rüido
a las aves llevais el canto llano;
monte de nieve cano,
a quien te mira plata,
hasta que el sol en agua te desata;
con diferentes ojos
os miran mis cuidados,
pareciéndome espejos diferentes,
pues veo los enojos
de los tiempos pasados,
para llorar que los perdí presentes;
montes, árboles, fuentes,
estadme un rato atentos;
vereis que he puesto en paz mis pensamientos.
En gran lugar se puso,
¡oh santas soledades!,

700 *Hermosas alamedas*: este poema fue puesto en música en su misma época, *vid*. J. B. Trend, "Catalogue of the Music in the Biblioteca Medinaceli, Madrid", *RHi,* LXXI (1927), 551.

quien goza el bien que vuestro campo encierra,
y libre del confuso
rumor de las ciudades,
es dueño de sí mismo en poca tierra,
adonde ni la guerra
sus paces interrompe,
ni ajeno yugo su silencio rompe.

Ni por oficio grave
que el más indigno tenga,
la envidia o la lisonja le lastima,
ni espera que la nave
del indio a España venga
preñada del metal que el mundo estima:
ya el duro mar la oprima,
o ya segura quede,
ni le puede quitar, ni darle puede.

Ni amor con blando sueño
de imaginar süave
al suyo dió solícitos desvelos,
ni adora tierno dueño,
ni se queja del grave,
ni sus méritos puso contra celos;
que si a los mismos cielos
no toca el señorío,
¿por qué ha de ser esclavo el albedrío?

Agradecida mira
la planta, que a su mano,
porque la puso, le rindió tributo;
y contento, se admira
de ver que el cortesano
de tantas esperanzas pierda el fruto;
que no hay rey absoluto
como el que por sus leyes
conoce desde lejos a los reyes.

Siempre el hombre discreto
donde el poder alcanza
el apariencia del vivir limita;
dichoso el que este efeto
ha dado a su esperanza,

y del caer las ocasiones quita;
si en la tierra que habita
los ojos pone atentos,
aun no pasa de allí los pensamientos.
Quien no sirve ni ama,
ni teme ni desea,
ni pide ni aconseja al poderoso,
y con honesta fama
en su aumento se emplea,
sólo puede llamarse venturoso.
¡Oh mil veces dichoso
quien no tiene enemigo
y todos le codician por amigo!

Admirado Pánfilo de la sentencia de estos versos y de la estrañeza del dueño que bajo la rudeza de aquel hábito rústico cubría el alma de tales pensamientos, levantóse a verle, y habiéndole ofrecido la salud,[701] que de ninguna manera tenía, el villano le recibió cortésmente. Hablaron los dos en sus vidas, conociendo siempre Pánfilo mayor caudal de entendimiento en Fabio, que así se llamaba el rústico, y Fabio de las razones del huésped más necesidad de sustento que de razones. Encendieron fuego de dos palos de laurel, que para este efecto traía, donde convertido el aire en centellas me espantó que siendo Dafne[702] el alma puedan salir de cosa que a los golpes de amor fue tan helada. Comieron pobremente lo que con rica voluntad aderezó Fabio, sirviéndoles la tierra de mesa y la yerba de toallas y bebiendo con la mano de una vecina fuente, que en tanto que comían les sirvió de música, a cuyo instrumento unas pizarras puestas de la naturaleza a manera de gradas parecían trastes. Pasaron los dos la mayor parte del día en la relación de sus desventuras y,

701 *La salud*: tópico de la literatura epistolar amorosa (enviar salud el que no la tiene, por estar enfermo de amor); sobre su ascendencia (Ovidio) y tradición, *vid. Galatea,* I, 170.

702 *Dafne*: para evitar la persecución amorosa de Apolo fue convertida en laurel.

cuando la vespertina estrella de la diosa Acidalia [703] venía con el aviso de que llegaba la noche, se fueron los dos recogiendo a una pequeña aldea, donde ya Fabio llevaba a Pánfilo para que sirviese de guardar unos bueyes a su mismo dueño, que era el padre de su querida Nise, que en aquellos montes de Toledo tenía hacienda. Contento iba el Peregrino de imaginar que por aquel camino sabría de Nise en algún tiempo, y Fabio, a ruego de Pánfilo, dispuesto a referirle su historia, que para entretener el camino comenzó así:

Los cielos [704] estaban tristes,
mis ascendentes estrellas
no se miraban benignas
con los opuestos planetas;
guerras el mundo afligían
por la mar y por la tierra;
que faltaban de aquel siglo
la paz y la bella Astrea. [705]
Perseguida estaba España
de Francia y de Ingalaterra,
que le robaba en sus Indias
las minas de su riqueza;
señales de muerte había
en espantosos cometas,
que amenazaban sangrientos
las coronadas cabezas,
cuando en las partes adonde,
sin haber entrado ofensa
de sangre bárbara o vil,
guardó España su nobleza,
nací de tan nobles padres,
que si tengo alguna queja
del cielo en mis desventuras,

703 *Acidalia*: epíteto de Venus, Virgilio, *Eneida,* I, 720.
704 *Los cielos*: comenta Montesinos, *Estudios,* p. 181: "El largo romance de la historia de Fabio ... contiene alusiones que no sabemos explicar, pero que parecen referirse a algo ocurrido en los años del destierro".
705 *Astrea*: diosa de la justicia, *v. supra,* nota 699.

con esto pude perderla.
En fin, en Vizcaya, archivo
del valor que España encierra,
entre mil hombres famosos
por las armas y las letras,
yo vi la luz de los cielos,
y toda mi edad primera
pasé en regalada vida,
más humilde que soberbia.
¡Ay memorias de mis años,
cuántos suspiros me cuesta
ver mi presente fortuna
y mi pasada inocencia!
Desde el Aries a los Peces
había el sol por su esfera
hecho apenas veinte cursos,
cuando empezaron mis penas.
Vine a la Nueva Castilla,
para mi pecho tan nueva,
que ningún engaño suyo
penetraba mi llaneza;
y en la famosa ciudad
que el Tajo dorado cerca,
por una margen montaña,
por otra verde ribera,
a quien Tolemón y Bruto [706]
dieron más nombre que a Tebas
las venturas de Alejandro
o a Troya el caso de Eneas,
vine con altos principios,
que en otro estimados fueran,
lleno de esperanzas ricas,
si en el mundo puede haberlas;
y como en todos estados

706 *Tolemón y Bruto*: "Bien cient annos ante fue poblada la cibdad de Toledo que poblaron dos cónsules de Roma all uno dizíen Tholemón e all otro Bruto, y este nombre quel pusieron fue tomado de los nombres dellos", Alfonso el Sabio, *Primera Crónica General de España*, ed. R. Menéndez Pidal, I (Madrid, 1955), 7.

lo primero que le ofrezca
la naturaleza al hombre
el bien del amigo sea,
no sé si por accidente
o por rigor de mi estrella,
puse los ojos en uno
de mis años y mis prendas.
En él, como en blanco libro,
la sangre de mi edad tierna
pensamientos escribía
con más firmas que sospechas:
confianzas peligrosas
testigos son que condenan.
Cuanto escribí fue después
proceso de mi sentencia.
Yo, que con sólo un cristal
cubría un alma de cera,
cuantas veces la miraba,
tantas se me entraba en ella;
era yo para su rostro
y él para mí como aquellos
que el falso retrato enseñan;
y con esto, al primer toque
del oro de su fineza
conocí su falsedad,
siendo mi pecho la piedra.
Había yo puesto el alma
donde ocupar se pudieran
los méritos del mejor
que ha dado el cielo a la tierra;
pero este enemigo oculto
iba con armas secretas
mis fundamentos minando,
por derribar sus almenas.
Puso mi vida en peligro,
púsome mal con quien era
dueño de ella por entonces,
que estaba mi vida en ella.
Mis secretos publicaba

con encubierta cautela;
yo por salir del peligro
aventuréme a perderla.
Arrojé la capa al toro,
y al mar furioso la hacienda,
que es bien por salvar lo más,
que lo que es menos se pierda;
y por deslumbrarle bien
busqué otro sol que le diera
con los rayos en los ojos,
y a mí en el alma con fuerza.
No fue menester cansar
al cielo con mis querellas,
al amor con mis deseos
y al tiempo con mis firmezas;
que el cielo, el tiempo, el amor,
todos a un tiempo me muestran
en este tiempo una dama,
más que imaginada, bella.
No pienso que el sol en cuanto
desde el norte al sur pasea,
desde aquel primero día
que al alba enjugó las perlas,
ha visto más bella cara,
aunque se acuerde de aquellas
que por los bosques de Arcadia
iban cazando las fieras.
De haber abrasado a Troya
puede estar gloriosa Helena,
porque Paris no vió entonces
esta reina de belleza;
Dïana puede ser casta,
y más que casta Lucrecia,
Porcia por brasas famosa,
Julia por firmeza eterna;
pero virtud, castidad,
hermosura y excelencia,
de fama y costumbres nobles,
sólo para Albania quedan;

que este nombre soberano,
que hasta el alma me penetra,
adonde le tengo escrito,
siendo de fuego las letras,
es la cifra de aquel ángel,
que con serlo, me condena
al infierno de su gloria,
si hay gloria que infierno sea.
Pero bien la puede haber,
que al fin es gloria con pena,
donde atormenta las almas
lo que los ojos deleita.
Si antes que la hubiera visto
no hubiera en la primavera
visto las flores del campo,
y las viera después de ella;
si no hubiera visto el oro,
las perlas que el mar engendra,
el rojo coral lustroso,
la blanca nieve en las sierras,
pensara que de su rostro
se hicieron las azucenas,
el coral de sus mejillas
y el oro de sus madejas.
Finalmente me informé
de su estado y de quién era,
aunque es verdad que el ser ángel
nunca estuvo en contingencia.
Tuve medios de escrebirle
lo que pasaba por ella,
porque del pasado amor
apenas quedaron señas;
que sobre aquellas cenizas,
ya como en memorias muertas,
nació este fenis divino,
que en dulce fuego me quema.
Burlóse de mis principios,
pero amor, que nunca deja
de castigar libertades,

que es rayo en las resistencias,
y los milagros que hacen
continuación y terceras,
que el agua, con ser tan blanda,
señala las duras peñas,
la obligaron a escribirme,
que obligada de mis penas
pagaba mi voluntad,
que no era pequeña deuda.
Creílo, porque quien ama,
como en fin amando espera,
por entretener el alma
no habrá cosa que no crea;
y no creo que fue engaño,
que no es posible que hubiera
engaño en pecho tan noble
sin necesidad ni fuerza.
Creció amor desde este punto
tanto, que quien ya le viera,
le imaginara gigante,
aunque de niño se precia.
Favorecido de Albania,
comencé a seguir mi empresa,
hecho un águila del sol
de su divina belleza.
Mas fueron, viendo sus rayos,
todas mis alas de cera,
de viento mis esperanzas,
que al fin por los vientos vuelan.
¿De qué me sirvió que al mundo
diese envidiosa materia
mi amor, viendo mis deseos
en el cielo de sus prendas?
¿De qué me sirvió tener
en tan diversas quimeras
enfrenada la razón
y el apetito sin riendas?
¿De qué me sirvió pensar
que hubiera en los tiempos fuerza

para darme un día de gloria
en tantos años de pena?
No pongo falta en Albania,
que mi pensamiento y lengua
la tiene en veneración
y como al cielo respeta,
pero sé que las desdichas
desde que nacen, ordenan
que un desdichado transforme
en mal cuanto bien pretenda.
Vuelve, cristalino Tajo,
hacia las sierras de Cuenca,
donde naces, la corriente,
que a la mar de España llevas.
Volved, álamos frondosos,
de sus floridas riberas
a los cielos las raíces
y a la tierra las cabezas.
Vuelve, sol divino, atrás
de tu forzosa carrera.
Detente, ligera luna,
y nunca mengües ni crezcas.
Moveos, estrellas fijas;
todo el orden se revuelva
de las esferas que rigen
tan altas inteligencias,
pues Albania se ha mudado;
que no era menor firmeza
la que yo me prometía
de sus soberanas prendas.
Celos finge de otras damas,
celos busca por las huertas;
que quiere curar amor,
y busca en jardines yerbas.
Dice que yo la ofendí;
mis enemigos me ofendan
si en pensamiento ni en obra
le hice en mi vida ofensa,
pues porque quise saber

si eran sus sospechas ciertas,
e informarme de sus celos,
a la muerte me sentencia.
Condenado estoy en vista,
y puesto que el alma apela,
la revista es imposible,
porque la vista me niegan.
No era bastante ocasión
para que Albania pudiera
atropellar mi esperanza,
mis lágrimas y mis quejas.
No me puedo persuadir
que por celos me desprecia,
sino que es este disfraz
de su mudanza cubierta;
cubiertas vienen las cartas,
pero viene escrito en ellas:
"Para Fabio el olvidado";
y aun él mismo lo confiesa.
Cielo, sol, estrellas, luna,
aves, hombres, plantas, fieras,
sed testigos que no soy,
ni es posible que yo fuera,
la causa de esta mudanza.
Albania, Albania me deja;
Albania, la que mis ojos
con mil lágrimas celebran;
Albania, la que mil veces
en mil décimas y endechas
a los pastores del Tajo,
de Jarama y de Pisuerga
hice cantar y dar fama,
y pienso que si pudiera
le consagrara un altar
mayor que el templo de Efesia,
mas conociendo su gusto,
no puedo hacer resistencia,
que aunque me cueste la vida,
he jurado obedecerla.

Bien sé que no he de perder
la memoria que me queda,
que ha de salir con el alma,
pues está en el alma impresa.
Pero en razón de olvidar
quiero hacer mis diligencias,
hasta pedir a su olvido
de mi memoria se duela.
¿Quién me dijera estas cosas
cuando en estas verdes selvas
dí envidia a las mismas aves,
verdes álamos y yedras?
Yo vi murmurar las fuentes
de los favores y empresas
que de Albania les decía,
como ahora de mis quejas.
Todo me deja, en dejarme
Albania; Fabio, paciencia,
que si me deja la vida,
al fin la muerte me ruega.

Antes que Fabio diese fin a su historia se habían descubierto por unos verdes fresnos, un arroyuelo arriba, algunas pajizas casas, aldea en que vivía el labrador que tenía en encomienda la labranza y ganados de su padre de Nise. Fue necesario detenerse un poco por no dejar destroncada la narración propuesta, con cuyo fin llegaron a la mejor casa, que para ser del campo, lo era en estremo. Recibió Alfesibeo a Pánfilo e informado de Fabio de la intención que traía le señaló salario, donde con mísera cena y no mejor cama pasó aquella noche, y cuando de la vecina presencia del sol iba huyendo el lucero entre las nubes salió Pánfilo tras los bueyes a la soledad de los campos, filosofando sus desventuras en la contemplación de los serenos cielos, desocupados de las confusas quejas de las ciudades, donde vivió algunos días, en los cuales, convalecida Nise de sus heridas, supo que su hermano, celoso de Finea, se las había dado. Y rogando a su piadoso huésped se doliese de su misma sangre, entre los dos alcanzaron su libertad; el uno bajándose de la querella y el otro solicitándola. Una de las dos heridas de Nise había entrado por lo alto del pecho izquierdo, y como al curársela fuese forzoso conocer que era mujer, por más que ella con eficaces ruegos le persuadiese al huésped que su familia no lo supiese, fue imposible. Y así, hallándose un día un mancebo, que era hijo del huésped, llamado Leandro, a la cura de las heridas de Nise para tener la lumbre, trasladó las heridas de su cuerpo de tal manera a las de su alma, que en pocos días enfermó de la continuación de aquel pensamiento, y descuidándose de otras cosas y de sí mismo, fomentaba el fuego con la imaginación de la hermosura deseada, que amor todo su cielo, si no es infierno, mueve en estos dos polos, imaginación y deseo, y así está su cuerpo y globo más lleno de figuras imaginarias y fantásticas que en el del cielo ponen los astrólogos. Divertirse procuraba Leandro de este loco perdimiento suyo, y como las medicinas se hacen por contrarios, intentaba para sus ojos otros diferentes objetos y para su imaginación otros cuidados; mas como el arte se hace de muchas experiencias, como Aristóteles [707] dice, y Leandro no las tenía, antes hallaba el de amor que el de remedio contra amor, que los mancebos, como él mismo escribe, es imposible que sepan, porque la prudencia requiere experiencia y ésta tiene necesidad de tiempo. Pesóle a Nise en estremo el desasosiego de Leandro, aunque él jamás se lo dijo, pero como quien tiene amor tantas veces habla cuantas mira lo que desea, leyó en sus ojos lo más profundo de sus pensamientos, porque es calidad suya, mayormente amando, no callar secreto, y cuando enmudece la lengua y amor es menor de edad, ser procuradores suyos en el tribunal del favor. Pensaba Nise que se le hacía a Leandro entretiniéndole algunas noches después de cenar, y él una de ellas a un diestro músico hizo que le cantase estos versos:

707 *Aristóteles*: *Metafísica.* I, 1, 981a, 5-7.

Enfrente de la cabaña [708]
de la divina Amarilis,
pastora de tiernos años
y de pensamientos libres,
más gallarda y más hermosa
que el alma cuando se ríe,
y que las perlas que llora
sobre rosas y jazmines,
más que el sol recién nacido
entre dorados matices,
más que la diosa a quien llevan
las palomas o los cisnes,
estaba Fabio, un pastor
que por ella muere y vive,
generoso para todos,
para Amarilis humilde,
altivo de pensamientos,
que le fuerzan que al sol mire,
y encogido de esperanzas,
que las alas le derriten,
adorando está las rejas
de aquellos rayos eclipse,
que como entre yerbas salen,
no la luz, la fuerza impiden.
No hay pintada mariposa
que más a la luz se incline,
dando tornos a su fuego,
que Fabio a su cielo asiste.
Vase perdido el ganado
entre las zarzas y mimbres,
porque él piensa que lo está
como la contemple y mire.
No sabe cuándo anochece,
aunque el sol se ponga y quite,

708 *Enfrente de la cabaña*: este romance fue recogido como anónimo por Mateo Rosas de Oquendo, *vid.* A. Paz y Melia, "Cartapacio de diferentes versos a diversos asuntos compuestos o recogidos por Mateo Rosas de Oquendo", *BHi,* IX (1907), 185. La asonancia es *i-e,* lo que hay que tener en cuenta para la pronunciación del nombre *Amarilis.*

que sólo tiene por día
cuando amanece Amarilis.
Allí los pasa elevado,
que como en ella imagine,
no hay interés que le mueva,
ni cuidados que le obliguen.
No le sirven sus pastores,
después que a Amarilis sirve,
que no piensan que aquel cuerpo
alma tiene que le anime.
Mira los álamos blancos
abrazados de las vides,
porque la desconfianza
no hay estado que no envidie;
y dando entre tierno llanto
suspiros del alma, dice:
"¡Ay, que así está mi pastora
entre los brazos de Tirse!"
Torna a llorar con más fuerza
y la ribera repite:
"Tirse, Amarilis y Fabio,
Tirse alegre, Fabio triste."
"Humilde soy para ti,
el tierno pastor prosigue,
pero si es riqueza el alma,
pastora, el alma me pide;
tú eres perlas, tú eres oro,
tú diamantes, tú rubíes,
quien te sirve con el alma,
más te ofende que te sirve.
Yo mientras rijo este cuerpo,
si no eres tú quien lo rige,
alma te doy; si eres cielo,
razón es que el alma estimes."
Dijo y en un olmo verde
estas palabras escribe:
"Cuanto es Amarilis bella
es Fabio en amarla firme."

Parecíale a Leandro que todo lo que trataba de amor venía a propósito del suyo, y no menos tierno que el de Abido,[709] pasaba en el mar de sus ojos por momentos mayores naufragios y peligros hasta llegar a los de Nise, que eran la torre de Hero, ni les viene mal a los ojos este atributo, pues dice Aristóteles[710] que tienen naturaleza de agua y cuando no lo fueran, ya los hubiera convertido en ella la costumbre de las lágrimas. Desdichado quien ama, donde ni su cuidado puede tener fin ni ser agradecido su pensamiento. Pero ¿cómo puede quien ama ver lo que le conviene? Así lo dijo Ovidio, y Séneca[711] en su *Hipólito*:

> Conozco la verdad, pero la furia
> para que siga lo peor me fuerza,
> porque sabiendo el mal, se precipita
> el alma inobediente a los consejos.

Y ésta es la razón por qué le llamó Propercio[712] sordo en la segunda elegía a Cintia, que amor no escucha las justas reprensiones, los ásperos remedios, ni lo que de él se dice, que a las voces de la vulgar infamia es áspid, que si sólo fuera ciego para no ver, como le quedara sentido para oír, no es posible que sufriera la poca estimación en que es tenido. Mas ¿qué cosa espanta a los amantes, como dice Estacio?[713] Con razón se admira Terencio[714] de este género de enfermedad que así transforma a los hombres, y Boecio[715] pregunta que ¿quién dará ley a los que aman, siendo el amor la mayor ley de todas para sí mismo? Qué largas juzgan las distancias de la esperanza al efeto, bien lo sig-

709 *Abido*: en la leyenda clásica de Hero y Leandro, éste era de Abido.

710 *Aristóteles*: *Parva Naturalia, De sensu et sensibili,* II, 438a 5.

711 *Séneca*: Lope trabuca el título de la tragedia: es *Phaedra,* 179-80 .

712 *Propercio*: *Elegías,* I, ii.

713 *Estacio*: *Silvas,* III, v. 46.

714 *Terencio*: *Eunuchus,* I, 50.

715 *Boecio*: *De consolatione philosophiae,* III.

nifica Horacio [716] en la primera epístola a Mecenas, porque aunque Marcial [717] festivamente dijo que no hay remedio como amar para ser amado y Olimpio Nemesiano, [718] en su cuarta *Égloga,* le funde tanto en su paciencia, amor hay imposible, y si le hay, es éste.

Quiso Nise desengañar a Leandro del suyo de suerte que sin ser entendida le diese a entender la vanidad de su pensamiento, y rogada de todos cantó así:

> Ni sé [719] de Amor ni tengo pensamiento
> que me incline a pensar en sus memorias,
> que sus desdichas, como son notorias,
> de lejos amenazan escarmiento.
> Sus imaginaciones doy al viento,
> sirviéndome de espejo mil historias,
> y así de la esperanza de sus glorias
> aun no tengo primero movimiento.
> Amor, Amor, no puedes alabarte
> de que rindió tu fuego mi albedrío,
> ni que en el campo voy de tu estandarte.
> Las flechas gastas en un bronce frío;
> no te canses, Amor, tira a otra parte,
> que es fuego tu rigor y nieve el mío.

Leandro entonces, por darle a entender que ya no sentía las penas con la desesperación de merecer el remedio, que como Garcilaso [720] dice,

> A quien no espera bien, no hay mal que dañe.

y aprovechándose del nombre de Nise, equívocamente, le dijo estos versos que había escrito en su fantasía la

716 *Horacio, Epístola* I, 20-26.
717 *Marcial*: *Epigramas,* VI, vi, 10.
718 *Olimpio Nemesiano*: *Bucolica,* IV, 56-58.
719 *Ni sé de Amor*: este soneto (con la variante "No sé de Amor") se halla también en la comedia de Lope, *La quinta de Florencia,* de hacia 1600. Para las implicaciones cronológicas de todo esto, *vid. Introducción,* pp. 15-16.
720 *Garcilaso*: égloga II, 774. No alcanzo los motivos por qué Peyton identifica este verso como de la canción III.

noche antes, porque la imaginación es papel de los desvelados, en que el alma escribe con la pluma del entendimiento discursos tristes:

Ni sé si vivo, ni si estoy muriendo,
Ni sé qué aliento es éste, en que respiro,
Ni sé por dónde a un imposible aspiro,
Ni sé por qué razón amando ofendo.
Ni sé de qué me guardo o qué pretendo,
Ni sé qué gloria en un infierno miro,
Ni sé por qué sin esperar suspiro,
Ni sé por qué rendido me defiendo.
Ni sé quién me detiene o quién me mueve,
Ni sé quién me desprecia o me recibe,
Ni sé a quién debo amor o quién me debe,
mas sé que en estas cuatro letras vive
un alma sin piedad, un sol de nieve,
que yela y quema y en el agua escribe.

Pagarse pudiera Nise de aquellos primeros movimientos que Pánfilo tuvo de agradecer la voluntad de Flérida, si amor fuera espíritu, como algunos pensaron, pues es sin duda que le hubiera dicho de qué manera disfrazado con la capa del agradecimiento, ladrón que engaña a muchos, acometió escalar la fortaleza de su propósito. Mas no era justo que en el paño de tan limpia fe, o por vergüenza o por flaqueza, cayese mancha de infamia, que menos cruel me pareció siempre Lucila,[721] que por celos de Fabio dio veneno al emperador Antonino Vero, que la mujer de Candaules, que por venganza de haberla enseñado a Giges desnuda, le entregó el reino, como refiere Heródoto.[722] Creció finalmente amor, que es de la casta de algunas flores que maltratadas huelen, naciendo de aquella centella un inexhausto incendio, y porfiando contra la resistencia, como las palmas, que levantando el peso jamás se rinden.

721 *Lucila*: Dión Casio, LXXII, 4.
722 *Heródoto*: I, 7-14.

Ya se levantaba Nise, cuando desahuciado Leandro se descubrió a un médico que animándole a manifestar su mal, le persuadió que no había para amor remedio en yerbas ni en otra humana física, fuera de levantarse de aquella profunda melancolía y inmortal imaginación, y tomando las armas de algún honesto ejercicio, vencerle con el divertimiento, que el divertir, aun en los ejércitos, suele ser estratagema famosa y el animarse a obrar gran materia para que los cielos impriman la forma de su piedad en el que les pide remedio, y así decía Salustio [723] que no con mujeriles ruegos y votos se alcanzaba el favor de los dioses, sino velando y obrando sucedían las cosas prósperamente, y entre los griegos fue trivial adagio que los dioses vendían los bienes a trueque de los trabajos.

Animóse Leandro con estos consejos y buenas esperanzas, pero como contra la hermosura de Nise no valiesen divertimientos, tornó de nuevo a recaer con mayor flaqueza y fue forzoso descubrirse. El piadoso padre, que ya estaba informado del nacimiento honrado de la peregrina Nise, por remediar a su hijo, la pidió con encarecidos ruegos que fuese señora de su hacienda y se casase con Leandro, que no menos estaba aficionado a su hermosura y entendimiento. Nise, admirada de los caminos que la fortuna buscaba para apartarla de Pánfilo, le puso todos los imposibles que refiriéndole su historia se le ofrecían por disculpa de sus obligaciones y de la mayor de todas, que era admitirla al mayor grado de afición y honra siendo estranjera y en hábito indecente a la calidad que para mujer de Leandro pertenecía. Satisfízose el padre, pero amor, que es de la calidad de la palma, que a la opresión resiste y tanto más se esfuerza cuanto más le oprimen, aumentóse en Leandro de tal suerte que recayendo con mayor ímpetu estuvo a pique de perder la vida, a semejanza de los árboles, que no pierden la verdura de las hojas hasta que falta de todo punto el humor que los anima, porque

[723] *Salustio*: *De Bello Jugurthino,* I, 5.

la esperanza en los males es el húmedo radical del corazón. Viendo Nise que el mancebo se moría y que sus padres le habían dado la vida, desesperábase de no poder satisfacer tan justa deuda, y desvelada en este confuso pensamiento, revolvía las memorias de los trabajos de Pánfilo, pensando que aun estaría preso en Valencia. El mal crecía, Nise dilataba el remedio, el padre culpaba al enamorado mozo, a mi parecer inculpable, porque, como el Filósofo [724] dice, en las cosas naturales ni merecemos ni desmerecemos, y toda la familia pedía a voces a Nise que tuviese piedad de aquellos años y que por lo menos con algunas palabras amorosas le entretuviese.

No había tenido la Peregrina de su patria trabajo como éste en cuantos por tan varias tierras y mares había pasado, y así se determinó entretener al mancebo hasta que tuviese fuerzas para resistir el desengaño, y no se engañaba Nise, porque nuestros ingenios, como dice Séneca, [725] a imitación de los generosos caballos, mejor se rigen con el fácil freno. Las tiernas palabras, las esperanzas fingidas y los regalos de Nise convalecieron el enfermo espíritu del mancebo en pocos días, y en ellos también salió Celio de la cárcel con ánimo de buscarla y por la noticia que ya tenía de su salud y de los naufragios de Pánfilo y asimismo porque imaginaba que si no estaba Finea en su compañía por lo menos sabría de ella. Pero la triste, imaginando que Celio deseaba matarla y no sabiendo el desengaño que de Pánfilo había tenido en su peregrino hábito, luego que tuvo noticia de su libertad, se fue huyendo de Barcelona. En la cual, desembarcado Lisardo, hermano mayor de Celio y Nise, que como habeis oído era soldado en Flandes, ajeno de que en tal ciudad vivían sus dos perdidos hermanos, y habiendo hallado a Finea en la primera jornada del camino, aunque en la última de la tragicomedia de sus fortunas, lastimado de que

724 *El Filósofo*: Aristóteles, *Ethica Eudemia,* II, 6, 1223a.
725 *Séneca*: parece que la cita es de segunda mano, a través de Mirabelli, *Polyanthea,* s.v. *ingenium.*

fuese a pie peregrina tan hermosa y hermosura tan peregrina, le ofreció llevarla en su compañía a Castilla. Aceptó Finea el ofrecimiento, viéndose desamparada de Celio, a quien ya no pensaba satisfacer en su vida, y sin saber que Lisardo fuese su hermano, fue con él a Toledo, donde, recibido de sus padres amorosamente, quiso que hiciesen el mismo acogimiento a Finea, refiriéndoles de la suerte que la había hallado en el camino. Ellos la regalaron y honraron, no sin sospecha de que fuese algún despojo de la guerra flamenca. Preguntó Lisardo por sus hermanos, y como fuese forzoso referir la causa de sus ausencias, conoció Finea que la casa donde estaba era la misma de su esposo y Lisardo su hermano, de cuyo estraño suceso imaginó que ya la fortuna miraba sus desdichas con más sereno rostro.

Lisardo, el siguiente día, determinado de buscar a Nise y dar la muerte a Pánfilo, dijo a sus padres que le convenía ir a la corte a sus pretensiones, para las cuales había traído algunos honrados papeles que les mostraba. El viejo, conociendo su ánimo por más que las razones le encubrían y temeroso de perderlos todos, porque Nise y Celio ya le parecía que lo estaban, ponía a su pretensión mil objeciones, rogando que descansase de su viaje y de los inmensos trabajos de la guerra, contento de la honra porque el galardón en este siglo huía por la posta de los méritos. Parte de esto decía el viejo por no perder a Lisardo y parte por la desconfianza que tenía de la satisfación de sus servicios, que como Plutarco [726] dice, una cierta malignidad quejosa tiene siempre el vulgo contra los que gobiernan, y si esto sucede cuando son buenos, no es mucho que Capitolino [727] diga en la vida de Alejandro que es mejor

726 *Plutarco*: este aforismo lo cita Justo Lipsio, *Civilis doctrinae,* IV, xi.

727 *Capitolino*: error de Lope, no es Julio Capitolino quien escribió en la *Historia Augusta* la biografía de Alejandro Severo, sino Elio Lampridio. Capitolino escribió la biografía siguiente, de los dos Maximinos. La cita es de Elio Lampridio, en la vida citada, al final, *vid. Escritores de la Historia Augusta,* trad. F. Navarro y Calvo, II (Madrid, 1889), 103.

y más segura la república en que es malo el príncipe que en la que son malos sus ministros. Quedóse en fin Lisardo persuadido de su viejo padre, llevando mal que se dijese en su tierra que vivía con esta infamia quien tan lejos della había comprado fama con tanta sangre, y aunque para olvidarse de esta injuria quisiera volver a Flandes con nuevo cargo, la aprehensión de aquella desconfianza le detenía.

Mal contento, finalmente, Lisardo de que en Toledo le mirase el vulgo con aquella nota, a su parecer de infamia, fuese a la aldea con ánimo de pasar en ella en rigor de la ciudad en la primera vista. Entre los criados de labranza que tenía su padre en aquella hacienda vivía Pánfilo, jamás conocido ni visto de Lisardo, y como su talle y rostro le obligase a cuidado, porque apenas la bajeza e indignidad del hábito le escurecía, llamóle un día e informándose de la razón porque vivía en tan bajo oficio, no le parecieron bastantes las disculpas que le daba, bien que todas fingidas, porque ya le constaba a Pánfilo que Lisardo era hermano mayor de Nise, y así le dijo que dejando aquella rústica vida le sirviese de acompañarle, cuidando del regalo de dos caballos que tenía, para lo cual le daría vestido conviniente. Rehusaba Pánfilo el partido, no porque no deseaba volver a aquella dichosa casa, en que conoció a Nise, pero temiendo que si fuese conocido en ausencia della, estaba a peligro de perder la vida. Pero finalmente, cansado de la aspereza de la que pasaba por aquellos montes, que, como el Filósofo [728] dice, los solitarios, o dioses, o bestias, con determinado ánimo acetó el ofrecido acomodo, teniendo por menos mal morir a las manos de los parientes de Nise que vivir en la soledad de aquellas sierras.

Mirad cuán medrado llevamos nuestro Peregrino, después del largo proceso de sus trabajos, pues de cortesano [729] vino a soldado, de soldado a cautivo, de cautivo

728 *El Filósofo*: Aristóteles, *Política,* I, 2, 1253a, 29.

729 *Cortesano*: efectivamente, Pánfilo ha sido todo lo que se dice en el texto, y en este sentido el *Peregrino* es otra forma

a peregrino, de peregrino a preso, de preso a loco, de loco a pastor y de pastor a mísero lacayo de la misma casa que fue la causa original de su desventura, para que veais qué vuelta de fortuna de un polo a otro, sin haber en el principio, estado y declinación un átomo de bien ni una semínima de descanso. ¿Cuántas veces el salir los hombres de sus nidos les da provecho y honra y cuántas lo contrario? Todo consiste en la disposición del cielo, cuya influencia armónica guía los pasos de nuestra vida donde quiere, porque aunque sobre todo tenga imperio la libertad del albedrío, pocos resisten a su sentido, como lo dijo el que mereció nombre de Angélico.[730] Ovidio,[731] reprendiendo a Ícaro, dijo:

Dentro de su fortuna viva el hombre.

Y el poeta Juan Segundo,[732] culpando a Faetón:

Aprenda el hombre a conocer sus fuerzas.

Mas también es flaqueza indigna de un noble el no atreverse, pues si los que acabaron grandes cosas no las comenzaran era imposible haberlas conseguido. Comenzar es generoso ánimo de un hombre; el suceso da el cielo, que dispone los fines. Sobre todo la elección importa mucho, porque no son iguales todas las cosas a todos, como Propercio[733] dice. De un viejo cuenta Séneca[734] que preguntándole cómo sirviendo en palacio había llegado a tanta vejez, respondió que sufriendo injurias y dando gracias. Ésta no me parece a mí honrosa paciencia, ni para sólo envejecer sirviendo tengo

---

de superar a la novela picaresca, cuyo protagonista está anquilosado en una forma de vida.

730 *Angélico*: S. Tomás, *Summa theologica,* pars I, qu. 83, "De libero arbitrio".

731 *Ovidio*: *Tristium,* III, iv, 25-26.

732 *Juan Segundo*: *Epigrammata,* I, lxxi.

733 *Propercio*: *Elegías,* III, ix.

734 *Séneca*: *De tranquillitate animi,* XI, 2-3.

yo por tan alta virtud ejercitarla. Si la posteridad da a cada uno su debida honra, como refiere Cornelio Tácito,[735] ¿qué fama puede dejar de sí el que murió dentro de la cáscara de su nacimiento y desde los pañales a la mortaja apenas ha salido de la línea, como cuentan de aquella planta[736] que tiene forma de cordero vivo, saliendo el tronco de la tierra al pecho, pues no alcanzando a pacer más hierba de la que tiene en torno de sí mismo, muere por falta de sustento? Glorioso se halló Darío cuando por haber llegado al río Tearo, que nace de aquellas dos fuentes, una caliente y otra fría, puso aquella inscripción famosa que refiere Heródoto[737] de Halicarnaso: *Aquí llegó contra los scitas el famoso más que todos los hombres, Darío, hijo de Histaspes.* Quien no ha peregrinado, ¿qué ha visto? Quien no ha visto, ¿qué ha alcanzado? Quien no ha alcanzado, ¿qué ha sabido? ¿Y qué puede llamar descanso quien no ha tenido fortunas o por la mar o por la tierra? Pues como Ovidio[738] dice, no merece las cosas dulces quien no ha gustado de las amargas, ni ha tenido regalado día en la patria quien no ha venido de larga ausencia a los brazos de sus amigos, ni alegre noche el que al fuego cercado de la atenta familia no ha contado sus peregrinaciones, como en Zachinto Ulises a su querida Penélope y deseado Telémaco. Pánfilo va llegando al dichoso día de su descanso, y si bien no ha peregrinado porque no venció a Troya, ni con el animoso Cortés a la conquista de Nuevos Mundos, no ha sido poco valor haber defendido el pequeño suyo de tantas diferencias de asaltos de la fortuna, y finalmente, haber merecido por medio de tan inumerables trabajos el fin del descanso de la patria, que ya se le acerca.

Ya estaba, mientras esto sucedía en los montes de Toledo, convalecido Leandro con los regalos de Nise y

735 *Tácito*: *Anales,* XV, lxxiv.
736 *Planta*: lo cuenta Pierre Grégoire, *Syntaxeon artis mirabilis,* XXXIII, xiii.
737 *Heródoto*: IV, 91.
738 *Ovidio*: *Tristium,* I, vi, 13-14.

ella dispuesta a dejarle, así porque tenía salud como por librarse de su hermano Celio, de quien sabía la solicitud y cuidado con que la buscaba. Y así una noche que el sueño ocupaba su enamorado sentido y el cuidado de la siempre desvelada familia tenía en silencio, salió de la ciudad con atrevidos pasos al camino de Lérida. No había el alba sentido los pies herrados de oro de Flegón y Etonte,[739] ni la destocada noche había de todo punto escondido la cabeza negra coronada de temor y sueño, cuando el engañado Leandro despertó del más triste que pudo ocupar su fantasía, habiéndosele representado en la imaginación la ausencia de la fugitiva Nise, sus engañosas palabras, dulces desdenes y hermoso rostro, cosa que algunas veces sucede, mayormente a quien ama o teme, que todo debe de ser una cosa misma, pues dice Quinto Curcio[740] que las especies de las cosas que nos están amenazando algún suceso nos molestan y afligen en los sueños de la noche con los cuidados del día, o que la solicitud las llame o que el présago espíritu las adivine. Y así dice Avicena[741] que son ciertos los sueños de la aurora, porque entonces las imaginaciones están quietas y los movimientos de las fumosidades acabados. Buscó Leandro a Nise, guiándole la luz del alma al temido suceso, y no hallándola, fueron tantos los estremos que ninguna tigre por los hurtados hijos los hizo iguales, ni con más dolorosas quejas pájaro ausente lloró la falta de su nido. No fue poderoso el padre ni el resto de la familia y deudos para que dejase de seguirle y así mucho primero que Nise llegó a Toledo, que amando mucho más camina quien sigue que quien huye, porque el que aborrece camina cansado y el que ama cansándose descansa.

Lisardo en tanto, contento de la persona y entendimiento de Pánfilo, le había hecho su camarero y secretario, no le permitiendo vivir en la bajeza del propuesto

739 *Flegón y Etonte*: *v. supra*, nota 184.
740 *Quinto Curcio*: *Historia*. LX, viii.
741 *Avicena*: a través de Bartolomé Sibila, *Speculum peregrinarum quaestionum* (Lyon, 1521), I, qu. II, viii, 2.

oficio, y así vivía con él en Toledo, guardándose siempre con notable cuidado de ser visto de sus padres atentamente, porque si repararan en él fuera sin duda haberle conocido. La frecuente comunicación de Finea había puesto a Lisardo en cuidado de amarla, porque ya sus padres la criaban como pudieran a Nise, respeto de que con ella se consolaban y tenían por cierto que Lisardo le debía mayores obligaciones que confesaba. Y así le dijo un día a Pánfilo este pensamiento, y haciéndole tercero de su deseo le dio cuidado de solicitarla. Fue Pánfilo a hablar a Finea de parte de Lisardo una siesta que sus dueños estaban fuera, y como llegándola a hablar conociese que era su hermana y ella viese a Pánfilo, quedáronse los dos sin movimiento alguno, de la manera que suelen la perdiz simple y el ventor diestro, pero después de haber estado un rato en esta suspensión, le dijo Pánfilo: "¿Por dónde, desdichada Finea, viniste a esta casa, después que desamparada de Celio quedaste en Barcelona? Que ya sé de tu desdicha el proceso, tan parecida a la mía cuanto lo somos en la sangre." "Por donde quisieron mis hados, respondió Finea, a cuya disposición no ha sabido hacer resistencia mi albedrío. Lisardo, hermano de Celio, mi esposo, me halló en el camino de Zaragoza y me trajo consigo, donde pienso que con más honor podré esperarle." "Ese mismo, replicó Pánfilo, me envía a solicitarte, seguro de que conoces a Celio, y ese mismo, hallándome en una hacienda suya en los montes de Toledo, donde me había retraído de la fortuna, poniéndome en el más bajo lugar, para que no me buscase, me trajo donde me ves a título de criado suyo, y porque lo fui en esta casa al principio de mi historia, me he guardado, como ves, de ser conocido, pues tú aun no me has visto hasta ahora. Sufre y espera el fin de la tuya, que yo haré lo mismo, y no digas que me conoces, que con algún engaño de tu parte entretendré a Lisardo, hasta que veamos en qué para la revolución de esta conjunción magna de desventuras y cuándo se acaban los efetos del eclipse de nuestras honras."

Así se vieron los dos hermanos y en vez de reprehenderse quedaron amigos, que es propio de los culpados disimular los ajenos delitos por no ser reprehendido de los suyos; al contrario de lo que cuenta Aurelio Víctor [742] de Octaviano Augusto, que siendo reprendido de este vicio castigaba severísimamente a los que dél trataban, como se ve en el ejemplo del poeta Ovidio, a quien desterró a Ponto por los tres libros que escribió del *Arte Amandi.*

Andaba por Toledo a esta sazón Leandro preguntando por Nise, y como estas nuevas y las de su buena persona llegasen a los oídos de Lisardo, creyó que fuese Pánfilo, que habiéndola perdido por algún siniestro caso volvía a buscarla, y dando cuenta al mismo Pánfilo de la venida del que él pensaba que lo era, le contó la historia, que él tan bien sabía, y el robo de su hermana Nise. Y poniendo en sus manos la satisfación de su honra, le rogó y persuadió le matase. ¡Notable enredo [743] deste intricado suceso, que tanto más me admira a mí cuanto yo sé mejor que quien lo lee que fue verdadero! Pánfilo, admirado de ver que había de matar a Pánfilo, a lo menos a un hombre que por buscar a Nise ya merecía la muerte, o por sola la desdicha del nombre, quiso buscarle, más por saber a qué efeto le buscaba que porque pensase ejecutar la intención de Lisardo en su inocencia. No le acompañaba a este acto el engañado dueño, que como Tácito [744] escribe de Nerón, aunque mandaba las crueldades, apartaba los ojos de ellas. Y así Pánfilo pudo, habiendo hallado a Leandro, informarse a solas de la razón por que buscaba a Nise. Contóle la historia el catalán, desde que herida por Celio fue curada de su padre hasta que engañosamente los dejó aquella noche, pagando ingratamente tan gran copia de beneficios recebidos, y díjole cómo, siendo forzoso para curarla descubrirle los pechos,

[742] *Aurelio Victor*: *Epitome de Caesaribus,* I.

[743] *Notable enredo*: la autocrítica irónica conferirá un tono especial a las *Novelas a Marcia Leonarda.*

[744] *Tácito*: *Vida de Agrícola,* XLV, 9.

fue conocida por mujer, de que resultó su deseo y la ocasión de buscarla en el lugar donde ella había dicho a sus padres que había nacido. Alegróse Pánfilo del buen suceso de las heridas de Nise, y en lugar de matar a Leandro, le llevó a su aposento, donde después de haberle regalado lo mejor que pudo le dijo que en aquella casa donde él servía tenía Nise sus hermanos y padres.

Lisardo, creyendo del ánimo de Pánfilo, que él llamaba Mauricio, que había de matar al robador de Nise, que tenía por sin duda que fuese Leandro, pidió a su padre licencia para irse, porque si Mauricio fuese preso no descubriese el dueño de la muerte de Pánfilo. El padre, afligido de su ausencia, que por su larga edad temía que le hallase la muerte sin alguno de sus hijos, quiso saber la causa, y diciendo Lisardo que él había enviado a aquel felicísimo criado suyo a matar al robador de su hermana, que había venido a Toledo, y que tenía por sin duda que había ejecutado su mandamiento, dejó al viejo en mayor cuidado que le había dado la primera deshonra, temiendo el daño que podía resultar de tan violenta venganza. Había persuadido Pánfilo a Leandro que dijese que se llamaba Pánfilo a cuantas cosas se le ofreciesen en Toledo, porque le convendría, en las cosas que adelante se le habían de ofrecer, para salir mejor de los sucesos de Nise. Y así, acudiendo Lisardo y su padre al aposento de Pánfilo, para informarse de lo que había sucedido en la ejecución de su muerte, los hallaron juntos, y de una misma manera turbados a entrambos. Preguntáronle a Leandro quién era y dijo que Pánfilo. Lisardo sacó la espada para matarle, y asido dél el viejo, que ya había reparado en Pánfilo, le persuadió que era el otro. Creía Lisardo que su padre lo dijese por sosegarle, y pertinaz en matar al catalán, decía que el otro era su criado Mauricio. La familia de casa, por oviar mayores daños, llamó a la justicia, y convocada la vecindad, fueron de común acuerdo puestos en la cárcel pública Leandro y Pánfilo, hasta que se averiguase cuál de los dos lo era, porque aunque Leandro ya lo negaba, no era creído, respeto de que todos imaginaban que negaba su nombre por huir el peligro.

Jacinto, convalecido de las heridas de Pánfilo, le buscaba en esta sazón por Barcelona, y creyendo que a su tierra se habría partido, determinó seguirle, así por esto como porque había tenido nuevas de que en aquella ciudad estaba Lucinda. Y como caminase a Zaragoza, halló a la entrada de aquel famoso Pilar (edificio soberano de los ángeles desde el tiempo del Apóstol [745] que trujo a España la fe que aventajada a las demás naciones tan limpiamente guarda), a la peregrina Nise, que conocida por las señas que tantas veces había oído referir a Pánfilo, le descubrió quién era. Fióse Nise de Jacinto, por la seguridad que tenía de las amistades de Pánfilo, y tomando hábito conforme a su calidad, dejó a las paredes de aquella santa cámara el que de peregrino traía, con el bordón que hasta entonces lo había sido de tantos caminos y trabajos. Y caminando los dos a la ciudad famosa, en que primero vio la luz del cielo, quiso Nise que buscasen primero a Pánfilo en su casa. Entró Nise por ella, y hallando a su madre con estremo dolor de la ausencia de sus dos hijos, la consoló con asegurarle que vivían y que tenía por sin duda que los hallaría en Toledo. Animóse la matrona nobilísima con estas palabras, y persuadida de Nise se fue con ella y con Jacinto, llevando a Elisa consigo, su menor hija, que en la ausencia de sus hermanos se había hecho mujer, báculo de las afliciones de su madre, con no menor hermosura que Finea y entendimiento que Pánfilo.

La mísera Tiberia, hermana de Jacinto, creyendo que descubierta su traición había de ser maltratada de su hermano cuanto el desgraciado efeto de su enredo merecía, dejó a Valencia y con alguna de su familia, que quiso seguirla, se puso en el camino de la misma ciudad, donde ya la fortuna de estos amantes llamaba a cortes.

[745] *Apóstol*: Santiago.

Celio, desconfiado de hallar a Finea y de satisfacer a Nise, estándolo de la inocencia de entrambos, vino a Toledo, y algunas leguas antes halló a Tiberia, con quien haciendo por el camino compañía, tuvo nuevas de los sucesos de Pánfilo y así le ofreció su casa, hasta que escribiendo a su hermano se hiciesen paces, interpuesta la autoridad de sus padres, cuyo favor le prometía. Desta suerte a un mismo tiempo y en un mismo día entraron por su casa del anciano y noble Leonicio, Aurelia, madre de Finea, Pánfilo y Elisa, Jacinto y Tiberia, hermanos, y el más perdido de todos, Celio, de quien ya no se esperaban nuevas, antes se habían tenido de que era muerto y otras de que estaba cautivo. El alegría de haber visto a Nise, hermosa sobre todo encarecimiento, y a Celio con salud, más robusto en aquel hábito que en el que había traído escolástico antes de sus peregrinaciones, y porque parecen mejor los mancebos que después de larga ausencia vienen hombres, obligó a Leonicio a mil piadosas lágrimas y no menos a Aurelia, de ver a su perdida hija Finea y al robador Celio, que con tiernos abrazos la pedía perdón de las imaginadas sospechas y a Nise de las heridas que la había dado sin conocerla. Quería Jacinto tomar satisfación de Tiberia, y como el airado sólo se diferencia del loco en la brevedad del tiempo, como Solón [746] decía, fue menester la autoridad de todos para aplacarle. Sacaron de la cárcel a Leandro y Pánfilo, y conociendo cuál de los dos era el verdadero, creció de manera el regocijo en todos, que la nobleza de la ciudad acudió a verlos y a dar el parabién a los alegres padres. Vino entre ellos Lucinda, a quien casaron con Jacinto, cumpliendo mil justas obligaciones.

Pidió Lisardo a Tiberia, que con aplauso de todos le fue concedida, y porque Leandro se consolase del amor de Nise, le dieron a Elisa, bellísima doncella, que apenas cumplía entonces catorce años. Celio casó con Finea, y Nise, tras tantas fortunas, vino a los brazos

746 *Solón*: el que lo dijo fue Séneca, *De ira,* III, 1,2.

de Pánfilo, tan merecidos por los inumerables trabajos que pasaron, a cuyas fiestas se hicieron las que se siguen. ¡Dichosos peregrinos de amor, que ya en su patria descansan, cumplido el voto! Y así, pues ellos cuelgan en el templo de la Fortuna sus bordones, yo la pluma en el de la Fama con que he escrito sus desdichas.

Las ocho primeras noches hubo ocho comedias, que saldrán impresas en otra parte por no hacer aquí mayor volumen.

La primera hizo Porras,[747] autor famoso, y fue su nombre *Laura persiguida.*

La segunda, Alcaraz,[748] único representante y de sutil ingenio, llamóse *El soldado amante.*

La tercera, Pinedo,[749] maravilloso entre los que en España han tenido este título, y fue el suyo *La fuerza lastimosa.*

La cuarta representó Cisneros,[750] a quien desde la invención de las comedias no hace comparación alguno; fue el nombre de la comedia *El perseguido.*

La quinta hizo Ríos,[751] mar de donaire y natural gracia; llamábase *La bella malmaridada.*

747 *Porres*: Gaspar de Porres (1585-1623?), amigo de Lope; datos biográficos suyos, y de los demás *autores de comedias* (directores teatrales), se podrán recoger en H. A. Rennert, *The Spanish Stage in the Time of Lope de Vega* (Nueva York, 1909), segunda parte, "List of Spanish Actors and Actresses, 1560-1680", y en N. D. Shergold, *A History of the Spanish Stage* (*ut supra,* nota 100), Índice. *Laura perseguida* está citada en la lista preliminar de esta novela, el autógrafo está fechado en Alba de Tormes, 12 de octubre de 1594, publ. *AcN,* vii.

748 *Diego López de Alcaraz*: ya en 1598 tenía compañía propia, murió después de 1622. *El soldado amante* es fechado por Morley-Bruerton, p. 258, "1590-1600 (probablemente 1593-1595)", publ. en *AcN,* IX.

749 *Baltasar de Pinedo*: *v. supra,* nota 625. *La fuerza lastimosa* "puede fecharse con certeza 1595-1603", Morley-Bruerton, p. 245; publ. en *Ac,* XIV.

750 *Alonso de Cisneros*: (1550?-1608?) ya era autor en 1578; *El perseguido* o *Carlos el perseguido* en su autógrafo perdido tenía fecha de 2 de noviembre de 1590, Morley-Bruerton, p. 230; publ. en *Ac.,* XV. Ver, además, *supra,* nota 24 de la Introducción.

751 *Nicolás de los Ríos*: *autor* ya en 1583, murió en Madrid el 29 de marzo de 1610; *La bella malmaridada* en su autógrafo

La sesta, Villegas,[752] celebrado en la propiedad, afectos y efectos de las figuras; era su nombre *El galán agradecido.*

La sétima, Santander,[753] digno de ser oído y no de menor cuidado y ingenio; llamábase *La montañesa.*

La otava, Granados,[754] gallardo galán, gentil hombre y de la tierra del Peregrino; llamóse la comedia *Los esclavos libres.*

Vergara,[755] general en todo género de representaciones, y Pedro de Morales,[756] cierto, adornado y afectuoso representante, hicieron después otras dos, llamadas *El Argel fingido* y *Los amantes sin amor,* que con otras fiestas se remiten a la segunda parte.[757]

FIN DEL QUINTO LIBRO
DE
EL PEREGRINO EN SU PATRIA

Deus facit iudicium pupillo et viduae, amat peregrinum, et dat ei victum atque vestitum, et vos ergo amate peregrinos, quia et ipsi fuistis adeenae in terra Aegypti. (Deut., 10, 18.)

---

perdido tenía fecha de 17 de diciembre de 1596, Morley-Bruerton, p. 220; publ. en *AcN,* III.

752 *Antonio de Villegas*: *autor* desde 1593, murió entre 1613 y 1615; *El galán agradecido* es probablemente la comedia que se conserva con el título de *El amante agradecido,* y que Morley-Bruerton, p. 80, fechan hacia 1602; publ. en *AcN,* III.

753 *Diego de Santander*: era *autor* desde 1594; *La montañesa* es difícil de fechar, todo lo que afirman Morley-Bruerton, p. 252, es que data de "antes de 1604"; publ. en *Ac,* VII.

754 *Antonio Granados*: (1570-1641); *Los esclavos libres* está fechada hacia 1600 por Morley-Bruerton, p. 50; publ. en *AcN,* V.

755 *Luis de Vergara*: *autor* ya en 1593, murió antes de 1617; *El Argel fingido* es de 1599 según Morley-Bruerton, p. 46; publ. en *AcN,* III.

756 *Pedro de Morales*: autor ya en 1599; *Los amantes sin amor* va fechada 1601-1603 por Morley-Bruerton, p. 52; publ. en *AcN,* III.

757 *Segunda parte*: no pasó de promesa, ver, sin embargo, Introducción, nota 24. Con este final Lope trata de remachar el clavo de la historicidad de su novela: en las bodas de sus personajes verdaderos *autores* de comedias representaron comedias escritas por el propio novelista. Y la novela termina, como las comedias, con bodas generales.

De Agustín de Castellanos [758]

Espíritu gentil que el alto cielo
asaltas con ingenio peregrino,
vuela seguro, pues el sol divino
te presta aliento, te respeta el vuelo.

[758] *Agustín de Castellanos*: este soneto tiene una curiosa historia que ha sido descifrada por Otto Jörder, "Luis Martín de la Plaza pro und contra Lope de Vega. Eine harmloshintergrundige Sonettenrache", *Zeitschrif für romanische Philologie,* LXX (1954), 98-103. La cuestión es como sigue: Lope visitó Antequera hacia 1602, y con tal motivo fue saludado con dos sonetos por el poeta local Luis Martín de la Plaza: "Espíritu gentil que el alto cielo" y "Hermosas ninfas que en alegre coro". Pero cuando Lope incluyó el primer soneto en el *Peregrino,* ya sea por distracción o por malicia de Agustín de Castellanos, el poema apareció a nombre de éste último. Luis Martín se debe de haber sentido mucho, porque cuando unos años más tarde su paisano D. Ignacio de Toledo y Godoy recogió ambos sonetos en su cancionero particular, le antepuso el siguiente epígrafe a "Espíritu gentil": "Del mismo [Luis Martín de la Plaza] a Lope de Vega estando en Antequera, aunque él, ingratamente, lo puso en su libro del *Peregrino* con nombre de otro autor", *vid.* D. Alonso y R. Ferreres, *Cancionero Antequerano* (Madrid, 1950), pp. 58-60, donde se publican ambos sonetos. Pero Luis Martín tuvo una venganza más sutil y poética: él rehizo su segundo soneto ("Hermosas ninfas"), y en vez de cantar a Lope, poeta del Tajo, cantó a Juan Antonio Calderón, poeta del Guadalquivir, y se lo dio a éste para estampar en los preliminares de su *Segunda parte de las Flores de poetas ilustres de España,* ed. J. Quirós de los Ríos y F. Rodríguez Marín (Sevilla, 1896), p. 6, que aunque recopilada en 1611 sólo se publicó el siglo pasado. El último toque maquiavélico de Luis Martín fue publicar el soneto a nombre de su hermano Pedro Martín de la Plaza. Por su parte Agustín de Castellanos tuvo bastante fama en su tiempo y se le llamaba "el poeta-sastre", pertenecía al círculo toledano de amigos de Lope, y aunque analfabeto compuso comedias, una de las cuales, *Mientras yo podo las viñas,*

Que no serás cual el audaz mozuelo [759]
(bien que imitas el áspero camino),
que dando nombre al Ponto cristalino
fueron las ondas de su muerte el yelo.
Que las alas opuso al sol ardiente
de cera y de soberbia, pues con ella
al cielo presumió ponerle escalas.
Mas tú que llevas en la ilustre frente
el previlegio de su Dafne bella
puedes subir sin abrasar tus alas. [760]

Del Dotor Agustín de Tejada Páez [761]

Si cuando Roma templos, chapiteles,
triunfantes de las nubes vio cargados
de divinas memorias, y adornados
de palmas, de trofeos, de laureles;
y si cuando el pincel daba de Apeles
vida a las tablas, contra el tiempo y hados,
y en estatuas de mármoles dorados
admiraban Lisipo y Praxiteles;
si cuando Atenas vio sus aulas llenas
de ingenios, fuera el vuestro ¡oh Peregrino!
no os hiciera la patria aqueste agravio.
Por natural a ingenio tan divino
quisieran Roma invicta y docta Atenas,
pues todo el mundo es patria al hombre sabio.

---

se conserva en BNM, ms. 16.613, con correcciones autógrafas, al parecer, de Lope, *vid.* F. de B. San Román, *Lope de Vega, los cómicos toledanos y el poeta sastre* (Madrid, 1935); Entrambasaguas, *Estudios,* II, 248-53; Otto Jörder, art. cit., pp. 98-103.

759 *Audaz mozuelo*: Ícaro, cuyas alas de cera se derritieron al volar demasiado cerca del Sol (Apolo); cayó en el mar que se llamó Icario, parte del mar Egeo.

760 *Alas*: Lope lleva en su frente el laurel (árbol en que se convirtió Dafne, perseguida por Apolo), por eso Apolo (el Sol) le permite levantarse hasta él sin quemarle las alas.

761 *Dr. Agustín de Tejada Páez*: poeta antequerano (1567-1635), y racionero de la catedral de Granada. Lope le dedicó el soneto CLXVII de las *Rimas* (1602), y le volvió a elogiar en el *Laurel de Apolo,* silva II, y Cervantes hizo lo propio en el *Viaje del Parnaso,* cap. II; *vid.* noticias biobibliográficas en D. Alonso y R. Ferreres (*ut supra,* nota 758), pp. 493-95.

De Alonso de Salas[762]

Es la patria del sol el alto cielo
por donde solo sigue su camino,
y así en su propia patria es Peregrino,
cursando su divino paralelo.
De allí cercando el ámbito del suelo
rompe y quebranta el yelo cristalino,
mostrando al hombre su poder divino
con la presteza de su hermoso vuelo.
Vos, Belardo,[763] en Madrid, patria dichosa,
con vuestro ingenio célebre seguistes
un camino desierto, raro y solo,
y así, por esta hazaña milagrosa,
en vuestra patria Peregrino fuistes,
como en el cielo el soberano Apolo.

762 *Alonso de Salas*: es Alonso Jerónimo de Salas Barbadillo, poeta y novelista madrileño (1581-1635), amigo y rival de Lope por el favor del duque de Sessa. "Hombre que por sequedad de imaginación pisaba en huellas ajenas, desorbitando ajenos personajes, a los que barajaba en libros misceláneos, verdaderas ollas podridas de sátira costumbrista, teatro de gabinete y esbozos novelescos", en frases de Eugenio Asensio, *Itinerario del entremés* (Madrid, 1965), p. 97; para la profunda huella que dejó el *Quijote* en su obra, *vid.* A. Navarro, *El Quijote español del siglo XVII* (Madrid, 1964), pp. 286-99.

763 *Belardo*: queda dicho (*supra,* nota 640) que era el sobrenombre poético favorito de Lope de Vega.

CLAVE DE ABREVIATURAS

Ac: *Obras de Lope de Vega,* Real Academia Española, 15 vols. Madrid, 1890-1913.

AcN: *Obras de Lope de Vega,* Real Academia Española, nueva edición, 13 volúmenes. Madrid, 1916-1930.

BBMP: *Boletín de la Biblioteca Menéndez Pelayo.*

BHi: *Bulletin Hispanique.*

BHS: *Bulletin of Hispanic Studies.*

Bib. Aut. Esp.: *Biblioteca de Autores Españoles.*

BNM: Biblioteca Nacional, Madrid.

BRAE: *Boletín de la Real Academia Española.*

BRSVAP: *Boletín de la Real Sociedad Vascongada de Amigos del País.*

Ceán Bermúdez, *DH*: Juan Agustín Ceán Bermúdez, *Diccionario histórico de los más ilustres profesores de las Bellas Artes en España,* 6 volúmenes. Madrid, 1800.

Codoin: *Colección de documentos inéditos para la historia de España.*

Corominas, *DCELC*: J. Corominas, *Diccionario crítico etimológico de la lengua castellana,* 4 volúmenes. Madrid, 1954.

Covarrubias, *Tesoro*: Sebastián de Covarrubias Horozco, *Tesoro de la lengua castellana o española.* Madrid, 1611, ed. M. de Riquer, Barcelona, 1943.

Dicc. Ac.: *Diccionario de la lengua española,* Real Academia Española.

Dicc. Aut.: *Diccionario de la lengua castellana,* Real Academia Española, 6 volúmenes, Madrid, 1726-1739.

Dorotea: Lope de Vega, *La Dorotea,* ed. E. S. Morby. Berkeley-Los Angeles, 1958, segunda ed. 1968.

Entrambasaguas, *Estudios*: J. de Entrambasaguas, *Estudios sobre Lope de Vega,* 3 volúmenes. Madrid, 1946-1958.

Epistolario: Lope de Vega, *Epistolario,* ed. A. G. de Amezúa, 4 volúmenes. Madrid, 1935-1943.

Galatea: Miguel de Cervantes, *Galatea,* ed. J. B. Avalle-Arce, 2 volúmenes. Madrid, 1961.

HR: *Hispanic Review.*

MLN: *Modern Language Notes.*

MLR: *Modern Language Review.*

Montesinos, *Estudios*: J. F. Montesinos, *Estudios sobre Lope de Vega.* Salamanca, 1969.

Morley-Bruerton: S. G. Morley y C. Bruerton, *Cronología de las comedias de Lope de Vega.* Madrid, 1968.

NBAE: *Nueva Biblioteca de Autores Españoles.*

Nicolás Antonio, *BHN*: Nicolás Antonio, *Biblioteca Hispana Nova,* 2 volúmenes. Madrid, 1783-1788.

NRFH: *Nueva Revista de Filología Hispánica.*

O. S.: Lope de Vega, *Obras sueltas,* ed. F. Cerdá y Rico, 21 volúmenes. Madrid, 1776-1779.

Persiles: Miguel de Cervantes, *Persiles y Sigismunda,* ed. J. B. Avalle-Arce. Madrid, 1969.

RBAM: *Revista de la Biblioteca, Archivo y Museo de Madrid.*

RFE: *Revista de Filología Española.*

RFH: *Revista de Filología Hispánica.*

RHi: *Revue Hispanique.*

RLit: *Revista de Literatura.*

UCPMPh: *University of California Publications in Modern Philology.*

ÍNDICE DE PRIMEROS VERSOS

ÍNDICE DE NOTAS

(Los números se refieren al de orden de las notas.)

ÍNDICE DE LÁMINAS

SE TERMINÓ DE IMPRIMIR EN LOS
TALLERES VALENCIANOS DE
ARTES GRÁFICAS SOLER, S. A.,
EL DÍA 31 DE OCTUBRE DE 1973

TÍTULOS PUBLICADOS

1 / **Luis de Góngora**
****SONETOS COMPLETOS**
Edición, introducción y notas de Biruté Ciplijauskaité.

2 / **Pedro Salinas**
LA VOZ A TI DEBIDA y RAZÓN DE AMOR
Edición, introducción y notas de Joaquín González Muela.

3 / José Martínez Ruiz, Azorín
* **LA VOLUNTAD**
Edición, introducción y notas de E. Inman Fox.

4 / Nicasio Álvarez de Cienfuegos
POESÍAS COMPLETAS
Edición, introducción y notas de José Luis Cano.

5 / **Leandro Fernández de Moratín**
****LA COMEDIA NUEVA y EL SÍ DE LAS NIÑAS**
Ediciones, introducciones y notas de John C. Dowling y René Andioc.

6 / Garcilaso de la Vega
POESÍAS CASTELLANAS COMPLETAS
Edición, introducción y notas de Elias L. Rivers.

7 / **Félix María Samaniego**
FÁBULAS
Edición, introducción y notas de Ernesto Jareño.

8 / **Villamediana**
****OBRAS**
Edición, introducción y notas de Juan Manuel Rozas.

9 / Don Juan Manuel

**EL CONDE LUCANOR

Edición, introducción y notas de José Manuel Blecua.

10 / Lope de Vega y Cristóbal de Monroy

**FUENTE OVEJUNA. Dos comedias

Edición, introducción y notas de Francisco López Estrada.

11 / Juan de Valdés

DIÁLOGO DE LA LENGUA

Edición, introducción y notas de Juan M. Lope Blanch.

12 / Miguel de Cervantes

**LOS TRABAJOS DE PERSILES Y SIGISMUNDA

Edición, introducción y notas de Juan Bautista Avalle-Arce.

13 / Francisco Delicado

* LA LOZANA ANDALUZA

Edición, introducción y notas de Bruno M. Damiani.

14 / Baltasar Gracián

* AGUDEZA Y ARTE DE INGENIO. Tomo I

Edición, introducción y notas de Evaristo Correa Calderón.

15 / Baltasar Gracián

* AGUDEZA Y ARTE DE INGENIO. Tomo II

Edición, introducción y notas de Evaristo Correa Calderón.

16 / Manuel José Quintana

**POESÍAS COMPLETAS

Edición, introducción y notas de Albert Dérozier.

17 / Tirso de Molina

POESÍAS LÍRICAS

Edición, introducción y notas de Ernesto Jareño.

18 / Gaspar Melchor de Jovellanos

**OBRAS EN PROSA

Edición, introducción y notas de José Caso González.

19 / Lope de Vega

EL CABALLERO DE OLMEDO

Edición, introducción y notas de Joseph Pérez.

20 / José de Espronceda

* **POESÍAS LÍRICAS y FRAGMENTOS ÉPICOS**

Edición, introducción y notas de Robert Marrast.

21 /

****RAMILLETE DE ENTREMESES Y BAILES (Siglo XVII)**

Edición, introducción y notas de Hannah E. Bergman.

22 / Diego Hurtado de Mendoza

*****GUERRA DE GRANADA**

Edición, introducción y notas de Bernardo Blanco-González.

23 / Gonzalo de Céspedes y Meneses

*****HISTORIAS PEREGRINAS Y EJEMPLARES**

Edición, introducción y notas de Yves-René Fonquerne.

24 / Alfonso Martínez de Toledo

* **ARCIPRESTE DE TALAVERA o EL CORBACHO**

Edición, introducción y notas de Joaquín González Muela.

25 / Lope de Vega

****EL PERRO DEL HORTELANO y EL CASTIGO SIN VENGANZA**

Edición, introducción y notas de David Kossoff.

26 / Juan Valera

*****LAS ILUSIONES DEL DOCTOR FAUSTINO**

Edición, introducción y notas de Cyrus C. DeCoster.

27 / Juan de Jáuregui

AMINTA. Traducido de Torquato Tasso

Edición, introducción y notas de Joaquín Arce

28 / Vicente García de la Huerta
RAQUEL
Edición, introducción y notas de René Andioc.

29 / Miguel de Cervantes
* ENTREMESES
Edición, introducción y notas de Eugenio Asensio.

30 / Juan Timoneda
* EL PATRAÑUELO
Edición, introducción y notas de Rafael Ferreres.

31 / Tirso de Molina
* EL VERGONZOSO EN PALACIO
Edición, introducción y notas de Francisco Ayala.

32 / Antonio Machado
* NUEVAS CANCIONES y DE UN CANCIONERO APÓCRIFO
Edición, introducción y notas de José M.ª Valverde.

33 / Agustín Moreto
* EL DESDÉN, CON EL DESDÉN
Edición, introducción y notas de Francisco Rico.

34 / Benito Pérez Galdós
***LO PROHIBIDO
Edición, introducción y notas de José F. Montesinos.

35 / Antonio Buero Vallejo
**EL CONCIERTO DE SAN OVIDIO y EL TRAGALUZ
Edición, introducción y notas de Ricardo Doménech.

36 / Ramón Pérez de Ayala
**TINIEBLAS EN LAS CUMBRES
Edición, introducción y notas de Andrés Amorós.

37 / Juan Eugenio Hartzenbusch
LOS AMANTES DE TERUEL
Edición, introducción y notas de Salvador García.

47/Diego de Torres Villarroel

**VIDA, ascendencia, nacimiento, crianza y aventuras

Edición, introducción y notas de Guy Mercadier.

48 / Rafael Alberti

* MARINERO EN TIERRA. LA AMANTE. EL ALBA DEL ALHELÍ

Edición, introducción y notas de Robert Marrast.

49/Gonzalo de Berceo

* VIDA DE SANTO DOMINGO DE SILOS

Edición, introducción y notas de Teresa Labarta de Chaves.

50/Francisco de Quevedo

LOS SUEÑOS

Edición, introducción y notas de Felipe C. R. Maldonado.

51/Bartolomé de Torres Naharro

COMEDIAS. Soldadesca, Tinelaria, Himenea

Edición, introducción y notas de D. W. McPheeters.

52/Ramón Pérez de Ayala

***TROTERAS Y DANZADERAS

Edición, introducción y notas de Andrés Amorós.

53/Azorín

* DOÑA INÉS

Edición, introducción y notas de Elena Catena.

54/Diego de San Pedro

OBRAS COMPLETAS, I. Tractado de Amores de Arnalte y Lucenda y Sermón

Edición, introducción y notas de Keith Whinnom.

55/Lope de Vega

***EL PEREGRINO EN SU PATRIA

Edición, introducción y notas de Juan Bautista Avalle-Arce.

sencillo   ** intermedio*   *** doble*   **** especial*